HARL

Ich ver

Buch

Online-Dating war noch nie ihr Ding – Kat Donovan, Detective bei der New Yorker Kriminalpolizei, ist überzeugter Großstadtsingle. Bis sie sich aus schierer Langeweile doch bei YouAreJustMyType.com anmeldet – und ihre Welt für einen Augenblick zum Stillstand kommt. Denn von ihrem Bildschirm lächelt ihr – unter falschem Namen, aber unverkennbar – der Mann entgegen, der ihr vor 18 Jahren das Herz brach: ihr Ex-Verlobter Jeff, der von einem Tag auf den anderen völlig spurlos aus ihrem Leben verschwand.

Während Kat noch zögert, ob sie alte Wunden wieder aufreißen soll, gibt ein Jugendlicher auf Kats Revier eine Vermisstenanzeige auf: Seine Mutter Dana habe auf einer Dating-Website einen Mann kennengelernt, sei vor einigen Tagen zu einem romantischen Treffen mit ihm aufgebrochen – und seitdem spurlos verschwunden. Kat sieht sich das Profilbild von Danas Online-Liebhaber an ... und blickt in Jeffs wohlbekannte Augen.

Welches falsche Spiel spielt ihre ehemalige große Liebe?

Währenddessen belauert auf einer abgelegenen Farm weit jenseits der Stadtgrenzen ein Mann jeden einzelnen von Kats Schritten. Denn sie droht seinen sorgfältig ausgeklügelten Plan zu stören. Einen Plan, der mit den Sehnsüchten und Hoffnungen einsamer Herzen spielt, bei dem es um viel Geld geht – und der schon so viele Menschenleben gekostet hat, dass es auf eins mehr nicht mehr ankommt ...

Weitere Informationen zu Harlan Coben
sowie zu lieferbaren Titeln des Autors
finden Sie am Ende des Buches.

Harlan Coben

Ich vermisse dich

Thriller

Deutsch
von Gunnar Kwisinski

GOLDMANN

Die Originalausgabe erschien 2014
unter dem Titel »Missing you« bei Dutton,
a member of Penguin Group USA (Inc.), New York.

Dieses Buch ist auch als E-Book erhältlich.

MIX
Papier aus verantwor-
tungsvollen Quellen
FSC® C014496
www.fsc.org

Verlagsgruppe Random House FSC® N001967

1. Auflage
Taschenbuchausgabe Juni 2016
Wilhelm Goldmann Verlag, München,
in der Verlagsgruppe Random House GmbH
Copyright © der Originalausgabe 2014 by Harlan Coben
Copyright © der deutschsprachigen Ausgabe 2015
by Page & Turner/Wilhelm Goldmann Verlag,
München, in der Verlagsgruppe Random House GmbH,
Neumarkter Str. 28, 81673 München
Redaktion: Anja Lademacher
Umschlaggestaltung: UNO Werbeagentur, München
Umschlagmotiv: © Andy & Michelle Kerry/Trevillion Images;
Rodney Harvey/Trevillion Images; FinePic®, München;
Th · Herstellung: Str.
Druck und Einband: GGP Media GmbH, Pößneck
Printed in Germany
ISBN 978-3-442-48435-5
www.goldmann-verlag.de

Besuchen Sie den Goldmann Verlag im Netz

FÜR RAY UND MAUREEN CLARKE

EINS

Kat Donovan drehte sich auf dem Hocker, auf dem schon ihr Vater gesessen hatte, von der Theke weg, um aufzustehen und den Pub zu verlassen, als Stacy sagte: »Was ich getan habe, wird dir nicht gefallen.«

Ihr Tonfall stoppte Kat mitten in der Bewegung. »Was hast du getan?«

Das O'Malley's war früher eine Polizistenkneipe vom alten Schlag gewesen. Schon Kats Großvater hatte hier rumgehangen. Später auch ihr Vater und seine Kollegen vom NYPD. Inzwischen hatte es sich in einen Yuppie-Schuppen voller Preppies, Masters-of-the-Universe, Poser und Arschlöcher verwandelt, lauter Typen in gestärkten und gebügelten weißen Hemden unter schwarzen Anzügen, mit Dreitagebart, die gerade so viel hatten enthaaren lassen, dass sie noch machohaft und unrasiert wirkten. Sie grinsten viel, diese soften Männer, mit ihren Extrem-Gel-Frisuren, und bestellten Ketel One statt Grey Goose, weil die Werbung ihnen erzählt hatte, dass das der Wodka für echte Männer wäre.

Stacys Blick streifte durch die Bar. Ein Ablenkungsmanöver. Kat gefiel das ganz und gar nicht.

»Was hast du getan?«, wiederholte Kat.

»Vorsicht«, sagte Stacy.

»Maulheld bei fünf Uhr.«

Kat drehte sich nach rechts um.

»Siehst du ihn?«, fragte Stacy.

»Klar.«

Die Einrichtung des O'Malley's hatte sich im Lauf der Jahre kaum verändert. Der alte Röhrenfernseher war zwar durch eine Unzahl Flachbildschirme ersetzt worden, auf denen zu viele unterschiedliche Sportereignisse gleichzeitig liefen – wen interessierten schon die Spiele der Edmonton Oilers? Abgesehen davon war das Cop-Kneipen-Feeling im O'Malley's jedoch noch erhalten. Und genau das zog diese Poser an, die Pseudo-Authentizität, die dadurch entstanden war, dass sie den Schuppen übernommen und alles vertrieben hatten, was den Laden früher ausgemacht hatte, sodass der Pub zu einer Disney-Version seines früheren Selbst geworden war.

Kat war die einzige Polizistin, die noch herkam. Die anderen gingen nach der Schicht entweder nach Hause oder zu einem Meeting der Anonymen Alkoholiker. Kat kam immer noch und versuchte, in aller Ruhe gemeinsam mit den Geistern der Vergangenheit auf dem alten Hocker ihres Vaters zu sitzen – ganz besonders an diesem Abend, wo die Gedanken an die Ermordung ihres Vaters ihr wieder einmal schwer zu schaffen machten. Sie wollte einfach nur hier sein, die Gegenwart ihres Vaters spüren, um – so kitschig das auch klingen mochte – daraus Kraft zu schöpfen.

Aber diese Weicheier ließen sie einfach nicht in Ruhe.

Und dieser spezielle Maulheld – Stacys und ihr Kosename für all die wahren Helden, die einen aufs Maul verdient hatten – beging eine typische Maulhelden-Sünde. Er trug eine Sonnenbrille. Abends um elf. In einer schlecht beleuchteten Kneipe. Andere Anklagen wegen Maulheldentums wurden für angekettete Brieftaschen, im Nacken gebundene Kopftücher, offene Seidenhemden, übermäßig viele Tattoos (strafverschärfend: Tribals), das Tragen von Militär-Erkennungsmarken, ohne beim Militär zu sein, und wirklich große, weiße Armbanduhren erhoben.

Sonnenbrille grinste und prostete Kat und Stacy zu.

»Er mag uns«, sagte Stacy.

»Lenk nicht ab. *Was* wird mir nicht gefallen?«

Als Stacy sich wieder zu ihr umdrehte, sah Kat über ihre Schulter hinweg die Enttäuschung in Sonnenbrilles Gesicht, das vor überteuerter Lotion glänzte. Sie hatte diesen Blick schon unzählige Male gesehen. Männer mochten Stacy. Und das war noch stark untertrieben. Stacy war furchteinflößend, umwerfend, zähne-, knochen- und metallerweichend heiß. In Stacys Gegenwart bekamen Männer weiche Knie und benahmen sich albern. Ziemlich albern. Extrem albern.

Vielleicht war es ein Fehler, mit so einer Frau in die Kneipe zu gehen, denn viele Männer kamen zu dem Schluss, dass sie bei dieser Frau nicht landen konnten. Sie erschien ihnen unerreichbar.

Ganz anders als Kat.

Und so nahm Sonnenbrille denn auch Kat ins Visier und machte sich auf den Weg, wobei er eher auf seinem eigenen Schleim dahinzugleiten schien als zu gehen.

Stacy unterdrückte ein Kichern. »Das wird spaßig.«

In der Hoffnung, ihn abzuschrecken, musterte Kat ihn mit leerem Blick und missbilligendem Stirnrunzeln. Doch Sonnenbrille war nicht zu bremsen. Er tänzelte im Rhythmus eines Soundtracks heran, der nur in seinem Kopf spielte.

»Hey, Babe«, sagte Sonnenbrille. »Heißt du zufällig Wi-Fi?«

Kat wartete.

»Ich spüre da nämlich so eine Verbindung.«

Stacy prustete los.

Kat starrte ihn nur an. Er fuhr fort.

»Ich mag euch kleine Bräute, weißt du? Ihr seid einfach entzückend. Weißt du, was gut auf mir aussehen würde? Du.«

»Jemals Erfolg mit den Sprüchen gehabt?«, fragte Kat.

»Ich bin noch nicht fertig.« Sonnenbrille hustete sich in die Hand, zog sein iPhone heraus und streckte es Kat entgegen. »Hey, Babe, Glückwunsch, du stehst ganz oben auf meiner To-do-Liste.«

Stacy war begeistert.

Kat fragte: »Wie heißen Sie?«

Er zog eine Augenbraue hoch. »Wie immer du willst, Baby.«

»Wie wäre es mit Dummschwätzer?« Kat öffnete die Jacke und zeigte ihm ihre Pistole am Gürtel. »Ich werde jetzt zu meiner Waffe greifen, Dummschwätzer.«

»Verdammt, Mädel, du bist wohl mein neuer Chef?« Er deutete auf seinen Schritt. »Weil du mir gerade was erhöht hast. Wenn auch nicht meinen Lohn.«

»Verschwinden Sie.«

»Meine Liebe für dich ist wie Durchfall«, sagte Sonnenbrille. »Ich kann sie einfach nicht in mir halten.«

Kat starrte ihn entgeistert an.

»War das zu viel?«, fragte er.

»Oh Mann, das ist einfach widerlich.«

»Mag sein, aber ich wette, den Spruch hast du noch nie gehört.«

Die Wette hätte er gewonnen. »Verschwinden Sie. Sofort.«

»Ehrlich?«

Stacy konnte sich vor Lachen kaum auf den Beinen halten.

Sonnenbrille wollte sich abwenden. »Moment. Das ist ein Test, oder? Nennst du mich Dummschwätzer, um mich scharf zu machen?«

»Verschwinden Sie.«

Er zuckte die Achseln, drehte sich um, sah Stacy an und dachte, was soll's? Er musterte ihren langen Körper von oben bis unten und sagte dann: »Das Wort des Tages ist Beine. Vielleicht sollten wir beide mal in uns gehen und die Untiefen dazwischen ausloten.«

Stacy war immer noch begeistert. »Nimm mich, Dummschwätzer, sofort. Auf der Stelle.«

»Wirklich?«

»Nein.«

Dummschwätzer drehte sich zu Kat um. Kat legte die Hand auf den Pistolengriff. Er hob die Hände und ging.

Kat sagte: »Stacy?«

»Hm.«

»Warum glauben diese Typen eigentlich immer wieder, sie hätten eine Chance bei mir?«

»Weil du hübsch und keck aussiehst.«

»Ich bin nicht keck.«

»Nein, aber du siehst keck aus.«

»Jetzt mal ehrlich, seh ich wirklich wie eine totale Versagerin aus?«

»Du siehst beschädigt aus«, sagte Stacy. »Ich sag das nicht gerne. Aber der Schaden … du strahlst es aus wie ein Pheromon, dem diese Weicheier nicht widerstehen können.«

Beide tranken einen Schluck.

»Also, was wird mir nicht gefallen?«, fragte Kat.

Stacy sah dem Dummschwätzer hinterher. »Jetzt tut er mir leid. Vielleicht sollte ich ihm einen Quickie gönnen.«

»Fang nicht wieder damit an.«

»Wieso?« Stacy schlug die angeberisch langen Beine übereinander und lächelte Dummschwätzer zu. Er zog ein Gesicht, das Kat an einen Hund erinnerte, den man zu lange im Auto gelassen hatte. »Findest du diesen Rock zu kurz?«

»Rock?«, sagte Kat. »Ich dachte, es wäre ein Gürtel.«

Stacy gefiel das. Sie genoss es, im Mittelpunkt zu stehen. Sie riss gerne Männer auf, weil sie glaubte, eine Nacht mit ihr wäre für die Typen eine Erfahrung, die ihr Leben verändern würde. Außerdem war es Teil ihres Jobs. Zusammen mit zwei anderen hinreißenden Frauen besaß Stacy eine Privatdetektei. Ihre Spezialität? Männer, die fremdgingen, zu überführen (oder sagen wir besser, zu verführen).

»Stacy?«

»Hmm.«

»Was wird mir nicht gefallen?«

»Das hier.«

Während sie weiter mit Dummschwätzer kokettierte, reichte sie Kat einen Zettel. Kat sah den Zettel an und runzelte die Stirn.

KD8115
HottestSexEvah

»Was ist das?«

»KD8115 ist dein Benutzername.«

Ihre Initialen und die Nummer ihrer Polizeimarke.

»HottestSexEvah ist dein Passwort. Oh, achte auf die Groß- und Kleinschreibung.«

»Und wofür sind die?«

»Eine Internetseite. YouAreJustMyType.com.«

»Was?«

»Eine Online-Partnerbörse.«

Kat verzog das Gesicht. »Bitte sag mir, dass das ein Scherz ist.«

»Ist was Seriöses.«

»Das sagt man auch über manche Striptease-Clubs.«

»Ich habe dich da angemeldet und für ein Jahr bezahlt.«

»Das soll ein Witz sein, oder?«

»Ich mache keine Witze. Ich arbeite gelegentlich für die Firma. Die ist gut. Und machen wir uns nichts vor, du brauchst jemanden. Du willst jemanden. Und hier wirst du ihn nicht finden.«

Kat seufzte, stand auf und nickte dem Barkeeper zu, einem Mann namens Pete, der aussah wie ein Charakterdarsteller, der immer die Rolle des irischen Barkeepers in einem Pub bekam, was er in diesem Fall tatsächlich war. Pete erwiderte das Nicken und schrieb Kats Drinks auf ihren Deckel.

»Wer weiß«, sagte Stacy. »Vielleicht findest du da den Richtigen.«

Kat ging zur Tür. »Wahrscheinlich aber auch wieder nur einen Dummschwätzer.«

Kat rief »YouAreJustMyType.com« auf, gab ihren Benutzernamen und das peinliche Passwort ein. Sie runzelte die Stirn, als sie die Kurzbeschreibung oben im Profil sah, die Stacy für sie ausgewählt hatte:

Hübsch und keck!

»Immerhin hat sie beschädigt weggelassen«, murmelte Kat.

Es war nach Mitternacht, aber Kat schlief nicht sehr viel. Die Wohnung, in der sie lebte, war eigentlich viel zu exklusiv für sie – eine Dachwohnung an der West 67th Street in der Nähe vom Central Park. Vor hundert Jahren hatten in diesem Haus und in den Nachbargebäuden, zu denen auch das berühmte *Hotel des Artistes* gehörte, Schriftsteller, Maler, Intellektuelle und andere Künstler gewohnt. Das geräumige, anheimelnde Apartment ging zur Straße hinaus, die kleineren Künstlerateliers nach hinten zum Hof. Irgendwann waren die alten Ateliers zu Einzimmerwohnungen umgebaut worden. Kats Vater, ein Polizist, der gesehen hatte, wie seine Freunde durch den Kauf von Immobilien reich geworden waren, hatte versucht, irgendwie daran teilzuhaben. Ein Mann, dem Dad das Leben gerettet hatte, hatte ihm die Wohnung billig verkauft.

Kat war zu Beginn ihres Studiums an der Columbia University hier eingezogen. Die Ausbildung an der Eliteuniversität hatte sie mit einem Stipendium der New Yorker Polizei bezahlt. Ihre Lebensplanung hatte ein Jurastudium und den Beitritt in eine führende Anwaltskanzlei in New York City vorgesehen, um dem Polizeidienst, dieser verfluchten Familientradition, zu entkommen.

Leider war es anders gekommen.

Neben der Tastatur stand ein Glas Rotwein. Kat trank zu viel. Sie wusste, dass das ganz dem Klischee entsprach. Polizisten, egal ob männlich oder weiblich, tranken zu viel. Aber manchmal sind diese Klischees eben nicht ganz grundlos entstanden. Sie funktionierte. Bei der Arbeit trank sie nicht. Es beeinträchtigte ihr Leben nicht merklich, aber wenn Kat spätnachts zum Telefon griff oder eine Entscheidung traf, war diese oft von einer gewissen, sagen wir, Nachlässigkeit gekennzeichnet. Im Lauf der Jahre hatte sie gelernt, das Handy auszuschalten und nach zehn Uhr abends keine E-Mails mehr zu schicken.

Aber jetzt saß sie spätnachts am Schreibtisch und sah sich wahllos Typen auf einer Partnervermittlungs-Webseite an.

Stacy hatte vier Fotos auf Kats Seite hochgeladen. Kats Profilbild, ein Porträt, war ein Ausschnitt aus einem Gruppenbild der Brautjungfern bei einer Hochzeit im letzten Jahr. Kat versuchte, es mit einem objektiven Blick zu betrachten, was ihr aber nicht gelang. Sie konnte das Foto nicht ausstehen. Die Frau darauf sah unsicher aus, lächelte flau und wirkte, als rechnete sie damit, im nächsten Moment eine Ohrfeige zu bekommen oder so etwas. Als sie sich schließlich an das schmerzliche Ritual machte, sich sämtliche Fotos anzusehen, stellte sie fest, dass es sich bei allen um Ausschnitte aus Gruppenbildern handelte – und dass Kat auf allen etwas verhuscht aussah.

Okay, Schluss mit ihrem eigenen Profil.

Bei der Arbeit traf sie nur Polizisten. Sie wollte keinen Cop. Cops waren gute Menschen, aber furchtbare Ehemänner. Das wusste sie nur zu gut. Als Oma unheilbar krank wurde, war Opa, der nicht damit zurechtkam, abgehauen und erst wieder aufgetaucht, als es … tja … zu spät war. Opa hatte sich das nie verziehen. Das war jedenfalls Kats Theorie. Er war einsam, und obgleich er für viele ein Held war, hatte er gekniffen, als es am wichtigsten gewesen wäre. Er hatte damit nicht leben können – und sein Dienstrevolver war immer zur Hand, dort auf dem obersten Regal in der Küche, wo er immer lag. Und irgendwann hatte Kats Großvater dort hineingegriffen, die Waffe heruntergenommen, sich allein an den Küchentisch gesetzt und …

Ka-boom.

Dad war immer wieder auf Sauftour gewesen und für mehrere Tage am Stück verschwunden. Mom hatte sich dann jedes Mal besonders fröhlich gegeben, was das Ganze nur noch gruseliger und unheimlicher gemacht hatte. Entweder behauptete sie, dass Dad in geheimer Mission unterwegs sei, oder sie ignorierte sein Verschwinden komplett und lebte ein buchstäbliches »Aus den Augen, aus dem Sinn«, bis Dad, vielleicht eine Woche später, frisch rasiert, mit einem breiten Lächeln im Gesicht und einem Dutzend Rosen für Mom wieder antanzte und alle so taten, als wäre das vollkommen normal.

YouAreJustMyType.com. Sie, die hübsche und kecke Kat Donovan, studierte die Seite einer Partnerbörse im Internet. Mannomann, keine Spur von wohldurchdachter Planung. Sie hob das Weinglas, toastete dem Bildschirm zu und trank einen kräftigen Schluck.

Leider war die Welt nicht mehr so eingerichtet, dass sie einem automatisch einen Lebenspartner präsentierte. Sex war etwas anderes. Das war kein Problem. Und genau das war auch die überwiegende Erwartungshaltung bei der Partnerbörse, für jedermann leicht erkennbar, ohne dass darüber gesprochen wurde. Und obwohl Kat die fleischlichen Freuden ebenso schätzte wie jede andere junge Frau, wusste sie doch genau, dass die Chance für eine langfristige Beziehung extrem sanken, wenn man mit jemandem zu früh ins Bett ging – ganz egal, ob es einem in dem Moment richtig oder falsch vorkam. Das war keine moralische Wertung. Das war einfach Fakt.

Ihr Computer piepte. Ein Nachrichtenfenster öffnete sich.

Wir haben passende Partner für Sie gefunden! Klicken Sie hier, um eine Person kennenzulernen, die perfekt zu Ihnen passen könnte!

Kat trank den Wein aus. Sie überlegte, ob sie sich noch ein Glas einschenken sollte, aber nein, es reichte. Sie ging kurz in sich und wurde sich einer offensichtlichen, wenn auch bisher unausgesprochenen Wahrheit bewusst: Sie wollte jemanden, mit dem sie ihr Leben teilen konnte. Zeit, sich das einzugestehen, okay? Sosehr sie ihre Unabhängigkeit auch schätzte, wollte Kat doch einen Mann, einen Partner, jemanden, der nachts neben ihr lag. Sie schmachtete nicht danach, forcierte es auch nicht, gab sich wahrscheinlich nicht einmal viel Mühe, jemanden zu finden. Trotzdem war sie nicht fürs Alleinsein geschaffen.

Sie fing an, durch die Profile zu klicken. Man muss schon mitspielen, um gewinnen zu können.

Erbärmlich!

Manche Männer konnte sie bereits nach einem kurzen Blick aufs Profilfoto ausklammern. Ja, wenn man darüber nachdachte, war genau das der Schlüssel zum Erfolg. Das Profilbild, das der Mann sorgfältig ausgesucht hatte, war meist der erste, sehr bewusst gewählte Eindruck. Es sprach also Bände.

Daher: Wenn du die bewusste Entscheidung getroffen hast, einen Filzhut zu tragen, ist das ein automatisches Nein. Wenn du dich entschieden hast, kein Hemd zu tragen, ganz egal, wie gut du gebaut bist – ein automatisches Nein. Wenn du einen Bluetooth-Ohrhörer trägst – herrje, was bist du wichtig – automatisches Nein. Wenn du ein Unterlippenbärtchen oder eine Weste trägst, blinzelst, irgendwelche Gesten mit den Händen machst, ein orangefarbenes Hemd anhast (persönliche Abneigung) oder die Sonnenbrille oben auf der Stirn balancierst – automatisches Nein, Nein, Nein. Wenn dein Profilname das Wort Hengst enthält oder Sexy-Smile, RichPrettyBoy, LadySatisfier lautet – Sie merken schon, worauf das hinausläuft.

Kat öffnete ein paar Seiten von Männern, die, in ihren Augen … zugänglich aussahen. Alle Texte strahlten eine traurige, deprimierende Gleichförmigkeit aus. Sämtliche Männer auf der Webseite liebten Strandspaziergänge, gingen gern essen, trieben Sport, unternahmen Fernreisen, gingen zu Weinproben, in Theater und Museen, waren aktiv, abenteuerlustig und scheuten das Risiko nicht – gleichzeitig blieben sie aber auch gern zu Hause, um gemeinsam einen Film anzusehen, Kaffee zu trinken, sich zu unterhalten, zu kochen, ein Buch zu lesen und andere schlichte Freuden des Lebens zu genießen. Jeder Mann behauptete, die wichtigste Eigenschaft, die er in einer Frau suche, sei ihr Sinn für Humor – sowieso, auf jeden Fall –, was so weit ging, dass Kat sich fragte, ob »Sinn für Humor« eine Umschreibung für »dicke Titten« war. Natürlich beschrieb jeder Mann den bevorzugten Körperbau als sportlich, schlank *und feminin*.

Das klang schon richtiger, zeigte vielleicht sogar einen Anflug von Ehrlichkeit im Wunschdenken.

Die Profile entsprachen nie der Realität. Statt zu zeigen, wer man war, stellten sie wunderbare, wenn auch nutzlose Übungen dar zu beschreiben, wofür man sich hielt – oder wofür der potenzielle Partner einen halten sollte. Oder, was vielleicht noch wahrscheinlicher war, die Profile zeigten einfach (und ja, es wäre ein Fest für jeden Psychologen), wie man gerne wäre.

Fast jeder hatte ein persönliches Motto, und sie hätten unterschiedlicher nicht sein können, aber wenn man sie alle in einem Wort hätte zusammenfassen wollen, träfe *Melasse* es wahrscheinlich am besten. Das erste Motto lautete: »Das Leben ist jeden Morgen wieder wie eine leere Leinwand, die darauf wartet, bemalt zu werden«… klick. Einige versuchten, Ehrlichkeit zu beschwören, indem sie mehrmals wiederholten, dass sie ehrlich wären. Manche täuschten Aufrichtigkeit vor. Manche gaben sich hochtrabend, arrogant, unsicher oder bedürftig. Eigentlich wie im richtigen Leben, dachte Kat. Die meisten waren einfach zu bemüht. Wie billiges Parfüm verströmte der Computer-Monitor wabernde Wolken des Ruchs der Verzweiflung. Das allgegenwärtige

Geschwafel über Seelenverwandtschaft war bestenfalls abtörnend. Im richtigen Leben, dachte Kat, ist keiner von uns in der Lage, einen Menschen zu finden, mit dem er mehr als einmal ausgehen will, aber aus irgendeinem Grund glauben wir, dass wir auf YouAreJustMyType.com sofort die Person entdecken, mit der wir den Rest unseres Lebens verbringen wollen.

Wahnhaftes Verhalten? Oder starb die Hoffnung wirklich zuletzt?

Das war die andere Seite der Medaille. Es war leicht, zynisch zu sein und Witze zu reißen, aber wenn sie das Ganze mit ein wenig mehr Abstand betrachtete, wurde Kat etwas klar, das sie bis ins Mark traf: Hinter jedem Profil steckte ein Leben. Banal, ja, aber hinter jedem noch so klischeebeladenen, Bitte-liebe-mich-Profil verbarg sich ein Mitmensch mit Träumen, Zielen und Wünschen. Diese Leute hatten sich nicht umsonst angemeldet, Gebühren bezahlt und den Fragebogen ausgefüllt. Wenn man sich das überlegte: Jede einzelne dieser einsamen Personen war in der Hoffnung auf diese Internetseite gekommen – hatte die Anmeldeprozedur erledigt und auf Profile geklickt –, dass es dieses Mal anders laufen würde, hoffte, allen Widrigkeiten zum Trotz, dass sie hier auf den einen Menschen stoßen würde, der am Ende der wichtigste Mensch ihres Lebens wurde.

Wow. Einen Moment lang drohte diese Erkenntnis sie zu überwältigen.

Kat hatte sich gedankenverloren mit relativ konstanter, vielleicht leicht zunehmender Geschwindigkeit durch die Profile geklickt. Die Gesichter der Männer – Männer, die sich in der Hoffnung angemeldet hatten, hier »die Eine« zu finden – verschwammen vor ihren Augen zu einer breiigen Masse, als plötzlich ein Bild daraus hervorstach.

Ein, vielleicht zwei Sekunden lang traute sie ihren Augen nicht. Dann dauerte es noch eine Sekunde, bis der Finger aufhörte, die Maustaste zu bedienen, eine weitere, in der die Profilbilder langsam ausliefen und zum Stillstand kamen. Kat lehnte sich zurück und atmete tief durch.

Das war unmöglich.

Während sie über die Männer hinter den Bildern sinnierte, über ihre Leben, ihre Bedürfnisse, ihre Hoffnungen nachdachte, hatte sie extrem schnell geklickt. Ihr Gehirn, das in Kats Job gleichermaßen ihre Stärke als auch ihre Schwäche war, hatte sich mit den umherschweifenden Gedanken beschäftigt und sich nicht auf die Bilder vor ihr konzentriert, trotzdem hatte es das Wesentliche erfasst. In der Sprache der Strafverfolgungsbehörden bedeutete das, dass sie in der Lage war, Möglichkeiten wie Fluchtrouten, Alternativ-Szenarien oder eine versteckt lauernde Gestalt ausfindig zu machen, sowie Verdunkelungen, Hinderungsgründe oder Vorwände zu erkennen.

Es bedeutete aber auch, dass Kat das Offensichtliche manchmal übersah.

Sie fing an, langsam auf den Zurück-Pfeil zu klicken.

Es war vollkommen unmöglich.

Das Foto war nur kurz aufgeflackert. Die ganzen Gedanken über wahre Liebe, einen Seelenverwandten, die eine Person, mit der man sein Leben verbringen wollte ... wie sollte sie ihrer Fantasie vorwerfen, ihr einen Streich gespielt zu haben? Es war achtzehn Jahre her. Sie hatte ein paarmal mehr oder weniger betrunken seinen Namen gegoogelt, aber nur ein paar alte Artikel von ihm gefunden. Nichts Aktuelles. Das hatte sie überrascht, ihre Neugier geweckt – Jeff war ein toller Journalist gewesen –, aber was sollte sie machen? Kat war zwischenzeitlich versucht gewesen, gründlicher nach ihm zu suchen. Das wäre in ihrer Position ohne allzu großen Aufwand möglich gewesen. Aber sie mochte es nicht, ihre Verbindungen zu den Strafverfolgungsbehörden für private Zwecke zu nutzen. Natürlich hätte sie auch Stacy fragen können, aber auch da galt: Was sollte es bringen?

Jeff war weg.

Einen Ex-Lover zu verfolgen oder auch nur zu googeln, war einfach nur jämmerlich. Okay, Jeff war mehr als das gewesen. Viel mehr. Geistesabwesend fuhr Kat mit dem Daumen über ihren linken Ringfinger. Leer. Das war er aber nicht immer gewesen. Jeff hatte um ihre Hand angehalten, hatte alles richtig gemacht. Er hatte ihren Vater um Erlaubnis gefragt. Er war vor ihr niedergekniet. Nichts Kitschiges. Er hatte den Ring nicht im Dessert versteckt oder die Frage im Madison Square Garden an die Anzeigetafel schreiben lassen. Es war stilvoll, romantisch und traditionell gewesen, weil er wusste, dass sie es sich genauso gewünscht hätte.

Tränen traten ihr in die Augen.

Kat klickte sich über den Zurück-Pfeil durch ein Potpourri aus Gesichtern und Frisuren, durch die vereinten Nationen verfügbarer Junggesellen, dann stoppte ihr Finger. Einen Moment lang starrte sie einfach mit angehaltenem Atem auf den Monitor und traute sich nicht, sich zu bewegen.

Dann stieß sie einen leisen Schrei aus.

Der zuvor tief verborgene Kummer war sofort wieder da. Die alte Wunde fühlte sich so frisch an, als wäre Jeff gerade erst durch die Tür gegangen und nicht vor achtzehn Jahren. Ihre Hand zitterte, als sie sie zum Monitor ausstreckte und sein Gesicht berührte.

Jeff.

Immer noch so verdammt attraktiv. Er war etwas gealtert,

die Schläfen waren leicht angegraut, aber, Mann, das stand ihm gut. Kat hatte das nicht anders erwartet. Ihr war damals schon klar, dass Jeff zu den Männern gehören würde, die im Lauf der Jahre attraktiver wurden. Sie streichelte sein Gesicht. Eine Träne löste sich aus ihrem Augenwinkel.

Oh Mann, dachte sie.

Sie versuchte, sich zusammenzureißen, versuchte, etwas runterzukommen und die Dinge ins rechte Licht zu rücken, aber um sie herum drehte sich alles, und sie sah keine Möglichkeit, die Bewegung zu bremsen. Sie legte ihre noch immer zitternde Hand auf die Maus und klickte auf das Profilbild.

Die nächste Seite öffnete sich. Da stand Jeff in einem Flanellhemd und Jeans, die Hände in den Taschen und mit so blauen Augen, dass man unwillkürlich nach dem Rand einer Kontaktlinse suchte. Er war sehr attraktiv. Sah so verdammt gut aus. Er wirkte fit und sportlich, und trotz allem machten sich andere Regungen tief in Kats Innerem bemerkbar. Sie riskierte einen kurzen Blick ins Schlafzimmer. Sie hatte schon damals, als sie mit ihm zusammen war, hier gewohnt. Nach ihm waren andere Männer in diesem Schlafzimmer gewesen, aber nichts war dem Hochgefühl nahe gekommen, das sie mit ihrem Verlobten erlebt hatte. Sie wusste, wie sich das anhören musste, aber als sie mit Jeff zusammen war, hatte er alles in ihr zum Klingen gebracht. Es lag nicht an einer Technik, der Größe oder sonst irgendetwas. Es lag – so unerotisch das auch klang – am Vertrauen. Dieses Vertrauen hatte den Sex so umwerfend gemacht. Kat hatte sich bei ihm sicher gefühlt. Sie war selbstsicher, schön, furchtlos und frei gewesen. Er hatte sie zwar gelegentlich herausgefordert, die Kontrolle übernommen, aber sie hatte sich bei ihm nie verletzlich oder befangen gefühlt.

Bei anderen Männern hatte Kat nie richtig loslassen können.

Sie schluckte und klickte auf den Link zum vollständigen Profil. Sein persönliches Motto war kurz und, wie Kat fand, perfekt: Lass uns sehen, was passiert.

Kein Druck. Keine grandiosen Pläne. Keine Bedingungen, Versprechungen oder hochgesteckten Erwartungen.

Lass uns sehen, was passiert.

Sie klickte auf seinen Status. Im Lauf der letzten achtzehn Jahre hatte Kat sich unzählige Male gefragt, wie es ihm ergangen war. Die erste Frage war also naheliegend: Was war in Jeffs Leben passiert, dass er auf einer Internetseite für Singles gelandet war?

Andererseits: Was war in ihrem Leben passiert?

Der Status lautete: Witwer.

Noch ein Wow.

Sie versuchte, sich das vorzustellen – wie Jeff eine Frau geheiratet, mit ihr zusammengelebt hatte, bis sie schließlich verstorben war. Der Gedanke ließ sie nicht los. Noch nicht. Sie sperrte sich gegen die Vorstellung. Das war okay. Mach einfach weiter. Es gab keinen Grund, sich länger damit aufzuhalten.

Witwer.

Dann ein weiterer Schock: Ein Kind.

Alter und Geschlecht waren nicht angegeben, aber das spielte natürlich auch keine Rolle. Jede Enthüllung, jede neue Information über den Mann, den sie einmal von ganzem Herzen geliebt hatte, drohte ihre Welt erneut aus der Bahn zu werfen. Er hatte ein ganzes Leben ohne sie gelebt. Warum überraschte sie das? Was hatte sie erwartet? Ihre Trennung war sowohl plötzlich als auch unvermeidlich gewesen. Auch wenn er sie letztendlich verlassen hatte, war es doch ihre Schuld gewesen. Er war einfach verschwunden, ganz plötzlich, und mit ihm das ganze Leben, das sie gekannt und geplant hatte.

Jetzt war er wieder da, als einer von ein- oder zweihundert Männern, durch deren Profile sie sich geklickt hatte.

Stellte sich nur die Frage, wie sie damit umgehen sollte.

ZWEI

Gerard Remington hatte nur wenige Stunden davorgestanden, Vanessa Moreau einen Heiratsantrag zu machen, als es um ihn herum schwarz wurde.

Der Heiratsantrag war, wie so viele Dinge in Gerard Remingtons Leben, sorgfältig geplant gewesen. Erster Schritt: Nach ausgiebiger Recherche hatte Gerard einen Verlobungsring gekauft: 2,93 Karat, exquisiter Schliff, Reinheit VVS1, Farbe F, Platinring mit runder Fassung. Er hatte ihn bei einem namhaften Juwelier im Diamantenviertel in Manhattan gekauft – nicht in einem der überteuerten, größeren Läden, sondern an einem Stand weiter hinten an der Ecke zur 6th Avenue.

Zweiter Schritt: Ihre Maschine würde als JetBlue Flug Nummer 267 um 7 Uhr 30 am Bostoner Logan Airport abheben und um 11 Uhr 31 in St. Maarten landen, wo er und Vanessa in eine kleine Klapperkiste nach Anguilla umsteigen und um 12 Uhr 45 auf der Karibikinsel ankommen würden.

Schritt drei, vier etc.: Sie würden sich in der zweigeschossigen Villa vom Viceroy Anguilla Hotel mit Blick auf Meads Bay entspannen, sich kurz im hauseigenen Infinity-Pool erfrischen, sich lieben, duschen und sich anziehen und im Blanchards essen gehen. Das Abendessen war für 19 Uhr reserviert. Gerard hatte angerufen und eine Flasche von Vanessas Lieblingswein vorbestellt, einen Château Haut-Bailly Grand Cru Classé 2005, einen Bordeaux aus dem Gebiet Pessac-Léognan. Nach dem Abendessen würden Gerard und Vanessa barfuß, Hand in Hand am Strand entlangspazieren. Er hatte im Mondphasenkalender nachgesehen und wusste, dass es beinahe Vollmond war. Einhundertachtundneunzig Meter den Strand hinab (er hatte es ausmessen lassen) stand eine schilfgedeckte Hütte, die tagsüber für den Verleih von Schnorcheln und Wasserski genutzt wurde. Nachts war sie leer. Ein örtlicher Blumenhändler würde die Vorderveranda mit einundzwanzig (die Anzahl der Wochen, die sie sich kannten) weißen Callas schmücken (Vanessas Lieblingsblume). Außerdem würde sie dort ein Streichquartett erwarten. Auf Gerards Stichwort würde das Quartett *Somewhere Only We Know* von Keane spielen, der Song, den Vanessa und er sich als den ihren erwählt hatten. Und weil beide Traditionen mochten, würde Gerard vor ihr niederknien. Gerard konnte Vanessas Reaktion vor seinem inneren Auge aufziehen lassen. Sie würde überrascht nach Luft schnappen. Tränen würden ihr in die Augen steigen. Sie würde erstaunt und erfreut die Hände vors Gesicht schlagen.

»Du bist in mein Leben getreten und hast es für immer verändert«, würde Gerard sagen. »Wie ein Superkatalysator hast du dieses einfache Stück Lehm in etwas unendlich Bedeutsameres, Glücklicheres und Lebensfroheres verwandelt, als ich es mir je hätte vorstellen können. Ich liebe dich. Ich liebe dich von ganzem Herzen. Ich liebe alles an dir. Dein Lächeln gibt meinem Leben Farbe und Struktur. Du bist die schönste und leidenschaftlichste Frau auf der Welt. Würdest du mich heiraten und mich damit zum glücklichsten Mann auf der Welt machen?«

Am exakten Wortlaut hatte Gerard noch gearbeitet – er musste perfekt sein –, als es um ihn herum schwarz wurde. Aber jedes Wort entsprach der Wahrheit. Er liebte Vanessa.

Er liebte sie von ganzem Herzen. Gerard war nie ein großer Romantiker gewesen. Sein Leben lang hatten die Menschen ihn immer wieder enttäuscht. Anders als die Wissenschaft. Ehrlich gesagt war er immer am zufriedensten gewesen, wenn er allein war und Mikroben und andere Organismen bekämpft, neue Medikamente und Gegenmittel entwickelt hatte, um die Kriege gegen sie zu gewinnen. Er war vollkommen zufrieden gewesen in seinem Labor bei Benesti Pharmaceuticals, wenn er an der Tafel eine Gleichung löste. In der Beziehung war er etwas altmodisch, wie seine jüngeren Kollegen immer wieder betonten. Er mochte die Tafel. Sie half ihm beim Denken, er mochte den Geruch der Kreide, den Staub, die schmutzigen Finger, die Leichtigkeit, mit der sich alles wieder wegwischen ließ, denn in der Wissenschaft sollte nur Weniges ewig währen.

Ja, in diesen verlorenen, einsamen Momenten war Gerard am zufriedensten.

Zufrieden. Aber nicht glücklich.

Seit er Vanessa kennengelernt hatte, war er das erste Mal im Leben glücklich gewesen.

Gerard öffnete die Augen und dachte an sie. Mit Vanessa war alles bis in die zehnte Potenz erhöht. Keine andere Frau hatte ihn je geistig, emotional und, ja, natürlich, körperlich so bewegt. Keine Frau, die er kannte, würde das jemals können.

Er hatte die Augen geöffnet, doch die Dunkelheit blieb bestehen. Erst fragte er sich, ob er irgendwie doch noch zu Hause wäre, aber dafür war es viel zu kalt. Sein digitaler Thermostat stand immer genau auf 21,9 Grad. Immer. Vanessa hatte ihn oft wegen seiner Präzision aufgezogen. Im Laufe seines Lebens hatten einige Leute Gerards Bedürfnis nach Ordnung für eine anale Fixierung oder sogar für eine

Zwangsstörung gehalten. Vanessa hingegen verstand ihn. Sie schätzte es und betrachtete es manchmal sogar als Vorteil. »Das macht dich zu einem großen Wissenschaftler und einem fürsorglichen Mann«, hatte Vanessa einmal zu ihm gesagt. Sie erläuterte ihm ihre Theorie, dass Personen, die wir heute als »etwas schräg« einordnen, in der Vergangenheit die Genies in Kunst, Wissenschaft und Literatur gewesen waren, die wir inzwischen mit Diagnosen und Medikamenten zurechtstutzten, sie gleichschalteten und ihre Sinne abstumpften.

»Genie entspringt dem Ungewöhnlichen«, hatte Vanessa ihm erklärt.

»Und ich bin ungewöhnlich?«

»Im allerbesten Sinne, mein Süßer.«

Doch während ihm vor Erinnerung das Herz überging, konnte Gerard doch den seltsamen Geruch nicht ignorieren. Es roch muffig, alt und moderig und wie …

Wie Erde. Wie frische Muttererde.

Panik erfasste ihn. In der pechschwarzen Dunkelheit versuchte Gerard, die Hände zum Gesicht zu führen. Es ging nicht. Seine Handgelenke waren gefesselt. Mit einem Seil oder, nein, etwas Dünnerem. Vielleicht Draht. Er versuchte, die Beine zu bewegen. Sie waren zusammengebunden. Er spannte die Bauchmuskeln an und versuchte, beide Beine nach oben zu schwingen, sie trafen jedoch auf etwas. Holz. Direkt über ihm. Als wäre er in …

Sein Körper fing an, sich vor Angst aufzubäumen.

Wo war er? Wo war Vanessa?

»Hallo?«, rief er. »Hallo?«

Gerard versuchte, sich aufzusetzen, doch er konnte sich nicht bewegen. Er wartete darauf, dass seine Augen sich an die Dunkelheit gewöhnten, aber es ging nicht schnell genug.

»Hallo? Hört mich jemand? Bitte helfen Sie mir!«

Er hörte etwas. Direkt über sich. Es klang wie ein Kratzen oder Schlurfen oder…

Oder Schritte?

Schritte direkt über ihm.

Gerard dachte an die Dunkelheit. Er dachte an den Geruch frischer Erde. Plötzlich kannte er die Antwort, auch wenn sie vollkommen unlogisch war.

Ich bin unter der Erde, dachte er. Ich bin unter der Erde.

Dann fing er an zu schreien.

DREI

Kat wurde eher bewusstlos, als dass sie einschlief.

Wie an jedem Wochentag weckte ihr iPod sie um sechs Uhr morgens mit ihrem Lieblings-Zufallssong – an diesem Morgen war es *Bulletproof Weeks* von Matt Nathanson. Es war ihr sehr wohl bewusst, dass sie in ebenjenem Bett schlief, in dem sie auch vor all den Jahren mit Jeff geschlafen hatte. Der Raum war immer noch mit dunklem Holz getäfelt. Der Vorbesitzer war Geiger bei den New Yorker Philharmonikern gewesen und hatte beschlossen, dass die komplette Fünfzig-Quadratmeter-Wohnung wie das Innere eines alten Schiffs aussehen sollte. Überall dunkles Holz und Bullaugen als Fenster. Jeff und sie hatten sich darüber amüsiert und alberne, doppeldeutige Bemerkungen gemacht, dass sie das Boot ins Schaukeln oder zum Kentern bringen würden, oder sie hatten nach einem Rettungsfloß gerufen.

In der Liebe konnte einen die Sentimentalität schon einmal überwältigen.

»Diese Wohnung«, sagte Jeff, »das bist so ganz und gar nicht du.«

Natürlich hatte er seine studentische Verlobte für freundlicher und fröhlicher gehalten als ihre Umgebung. Doch inzwischen, achtzehn Jahre später, fand jeder, der ihre Bleibe betrat, dass sie perfekt zu Kat passte. Es war wie bei Ehepartnern, von denen man sagt, dass sie sich im Lauf der Jahre immer ähnlicher werden, allmählich glich sie dieser Wohnung. Kat überlegte, ob sie im Bett bleiben und noch eine Mütze Schlaf nehmen sollte, aber in einer Viertelstunde begann ihr Kurs. Ihr Lehrer, Aqua, ein winziger Transvestit mit schizophrener Persönlichkeitsstörung, akzeptierte allenfalls lebensbedrohliche Situationen als Grund fürs Nichterscheinen. Außerdem könnte Stacy kommen, und Kat hoffte, ihr von diesen ganzen Entwicklungen in Sachen Jeff berichten zu können. Kat schlüpfte in die Yoga-Hose und das Trägertop, schnappte sich eine Flasche Wasser und ging zur Tür. Ihr Blick streifte den Computer auf ihrem Schreibtisch.

Ach, ein schneller Blick konnte nicht schaden.

Die Homepage von YouAreJustMyType.com war noch geöffnet, nach zwei Stunden Untätigkeit war Kat jedoch automatisch ausgeloggt worden. Ein Fenster warb für ein »fantastisches Einführungsangebot« für »Neueinsteiger« (wer sonst käme für ein Einführungsangebot auch infrage?), das einen Monat unbegrenzten Zugang (was immer das bedeutete) mit diskreter Abrechnung (hä?) über die Kreditkarte für nur 5,74 Dollar bot. Glücklicherweise hatte Stacy ihr ein ganzes Jahr finanziert. Hurra!

Kat gab ihren Namen und das Passwort wieder in die entsprechenden Felder ein und drückte ENTER. Sie hatte inzwischen Nachrichten von mehreren Männern, beachtete sie aber nicht. Sie ging direkt auf Jeffs Seite, die sie natürlich in ihren Lesezeichen gespeichert hatte.

Sie klickte auf ANTWORTEN. Ihre Finger lagen auf der Tastatur.

Was sollte sie schreiben?

Nichts. Jedenfalls nicht sofort. Denk drüber nach. Die Zeit wurde knapp. Der Kurs begann gleich. Kat schüttelte den Kopf, stand auf und verließ die Wohnung. Wie jeden Montag, Mittwoch und Freitag joggte Kat zur 72nd Street und ging dort in den Central Park. Der Bürgermeister von Strawberry Fields, ein Performancekünstler, der von den Trinkgeldern der Touristen lebte, war schon dabei, seine Blumen auf dem Mosaik zum Gedenken an John Lennon auszulegen. Er machte das fast jeden Tag, war aber selten so früh da. »Hey, Kat«, sagte er, und reichte ihr eine Rose.

Sie nahm sie. »Morgen, Gary.«

Sie eilte über die obere Terrasse vom Bethesda. Der See war noch ruhig – es waren noch keine Boote darauf –, aber das Wasser, das der Springbrunnen in die Luft sprühte, glänzte wie ein Perlenvorhang. Kat nahm den linken Pfad, der an der riesigen Hans-Christian-Andersen-Statue vorbei-führte. Wie jeden Morgen saßen Tyrell und Billy, die beiden Obdachlosen (wenn sie denn obdachlos waren, woher sollte sie wissen, ob die beiden nicht im San-Remo-Gebäude leb-ten und sich nur so kleideten), an einem Tisch und spielten, ebenfalls wie jeden Morgen, Gin Rommé.

»Toller Arsch, Mädel«, sagte Tyrell.

»Deiner auch«, antwortete Kat.

Tyrell war begeistert. Er stand auf, tanzte ein paar Schritte, wackelte dabei kurz mit dem Hintern und klatschte sich mit Billy ab, wobei er seine Karten fallen ließ. Billy musterte ihn mit finsterem Blick.

»Heb die auf!«, schrie er.

»Beruhig dich wieder, okay?« Dann zu Kat: »Yoga heute Morgen?«

»Ja. Wie viele sind da?«

»Acht.«

»Ist Stacy schon vorbeigekommen?«

Als ihr Name fiel, nahmen beide Männer den Hut ab und legten ihn respektvoll aufs Herz. Billy murmelte: »Herr, er-barme dich.«

Kat runzelte die Stirn.

Tyrell sagte: »Noch nicht.«

Sie ging rechts weiter ums Conservatory Water herum. Hier fanden schon so früh am Morgen Modellbootrennen statt. Hinter Kerbs Boathouse saß Aqua im Lotussitz. Seine Augen waren geschlossen. Aqua, das Produkt eines afroamerikanischen Vaters und einer jüdischen Mutter, beschrieb seine Hautfarbe gern als Mokka-Latte mit einem Hauch Sahne. Er war zierlich und geschmeidig und saß jetzt vollkommen bewegungslos da, ein Anblick, der im absoluten Widerspruch zu dem manischen Jungen stand, mit dem sie vor vielen Jahren befreundet gewesen war.

»Du kommst zu spät«, sagte Aqua, ohne die Augen zu öffnen.

»Wie machst du das?«

»Was? Mit geschlossenen Augen gucken?«

»Ja.«

»Das ist ein spezielles Geheimnis von uns Yogameistern«, sagte Aqua. »Wir New Yorker Yogis nennen es linsen. Setz dich.«

Das tat sie. Kurz darauf stieß auch Stacy zur Gruppe. Aqua ermahnte sie nicht. Früher hatte Aqua den Kurs auf dem Great Lawn gegeben – bis Stacy auftauchte und ihre Geschmeidigkeit in der Öffentlichkeit präsentierte. Plötzlich zeigten viele Männer ein enormes Interesse an Yoga. Aqua gefiel das nicht, also machte er aus der morgendlichen Gruppe kurzerhand einen reinen Frauenkurs, der versteckt hinter dem Bootshaus stattfand. Der für Stacy »reservierte« Platz lag direkt an der Mauer, sodass diejenigen, die aus der Ferne gaffen wollten, keine freie Sicht hatten.

Aqua führte sie durch eine Reihe Asanas. Jeden Morgen, ob es regnete, die Sonne schien, sogar bei Schnee, unterrichtete Aqua an diesem Ort seinen Kurs. Er nahm keine feste Gebühr. Man gab das, was man für angemessen hielt. Er war ein wunderbarer Lehrer – informativ, freundlich, motivierend, aufrichtig und komisch. Er korrigierte deinen *Nach unten schauenden Hund* oder den *Krieger II* mit einer leichten Berührung, die aber alles in einem bewegte.

Meistens verlor Kat sich in den Stellungen. Ihr Körper arbeitete schwer. Ihr Atem verlangsamte sich. Ihr Gehirn kapitulierte. Im normalen Leben trank Kat, rauchte gelegentlich eine Zigarre und ernährte sich schlecht. Ihr Job konnte ein reiner, unverschnittener Schuss Gift sein. Aber hier spülte Aquas besänftigende Stimme all das üblicherweise davon.

Heute nicht.

Sie versuchte loszulassen, sich dem Moment hinzugeben und diesem ganzen Zen-Kram, der unsinnig klang, es sei denn Aqua sprach darüber, aber Jeffs Gesicht – das, das sie kannte, das, das sie gerade gesehen hatte – verfolgte sie. Aqua sah, dass sie abgelenkt war. Er beäugte sie misstrauisch und nahm sich etwas mehr Zeit als sonst, um ihre Stellungen zu korrigieren. Aber er sagte nichts.

Am Ende jedes Kurses, wenn die Schüler in der Totenstellung ruhten, belegte Aqua einen komplett mit seinem Entspannungszauber. Alles kapitulierte. Man dämmerte weg. Dann wünschte er allen einen gesegneten und besonderen Tag. Die Teilnehmer blieben noch kurz liegen, atmeten ein paarmal tief durch, die Fingerspitzen kribbelten. Langsam öffneten sie die Augen – wie Kat es jetzt machte –, und Aqua war verschwunden.

Kat erwachte langsam wieder zum Leben. Das galt auch für die anderen Schülerinnen. Schweigend rollten sie ihre Matten auf, waren kaum in der Lage zu sprechen. Stacy gesellte sich zu Kat, und gemeinsam gingen sie ein paar Minuten am Conservatory Water entlang.

»Erinnerst du dich an den Typen, mit dem ich so halbwegs zusammen war?«, fragte Stacy.

»Patrick?«

»Genau der.«

»Der schien sehr nett zu sein«, sagte Kat.

»Ja, ich musste ihm den Laufpass geben. Hab festgestellt, dass er was richtig Übles macht.«

»Was?«

»Einen Spinning-Kurs.«

Kat verdrehte die Augen.

»Komm schon, Kat. Der Typ geht zu einem Spinning-Kurs. Was kommt da noch, Kegeln?«

Es war komisch, mit Stacy spazieren zu gehen. Nach einer Weile fielen einem die Blicke und Pfiffe nicht mehr auf. Man war weder beleidigt, noch ignorierte man sie. Sie verschwanden einfach. Kat konnte sich keine bessere Tarnung vorstellen, als neben Stacy herzugehen.

»Kat?«

»Ja.«

»Verrätst du mir, was los ist?«

Ein großer Mann mit Fitnessstudio-Muskeln, hervortretenden Venen und zurückgegelten Haaren blieb vor Stacy stehen und senkte den Blick bis auf ihre Brust. »Hey, das ist ja ein echt gewaltiger Vorbau.«

Auch Stacy blieb stehen und senkte den Blick auf seinen Schritt. »Hey, das ist ja ein echt winziger Schwanz.«

Sie gingen weiter. Okay, vielleicht waren sie doch nicht ganz verschwunden. Stacy reagierte unterschiedlich auf Annäherungsversuche, je nach Art der Anmache. Aufgesetzten Mut, Pfiffe und jede Art von Ungehobeltheiten konnte sie nicht ausstehen. Die scheuen Typen, diejenigen, die ihren Anblick einfach bewunderten und sich daran erfreuten, an denen erfreute sich auch Stacy. Manchmal lächelte sie, winkte sogar, fast wie eine Berühmtheit, die etwas von sich preisgibt, weil es für sie nur eine Kleinigkeit ist und andere glücklich macht.

»Ich war gestern auf dieser Internetseite«, sagte Kat.

Stacy lächelte: »Schon?«

»Ja.«

»Wow, das ging ja fix. Hast du zu jemandem Kontakt aufgenommen?«

»Nicht direkt.«

»Was sonst?«

»Ich habe dort meinen ehemaligen Verlobten entdeckt.«

Stacy blieb mit weit aufgerissenen Augen stehen: »Sag das noch mal.«

»Er heißt Jeff Raynes.«

»Moment. Du warst verlobt?«

»Ist lange her.«

»Aber verlobt? Du? So mit Ring und allem Drum und Dran?«

»Warum bist du so überrascht?«

»Ich weiß nicht. Ich meine, wie lange sind wir jetzt befreundet?«

»Zehn Jahre.«

»Genau, und in der ganzen Zeit hast du nicht ein einziges Mal an so etwas wie Liebe geschnüffelt.«

Kat zuckte kurz die Achseln. »Ich war zweiundzwanzig.«

»Mir fehlen die Worte«, sagte Stacy. »Verlobt. Du.«

»Könnten wir diesen Teil jetzt beenden?«

»Ja, okay, 'tschuldigung. Und gestern Nacht hast du sein Profil auf der Internetseite entdeckt.«

»Ja.«

»Wie war seine Seite?«

»Die Seite von wem?«

»Wessen Seite.«

»Was?«

»Nicht die Seite von wem. Es heißt wessen Seite.«

»Schade, dass ich meine Waffe gerade nicht dabeihabe«, sagte Kat.

»Was hast du, äh, Jeff geschrieben?«

»Nichts.«

»Bitte?«

»Ich hab ihm nicht geschrieben.«

»Wieso nicht?«

»Er hat mich sitzen lassen.«

»Ein Verlobter.« Wieder schüttelte Stacy den Kopf. »Und du hast mir noch nie etwas von ihm erzählt? Ich komme mir vor, als hätte man mich übers Ohr gehauen.«

»Wieso das?«

»Ich weiß nicht. Ich dachte immer, wenn's um Liebe geht, wärst du genauso eine Zynikerin wie ich.«

Kat ging weiter. »Was denkst du wohl, wie ich zur Zynikerin geworden bin?«

»Punkt für dich.«

Sie suchten sich einen Tisch im *Le Pain Quotidien* im Central Park in der Nähe der West 69th Street und bestellten Kaffee.

»Tut mir wirklich leid«, sagte Stacy.

Kat tat es mit einer Geste ab.

»Ich habe dich auf der Internetseite angemeldet, damit du dich flachlegen lassen kannst. Herrje, du musst dringend mal flachgelegt werden. Also, von allen, die ich kenne, bist du diejenige, die am dringendsten mal flachgelegt werden muss.«

»Tolle Entschuldigung«, sagte Kat.

»Ich wollte keine bösen Erinnerungen heraufbeschwören.«

»Ist keine große Sache.«

Stacy sah sie skeptisch an. »Willst du darüber reden? Natürlich willst du das. Ich bin neugierig wie nur irgendwas. Erzähl mir alles.«

Also erzählte Kat ihr die ganze Geschichte mit Jeff. Sie erzählte ihr, wie sie sich an der Columbia University kennengelernt hatten, wie sie sich verliebt hatten, wie es ihr vorgekommen war, als wäre es für die Ewigkeit, wie leicht und richtig es sich angefühlt hatte, als er ihr den Heiratsantrag gemacht hatte, wie sich alles verändert hatte, als ihr Vater ermordet worden war, wie sie sich immer weiter zurückgezogen hatte, wie Jeff sie schließlich verlassen hatte, wie sie zu schwach oder vielleicht zu stolz gewesen war, um ihn zurückzuholen.

Als sie fertig war, sagte Stacy: »Wow.«

Kat trank einen Schluck Kaffee.

»Und jetzt, fast zwanzig Jahre später, siehst du deinen alten Verlobten auf einer Partnervermittlungsseite im Internet?«

»Ja.«

»Single?«

Kat runzelte die Stirn. »Viele Verheiratete sind da nicht zu finden.«

»Klar, logisch. Und wie sieht's aus? Ist er geschieden? Hat er wie du zu Hause gesessen und die ganze Zeit geschmachtet?«

»Ich hab nicht die ganze Zeit geschmachtet«, sagte Kat. Dann: »Er ist verwitwet.«

»Wow.«

»Hör auf mit diesem ›Wow‹. Du bist doch nicht mehr sieben!«

Stacy ignorierte den kurzen Ausbruch. »Er heißt Jeff, richtig?«

»Richtig.«

»Gut. Als Jeff sich von dir getrennt hat, hast du ihn da noch geliebt?«

Kat schluckte. »Ja, natürlich.«

»Glaubst du, dass er dich nicht geliebt hat?«

»Offenbar nicht.«

»Hör auf mit dem Quatsch. Denk darüber nach. Vergiss mal für einen Moment, dass er dich sitzen gelassen hat.«

»Das ist irgendwie schwierig. Ich gehöre zu den Frauen, die finden, dass Taten mehr als Worte sagen.«

Stacy beugte sich zu ihr. »Es gibt nicht viele Leute, die die Kehrseite der Liebe und der Ehe deutlicher gesehen haben als meine Wenigkeit. So weit sind wir uns doch einig, oder?«

»Ja.«

»Man erfährt viel über Beziehungen, wenn der eigene Job gewissermaßen darin besteht, sie zu zerstören. Die Wahrheit ist aber, dass es in fast jeder Beziehung Bruchstellen gibt. Jede Beziehung hat Risse und Sprünge. Das heißt nicht, dass sie bedeutungslos, schlecht oder unglücklich ist. Wir wissen, dass alles in unserem Leben komplex ist und sich in Grautönen abspielt. Aber irgendwie erwarten wir von unserer Beziehung immer, dass alles einfach und perfekt abläuft.«

»Das ist alles richtig«, sagte Kat, »ich versteh aber nicht, worauf du hinauswillst.«

Stacy beugte sich vor. »Als ihr beiden euch getrennt habt, hat Jeff dich da noch geliebt? Und komm mir jetzt nicht damit, dass Taten mehr als Worte sagen. Hat er dich noch geliebt?«

Und dann sagte Kat, ohne wirklich darüber nachzudenken: »Ja.«

Stacy starrte ihre Freundin nur wortlos an: »Kat?«

»Was ist?«

»Du weißt, dass ich nicht abergläubisch bin«, sagte Stacy, »aber das kommt mir ein bisschen vor wie Schicksal, Kismet oder was weiß ich, wie man das nennt.«

Kat trank noch einen Schluck von ihrem Kaffee.

»Ihr seid beide Single. Ihr seid frei. Ihr seid beide schon einmal durch die Mühle gedreht worden.«

»Beschädigt«, sagte Kat.

Stacy dachte darüber nach. »Nein, das meinte ich ... Ja, das gehört auch dazu, klar. Aber ich meine weniger beschädigt als vielmehr ... realistisch.« Stacy lächelte und wandte den Blick ab. »Oh, Mann.«

»Was ist?«

Als Stacy sie wieder ansah, lächelte sie immer noch. »Das könnte ein echtes Märchen werden, weißt du?«

Kat sagte nichts.

»Aber mehr noch. Ihr beide habt gut zueinander gepasst, oder?«

Kat sagte immer noch nichts.

»Verstehst du nicht? Dieses Mal könnt ihr beide das mit einem klaren Blick angehen. Es könnte ein Märchen werden, aber ein reales. Ihr seht die Risse und Sprünge. Ihr geht mit Ballast, Erfahrung und ehrlichen Erwartungen hinein. Mit Verständnis für das, was ihr beide vor langer Zeit verbockt habt. Hör mir zu, Kat.« Stacy streckte die Hand über den Tisch und ergriff Kats Hand. Sie hatte Tränen in den Augen. »Das könnte sehr, sehr gut werden.«

Kat antwortete immer noch nicht. Sie traute ihrer Stimme nicht. Sie erlaubte sich nicht einmal, daran zu denken. Aber sie wusste es. Sie wusste genau, was Stacy meinte.

»Kat?«

»Wenn ich wieder zu Hause bin, schicke ich ihm eine Nachricht.«

VIER

Während Kat duschte, überlegte sie, was genau sie Jeff schreiben sollte. Sie ging ein Dutzend Möglichkeiten durch, aber eine klang lahmer als die andere. Sie hasste dieses Gefühl. Sie hasste es, sich Sorgen darüber zu machen, was sie einem Typen schreiben sollte, als würde sie ihm eine Nachricht in seinem Spind hinterlassen, wie in der Highschool. Bah. Konnten wir da nie herauswachsen?

Ein Märchen, hatte Stacy gesagt. Aber ein reales.

Sie zog ihre Kripo-Ziviluniform an – Jeans und Blazer – und schlüpfte in ein Paar TOMS-Espadrilles. Sie band sich die Haare zu einem Pferdeschwanz zusammen. Kat hatte nie den Mut aufgebracht, sich die Haare kurz zu schneiden, trug sie aber gern nach hinten gebunden, sodass sie ihr nicht ins Gesicht hingen. Jeff hatte das auch gemocht. Den meisten Männern gefiel es besser, wenn ihre Haare in Wellen herabfielen. Jeff nicht. »Ich liebe dein Gesicht. Ich liebe die Wangenknochen und die Augen…«

Sie zwang sich, damit aufzuhören.

Zeit, zur Arbeit zu gehen. Sie konnte sich später noch überlegen, was sie schreiben wollte.

Der Bildschirm des Rechners schien sie zu verspotten, als sie vorbeiging, schien sie aufzufordern zu gehen. Sie blieb stehen. Der Bildschirmschoner führte seinen kleinen Tanz auf. Sie sah auf die Uhr.

Kat setzte sich und rief YouAreJustMyType.com auf. Als

sie sich einloggte, sah sie, dass sich »aufregende, passende Partner« gefunden hätten. Es war ihr egal. Sie öffnete Jeffs Profil, klickte aufs Foto und las noch einmal sein persönliches Motto.

Lass uns sehen, was passiert.

Wie lange, überlegte sie, hatte Jeff gebraucht, um auf etwas so Schlichtes, so Verlockendes, so Entspanntes, so Unverbindliches, so Einnehmendes zu kommen? Es erzeugte keinen Druck. Es war eine Einladung, mehr nicht. Kat klickte auf das Ikon, um ihm eine *persönliche Nachricht* zu schreiben. Das Textfeld öffnete sich. Der Cursor blinkte ungeduldig.

Kat tippte: Ja, lass uns sehen, was passiert.

Bah.

Sie löschte es sofort wieder.

Sie startete ein paar weitere Versuche. Rat mal, wer hier ist; Lang, lang ist's her; Wie geht's dir, Jeff; Schön, dein Gesicht mal wieder zu sehen. LÖSCHEN, LÖSCHEN, LÖSCHEN. Jeder dieser Versuche war im höchsten Maße lahm. Vielleicht, dachte sie, lag das in der Natur dieser Dinge. Es war schwierig, schwungvoll, selbstbewusst oder entspannt zu sein, wenn man auf einer Internetseite nach der Liebe seines Lebens suchte.

Eine Erinnerung erzeugte ein wehmütiges Lächeln. Jeff hatte ein Faible für kitschige Musikvideos der Achtziger. Das war, bevor YouTube es so einfach gemacht hatte, alles und jedes auf der Stelle anzugucken. Man musste herausfinden, wann auf VH1 ein Special oder etwas in der Art lief. Plötzlich stellte sie sich vor, was Jeff gerade tat, wie er vor seinem Computer saß und sich alte Videos von Tears for Fears, Spandau Ballet, Paul Young oder John Waite ansah.

John Waite.

Waite hatte einen frühen MTV-Klassiker gesungen, einen quasi New-Wave-Popsong, der sie jedes Mal berührte, selbst heute noch, wenn sie ihn zufällig im Radio hörte oder in einer Bar, in der Hits der Achtziger liefen. Sobald Kat John Waite *Missing You* singen hörte, musste sie an das wahrhaft schmalzige Video denken, in dem John allein durch die Straßen geht und wiederholt ausruft »I ain't missing you at all«, mit einem Schmerz in der Stimme, der die nächste Zeile (»I can lie to myself«) so überflüssig macht, da sie viel zu viel erklärt. Dann sieht man John Waite in einer Bar, wo er seinen unübersehbaren Kummer zu ertränken versucht, während der Chor im Hintergrund weiter beteuert, dass er sie kein bisschen vermisst. Oh ja, wir wissen, dass das eine Lüge ist. Wir hören sie, wir sehen sie in jedem Moment, in jeder Bewegung. Schließlich, am Ende des Videos, geht der einsame John nach Hause und setzt seinen Kopfhörer auf, um seinen Kummer in Musik statt in Alkohol zu ertränken. Und so kann er – es gemahnt an eine shakespearsche Tragödie in einer schlechten Sitcom – nicht hören, wie – schluchz – seine Geliebte zu seiner Wohnung zurückkehrt und an die Tür klopft. Noch einmal klopft seine große Liebe, mit der er für immer zusammenbleiben wollte, legt das Ohr an die Tür, geht und lässt John Waite mit gebrochenem Herzen zurück, der immer noch beteuert, dass er sie nicht vermisse, und sich so bis in alle Ewigkeit selbst belügen wird.

Welche Ironie, rückblickend betrachtet.

Das Video war zu einer Art Running Gag zwischen Jeff und ihr geworden. Jedes Mal, wenn sie sich trennten, selbst wenn es nur für kurze Zeit war, hinterließ er Nachrichten, in denen er ihr mitteilte: »Ich vermisse dich kein bisschen«. Und manchmal antwortete sie darauf, dass er sich vielleicht selbst belüge.

Ja, auch glückliche Liebschaften haben nicht nur schöne Seiten.

Aber wenn Jeff es ernst meinte, setzte er den Titel des Songs unter seine Notizen, und völlig gedankenverloren betrachtete Kat jetzt ihre Finger, wie sie soeben genau diese Worte in das Textfeld eingaben.

MISSING YOU.

Sie betrachtete sie einen Moment lang und überlegte, ob sie auf Senden klicken sollte.

Es war zu viel. Er war so wunderbar subtil mit seinem »Lass uns sehen, was passiert«, und sie überfiel ihn mit MISSING YOU. Nein. Sie löschte es und versuchte es noch einmal, dieses Mal zitierte sie eine Textzeile aus dem Refrain:

»I ain't missing you at all.«

Das kam ihr zu schnoddrig vor. Wieder LÖSCHEN.

Okay, Schluss.

Dann fiel ihr etwas ein. Kat öffnete ein weiteres Browserfenster und suchte einen Link zum alten Video von John Waite. Sie hatte es seit, na ja, wahrscheinlich zwanzig Jahren nicht mehr gesehen, aber es hatte immer noch diesen schmierigen Charme, genau wie damals. Ja, dachte Kat und nickte. Perfekt. Sie kopierte den Link und fügte ihn ins Textfeld ein. Ein Bild der Bar-Szene aus dem Video erschien. Kat wartete nicht, weil sie fürchtete, es sich noch einmal anders zu überlegen.

Sie klickte auf Senden, stand schnell auf und verließ beinahe rennend den Raum.

Kat wohnte an der 67th Street in der Upper West Side. Das 19. Revier, in dem sie ihren Dienst versah, lag auch an der 67th Street, wenn auch im Osten, in der Nähe vom Hunter College. Sie mochte ihren Arbeitsweg, ein Spaziergang quer durch den Central Park. Ihr Revier war in einem Wahrzeichen der Stadt, einem Gebäude aus dem Jahr 1880, das, wie man ihr einmal erzählt hatte, im Stil des Renaissance-Revivals gebaut worden war. Die Büros der Detectives waren im zweiten Stock. Im Fernsehen hatten Detectives normalerweise ein Spezialgebiet, arbeiteten zum Beispiel bei der Mordkommission, aber die meisten dieser Unterteilungen und Bezeichnungen waren Vergangenheit. In dem Jahr, in dem ihr Vater ermordet wurde, wurden in Manhattan fast vierhundert Menschen ermordet. Dieses Jahr waren es bisher zwölf. Sechsköpfige Mordkommissionen und Ähnliches wurden nicht mehr gebraucht.

Als sie an der Rezeption vorbeikam, sagte Keith Inchierca, der diensthabende Sergeant: »Du sollst sofort zum Captain kommen.« Dabei deutete Keith mit seinem fleischigen Daumen zur Treppe, als wüsste sie nicht, wo das Büro des Captains lag. Auf dem Weg in die erste Etage nahm sie immer zwei Stufen gleichzeitig. Trotz ihrer privaten Verbindung zu Captain Stagger wurde sie nur selten in sein Büro gerufen.

Sie klopfte mit den Fingerknöcheln leicht an die Tür.

»Herein.«

Sie öffnete die Tür. Sein Büro war klein und asphaltgrau. Er saß gebeugt und mit gesenktem Kopf an seinem Schreibtisch. Plötzlich hatte Kat einen trockenen Mund. Auch an jenem Tag vor achtzehn Jahren hatte Stagger den Kopf gesenkt, als er an ihre Wohnungstür klopfte. Kat hatte es nicht verstanden. Anfangs nicht. Sie hatte immer gedacht, sie würde es spüren, wenn sie dieses Klopfen hörte, glaubte, sie würde irgendeine Vorahnung haben. Hundertmal war sie die Szene im Kopf durchgegangen: spätnachts, Dauerregen, ein dröhnendes Klopfen. Schon bevor sie die Tür öffnete, würde sie wissen, was sie erwartete. Sie würde einem Cop in die Augen sehen, den Kopf schütteln, sein langsames Nicken sehen, auf die Knie fallen und »Nein!« schreien.

Doch als es dann tatsächlich klopfte, als Stagger kam, um die Nachricht zu überbringen, die ihr Leben grundlegend veränderte und eine neue Kat hervorbrachte – vorher war sie ein ganz anderer Mensch gewesen –, hatte unbeeindruckt die Sonne geschienen. Sie hatte sich gerade auf den Weg in die Bibliothek der Columbia University machen wollen, um an ihrem Essay über den Marshall Plan zu schreiben. Daran erinnerte sie sich noch. Der verdammte Marshall Plan. Also hatte sie die Tür geöffnet, um sich auf den Weg zur U-Bahnlinie C zu machen, als Stagger vor ihr stand, den Kopf gesenkt – genau wie jetzt –, und sie hatte keine Ahnung gehabt. Er hatte ihr nicht in die Augen gesehen. Die Wahrheit war – die bizarre, beschämende Wahrheit –, dass Kat, als sie Stagger im Flur sah, zuerst gedacht hatte, dass er ihretwegen gekommen wäre. Sie hatte angenommen, dass Stagger ein bisschen in sie verknallt war. Junge Polizisten, besonders die, die Dad als eine Art Vaterfigur betrachteten, hatten sich häufiger in sie verliebt. Als Stagger damals also auf ihrer Türschwelle erschienen war, hatte sie gedacht, dass er, obwohl er wusste, dass sie mit Jeff verlobt war, mal vorsichtig vorfühlen wollte. Nicht aufdringlich. Dafür war Stagger – sein Vorname war Thomas, den benutzte aber niemand – nicht der Typ. Aber ein paar nette Komplimente hatte sie erwartet.

Als sie das Blut auf seinem Hemd sah, verengten sich ihre Augen, trotzdem kam sie nicht auf die Wahrheit. Dann sagte er drei Worte, drei einfache Worte, die aufeinanderprallten, in ihrer Brust detonierten und ihre Welt in Schutt und Asche legten.

»Sieht übel aus.«

Stagger ging inzwischen auf die fünfzig zu, war verheiratet und hatte vier Jungs. Sein Schreibtisch war von Fotos übersät. Ein altes von Stagger mit seinem verstorbenen Partner, dem Detective der Mordkommission Henry Donovan, auch bekannt als Dad. So lief das. Wenn man im Einsatz starb, stand dein Foto überall. Für einige war es ein nettes Andenken. Für andere eine eindringliche, schmerzliche Mahnung. An der Wand hinter Stagger hing ein Foto von seinem Ältesten bei einem Lacrosse-Spiel ein Jahr vor dem Highschoolabschluss. Stagger und seine Frau besaßen eine Wohnung in Brooklyn. Klang nach einem ganz angenehmen Leben, dachte Kat.

»Du wolltest mich sprechen, Captain?«

Außerhalb des Reviers nannte sie ihn Stagger, aber wenn es um berufliche Angelegenheiten ging, gelang ihr das einfach nicht. Als Stagger den Blick hob, stellte sie überrascht fest, dass sein Gesicht aschfahl war. Unwillkürlich trat sie einen Schritt zurück, rechnete fast damit, die drei Worte noch einmal zu hören, aber dieses Mal kam sie ihm zuvor.

»Was gibt's?«, fragte sie.

»Monte Leburne«, sagte Stagger.

Der Name entzog dem Raum die Luft. Nach einem unwürdigen Leben, das nur Zerstörung gekannt hatte, saß Monte Leburne jetzt eine lebenslange Gefängnisstrafe für den Mord an Detective Henry Donovan ab.

»Was ist mit ihm?«

»Er stirbt.«

Kat nickte, versuchte, Zeit zu gewinnen, sich zu sammeln.

»An?«

»Bauchspeicheldrüsenkrebs.«

»Seit wann hat er den?«

»Weiß ich nicht.«

»Warum erzählst du mir das gerade jetzt?«

Ihre Stimme klang schärfer als beabsichtigt. Er sah zu ihr hinauf. Sie entschuldigte sich mit einer Geste.

»Ich habe es selbst gerade erst erfahren«, sagte er.

»Ich habe versucht, ihn zu besuchen.«

»Ich weiß.«

»Früher hat er mich reingelassen. Aber in letzter Zeit …«

»Weiß ich auch«, sagte Stagger.

Schweigen.

»Ist er immer noch oben in Clinton?«, fragte sie. Clinton war das Hochsicherheitsgefängnis im Norden des Staats New York in der Nähe der Grenze zu Kanada, und damit einer der einsamsten, kältesten Orte der Erde. Im Auto brauchte man von New York City sechs Stunden. Kat hatte die deprimierende Fahrt schon zu oft gemacht.

»Nein. Sie haben ihn nach Fishkill verlegt.«

Gut. Das war viel näher. Da konnte sie in anderthalb Stunden sein. »Wie viel Zeit bleibt ihm noch?«

»Nicht viel.«

Stagger stand auf, wollte zu ihr gehen, um sie zu trösten oder zu umarmen, blieb dann aber stehen.

»Das ist gut, Kat. Er hat den Tod verdient. Er hat viel Schlimmeres verdient.«

Sie schüttelte den Kopf. »Nein.«

»Kat …«

»Ich muss noch einmal mit ihm sprechen.«

Er nickte bedächtig. »Ich dachte mir, dass du das sagen würdest.«

»Und?«

»Ich habe den Antrag gestellt. Leburne weigert sich, dich zu empfangen.«

»Pech für ihn«, sagte sie. »Ich bin Polizistin. Er ist ein verurteilter Mörder, der drauf und dran ist, ein wichtiges Geheimnis mit ins Grab zu nehmen.«

»Kat.«

»Was ist?«

»Selbst wenn du ihn jetzt zum Reden bringen könntest – und du weißt genauso gut wie ich, dass das nicht passieren wird –, bis zu einem Prozess würde er sowieso nicht überleben.«

»Wir könnten ein Video machen. Geständnis auf dem Totenbett.«

Stagger musterte sie skeptisch.

»Ich muss es versuchen.«

»Er wird dich nicht empfangen.«

»Kann ich einen Dienstwagen nehmen?«

Er schloss die Augen und sagte nichts.

»Bitte, Stagger?«

So viel dazu, dass sie ihn im Revier nur Captain nannte.

»Springt dein Partner für dich ein?«

»Klar«, log sie. »Natürlich.«

»Offenbar habe ich sowieso keine Wahl«, sagte er und seufzte resigniert. »Gut, fahr.«

FÜNF

Endlich sah Gerard Remington wieder Tageslicht.

Er hatte keine Ahnung, wie lange er in der Dunkelheit gewesen war. Die plötzliche Helligkeit explodierte wie eine Supernova in seinen Augen – seinen geschlossenen Augen. Er wollte sie bedecken, aber seine Hände waren noch gefesselt. Er versuchte zu blinzeln, weil die Augen vom Licht tränten.

Jemand stand direkt über ihm.

»Nicht bewegen«, sagte eine Männerstimme.

Gerard bewegte sich nicht. Er hörte ein schnappendes Geräusch und merkte, dass der Mann die Fesseln zerschnitt. Einen kurzen Moment lang erfüllte Hoffnung seine Brust. Vielleicht, dachte Gerard, ist dieser Mann gekommen, um mich zu retten.

»Aufstehen«, sagte er jetzt. Er hatte einen ganz leichten Akzent, etwas Karibisches oder Südamerikanisches. »Ich habe eine Pistole. Wenn Sie Dummheiten machen, töten wir Sie und begraben Sie gleich hier. Verstanden?«

Gerards Mund war extrem trocken, trotzdem gelang es ihm zu antworten. »Ja.«

Der Mann kletterte aus der ... Kiste? Zum ersten Mal sah Gerard Remington, worin man ihn die vielen ... Stunden? ... gefangen gehalten hatte. Die Größe lag irgendwo zwischen einem Sarg und einem kleinen Raum – vielleicht eins zwanzig breit und tief und zwei vierzig lang. Als er aufstand, sah Gerard, dass er von dichtem Wald umgeben war. Die Kiste

51

war in die Erde eingegraben. Eine Art versteckter Schutzraum. Vielleicht, um sich bei einem Sturm in Sicherheit zu
bringen – oder vielleicht einfach, um Mais zu lagern. Schwer
zu sagen.

»Raus da«, sagte der Mann.

Gerard sah mit zusammengekniffenen Augen nach oben.
Der Mann – nein, er war eher noch ein Teenager – war groß
und muskulös. Jetzt schien sein Akzent einen leichten por-
tugiesischen Einschlag zu haben, vielleicht war er Brasi-
lianer, aber darin war Gerard kein Experte. Er hatte kurze,
schwarze Locken. Er trug zerrissene Jeans und ein enges
T-Shirt, das auf seinem aufgeblähten Bizeps fest wie eine
Aderpresse saß.

Außerdem hatte er eine Pistole in der Hand.

Gerard kletterte aus der Kiste in den Wald. In der Ferne
sah er einen Hund – ein schokoladenbrauner Labrador, soweit er das erkannte – einen Pfad entlanglaufen. Wenn man
die Klappe zu dem kleinen Schutzraum schloss, war er so
gut wie verschwunden. Man sah nur noch zwei große Me-
tallringe, eine Kette und ein Vorhängeschloss, die sich an der
Tür befanden.

Gerard drehte den Kopf.

»Wo bin ich?«

»Sie stinken«, sagte der junge Mann. »Da drüben hinter
dem Baum ist ein Schlauch. Waschen Sie sich ab, machen Sie
Ihr Geschäft und ziehen Sie das an.«

Der junge Mann reichte Gerard einen einteiligen Overall
in Tarnfarben.

»Ich verstehe das nicht«, sagte Gerard.

Der muskulöse Mann mit der Pistole stellte sich direkt
neben ihn. Er spannte die Brustmuskulatur und die Trizeps
an. »Soll ich Ihnen Beine machen?«

»Nein.«

»Dann tun Sie, was ich sage.«

Gerard versuchte zu schlucken, aber seine Kehle war einfach zu ausgedörrt. Er drehte sich zum Schlauch um. Vergiss das Waschen. Er brauchte Wasser. Gerard wollte zum Schlauch hinüberrennen, aber seine Knie gaben nach, sodass er fast hingefallen wäre. Er war zu lange in der Kiste gewesen. Es gelang ihm, so lange auf den Beinen zu bleiben, bis er den Schlauch erreicht hatte. Er drehte den Hahn auf. Als Wasser herauskam, trank er gierig. Das Wasser schmeckte nach, na ja, abgestandenem Schlauch, aber das war ihm egal.

Gerard wartete darauf, dass der Mann ihn wieder anschrie, aber der gab sich plötzlich geduldig. Aus irgendeinem Grund beunruhigte Gerard das. Er sah sich um. Wo war er hier? Er drehte sich einmal um seine Achse, hoffte, eine Lichtung, eine Straße oder so etwas zu entdecken. Aber er sah nichts. Nur Wald.

Er lauschte, versuchte ein Geräusch zu hören. Wieder nichts.

Wo war Vanessa? Wartete sie noch auf dem Flugplatz auf ihn? Etwas verwirrt, aber in Sicherheit?

Oder hatte man auch sie entführt?

Gerard Remington trat hinter den Baum und zog seine verdreckten Sachen aus. Der Mann behielt ihn weiterhin im Auge. Gerard überlegte, wann er das letzte Mal nackt vor einem anderen Mann gestanden hatte. Im Sportunterricht in der Highschool, nahm er an. Komisch, in einem solchen Moment an so etwas zu denken – Schamgefühl.

Wo war Vanessa? Ging es ihr gut?

Er wusste es natürlich nicht. Er wusste gar nichts. Er wusste nicht, wo er war, wer dieser Mann war oder warum er hier war. Gerard versuchte, sich zu beruhigen, vernünftig über seinen nächsten Schritt nachzudenken. Er würde kooperieren und versuchen, seine Sinne, so gut es ging, beieinanderzuhalten. Gerard war klug. Das rief er sich noch einmal ins Gedächtnis. Also gut, jetzt ging es ihm schon besser.

Er war klug. Er hatte eine Frau, die er liebte, einen tollen Job und eine wunderbare Zukunft vor sich. Diese Bestie da hatte zwar eine Pistole, aber mit Gerard Remingtons Verstand konnte er es nicht aufnehmen.

Schließlich sagte der Mann etwas: »Beeilung.«

Gerard spritzte sich ab. »Haben Sie ein Handtuch?«, fragte er.

»Nein.«

Gerard schlüpfte nass in den Overall. Jetzt zitterte er. Die Kombination aus Angst, Erschöpfung, Verwirrung und Verlust forderte ihren Tribut.

»Sehen Sie den Pfad dort?«

Der Mann mit den aufgedunsenen Muskeln deutete auf die Lichtung, auf der Gerard den Hund gesehen hatte.

»Ja.«

»Folgen sie ihm bis zum Ende. Wenn Sie den Pfad verlassen, erschieße ich Sie.«

Gerard widersetzte sich nicht. Er fing an, den Pfad entlangzugehen. Weglaufen schien nicht in Frage zu kommen. Selbst wenn der Mann nicht auf ihn schoss, wohin sollte er schon fliehen? Vielleicht könnte er sich im Wald verstecken. Schneller laufen als der Mann. Allerdings hatte er keine Ahnung, in welche Richtung er fliehen sollte. Er hatte keine Ahnung, ob er in Richtung einer Straße oder tiefer in den Wald hineinlief.

Ein ziemlich idiotischer Plan also.

Außerdem: Wenn diese Leute ihn umbringen wollten – er

ging davon aus, dass es sich um mehr als eine Person handelte, schließlich hatte die Bestie mehrmals »wir« gesagt –, hätten sie es schon tun können. Also musste er sich klug verhalten. Er musste die Augen offen halten. Er musste am Leben bleiben.

Er musste Vanessa finden.

Gerard wusste, dass seine Schrittlänge durchschnittlich 81 Zentimeter betrug. Er zählte die Schritte. Als er bei zweihundert Schritten war, was einhundertzweiundsechzig Metern entsprach, sah er, wie der Pfad sich vor ihm zu einer Lichtung öffnete. Nach zwölf weiteren Schritten kam Gerard aus dem dichten Wald heraus. Vor ihm lag ein weißes Farmhaus. Als Gerard die Fassade aus der Ferne musterte, fiel ihm auf, dass die Rollos im Obergeschoss dunkelgrün waren. Er suchte nach Elektroleitungen, die zum Haus führten. Es gab keine.

Interessant.

Ein Mann stand auf der Veranda vor dem Farmhaus. Er lehnte zwanglos an einem Pfosten, hatte die Ärmel aufgekrempelt und die Arme verschränkt. Er trug eine Sonnenbrille und Stiefel. Seine Haare waren dunkelblond und lang – schulterlang. Als er Gerard sah, winkte der Mann ihm, ins Haus zu kommen. Dann verschwand er durch die Tür aus dem Blickfeld.

Gerard ging auf das Farmhaus zu. Wieder fielen ihm die grünen Rollos auf. Rechts von ihm war eine Scheune. Der Hund, ja, es war definitiv ein schokoladenbrauner Labrador, saß davor und wartete geduldig. Hinter dem Hund sah Gerard etwas, das wie ein Teil eines grauen Pferdewagens aussah. Hm. Außerdem entdeckte Gerard ein kleines Windrad. Das ergab Sinn. Das waren Hinweise. Er wusste noch nicht, welche Folgerung er daraus ziehen konnte – oder vielleicht wusste er es, es machte die Situation aber nur noch verwirrender –, für den Anfang merkte er sich diese Hinweise und suchte nach weiteren.

Er ging die beiden Stufen zur Veranda hinauf, zögerte kurz vor der offenen Tür, atmete tief durch und trat in den Flur. Das Wohnzimmer war links von ihm. Der langhaarige Mann saß in einem großen Sessel. Er hatte die Sonnenbrille abgenommen. Seine Augen waren braun und blutunterlaufen. Tattoos bedeckten seine Unterarme. Gerard musterte sie, versuchte, sie sich genau einzuprägen, in der Hoffnung auf einen Hinweis, wer der Mann sein könnte. Aber es waren nur einfache Muster. Sie sagten ihm nichts.

»Ich heiße Titus.« Der Mann sprach mit einem leicht singenden Tonfall. Die Stimme klang silbrig, weich und beinah zart. »Nehmen Sie bitte Platz.«

Gerard trat ins Zimmer. Der Mann namens Titus nagelte ihn mit seinem Blick fest. Gerard setzte sich. Ein anderer Mann, der aussah wie ein Hippie, kam ins Zimmer. Er trug ein buntes, afrikanisches Dashiki-Hemd, eine Strickmütze und eine rosa getönte Brille. Er setzte sich in die Ecke an einen Schreibtisch und öffnete ein MacBook Air. Alle MacBook Airs sahen gleich aus, daher hatte Gerard auf seins ein Stück schwarzes Klebeband geklebt.

Und er sah das schwarze Klebeband.

Gerard runzelte die Stirn. »Was ist hier los? Wo ist Vanessa ...«

»Pst«, sagte Titus.

Das Geräusch zerschnitt die Luft wie die Sense des Knochenmanns.

Titus drehte sich zum Hippie mit dem Laptop um. Der Hippie nickte ihm zu und sagte: »Bereit.«

Gerard hätte fast gefragt: »Bereit wofür?«, aber das »Pst« hielt noch vor.

Titus wandte sich wieder an Gerard und lächelte. Es war der furchterregendste Anblick, den Gerard Remington je gesehen hatte.

»Wir hätten ein paar Fragen an Sie, Gerard.«

SECHS

Der ursprüngliche Name der Fishkill Correctional Facility lautete Matteawan State Hospital for the Criminally Insane. Das war in den 1890ern. In gewisser Weise war es auch später ein Krankenhaus für Geisteskranke geblieben, bis die Gesetze und Gerichte es in den 1970ern schwieriger gemacht hatten, diejenigen, die man für verrückt hielt, einfach willkürlich wegzusperren. Inzwischen war Fishkill als Gefängnis der mittleren Sicherheitsstufe ausgewiesen, obwohl es alle Insassen hatte, von Häftlingen mit minimaler Sicherheitsstufe, die Freigang bekamen, um zur Arbeit gehen zu können, bis zum Hochsicherheitstrakt im S-Block.

Es lag in Beacon, im Staat New York, ziemlich malerisch zwischen dem Hudson und den Hügeln der Fishkill Ridge. Bei der Ankunft empfing die Besucher immer noch das ursprüngliche Backsteingebäude. NATO-Draht und Baufälligkeit verliehen ihm ein Aussehen, das wie eine Mischung aus dem Campus einer Eliteuniversität und Auschwitz wirkte.

Mit professioneller Höflichkeit und ihrer goldenen Polizeimarke kam Kat an den meisten Wachleuten vorbei. Die normalen Polizisten des NYPD hatten eine silberne Marke. Detectives hatten eine goldene. Die Nummer der Marke, 8115, war die gleiche, die auch ihr Vater gehabt hatte.

Eine ältere Krankenschwester, ganz in Weiß mit altmodischer Schwesternhaube, hielt sie im Krankenhausflügel an. Sie war aufdringlich geschminkt – dunkelblauer Lidschatten, neonroter Lippenstift – und sah aus, als hätte jemand Wachsmalstifte auf ihrem Gesicht geschmolzen. Sie lächelte zu süßlich, und man sah, dass sie Lippenstift auf den Zähnen hatte. »Mr Leburne hat es abgelehnt, Besucher zu empfangen.«

Wieder zeigte Kat ihre Marke. »Ich möchte ihn nur kurz sehen…«, auf dem Namensschild stand SYLVIA STEINER, Krankenpflegerin, »… Schwester Steiner.«

Schwester Steiner nahm die goldene Marke, studierte sie ausgiebig, dann blickte sie auf und betrachtete Kats Gesicht. Kat setzte eine neutrale Miene auf.

»Ich verstehe das nicht. Warum sind Sie hier?«

»Er hat meinen Vater umgebracht.«

»Okay. Und jetzt wollen Sie ihn leiden sehen?«

In Schwester Steiners Stimme lag kein Vorwurf. Sie klang, als wäre es das Normalste der Welt.

»Äh, nein. Ich bin hier, um ihm ein paar Fragen zu stellen.«

Schwester Steiner sah sich die Marke noch einen Moment lang an, dann gab sie sie zurück. »Hier entlang, meine Dame.«

Ihre Stimme war melodisch, engelhaft und einfach gruselig. Schwester Steiner führte sie in ein Zimmer mit vier Betten. Drei waren leer. Im vierten, rechts in der Ecke, lag Monte Leburne mit geschlossenen Augen. Leburne war seinerzeit ein richtiger Schrank gewesen. Wenn man für ein Verbrechen körperliche Gewalt brauchte oder jemanden einschüchtern wollte, war Monte Leburne erste Wahl gewesen. Als Ex-Schwergewichtsboxer, der eindeutig zu viele Kopftreffer abbekommen hatte, waren Leburnes Fäuste (und anderes) für Kreditwucher, Erpressung, Revierkämpfe, die Zerschlagung von Gewerkschaften und was einem sonst noch so einfiel im Einsatz gewesen. Nachdem eine rivalisierende Familie ihn besonders brutal zusammengeschlagen hatte, hatten seine Mafiabosse – die Leburnes ausgeprägte, an Idiotie grenzende Loyalität schätzten – ihm eine Pistole in die Hand gedrückt und ihm die körperlich weit weniger anspruchsvolle Aufgabe überantwortet, ihre Feinde zu erschießen.

Kurz gesagt, Monte Leburne war ein Auftragskiller für mittelschwere Fälle geworden. Er war weder clever noch raffiniert, aber, mal ehrlich, wie klug musste man schon sein, um einen Menschen mit einer Pistole zu erschießen?

»Er dämmert immer wieder weg«, erläuterte Schwester Steiner.

Kat trat ans Bett. Schwester Steiner blieb ein paar Schritte hinter ihr stehen. »Könnten Sie uns einen Moment alleine lassen?«, fragte Kat.

Wieder das liebreizende Lächeln. Die gruselige, melodische Stimme: »Nein, meine Liebe, das kann ich nicht.«

Kat blickte auf Leburne hinunter, und einen Moment lang suchte sie in sich nach einem Zeichen von Mitgefühl für den Mann, der ihren Vater umgebracht hatte. Falls sie so etwas in sich trug, war es sehr gut verborgen. Meistens empfand sie nur glühenden Hass für ihn, manchmal wurde ihr jedoch klar, dass es war, als würde sie eine Pistole hassen. Er war die Waffe, mehr nicht.

Aber natürlich musste auch die Waffe zerstört werden, oder?

Kat legte die Hand auf Leburnes Schulter und schüttelte ihn sanft. Blinzelnd öffnete er die Augen.

»Hallo, Monte.«

Es dauerte einen Moment, bis sich seine Augen auf Kats Gesicht fokussiert hatten. Als es so weit war – als er sie erkannte –, verkrampfte sich sein Körper. »Sie haben hier nichts zu suchen, Kat.«

Kat griff in die Tasche und zog ein Foto heraus. »Er war mein Vater.«

Leburne kannte das Foto. Er hatte es schon häufig gesehen. Kat hatte es zu jedem Besuch mitgebracht. Warum, wusste sie nicht. Unter anderem wohl, weil sie hoffte, so an ihn heranzukommen, aber Personen, die Menschen exekutieren, werden nur selten von Reuegefühlen übermannt. Vielleicht tat sie es aber auch für sich, um ihre Entschlossenheit zu stärken, weil sie so, auf seltsame Art, ihren eigenen Vater hinter sich fühlte.

»Wer wollte, dass er stirbt? Cozone, oder?«

Leburne ließ den Hinterkopf auf dem Kissen liegen. »Warum stellen Sie mir immer wieder die gleichen Fragen?«

»Weil Sie sie nie beantwortet haben.«

Monte Leburne lächelte mit stiftartig aus dem Zahnfleisch ragenden Zähnen zu ihr hinauf. Selbst aus der Entfernung roch sie die Fäulnis in seinem Atem. »Ah, und jetzt hoffen Sie auf ein Geständnis auf dem Totenbett?«

»Es gibt keinen Grund mehr, die Wahrheit weiter zu verschweigen.«

»Natürlich gibt es Gründe dafür.«

Er meinte seine Familie. Natürlich war das sein Preis. Wenn du schweigst, sorgen wir für deine Familie. Wenn du plauderst, hacken wir sie in kleine Stücke.

Zuckerbrot und Peitsche in seiner extremsten Form.

Genau das war immer ihr Problem gewesen: Sie konnte ihm nichts anbieten.

Man brauchte kein Arzt zu sein, um zu erkennen, dass Monte Leburne nicht mehr viel Zeit blieb. Der Tod hatte sich schon an einem gemütlichen Ort in ihm eingenistet, sich von dort ausgebreitet und würde unweigerlich den Sieg davontragen. Montes ganzes Wesen war eingefallen, als wollte er zuerst ins Bett versinken, dann in den Fußboden und sich schließlich, puff, komplett auflösen. Jetzt starrte sie seine rechte Hand an – seine Schusshand –, aus der dicke, schlabberige Venen wie alte Gartenschläuche hervortraten. Der Zugang für den Tropf war in der Nähe der Hand angebracht.

Er biss die Zähne zusammen, als ein neuer Schmerzschub ihn erfasste. »Verschwinden Sie«, presste er heraus.

»Nein.« Kat spürte, wie ihr die letzte Chance durch die Finger glitt. »Bitte!«, sagte sie und versuchte, nicht zu inständig zu flehen. »Ich muss es wissen.«

»Verschwinden Sie.«

Kat beugte sich vor: »Hören Sie, ja? Ich tue das nur für mich. Verstehen Sie? Es ist achtzehn Jahre her. Ich muss die Wahrheit erfahren. Mehr nicht. Um einen Schlussstrich zu ziehen. Warum hat er befohlen, meinen Vater zu töten?«

»Lassen Sie mich zufrieden.«

»Ich werde sagen, dass Sie geplaudert haben.«

»Was?«

Kat nickte, versuchte, mit fester Stimme zu sprechen. »Sobald Sie tot sind, werde ich ihn in eine Zelle stecken. Ich werde allen erzählen, dass Sie ihn verpfiffen haben. Ich werde behaupten, dass Sie alles gestanden haben.«

Monte Leburne lächelte wieder: »Netter Versuch.«

»Glauben Sie mir nicht, dass ich das tue?«

»Keine Ahnung, was Sie tun. Ich weiß nur, dass es keiner glauben wird.« Monte Leburne sah an ihr vorbei zu Schwester Steiner hinüber. »Außerdem habe ich eine Zeugin, stimmt's, Sylvia?«

Schwester Steiner nickte. »Ich bin hier, Monte.«

Eine weitere Welle des Schmerzes überrollte ihn. »Ich bin wirklich müde, Sylvia. Das ist grad ziemlich schlimm.«

Schnell trat Schwester Steiner ans Bett. »Ich bin bei Ihnen, Monte.« Sie nahm seine Hand. Mit dem grellen Make-up sah ihr Lächeln wie aufgemalt aus, wie etwas im Gesicht eines unheimlichen Clowns.

»Schicken Sie sie bitte weg, Sylvia.«

»Sie geht jetzt.« Schwester Steiner drückte eine Pumpe, die offenbar ein Narkotikum in seine Venen abgab. »Entspannen Sie einfach, Monte, in Ordnung?«

»Sie soll nicht hierbleiben.«

»Pst, das wird gleich besser.« Schwester Steiner sah Kat finster an. »Sie ist schon so gut wie weg.«

Kat wollte protestieren, aber Schwester Steiner drückte noch einmal auf den Knopf an der Infusionsbox, womit sich das auch erledigt hatte. Leburnes Augenlider flatterten. Kurz darauf sank er in die Bewusstlosigkeit.

Zeitverschwendung.

Aber was hatte Kat auch erwartet? Selbst als Sterbender hatte er über ihre Hoffnung auf ein Geständnis auf dem Totenbett gespottet. Cozone wusste, wie man dafür sorgte, dass seine Angestellten schwiegen. Wenn man seine Strafe absaß, war die Familie lebenslang versorgt. Wenn man plauderte, waren alle tot. Leburne hatte keinen Grund zu reden. Er hatte nie einen gehabt. Und jetzt hatte er schon gar keinen mehr.

Kat wollte sich auf den Weg zum Auto machen, als sie die unangenehm süßliche Stimme hinter sich hörte. »Das haben Sie aber sehr ungeschickt angestellt, meine Liebe.«

Als Kat sich umdrehte, stand Schwester Steiner hinter ihr. Sie sah aus wie eine Figur aus einem Horrorfilm in Schwes-

63

terntracht mit Sprühfarben-Make-up. »Äh, ja, danke für Ihre Hilfe.«

»Wollen Sie meine Hilfe?«

»Bitte?«

»Er zeigt sehr wenig Reue, wissen Sie? Ich meine, echte Reue. Als der Priester hier war, hat er die richtigen Worte gesagt. Aber er hat es nicht gemeint. Er versucht bloß, sich den Weg in den Himmel zu erfeilschen. Aber der Herr lässt sich nicht täuschen.« Erneut zeigte sie ihr gruseliges Lippenstift-Lächeln. »Monte hat viele Menschen ermordet, ist das richtig?«

»Drei Morde hat er gestanden. Er hat aber viel mehr begangen.«

»Ihr Vater war auch dabei?«

»Ja.«

»Und Ihr Vater war Polizist? So wie Sie?«

»Ja.«

Schwester Steiner schnalzte mitleidig. »Das tut mir sehr leid.«

Kat sagte nichts.

Schwester Steiner kaute kurz auf ihrer knallroten Unterlippe. »Folgen Sie mir bitte.«

»Was?«

»Sie brauchen Informationen, richtig?«

»Ja.«

»Bleiben Sie bitte aus seinem Blickfeld. Lassen Sie mich das machen.«

Schwester Steiner drehte sich um und ging zurück zur Krankenstation. Kat eilte ihr nach. »Warten Sie, was wollen Sie machen?«

»Ist Ihnen ›Dämmerschlaf‹ ein Begriff?«, fragte Schwester Steiner.

»Eigentlich nicht.«

»Ich habe als Schwester auf einer Entbindungsstation angefangen. Früher haben wir Morphin und Scopolamin als Anästhetikum benutzt. Damit wurden die Frauen in einen semi-narkotisierten Zustand versetzt – die Hochschwangeren blieben wach, konnten sich aber eigentlich an nichts erinnern. Manche meinten, es hätte auch den Schmerz gedämpft. Das mag stimmen, ich glaube es aber nicht. Ich glaube, die werdende Mutter hat die Höllenqualen, die sie erleiden musste, einfach vergessen.« Sie legte den Kopf schräg wie ein Hund, der ein seltsames Geräusch gehört hatte. »Erleidet man Schmerzen, wenn man sich nicht daran erinnert?«

Kat hielt das für eine rhetorische Frage, aber Schwester Steiner blieb stehen und wartete auf ihre Antwort. »Ich weiß es nicht.«

»Denken Sie darüber nach. Wenn Sie sich an eine Erfahrung, ob gut oder schlecht, nach dem Ereignis nicht mehr erinnern, ist sie dann von Bedeutung?«

Wieder wartete sie auf eine Antwort. Wieder sagte Kat: »Ich weiß es nicht.«

»Ich auch nicht, es ist aber eine interessante Frage, nicht wahr?«

Worauf wollte sie bloß hinaus? »Ich denke schon«, sagte Kat.

»Wir alle wollen jeden Moment leben. Das verstehe ich. Doch wenn man sich an diesen Moment nicht mehr erinnern kann, hat er dann wirklich stattgefunden? Ich bin mir da nicht sicher. Die Deutschen haben das mit dem Dämmerschlaf damals zuerst gemacht. Sie dachten, sie könnten die Geburt für die Mütter erträglicher machen. Aber sie lagen falsch. Wir haben natürlich längst wieder damit aufgehört. Die Kinder kamen betäubt zur Welt. Das war der Hauptgrund – zumindest haben die Ärzte das behauptet.« Sie beugte sich verschwörerisch zu Kat herüber. »Aber ehrlich gesagt glaube ich das nicht so richtig.«

»Warum?«

»Es ging nicht darum, was mit den Babys passierte.« Schwester Steiner blieb vor der Tür stehen. »Es ging um die Mütter.«

»Was meinen Sie?«

»Auch die hatten ihre Probleme mit dem Ganzen. Der Dämmerschlaf ließ sie den Schmerz zwar vergessen, aber so erlebten sie auch die Geburt nicht. Sie gingen in ein Zimmer, und das Nächste, woran sie sich erinnerten, war, dass sie ein Baby im Arm hielten. Sie fühlten sich emotional unverbunden, verspürten eine große Distanz zur Geburt ihres eigenen Kindes. Es war eine beunruhigende Erfahrung. Die Frauen hatten neun Monate lang ein Kind in sich getragen. Die Wehen hatten eingesetzt, und dann, puff…«

Schwester Steiner untermalte ihre Worte mit einem Fingerschnippen.

»Und da haben sich viele Frauen dann gefragt, ob das alles wirklich geschehen ist«, beendete Kat den Gedankengang.

»Genau.«

»Was hat das alles mit Monte Leburne zu tun?«

Dieses Mal wirkte Schwester Steiners Lächeln etwas geziert. »Das wissen Sie ganz genau.«

Kat wusste es nicht. Oder vielleicht doch. »Sie können ihn in einen Dämmerschlaf versetzen?«

»Ja, selbstverständlich.«

»Und Sie glauben… was?… ich kann ihn zum Reden bringen, und er vergisst es dann wieder?«

»Nicht ganz, nein. Also, er wird sich nicht daran erinnern.

66

Aber Morphium funktioniert ähnlich wie Thiopental. Sie wissen doch, was das ist, oder?«

Kat wusste es, kannte es aber eigentlich unter dem Namen Pentothal. Oder umgangssprachlich als Wahrheitsserum.

»Es funktioniert nicht so, wie man es aus Spielfilmen kennt«, fuhr Schwester Steiner fort. »Aber wenn die Leute unter dem Einfluss der Droge stehen, na ja, die meisten Mütter haben einfach vor sich hin geplappert. Beichten abgelegt. Bei mehr als einer Geburt, bei der der Ehemann im Nebenraum auf und ab ging, haben sie erzählt, dass das Kind nicht von ihm ist. Natürlich haben wir keine Fragen gestellt. Sie haben es einfach erzählt, und wir haben so getan, als hätten wir nichts gehört. Im Laufe der Zeit wurde mir jedoch klar, dass man tatsächlich ein Gespräch führen konnte. Man konnte Fragen stellen, erfuhr sehr viel über sie, und sie konnten sich hinterher nicht mehr daran erinnern.«

Schwester Steiner sah Kat in die Augen. Kat lief ein Schauer über den Rücken. Schwester Steiner wandte den Blick ab und stieß die Tür auf.

»Ich muss allerdings darauf hinweisen, dass es erhebliche Probleme mit der Zuverlässigkeit der Informationen gibt. Das habe ich bei Morphin schon häufig erlebt. Die Patienten berichten voller Überzeugung von etwas, das unmöglich stimmen kann. Der letzte Patient, der auf dieser Station gestorben ist, schwor, dass ihn jedes Mal, wenn ich ihn alleine ließ, jemand entführte und zu verschiedenen Katzenbegräbnissen mitgenommen hätte. Er hat nicht gelogen. Er war überzeugt, dass das passierte. Verstehen Sie?«

»Ja.«

»Dann ist das so weit klar. Sollen wir fortfahren?«

Kat war sich nicht sicher. Sie war in einer Polizistenfamilie aufgewachsen. Sie wusste, welche Gefahren es mit sich brachte, wenn man anfing, das Recht zu beugen.

Aber hatte sie eine Wahl?

»Detective?«

»Machen Sie weiter«, sagte Kat.

Das Lächeln wurde breiter. »Wenn Monte Ihre Stimme hört, wird er misstrauisch. Wenn Sie mir das überlassen, können wir Ihnen ein paar nützliche Informationen besorgen.«

»Okay.«

»Dafür brauche ich natürlich ein paar Informationen über den Mord.«

Sie unterhielten sich etwa zwanzig Minuten. Schwester Steiner mischte Scopolamin in den Medikamentencocktail, kontrollierte die Vitalfunktionen, korrigierte ein paar Einstellungen. Sie machte das mit viel zu geübter Hand, sodass Kat sich einen Moment lang fragte, ob es das erste Mal war, dass Schwester Steiner das aus anderen als medizinischen Gründen tat. Kat überlegte, welche Folgen so ein Dämmerschlaf noch haben könnte, welches Potenzial für Missbrauch darin steckte. Schwester Steiners etwas zu heitere Rechtfertigung – wenn Sie sich direkt nach einem Ereignis nicht mehr daran erinnern, ist es dann wirklich passiert? – war ihr zu einfach.

Die Frau tickte zweifellos nicht ganz richtig. Aber im Moment war Kat das egal.

Kat setzte sich leise in eine Ecke außerhalb von Monte Leburnes Blickfeld. Der war jetzt wach, sein Kopf hing auf dem Kissen. Er fing an, Schwester Steiner Cassie zu nennen – so wie seine Schwester, die gestorben war, als er achtzehn Jahre alt war. Er sagte, dass er sie nach seinem Tod unbedingt wiedersehen wolle. Kat fragte sich, wie Schwester Steiner ihn in die Richtung lenken würde, in der sie ihn haben wollte.

»Oh, du wirst mich sehen, Monte«, sagte Schwester Steiner. »Ich werde dich auf der anderen Seite erwarten. Es sei denn …, na ja, es könnte Probleme geben, mit den Leuten, die du umgebracht hast.«

»Männer«, sagte er.

»Was?«

»Ich habe nur Männer umgebracht. Ich würde keiner Frau etwas tun. Niemals. Keine Frauen, keine Kinder, Cassie. Ich habe Männer umgebracht. Böse Männer.«

Schwester Steiner sah Kat kurz an. »Aber du hast einen Polizisten getötet.«

»Das sind die schlimmsten.«

»Wie meinst du das?«

»Cops. Die sind auch nicht besser. Ach, egal.«

»Das verstehe ich nicht, Monte. Erklär's mir.«

»Ich habe nie einen Cop umgebracht, Cassie. Das weißt du doch.«

Kat erstarrte. Das konnte nicht stimmen.

Schwester Steiner räusperte sich. »Aber Monte …«

»Cassie? Es tut mir leid, dass ich dich nicht beschützt habe.« Monte Leburne fing an zu weinen. »Er hat dir wehgetan, und ich habe dir nicht geholfen.«

»Das ist schon in Ordnung, Monte.«

»Nein, ist es nicht. Alle anderen habe ich beschützt, ja? Nur dich nicht.«

»Es ist jetzt vorbei. Ich bin jetzt an einem besseren Ort. Ich möchte, dass du hierher zu mir kommst.«

»Jetzt beschütze ich meine Familie. Ich hab dazugelernt. Dad war kein guter Mensch.«

»Das weiß ich. Aber Monte, du hast gesagt, dass du nie einen Cop getötet hast?«

»Das weißt du doch.«

»Aber was ist mit Detective Henry Donovan?«

»Pst.«

»Was ist?«

»Pst«, sagte er. »Die hören das. Es war einfach. Ich war sowieso schon erledigt.«

»Wie meinst du das?«

»Die hatten mich sowieso schon am Haken, weil ich Lazlow und Greene umgebracht hatte. Auf frischer Tat ertappt. War klar, dass ich lebenslang kriege. Auf einen mehr kam's da nicht an, wenn dafür alle versorgt sind, wenn du weißt, was ich meine?«

Eine kalte Hand ergriff Kats Herz und drückte es zusammen.

Selbst Schwester Steiner hatte Probleme, mit ruhiger Stimme weiterzusprechen. »Erklär mir das, Monte. Warum hast du Detective Donovan erschossen?«

»Glaubst du das? Ich hab nur den Kopf hingehalten. Ich war sowieso erledigt. Verstehst du das nicht?«

»Du hast ihn nicht erschossen?«

Keine Antwort.

»Monte?«

Sie fing an, ihn zu verlieren.

»Monte, wenn du ihn nicht umgebracht hast?«

Seine Stimme klang, als käme sie aus großer Entfernung. »Wer?«

»Wer hat Henry Donovan getötet?«

»Woher soll ich das wissen. Sie haben mich besucht. Am Tag nach meiner Verhaftung. Sie haben gesagt, ich soll das Geld nehmen und den Kopf hinhalten.«

»Wer?«

Monte schloss die Augen. »Ich bin müde.«

»Monte, wer hat dir gesagt, dass du den Kopf hinhalten sollst?«

»Ich hätte Dad nicht damit davonkommen lassen dürfen, Cassie. Mit dem, was er dir angetan hat. Ich habe es gewusst. Mom hat es gewusst. Und wir haben nichts getan. Es tut mir leid.«

»Monte?«

»Ich bin so müde ...«

»Wer hat dir gesagt, dass du den Kopf hinhalten sollst?«

Aber Monte Leburne schlief.

SIEBEN

Auf der Rückfahrt umklammerte Kat das Lenkrad mit beiden Händen. Sie konzentrierte sich mit aller Kraft auf die Straße, beinahe mit zu viel Kraft, doch es war die einzige Möglichkeit zu verhindern, dass sich in ihrem Kopf alles drehte. Ihre Welt war aus den Angeln geraten. Schwester Steiner hatte sie noch einmal darauf hingewiesen, dass Monte Leburne durch die Medikamente verwirrt gewesen sei und man seine Ausführungen mit einer gehörigen Portion Skepsis betrachten müsse. Kat nickte, während sie der Schwester zuhörte. Sie verstand das alles – was sie über Verwirrung, Unzuverlässigkeit bis hin zu reiner Fantasie sagte –, aber eins hatte sie als Polizistin gelernt: Die Wahrheit hatte einen ganz eigenen Duft.

Und im Moment strömten Monte Leburnes Worte den Geruch der Wahrheit aus.

Sie stellte das Radio an und suchte einen Talk-Sender. Die Moderatoren der beliebten Angry-Talk-Sendungen hatten immer ganz einfache Antworten auf sämtliche Probleme dieser Welt. Kat ärgerte sich über die Einfalt, solche Sendungen lenkten sie aber seltsamerweise wunderbar ab. Die Leute mit den einfachen Antworten, egal ob sie von links oder von rechts kamen, lagen immer falsch. Die Welt war komplex. Eine Einheitsantwort brachte einen nicht weiter.

Als sie wieder im 19. Revier war, ging sie direkt in Captain Staggers Büro. Er war nicht da. Sie hätte fragen können, wann er zurückerwartet wurde, wollte aber keine Aufmerksamkeit auf sich ziehen. Also schickte sie ihm eine kurze SMS.

Muss dich sprechen.

Sie bekam nicht sofort eine Antwort, aber damit hatte sie auch nicht gerechnet. Sie ging die Treppe hinauf nach oben. Ihr derzeitiger Partner, Charles »Chaz« Faircloth stand dort mit drei anderen Cops in einer Ecke. Als sie näher kam, sagte Chaz: »Hey, hallo Kat.« Er zog ihren Namen so sehr in die Länge, dass selbst diese unschuldigen Worte einen sarkastischen Unterton bekamen. Und weil Chaz so ein unheimlich witziger Typ war, ergänzte er: »Diese *Kat* würde man doch höchstens im Sack kaufen.«

Traurigerweise kicherten die Männer um ihn herum sogar kurz.

»Der war gut«, sagte sie.

»Danke. Ich arbeite noch an meinem Timing.«

»Zahlt sich aus.«

Oje, auf den hatte sie jetzt wirklich keine Lust.

Chaz trug einen teuren, geschmacklosen, perfekt geschnittenen Anzug, der glänzte, als wäre er nass, eine Krawatte mit einem Knoten, den jemand mit zu viel Zeit gebunden hatte, und Ferragamo-Schuhen, bei denen einem das alte Sprichwort wieder einfiel, dass man einen Menschen nach dem Glanz seiner Schuhe beurteilen sollte. Das Sprichwort war Blödsinn. Männer, die ständig ihre Schuhe wienerten, waren normalerweise selbstverliebte Nieten, die das Äußere für wichtiger hielten als substanzielle Werte.

Chaz war ein milchgesichtiger Schönling mit wächserner Haut und dem fast übernatürlichem Charisma eines, tja,

73

Soziopathen, der er, wie Kat vermutete, auch war. Er war ein Faircloth, ein Abkömmling *der* Faircloths, jener steinreichen Familie mit Verbindungen, deren Mitglieder häufiger mal in den Polizeidienst eintraten, weil es einen guten Eindruck machte, wenn sie sich irgendwann mal um ein öffentliches Amt bewarben. Ohne sie aus den Augen zu lassen, flüsterte Chaz den Männern einen kurzen Witz zu – vermutlich auf ihre Kosten –, worauf die Gruppe in lautes Lachen ausbrach.

»Du bist spät«, sagte Chaz zu ihr.

»Ich habe für den Captain einen Fall bearbeitet.«

Er zog eine Augenbraue hoch. »Nennt man das jetzt so?«
Was für ein Idiot.

Bei Chaz bekam alles eine Zweideutigkeit, die an Belästigung grenzte – oder diese Grenze überschritt. Das Problem war nicht, dass er Frauen anbaggerte. Das Problem war, dass sich sein Wesen darin erschöpfte, Frauen anzubaggern. Es gab solche Männer – sie sprachen mit allen Frauen so, als hätten sie sie gerade in einer Single-Bar kennengelernt. Er konnte einer Frau nicht erzählen, was er zum Frühstück gegessen hatte, ohne dass es in irgendeiner Form so lüstern klang, als hätte sie gerade die Nacht mit ihm verbracht und ihm morgens dieses Frühstück zubereitet.

»Also, woran arbeiten wir?«, fragte Kat.

»Keine Sorge, ich bin für dich eingesprungen.«

»Ja, danke, aber würdest du mich trotzdem kurz informieren?«

Chaz deutete auf den Schreibtisch, wobei seine Smaragd-Manschettenknöpfe aufblitzten. »Die Akten liegen da. Versuch's damit.« Er sah auf seine übergroße und viel zu heftig glänzende Rolex. »Ich bin auf dem Sprung.«

Er schlenderte mit nach hinten gezogenen Schultern

hinaus und pfiff dabei einen lahmen Song über Shorties in einem Club. Kat hatte schon Stephen Singer, ihren direkten Vorgesetzten, darauf angesprochen, dass sie einen neuen Partner haben wollte. Als Chaz von ihrem Antrag hörte, war er schockiert gewesen, nicht etwa weil er Kat so schätzte, sondern weil er sich nicht vorstellen konnte, dass diese Frau – oder überhaupt irgendeine Frau – seinem Charme nicht verfallen war. Also hatte er seinen Charmeregler noch weiter aufgedreht, in dem festen Glauben daran, dass keine Frau in der freien Welt ihm letztendlich widerstehen konnte.

Ohne sich umzudrehen, hob Chaz eine Hand, winkte kurz und sagte: »Bis später, Babe.«

Es lohnt sich nicht, sagte sie sich selbst.

Es gab wichtigere Probleme. Zum Beispiel: Könnte Monte Leburne die Wahrheit gesagt haben?

Was war, wenn sie all die Jahre falschgelegen hatte? Was war, wenn der Mörder ihres Vaters da draußen noch frei herumlief?

Allein der Gedanke nahm ihr den Atem. Sie musste darüber sprechen, mit jemandem reden, der alle Beteiligten gekannt hatte und wusste, worum es ging, und der erste Name, der ihr in den Sinn kam – Gott sei ihr gnädig –, war Jeff Raynes.

Sie starrte den Computer auf ihrem Schreibtisch an.

Aber eins nach dem anderen. Sie öffnete sämtliche Akten über Monte Leburne und den Mord an Detective Henry Donovan. Sie enthielten eine Unmenge Material. Okay, gut. Sie konnte sie heute Abend zu Hause lesen. Natürlich hatte sie das alles schon hundertmal gelesen, allerdings nie unter der Voraussetzung, dass Monte Leburne den Kopf für jemand anderen hingehalten haben könnte. Nein, das war ein neuer Blickwinkel. Sie würde alles aus diesem neuen Blickwinkel betrachten.

Dann fragte sie sich, ob Jeff schon auf ihre YouAreJustMyType.com-Nachricht geantwortet hatte.

Die Schreibtische rechts und links von ihr waren nicht besetzt. Es war keiner da. Gut. Wenn die Männer hier jemals sehen würden, dass sie die Website einer Partnerbörse aufrief, würde sie nie wieder Ruhe finden. Sie setzte sich an den Computer und sah sich noch einmal um. Die Luft war rein. Schnell tippte sie »YouAreJustMyType.com« in die Adressleiste und drückte auf ENTER.

Der Zugang zu dieser Webseite ist gesperrt. Zum Erhalt des Zugangscodes kontaktieren Sie bitte Ihren Vorgesetzten.

Äh-äh, niemals. Bei der Polizei war es wie in vielen Betrieben – die Chefs versuchten, die Produktivität zu erhöhen, indem sie ihren Mitarbeitern untersagten, Zeit auf privaten Internetseiten oder in sozialen Netzwerken zu verbringen. So wie hier.

Sie hatte schon überlegt, ob sie die App von YouAreJustMyType auf ihr Handy herunterladen sollte, das aber als Akt der Verzweiflung abgetan. Es musste einfach warten. Was okay war. Oder eben auch nicht.

Ein paar Fälle kamen herein. Kat bearbeitete sie. Ein Taxifahrer behauptete, ein Prominenter würde versuchen, die Zeche zu prellen. Eine Frau beschwerte sich, dass ihr Nachbar Hanfpflanzen zog. Kleinkram. Sie sah auf ihr Handy. Keine Antwort von Stagger. Sie wusste nicht, was sie davon halten sollte. Sie schickte ihm noch eine SMS.

Ich muss dich wirklich dringend sprechen.

Sie wollte gerade ihr Handy einstecken, als es vibrierte. Stagger hatte geantwortet:

Hat vermutlich mit deinem Besuch im Gefängnis zu tun?

Ja.

Dieses Mal dauerte es etwas länger.

Bin bis acht beschäftigt. Könnte heute Abend vorbeikommen, oder wir warten bis morgen.

Kat antwortete sofort.

KOMM HEUTE ABEND VORBEI.

Kat machte sich nichts vor, sie wollte wissen, ob Jeff geantwortet hatte.

Nach dem Ende ihrer Schicht hatte sie sich Joggingsachen angezogen, war durch den Park gelaufen, hatte dem Türsteher ein kurzes Lächeln geschenkt, auf der Treppe immer zwei Stufen auf einmal genommen (der Fahrstuhl könnte schließlich zu langsam sein). Dann hatte sie die Wohnungstür schwungvoll geöffnet.

Der Computer war im Standby. Kat stieß die Maus an und wartete. Die kleine Eieruhr erschien und drehte sich immer wieder. Mann, sie brauchte dringend einen neuen Computer. Da sie vom Laufen Durst hatte, überlegte sie, ob sie sich ein Glas Wasser holen sollte, doch da stoppte die Eieruhr.

Sie klickte auf den Tab mit YouAreJustMyType.com. Seit ihrem letzten Besuch war zu viel Zeit vergangen, daher hatte die Webseite sie wieder ausgeloggt. Sie gab ihren Benutzernamen und das Passwort ein und klickte auf WEITER. Die Startseite empfing sie mit sechs großen, strahlend grünen Worten:

Eine Antwort für Sie im Posteingang!

Ihr Herz hämmerte. Sie spürte ihn, den langsamen, stetigen Schlag, der ganz bestimmt mit bloßem Auge zu erkennen war. Sie klickte auf die grünen Buchstaben. Der Posteingang öffnete sich zusammen mit Jeffs kleinem Profilbild.

Jetzt oder nie.

Die Betreffzeile war leer. Sie schob den Mauszeiger darauf und klickte. Jeffs Nachricht öffnete sich.

Ha! Nettes Video! Mochte ich schon immer gern. Ich weiß, dass alle Männer sagen, sie mögen Frauen mit Sinn für Humor, aber das war wirklich pfiffig. Außerdem gefallen mir deine Fotos richtig gut. Dein Gesicht ist sehr schön, aber ... da ist noch mehr. Nett, dich kennenzulernen!

Das war alles. Keine Unterschrift, kein Name.

Nichts.

Moment, was?

Die Wahrheit war wie ein Schlag ins Gesicht: Jeff erinnerte sich nicht an sie.

War das möglich? Wie konnte er sich nicht an sie erinnern? Immer mit der Ruhe, sie durfte jetzt keine voreiligen Schlüsse ziehen. Sie atmete tief durch und versuchte, darüber nachzudenken. Okay, Jeff hatte sie also nicht erkannt. Wie sehr hatte sie sich verändert? Ziemlich, würde sie meinen. Ihre Haare waren dunkler und kürzer. Sie war gealtert. Männern erging es da besser. Die angegrauten Schläfen machten Jeff nur noch attraktiver, verdammt. Ganz objektiv betrachtet waren ihr die Jahre nicht so gut bekommen. So einfach war das. Kat ging im Zimmer auf und ab, dann sah sie in den Spiegel. Man sieht sich selbst natürlich nicht. Man sieht die Veränderungen nicht, die die Jahre mit sich bringen. Sie begann in den Schubladen nach alten Fotos von sich zu wühlen – und tatsächlich, die wirre Frisur, die rundlicheren Wangen, die strahlende Jugend – sie konnte es fast nachvollziehen. Er hatte sie zuletzt als Zweiundzwanzigjährige mit strahlenden Augen gesehen, selbst wenn sie damals am Boden zerstört gewesen war. Jetzt war sie vierzig. Ein Riesenunterschied. Ihr Profil enthielt keine wirklich privaten Informationen. Weder ihre Adresse noch ihr Abschluss an der Columbia University oder sonst irgendwelche Details wurden erwähnt, die verrieten, dass man es mit Kat zu tun hatte.

In gewisser Weise war es also logisch, dass Jeff sie nicht erkannt hatte.

Als sie allerdings etwas länger darüber nachdachte, löste sich ihre Erklärung vielleicht nicht vollkommen in Wohlgefallen auf, aber zumindest franste sie etwas aus. Sie hatten sich geliebt. Sie waren verlobt gewesen. Der Song – das Video – war für sie mehr als nur »nett« gewesen, es war etwas gewesen, das man nicht einfach hinter sich ließ, vergaß oder …

Etwas zog ihren Blick auf sich und hielt ihn fest.

Kat beugte sich näher an den Bildschirm und entdeckte ein pulsierendes Herz neben Jeffs Profilbild. Die kleine Markierung am unteren Rand verriet ihr, dass er im Moment online und bereit war, mit den Leuten zu chatten, »mit denen er schon zuvor kommuniziert« hatte.

Sie setzte sich, öffnete das Chat-Fenster und tippte:

Hier ist Kat.

Zum Absenden musste man die ENTER-Taste drücken. Sie verschwendete keine Zeit und gab sich so nicht die Chance, sich herauszureden. Also drückte sie die ENTER-Taste. Der Text wurde gesendet.

Der Mauszeiger blinkte ungeduldig. Kat saß da und wartete auf seine Antwort. Ihr rechtes Bein fing an zu zucken. Ein Restless-Leg-Syndrom war bei ihr nicht diagnostiziert worden, sie ging aber davon aus, dass es bald so weit sein würde. Auch bei ihrem Vater hatte das Bein gezittert. Oft. Sie legte die rechte Hand aufs Knie und zwang sich aufzuhören. Sie wandte den Blick nicht vom Bildschirm ab.

Keine Namen. Zumindest noch nicht.

Sie runzelte die Stirn. Was zum Teufel sollte das heißen? Dunkel erinnerte sie sich, bei der ersten »Einführung« in YouAreJustMyType.com eine Warnung an die Benutzer gelesen zu haben, dass sie so lange nicht ihre richtigen Namen nennen sollten, bis sie sicher waren, dass sie sich mit dem Gegenüber tatsächlich persönlich treffen wollten.

Also war er nicht sicher.

Was ging hier vor? Ihre Finger fanden die Tastatur und fingen an zu tippen.

Jeff? Bist du das? Hier ist Kat.

Der Mauszeiger blinkte noch genau zwölf Mal – sie zählte mit –, dann verschwand das pulsierende Herz.

Jeff hatte sich abgemeldet.

ACHT

Falls es Jeff war.

Das war der nächste Gedanke, der ihr plötzlich durch den Kopf schoss. Vielleicht war der Witwer im Profil gar nicht Jeff. Vielleicht war es nur ein Mann, der aussah wie ihr Ex-Verlobter. Die Fotos waren, wie sie bei näherem Hinsehen erkannte, ziemlich grobkörnig. Die meisten waren irgendwo draußen aus größerer Entfernung aufgenommen worden. Eins im Wald, eins an einem leeren Strand mit einem kaputten Zaun, und eins zeigte ihn wahrscheinlich auf einem Golfplatz. Auf manchen Bildern trug er eine Baseballkappe. Auf anderen trug er außerdem noch eine Sonnenbrille (Gott sei Dank nicht auf den Innenaufnahmen). Genau wie Kat auf ihren Fotos sah der vermeintliche Jeff nie so aus, als würde er sich richtig wohlfühlen, sondern eher so, als wollte er sich verstecken und war dann von einem Fotografen erwischt worden, der ihn unbedingt mit auf dem Foto haben wollte.

Als Polizistin hatte sie aus erster Hand erfahren, welche Macht die Suggestion hatte, wie unzuverlässig die Augen waren, wenn jemand wusste, wie man die richtigen Anreize setzte. Sie hatte gesehen, wie Zeugen in einer Gegenüberstellung die Person auswählten, von der die Polizei wollte, dass sie ausgewählt wurde. Das Gehirn konnte einem aus den nichtigsten Gründen einen Streich spielen.

Was könnte eine Sehnsucht wie die ihre im Gehirn anstellen?

Gestern Nacht hatte sie auf der Suche nach einem Lebenspartner eine Internetseite überflogen. War es nicht viel wahrscheinlicher, dass der Mann, der ihr im Leben am nächsten gestanden hatte, von ihrem Gehirn heraufbeschworen worden war, als dass sich sein Foto tatsächlich auf der Seite befand?

Die Gegensprechanlage zum Hauseingang surrte.

Sie ging zur Wohnungstür und drückte den Knopf. »Ja, Frank?«

»Ihr Captain ist hier.«

»Schicken Sie ihn rauf.«

Kat ließ die Tür angelehnt, damit Stagger reinkommen konnte, ohne zu klopfen – weitere Flashbacks an den Tag vor achtzehn Jahren konnte sie im Moment wirklich nicht brauchen. Sie verließ die Seite von YouAreJustMyType und löschte anschließend den Browserverlauf – um auf Nummer sicher zu gehen.

Staggers gesamte Erscheinung strahlte Erschöpfung aus. Seine Augen waren rot und tief eingesunken. Sein üblicher Fünf-Uhr-Bartschatten hatte sich zu einer fast mitternächtlichen Finsternis verdunkelt. Seine Schultern hingen herunter wie die eines Bussards, der zu müde war, um Beute zu machen.

»Alles klar mit dir?«, fragte sie.

»War ein langer Tag.«

»Willst du einen Drink?«

Er schüttelte den Kopf. »Was gibt's?«

Kat beschloss, gleich ins kalte Wasser zu springen. »Wie sicher bist du, dass Monte Leburne Henry umgebracht hat?«

Welche Frage oder Bemerkung er auch immer erwartet haben mochte – was auch immer er vermutet haben mochte, warum sie ihn so dringend sprechen wollte –, das war es nicht gewesen. »Ist das dein Ernst?«

»Ja.«

»Dann warst du heute bei ihm?«

»Ja.«

»Und er hat plötzlich abgestritten, deinen Vater erschossen zu haben?«

»Nicht direkt.«

»Was dann?«

Kat musste vorsichtig sein. Stagger hielt sich nicht nur an die Vorschriften – er war eine wandelnde Vorschrift: Ordner, Bindung, Papier, das ganze Drum und Dran. Wenn er von Schwester Steiner und dem Dämmerschlaf erfuhr, würde er einen Anfall bekommen und sich nicht wieder abregen.

»Okay, hör mir einfach einen Moment zu«, fing sie an. »Und versuch bitte, da unbefangen ranzugehen, okay?«

»Kat, sehe ich aus, als hätte ich Lust auf Spielchen?«

»Nein, eindeutig nicht.«

»Dann erzähl mir, was los ist.«

»Schon klar, aber hab etwas Geduld. Lass uns noch mal ganz von vorn anfangen.«

»Kat…«

Sie machte weiter. »Hier ist Monte Leburne, ja? Das FBI hat ihn als Auftragskiller für zwei Morde festgenagelt. Sie versuchen, ihn umzudrehen, damit er gegen Cozone aussagt. Das klappt nicht. Er ist nicht der Typ dafür. Vielleicht einfach zu dumm. Oder er glaubt, sie würden seiner Familie etwas antun. Ist ja auch egal, auf jeden Fall hält Leburne dicht.«

Sie wartete, dass er sagte, sie solle endlich auf den Punkt kommen. Er tat es nicht.

»Unterdessen sucht ihr den Mörder meines Vaters. Ihr habt nicht viel in der Hand, nur ein paar Gerüchte und lose Fäden und plötzlich, voilà, legt Leburne ein Geständnis ab.«

»So war das nicht«, sagte Stagger.

»Doch, genauso war das.«

»Wir hatten Spuren.«

»Aber nichts Belastbares. Dann verrat mir doch, warum er plötzlich gestanden hat.«

Stagger verzog das Gesicht. »Du weißt, warum. Er hatte einen Cop umgebracht. Der Druck auf Cozone und seine Organisation wurde zu groß. Also hat er uns jemanden zum Fraß vorgeworfen.«

»Genau. Daraufhin hat Monte Leburne den Kopf hingehalten. Und Cozone ist davongekommen. Wie praktisch. Ein Mann, der sowieso den Rest seines Lebens im Gefängnis verbringt, wird noch ein weiteres Mal zu lebenslänglich verurteilt.«

»Wir haben ein paar Jahre lang versucht, Cozone dafür festzunageln. Das weißt du genau.«

»Aber wir haben es nicht geschafft. Verstehst du nicht? Wir konnten die Verbindung zwischen Cozone und Leburne bei dem Fall nie wirklich festklopfen. Weißt du wieso?«

Er seufzte. »Du wirst jetzt nicht paranoid und siehst überall Komplotte, oder, Kat?«

»Nein.«

»Der Grund dafür, dass wir keine Verbindung zu ihm herstellen konnten, ist ganz banal: Das ist der Lauf der Welt. Sie ist nicht perfekt.«

»Oder«, sagte Kat und versuchte, ruhig zu sprechen, »wir konnten keine Verbindung herstellen, weil Monte Leburne meinen Dad nicht erschossen hat. Die anderen beiden Morde konnten wir Leburne nachweisen. Den an meinem Dad nicht. Warum nicht? Und was ist mit den Fingerabdrücken, die wir nie identifizieren konnten? Hast du dich nie gefragt, wer damals noch am Tatort war?«

Stagger sah sie nur an. »Was ist oben in Fishkill passiert?«

Kat wusste, dass sie vorsichtig sein musste. »Ihm geht's schlecht.«

»Leburne?«

Sie nickte. »Ich glaube nicht, dass ihm noch mehr als ein oder zwei Wochen bleiben.«

»Du bist also hochgefahren«, sagte Stagger. »Und er war bereit, dich zu empfangen.«

»Gewissermaßen.«

Er sah ihr in die Augen. »Was soll das heißen?«

»Er war auf der Krankenstation. Ich musste meine Über-redungskünste spielen lassen. War keine große Sache, nichts Anrüchiges. Ich habe meine Marke gezeigt, alles im Vagen gelassen.«

»Okay. Und dann?«

»Und als ich an Leburnes Bett war, ging's ihm rich-tig schlecht. Sie hatten ihn mit einer ordentlichen Dosis Schmerzmittel zugeknallt. Er war ziemlich weggetreten. Dann hat er angefangen zu halluzinieren. Er hat die Kran-kenschwester für seine verstorbene Schwester Cassie gehal-ten. Er hat sich bei ihr entschuldigt, weil es zugelassen hat, dass sein Vater sie missbraucht hat oder so. Hat angefangen zu weinen und ihr erzählt, dass er bald bei ihr ist. Solches Zeug.«

Stagger nagelte sie mit seinem Blick fest. Sie wusste nicht, ob er es ihr abkaufte, sie wusste nicht, wie gut sie ihre Ver-sion verkaufte. »Erzähl weiter.«

»Und da hat er gesagt, dass er nie einen Cop umgebracht hat.«

Die eingesunkenen Augen traten ein kleines bisschen her-vor. Es war nicht die ganze Wahrheit, reichte aber, um das Gespräch in Gang zu halten, dachte Kat.

»Er hat gesagt, er ist unschuldig«, fuhr sie fort.

Stagger sah sie ungläubig an. »An allem?«

»Nein, ganz im Gegenteil. Er sagte, sie hätten ihn bei zwei Morden auf frischer Tat ertappt, was sollte es also noch ausmachen, einen weiteren zu gestehen, wenn für alles gesorgt ist?«

»Wenn für alles gesorgt ist?«

»Seine Worte.«

Stagger schüttelte nur den Kopf. »Das ist verrückt. Das ist dir schon klar, oder?«

»Ist es nicht. Es ist sogar vollkommen logisch. Was macht eine weitere Verurteilung wegen Mordes noch aus, wenn man sowieso sein Leben hinter Gittern verbringen muss?« Kat trat einen Schritt näher an ihn heran. »Nehmen wir mal an, ihr wärt dem Killer auf den Fersen gewesen. Vielleicht wart ihr nur noch Tage oder Stunden davon entfernt, die Einzelteile zusammenzusetzen und ihn zu finden. Und plötzlich legt ein Typ, der schon festgenommen wurde und zu lebenslanger Haft verurteilt wird, ein Geständnis ab. Verstehst du das nicht?«

»Und wer genau hätte das organisieren sollen?«

»Keine Ahnung. Wahrscheinlich Cozone.«

»Und der würde seinen eigenen Mann dafür ans Messer liefern?«

»Ein Mann, von dem er wusste – und von dem wir wussten –, dass er niemals den Mund aufmachen würde? Klar, wieso nicht?«

»Wir haben die Mordwaffe, weißt du?«

»Klar.«

»Die Waffe, mit der dein Vater erschossen wurde. Wir haben sie genau an der Stelle gefunden, die Monte Leburne uns beschrieben hatte.«

»Natürlich wusste Leburne, wo sie ist. Der Killer hat es ihm gesagt. Überleg doch mal. Seit wann bewahrt ein Auftragskiller wie Leburne eine Waffe auf? Er sieht zu, dass er sie so schnell wie möglich loswird. Die Waffen, die bei den anderen beiden Morden gebraucht wurden, haben wir nie gefunden, stimmt's? Und plötzlich beschließt er, gerade die Waffe zu behalten, mit der er einen Cop umgebracht hat. Wozu? Als Souvenir? Und noch mal, was war mit den Fingerabdrücken? Hatte er einen Komplizen? Hat er es alleine gemacht? Was ist da passiert?«

Stagger legte ihr die Hände auf die Schultern. »Kat, hör mir zu.«

Sie wusste, was kommen würde. Das gehörte dazu. Sie musste es über sich ergehen lassen.

»Du hast gesagt, dass Leburne mit Medikamenten zugeknallt war, richtig? Mit Morphium?«

»Ja.«

»Dann hat er halluziniert. Deine Worte. Er hat irgendwelchen Unsinn geredet, den er sich eingebildet hat. Weiter nichts.«

»Behandle mich nicht wie ein Kind.«

»Tu ich nicht.«

»Doch, das tust du. Du weißt, dass ich nicht auf solchen Quatsch wie …«, sie malte mit den Fingern Anführungszeichen in die Luft, »… ›einen Schlussstrich ziehen‹ stehe. Ich halte es für Unsinn. Selbst wenn wir alle verurteilen, die irgendetwas mit diesem Mord zu tun hatten, wird mein Vater nicht wieder lebendig. Daran wird sich nichts ändern. Ein Schlussstrich wäre also schon fast so etwas wie … ich weiß nicht … eine Beleidigung für das Andenken meines Vaters. Weißt du, was ich meine?«

Er nickte langsam.

»Aber dieses Geständnis … ganz zufrieden war ich damit nie. Ich habe immer gedacht, es muss noch mehr dahinterstecken.«

»Und das hast du jetzt daraus gemacht.«

»Was?«

»Komm schon, Kat. Wir sprechen über Monte Leburne. Glaubst du, er wusste nicht, dass du da warst? Er spielt mit dir. Er wusste, dass du von Anfang an Zweifel hattest. Du wolltest etwas sehen, was nicht da war. Und jetzt hat er es dir gegeben.«

Sie öffnete den Mund, um zu widersprechen, aber plötzlich fiel ihr der vermeintliche Jeff ein. Sehnsucht konnte die Wahrnehmung vernebeln oder verfälschen. War es hier genauso? Hatte sie so sehnsüchtig nach einer Lösung gesucht – um einen Schlussstrich ziehen zu können –, dass sie absurde Szenarien entwarf?

»So war das nicht«, sagte Kat, klang aber nicht mehr ganz so überzeugt.

»Bist du sicher?«

»Du musst das verstehen. Ich kann das nicht einfach so hinnehmen.«

Er nickte langsam. »Ich versteh das.«

»Jetzt behandelst du mich wieder wie ein Kind.«

Er rang sich ein müdes Lächeln ab. »Monte Leburne hat deinen Vater getötet. Bei dem Fall passt nicht alles richtig oder gar perfekt zusammen. Das tut's aber nie. Was du auch ganz genau weißt. Die offenen Fragen in dem Fall – alles normal, Routine und leicht erklärbar – zerfressen dich. Aber man muss irgendwann loslassen. Sonst macht es einen verrückt. Wenn man das zu nah an sich heranlässt, entwickelt man Depressionen und …«

Seine Worte verhallten.

»Wie mein Großvater?«

»Das hab ich nicht gesagt.«

»War auch nicht nötig.«

Stagger sah ihr in die Augen und hielt ihrem Blick eine lange Sekunde stand. »Dein Vater hätte gewollt, dass du dein Leben weiterlebst und dich neuen Dingen zuwendest.«

Sie sagte nichts.

»Du weißt, dass ich recht habe.«

»Stimmt«, sagte sie.

»Aber?«

»Aber ich kann es nicht. Und das hätte mein Vater auch gewusst.«

Kat goss sich noch ein Schnapsglas voll Jack Daniel's und fing an, die alte Mordakte ihres Vaters auszudrucken.

Es war nicht die offizielle Polizeiakte. Die hatte sie natürlich auch zigmal gelesen, aber dies war ihre eigene Schöpfung, die die gesamte offizielle Akte enthielt – die Detectives, die den Mord bearbeitet hatten, waren Freunde der Familie gewesen –, aber auch alles andere, selbst Gerüchte, die ihr zu Ohren gekommen waren. Eigentlich war es ein ziemlich klarer Fall mit Leburnes Geständnis und der Mordwaffe, die in Leburnes Haus versteckt war. Die meisten Unklarheiten waren geklärt worden, mit einer entscheidenden Ausnahme, die Kat nie aus dem Kopf gegangen war: Am Tatort waren nicht identifizierte Fingerabdrücke gefunden worden. Auf dem Gürtel ihres Vaters hatte die Spurensicherung einen vollständigen, gut erkennbaren Fingerabdruck gefunden und ihn durch die Datenbanken gejagt, aber keinen Treffer gelandet.

Die offizielle Erklärung hatte Kat nie ganz zufriedengestellt, aber alle, auch Kat selbst, hatten das auf ihre persönliche Betroffenheit geschoben. Aqua hatte es einmal sehr gut ausgedrückt, als sie ihn an einem seiner klareren Tage zufällig im Park getroffen hatte: »Du suchst etwas in dem Fall, das du niemals finden kannst.«

Aqua.

Das war eine seltsame Geschichte. Mit Stacy konnte sie über die Ermordung ihres Vaters sprechen, obwohl sie ihn nie kennengelernt hatte. Stacy kannte die »alte Kat« nicht, die Vorher-Kat, die Kat, die mit Jeff ausgegangen war, sich durch ein offenes Lächeln auszeichnete und vor Henry Donovans Ermordung gelebt hatte. Aber der erste Name, der ihr durch den Kopf ging – die eine Person, die besser als jeder andere verstehen würde, was sie durchmachte –, war, tja, Jeff.

Das klang nicht unbedingt nach einer guten Idee, oder?

Nein. Zumindest hätte es das um sechs Uhr morgens oder um zehn Uhr abends nicht getan. Aber jetzt, um drei Uhr morgens mit ein paar Gläsern Jack in den Adern, schien es die beste Idee der Welt zu sein. Sie blickte durchs Fenster nach draußen. New York galt als die Stadt, die niemals schläft. Das war Unsinn. Als sie in anderen Städten war, selbst in kleineren wie St. Louis oder Indianapolis, schienen die Leute länger wach zu bleiben, wobei es ihr oft so vorkam, als täten sie das in erster Linie aus Trotz: Wir sind nicht in New York City, also werden wir uns umso mehr Mühe geben, Spaß zu haben. Oder so ähnlich.

Auf den Straßen Manhattans war es um drei Uhr morgens jedenfalls so still wie auf einem Friedhof.

Kat schwankte auf ihren Computer zu. Sie brauchte drei Versuche, um sich bei YouAreJustMyType.com einzuloggen, weil ihr Finger, genau wie ihre Zunge, vom Alkohol geschwollen zu sein schien. Sie prüfte, ob Jeff zufällig online war. War er nicht. Tja, jammerschade, oder? Sie klickte auf den Link, um ihm eine Nachricht zu schicken.

Jeff,

können wir uns unterhalten? Hier ist etwas passiert, über das ich gern mir dir reden würde.

Kat

Irgendwo war ihr klar, dass das eine verdammt blöde Idee war, sozusagen das Internet-Partnerbörsen-Gegenstück zum betrunkenen Simsen war. Und betrunken simsen war nie gut. Niemals, nie, nirgends.

Sie schickte die Nachricht ab, dann fiel sie halb in Ohnmacht, halb schlief sie ein. Als um sechs der Wecker klingelte, hasste Kat ihr jämmerliches Selbst schon, bevor der Kater einsetzte und ihr schmerzhafte Funken durch den Schädel jagte.

Sie checkte ihre Mail. Nichts von Jeff. Oder dem vermeintlichen Jeff. Richtig... war ihr nicht irgendwann zwischendurch bewusst geworden, dass der Mann womöglich gar nicht Jeff war, sondern nur ein Mann, der Jeff ähnlich sah? Auch egal. Wen störte das? Wo zum Teufel waren die Paracetamol?

Aquas Yogakurs? Äh-äh. Keine Chance. Heute nicht. Das würde ihr Kopf nicht aushalten. Außerdem war sie gestern dort gewesen. Also brauchte sie heute nicht hin.

Es sei denn...

Moment, eine Sekunde. Sie ging zurück zum Computer und rief Jeffs Profil auf. Abgesehen von Stagger war die einzige Person, die sie zusammen mit Jeff und Dad erlebt hatte, die noch ihr altes Ich kannte und zu der sie regelmäßig Kontakt hatte, tja, Aqua. Aqua und Jeff hatten sich über sie kennengelernt und waren gute Freunde geworden. Sie hatten sogar eine Weile zusammen in der schäbigen Zweizimmerwohnung in der 178th Street gewohnt. Sie klickte auf DRUCKEN, warf sich die Joggingsachen über, lief rüber zur Ostseite des Parks und kam – wie üblich – an, als alle bereits mit geschlossenen Augen meditierten.

»Zu spät«, sagte Aqua.

»Sorry.«

Aqua runzelte die Stirn und öffnete überrascht die Augen. Kat hatte sich noch nie entschuldigt. Er wusste, dass irgendetwas nicht stimmte.

Vor rund zwanzig Jahren waren Aqua und Kat Kommilitonen auf der Columbia University gewesen. Sie hatten sich im ersten Studienjahr kennengelernt. Aqua war, kurz gesagt, der klügste Mensch, dem Kat je begegnet war. Seine Prüfungsergebnisse lagen jenseits jedes Bewertungsrahmens. Sein Gehirn lief auf Hochtouren, so schnell, dass er sämtliche Hausaufgaben innerhalb von Minuten erledigt hatte, für die andere eine ganze Nacht brauchten. Aqua verschlang Wissen, wie manche Menschen Fastfood verschlangen. Er belegte Zusatz-Seminare, hatte zwei Nebenjobs, begann außerdem noch, wettkampfmäßig zu laufen. Doch all das konnte seinen Wahn nicht stoppen.

Schließlich überhitzte Aquas Hirn. Zumindest hatte Kat sich das immer so vorgestellt. Er zerbrach, obwohl er eigentlich nur krank war. Psychisch krank. Es war eigentlich nicht anders, als an Krebs, Lupus oder so etwas zu leiden. Seitdem war Aqua in verschiedenen Anstalten ein- und ausgegangen. Die Ärzte hatten alles versucht, um ihn zu heilen, aber seine psychische Krankheit war, wenn auch vielleicht nicht tödlich, doch in jedem Fall chronisch. Kat wusste nicht, wo genau er jetzt wohnte. Irgendwo im Park, vermutete sie. Manchmal begegnete sie ihm außerhalb des morgendlichen Kurses, wenn seine Manie in fiebrigere Höhen schoss. Manchmal kleidete Aqua sich wie ein Mann. Manchmal – na gut, meistens – kleidete Aqua sich wie eine Frau. Und manchmal erkannte Aqua Kat nicht einmal.

Am Ende des Kurses, während die anderen die Augen für die Totenstellung schlossen, richtete Kat sich auf und starrte Aqua an. Er – oder sie, das war sehr verwirrend, wenn man es mit einem Teilzeit-Transvestiten zu tun hatte – starrte mit einem Anflug von Zorn im Blick zurück. Es gab Regeln in den Kursen. Sie brach gerade eine davon.

»Entspanne dein Gesicht«, sagte Aqua mit seiner besänftigenden Stimme. »Entspanne deine Augen. Du spürst, wie die Lider herabsinken. Entspanne dein Gesicht…«

Er sah ihr dabei direkt in die Augen. Schließlich fügte Aqua sich. In einer leisen, mühelosen Bewegung erhob er sich aus dem Lotussitz. Auch Kat stand auf. Sie folgte ihm einen schmalen Pfad entlang Richtung Norden.

»Hierher gehst du also nach dem Kurs«, sagte Kat.

»Nein.«

»Nein?«

»Ich zeige dir nicht, wohin ich gehe. Was willst du?«

»Du musst mir einen Gefallen tun.«

Aqua ging weiter. »Ich tue keine Gefallen. Ich unterrichte Yoga.«

»Das weiß ich.«

»Warum belästigst du mich dann?« Er ballte die kleinen Hände zu Fäusten, wie ein kleines Kind, das kurz vor einem Wutanfall stand. »Yoga ist die Routine. Ich brauche meine Routine. Dass du mich ansprichst und mit mir reden willst, ist nicht Teil der Routine. Es ist nicht gut für mich, wenn man mich aus meiner Routine herausholt.«

»Ich brauche deine Hilfe.«

»Ich helfe, indem ich Yoga unterrichte.«

»Das weiß ich.«

»Ich bin ein guter Lehrer, nicht wahr?«

»Der beste.«

»Dann lass mich weiter unterrichten. So helfe ich. So kann ich mein Gleichgewicht bewahren. Das ist mein Beitrag für die Gesellschaft.«

Plötzlich war Kat überwältigt. Sie waren vor langer Zeit Freunde gewesen. Gute Freunde. Enge Freunde. Sie hatten in der Bibliothek gesessen und über alles geredet. Die Stunden waren nur so dahingeflogen – so ein Freund war er gewesen.

Nach ihrem ersten Date mit Jeff hatte sie mit Aqua über ihn gesprochen. Er hatte sie verstanden. Er hatte es sofort gesehen. Auch Aqua und Jeff waren Freunde geworden. Sie waren zusammen in eine Wohnung außerhalb vom Campus gezogen, auch wenn Jeff die meisten Nächte bei Kat verbracht hatte. Als sie Aquas bestürzte Miene sah, wurde ihr erneut bewusst, wie viel sie verloren hatte. Sie hatte ihren Dad verloren. Klar. Sie hatte ihren Verlobten verloren. Auch klar. Aber vielleicht – und das war nicht so klar – hatte sie noch etwas verloren, etwas Echtes und Tiefgehendes, als Aqua seinen Nervenzusammenbruch erlitt.

»Gott, ich vermisse dich«, sagte sie.

Aqua ging schneller. »Das hilft überhaupt nicht weiter.«

»Ich weiß. Tut mir leid.«

»Ich muss los. Ich muss Dinge erledigen.«

Sie legte ihm die Hand auf den Arm, um ihn zurückzuhalten. »Kannst du dir das vorher noch kurz ansehen?«

Er ging kaum langsamer und runzelte die Stirn. Sie reichte ihm die Ausdrucke von Jeffs Profil bei YouAreJustMyType.

»Was ist das?«, fragte Aqua.

»Sag du's mir.«

Die Situation gefiel ihm nicht. Das sah sie. Die Störung seiner Routine beunruhigte ihn. Das hatte sie nicht gewollt. Sie wusste, dass ihn das aus der Bahn werfen konnte.

»Aqua? Wirf einfach kurz einen Blick drauf, okay?«

Er tat es. Er sah sich die Ausdrucke an. Seine Miene wirkte immer noch beunruhigt, aber sie hatte den Eindruck, dass seine Augen kurz aufleuchteten.

»Aqua?«

Seine Stimme klang ängstlich. »Warum zeigst du mir das?«

»Sieht er aus wie jemand, den du kennst?«

»Nein«, sagte er.

Sie spürte, wie ihr Herz zerbarst. Dann eilte Aqua davon.

»Er sieht nicht aus wie Jeff, Kat. Das ist Jeff.«

NEUN

Kat hatte gerade den Hörer aufgelegt und ließ sich Monte Leburnes Worte zum x-ten Mal durch den Kopf gehen, als der Computer mit einem *Ping* die Ankunft einer Chat-Anfrage von YouAreJustMyType ankündigte.

Sie kam, wie sie an dem kleinen Profilbild sofort erkannte, von Jeff. Einen Moment lang saß sie einfach da, hatte Angst, auf LESEN zu klicken, weil ihr der Kontakt, diese Verbindung, so zart und zerbrechlich vorkam, dass jede unbedachte Handlung diesen dünnen und ausgefransten Faden zum Zerreißen bringen könnte.

Das Herz-Icon neben seinem Profilbild war mit einem Fragezeichen markiert, weil ihre Zustimmung zur Fortsetzung des Chats erwartet wurde. Sie hatte die letzten drei Stunden am Fall ihres Vaters gearbeitet. Die Akte hatte ihr keine neuen Erkenntnisse gebracht, aber all die bekannten Probleme enthielt sie noch. Henry Donovan war aus kurzer Distanz mit einem kleinen Smith-&-Wesson-Revolver in die Brust geschossen worden. Auch das war ihr nie ganz geheuer gewesen. Würde ein Auftragsmörder nicht auf den Kopf schießen? Würde er nicht von hinten an sein Opfer herantreten, ihm den Lauf an den Hinterkopf drücken und zweimal abdrücken? Genauso hatte er es immer gemacht. Warum sollte er hier plötzlich anders vorgegangen sein? Warum hatte er ihrem Vater in die Brust geschossen?

Da stimmte etwas nicht.

Genau wie das, was Monte Leburne zu Schwester Steiner auf die Frage geantwortet hatte, wer Henry Donovan getötet hatte. »Woher soll ich das wissen. Sie haben mich besucht. Am Tag nach meiner Verhaftung. Sie haben gesagt, ich soll das Geld nehmen und den Kopf hinhalten.«

Naheliegende Frage: Wer waren »sie«?

Aber vielleicht hatte Monte ihr die Antwort darauf schon gegeben? »Sie« hatten ihn im Gefängnis besucht. Und nicht nur das, »sie« hatten ihn am Tag nach seiner Verhaftung besucht.

Hm.

Kat griff zum Telefon und rief Chris Harrop an, einen alten Freund, der bei der Gefängnisbehörde arbeitete.

»Kat, schön von dir zu hören. Was gibt's?«

»Du musst mir einen Gefallen tun«, sagte Kat.

»Das ist ja mal eine Überraschung. Ich dachte, du rufst an, weil du verschwitzten, heißen Sex mit mir willst.«

»Da hab ich wohl was verpasst, Chris. Kannst du mir die Besucherliste von einem Häftling besorgen?«

»Dürfte kein Problem sein«, sagte Harrop. »Wer ist der Häftling, und wo sitzt er ein?«

»Monte Leburne. Er war oben in Clinton.«

»Welches Datum?«

»Äh, es war der siebenundzwanzigste März.«

»Okay, ich setz mich ran.«

»Vor achtzehn Jahren.«

»Bitte?«

»Ich brauche seine Besucherliste. Ich will wissen, wer ihn vor achtzehn Jahren besucht hat.«

»Das soll doch wohl ein Witz sein.«

»Nein.«

»Wow.«

»Ja.«

»Okay, in dem Fall wird es eine Weile dauern«, sagte Harrop. »Seit 2004 ist hier alles digitalisiert. Ich glaube, die alten Akten sind in Albany eingelagert. Wie wichtig ist dir das?«

»So wichtig wie heißer, verschwitzter Sex.«

»Bin schon an der Arbeit.«

Nachdem sie das Telefonat beendet hatte, war die Sprechblase des YouAreJustMyType-Chats erschienen. Mit zittriger Hand klickte sie auf das Fragezeichen, klickte JA, und nach einer kurzen Pause erschienen Jeffs Worte:

Hey, Kat, ich habe deine Nachricht erhalten. Wie geht's dir?

Ihr stockte das Herz.

Kat las die Nachricht von Jeff noch zwei- oder dreimal. Schwer zu sagen. Sie sah das pulsierende Herz neben seinem Namen – er war online und wartete auf ihre Antwort. Ihre Fingerspitzen fanden die Tastatur.

Hey, Jeff …

Sie hielt inne und überlegte, was sie noch hinzufügen sollte, bevor sie auf Senden klickte. Dann entschied sie sich, einfach das zu schreiben, was ihr durch den Kopf ging.

Hey, Jeff. Du hast mich wohl nicht erkannt.

Kat wartete auf seine Antwort. Vermutlich würde er ihr schmeicheln, um sich herauszureden, »Du bist noch hübscher geworden«, »Die neue Frisur steht dir ausgezeichnet« oder etwas in der Art. Aber was sollte es? Wen interessierte das? Es spielte keine Rolle. Warum dachte sie überhaupt darüber nach? Albern.

Doch seine Antwort überraschte sie:

Nein, ich habe dich sofort erkannt.

Das Herz neben seinem Profil pulsierte weiter. Sie dachte über das kleine Icon oder den Avatar oder wie immer man das nannte nach: Ein schlagendes, rotes Herz – das Symbol für Liebe und Romantik, und wenn Jeff jetzt ging, wenn er beschloss, sich auszuloggen, hörte das Herz auf zu schlagen und verblasste allmählich. Als Kunde von YouAreJustMyType.com und potenzieller Liebhaber des Chat-Partners wollte man nicht, dass das passierte.

Kat schrieb: Und warum hast du das nicht gesagt?

Weiter das pulsierende Herz: Du weißt warum.

Sie runzelte die Stirn, ließ sich einen Moment Zeit, dachte darüber nach. Dann tippte sie: Eigentlich nicht. Nachdem sie einen weiteren Moment überlegt hatte, ergänzte sie: Warum hast du nichts zum »Missing You«-Video gesagt?

Herz. Blink. Herz. Blink.

Weil ich jetzt Witwer bin.

Oha. Was sollte sie darauf antworten? Habe ich gesehen. Tut mir leid.

Sie wollte ihm tausend Fragen stellen – wo er wohnte, was sein Kind machte, wann und wie seine Frau gestorben war, ob er überhaupt noch an Kat dachte –, stattdessen saß sie wie gelähmt da und wartete auf Jeffs Antwort.

Er: Finde es seltsam, hier zu sein.

Sie: Ich auch.

Er: Deswegen bin ich auch misstrauischer und vorsichtiger als sonst. Verstehst du das?

Einerseits wollte sie antworten: »Ja natürlich. Absolut nachvollziehbar.« Anderseits wollte sie schreiben: »Misstrauisch? Vorsichtig? Mir gegenüber?«

Sie entschied sich für: Denke schon.

Das stetig schlagende Herz hatte etwas Hypnotisierendes. Sie meinte zu spüren, wie ihr Herzschlag sich dem neben seinem Profilbild anzupassen versuchte. Sie wartete. Er brauchte länger für die Antwort, als sie erwartet hatte.

Er: Ich glaube, es ist keine gute Idee, weiter zu chatten.

Die Worte brachen über sie herein wie eine unerwartete Welle am Strand.

Er: Zurückzugehen scheint mir ein Fehler zu sein. Ich brauche einen Neuanfang. Verstehst du das?

Einen Moment lang empfand sie echten Hass auf Stacy, weil sie sich eingemischt und ihr diesen blöden Account gekauft hatte. Sie versuchte, dieses Gefühl abzuschütteln und sich bewusst zu machen, dass das hier von Anfang an eine lächerliche Fantasie gewesen war, dass er sie schon einmal sitzen gelassen hatte, sie verletzt hatte, ihr das Herz gebrochen hatte, und sie wollte verdammt sein, wenn sie ihm das noch einmal erlaubte.

Sie: Ja, gut, ich versteh das.

Er: Pass auf dich auf, Kat.

Blink. Herz. Blink. Herz.

Eine Träne löste sich aus ihrem Auge und lief ihre Wange herunter. Bitte geh nicht, dachte sie, als sie tippte: Du auch.

Das Herz auf dem Bildschirm hörte auf zu schlagen. Es verblasste, wurde grau, dann verschwand es endgültig.

ZEHN

Gerard Remington wurde verrückt.

Er meinte zu spüren, wie sich die Hirnhaut vom Schädel löste, als würde eine bizarre Zentrifugalkraft an ihr zerren. Die meiste Zeit verbrachte er im Dunkeln und hatte Schmerzen, doch hinter diesen Nebelschleiern hatte er zu einer verblüffenden Klarheit gefunden. Wobei *Klarheit* vielleicht das falsche Wort war. *Fokussierung* traf es wahrscheinlich besser.

Der muskulöse Mann mit dem Akzent deutete auf den Pfad. »Sie kennen den Weg.«

Das tat er. Es war Gerards vierter Gang zum Farmhaus. Titus würde ihn dort erwarten. Wieder einmal überlegte Gerard, ob er flüchten sollte, wusste aber, dass er nicht weit kommen würde. Sie gaben ihm gerade so viel zu essen, dass er überlebte. Obwohl er den ganzen Tag nichts tat, sondern unbeweglich in der verdammten unterirdischen Kiste festsaß, war er schwach und erschöpft. Schon dieser kurze Weg kostete ihn alle Kraft, die er aufbringen konnte. Mehr war nicht möglich.

Aussichtslos, dachte er.

Noch immer hoffte er auf irgendeine wundersame Rettung. Sein Körper hatte ihn zwar im Stich gelassen, sein Geist jedoch nicht. Er hielt weiter die Augen offen und hatte angefangen, ein paar grundlegende Informationen über seinen Aufenthaltsort zusammenzutragen.

Gerard wurde im ländlichen Pennsylvania festgehalten, sechs Autostunden vom Logan Airport in Boston entfernt, an dem sie ihn entführt hatten.

Woher wusste er das?

Die schlichte Architektur des Farmhauses, die fehlenden Stromkabel (Titus hatte einen eigenen Generator), die alte Windmühle, der Pferdewagen, die dunkelgrünen Rollos – alles dies brachte ihn zu dem Schluss, dass er auf Amish-Land war. Darüber hinaus wusste Gerard, dass bestimmte Farben der Pferdewagen bestimmten Gebieten zuzuordnen waren. Grau war normalerweise dem Lancaster County in Pennsylvania vorbehalten, und so konnte er auf seinen Aufenthaltsort schließen.

Das alles ergab überhaupt keinen Sinn. Oder vielleicht doch?

Die Sonne schien durch das grüne Blätterdach. Der Himmel war so blau, wie ihn nur eine Gottheit malen konnte. Schönheit bahnte sich auch im Hässlichen immer ihren Weg. Eigentlich konnte Schönheit ohne Hässlichkeit gar nicht existieren. Wie sollte es Licht geben ohne Dunkelheit?

Gerard wollte gerade auf die Lichtung treten, als er den Pick-up-Truck hörte.

Einen Moment lang gestattete er sich den Glauben, dass jemand zu seiner Rettung gekommen sei. Polizeiwagen würden folgen, Sirenen würden ertönen, Muskelmann würde seine Pistole ziehen, aber ein Polizist würde ihm zuvorkommen und ihn niederschießen. Er sah es fast vor sich. Wie Titus festgenommen und die Polizei anfangen würde, das Grundstück abzusuchen, und der ganze schreckliche Albtraum für alle Welt sichtbar, wenn auch kaum zu verstehen sein würde.

Denn selbst Gerard verstand das alles nicht so recht.

Aber der Pick-up war nicht gekommen, um jemanden zu retten. Ganz im Gegenteil.

Aus der Ferne sah er, dass eine Frau hinten im Truck saß. Sie trug ein hellgelbes Sommerkleid. So viel erkannte er. Das Sommerkleid war in diesem Horror so fehl am Platz, dass Gerard spürte, wie sich Tränen in seinen Augen sammelten. Er stellte sich Vanessa in einem solchen hellgelben Sommerkleid vor. Er stellte sich vor, wie sie es anzog, sich zu ihm umdrehte und auf eine Art lächelte, die ihm – poch-poch – direkt ins Herz ging. Er sah Vanessa in diesem hellgelben Sommerkleid und dachte an alles andere Schöne auf der Welt. Er dachte an seine Kindheit in Vermont. Er dachte daran, wie sein Vater ihn zum Eisangeln mitgenommen hatte, als er klein war. Er dachte daran, wie sein Vater gestorben war, als Gerard erst acht Jahre alt war, und dass das alles verändert hatte, vor allem hatte es jedoch seine Mutter zerstört. Er dachte an ihre Liebhaber, schreckliche, schmutzige Männer, und daran, wie sie gesagt hatten, Gerard sei nicht ganz richtig im Oberstübchen oder noch Schlimmeres. Er dachte daran, wie er in der Schule schikaniert worden und bei Sportveranstaltungen immer als Letzter in die Mannschaft gewählt worden war, wie er verspottet, ausgelacht und misshandelt worden war. Er dachte an sein Schlafzimmer unter dem Dach, das zu seinem Zufluchtsort geworden war, wo er das Licht ausmachen und sich einfach aufs Bett legen konnte, dass die unterirdische Kiste ihm manchmal ganz ähnlich vorkam, und dass sein Labor später, als er erwachsen war, diese Funktion übernommen hatte. Er dachte an die Zeit, als seine Mutter älter geworden und ihre Schönheit verloren gegangen war, sodass die Männer aus ihrem Leben verschwanden und sie zu ihm zog, für ihn kochte und ganz vernarrt in ihn war und in dieser Phase sehr viel

Raum in seinem Leben eingenommen hatte. Er dachte daran, wie sie vor zwei Jahren an Krebs gestorben war und ihn ganz allein zurückgelassen hatte, und wie Vanessa ihn gefunden und Schönheit in sein Leben gebracht hatte – Farbe, so wie dieses hellgelbe Sommerkleid –, und wie das alles bald verschwunden sein würde.

Der Pick-up hielt nicht. Er verschwand in einer Staubwolke.

»Gerard?«

Titus wurde nie laut. Er wurde auch nie wütend und drohte nicht mit Gewalt. Das hatte er nicht nötig. Gerard war schon einigen Achtung gebietenden Männern begegnet, die alle Aufmerksamkeit auf sich zogen, sobald sie einen Raum betraten. Titus war so ein Mann. Sein ruhiger Tonfall packte einen am Revers und zwang einen zu gehorchen.

Gerard drehte sich zu ihm um.

»Kommen Sie.«

Titus ging zurück ins Farmhaus. Gerard folgte ihm.

Eine Stunde später machte Gerard sich auf den Rückweg. Sein Gang war unsicher. Er fing an zu zittern. Er wollte nicht wieder in die verdammte Kiste. Natürlich waren ihm Versprechungen gemacht worden. Der Weg zurück zu Vanessa, hatte Titus ihm versprochen, verlaufe über Kooperation. Gerard wusste nicht mehr, woran er glauben sollte, aber spielte das wirklich noch eine Rolle?

Wieder überlegte Gerard, ob er zu fliehen versuchen sollte. Wieder tat er den Gedanken als Unsinn ab.

Als er auf die Lichtung kam, hörte der Muskelmann auf, mit seinem schokoladenbraunen Labrador zu spielen, und gab ihm einen Befehl. In Gerards Ohren klang es wie Portugiesisch. Der Hund rannte den Pfad entlang und verschwand aus ihrem Blickfeld. Der Muskelmann richtete die Pistole auf Gerard. Gerard kannte den Ablauf inzwischen. Der Muskelmann würde so lange auf ihn zielen, bis Gerard in der Kiste war. Dann würde er die Tür schließen und das Schloss anbringen.

Wieder würde die Dunkelheit Gerard verschlucken.

Aber dieses Mal war etwas anders. Gerard sah es in den Augen des Mannes.

»Vanessa«, sagte Gerard leise zu sich selbst. Er hatte angefangen, immer wieder ihren Namen zu nennen, benutzte ihn fast wie ein Mantra, um sich zu beruhigen und zu betäuben, wie seine Mutter es am Ende ihres Lebens mit den Perlen des Rosenkranzes getan hatte.

»Hier entlang«, sagte Muskelmann. Er deutete mit der Pistole nach rechts.

»Wo gehen wir hin?«

»Hier entlang.«

»Wo gehen wir hin?«, wiederholte Gerard.

Muskelmann kam auf Gerard zu und hielt ihm die Pistole an den Kopf.

»Hier. Entlang.«

Er ging nach rechts. Er war schon einmal hier gewesen – es war der Ort, wo er sich mit dem Schlauch abgespült und den Overall angezogen hatte.

»Weitergehen.«

»Vanessa…«

»Ja. Gehen Sie weiter.«

Gerard ging am Schlauch vorbei. Muskelmann blieb zwei Schritte hinter ihm, die Waffe auf Gerards Rücken gerichtet.

»Nicht anhalten. Wir sind fast da.«

Vor sich sah Gerard eine kleinere Lichtung. Er runzelte verwirrt die Stirn. Er ging einen Schritt weiter, sah es und erstarrte.

»Weitergehen.«

Er rührte sich nicht. Er blinzelte nicht. Er atmete nicht einmal.

Links von ihm – neben einer dicken Eiche – lag ein Stapel Kleidung. Ein großer Stapel, als würde er dort auf den Waschtag warten. Es war schwer zu sagen, wie viele Kleidungssätze es waren. Zehn? Vielleicht auch mehr. Er sah auch den grauen Anzug, den er auf dem Weg zum Logan Airport getragen hatte.

Wie viele von uns ...?

Aber weder sein grauer Anzug noch die Größe des Haufens fesselte seinen Blick. Nicht deshalb war er wie angewurzelt stehen geblieben, als die Wahrheit so plötzlich zu ihm durchgedrungen war. Nein, es war nicht die Menge der Kleidung. Es war das Kleidungsstück, das ganz oben auf dem Haufen lag wie die Kirsche auf einer Sahnetorte. Dieses Kleidungsstück sorgte dafür, dass seine Welt in tausend Einzelteile zersprang.

Es war ein hellgelbes Sommerkleid.

Gerard schloss die Augen. Er sah tatsächlich sein Leben an sich vorbeiziehen – das Leben, das er gelebt hatte, das Leben, das er beinahe gelebt hätte –, bevor der Knall die Dunkelheit wieder zurückbrachte. Dieses Mal für immer.

ELF

Zwei Wochen später war Kat im Revier damit beschäftigt, ihren Schreibkram zu erledigen, als Stacy heranstürmte wie ein Tiefdruckgebiet auf dem Satellitenbild. Köpfe drehten sich. Zungen hingen aus Mündern. Fast jede höhere Hirntätigkeit wurde eingestellt. Nichts senkt den IQ eines Mannes so sehr wie eine kurvenreiche Frau. Chaz Faircloth, der bedauernswerterweise immer noch Kats Partner war, rückte seine perfekt sitzende Krawatte zurecht. Er machte sich auf den Weg zu ihr, aber Stacy warf ihm einen Blick zu, der ihn ins Stocken brachte.

»Mittagessen im Carlyle«, sagte Stacy. »Ich zahle.«

»Abgemacht.«

Kat begann, die Programme zu schließen.

»Und wie ist deine Verabredung gestern Abend gelaufen?«, fragte Stacy.

»Ich hasse dich.«

»Trotzdem gehst du mit mir Mittagessen?«

»Du hast gesagt, dass du zahlst.«

Kats erste drei Dates bei YouAreJustMyType waren höflich, gut gekleidet und, tja, stinklangweilig gewesen. Kein Funke, kein Knistern, einfach nur … nichts. Gestern Abend, das vierte Date in den zwei Wochen, seit Jeff sie erneut sitzengelassen hatte. Anfangs war es hoffnungsvoll verlaufen. Sie und Stan Irgendwas – es gab keinen Grund, sich den Nachnamen zu merken, bis es zu einem recht unwahrscheinlichen zweiten Date kommen würde – waren zur West 69th Street auf dem Weg zum Telepan-Restaurant gewesen, als Stan fragte:

»Bist du Woody-Allen-Fan?«

Kat spürte, wie ihr Herz anfing zu flattern. Sie liebte Woody Allen. »Ein großer Fan.«

»Was ist mit *Der Stadtneurotiker?* Hast du den gesehen?«

Es war lediglich einer ihrer absoluten Lieblingsfilme. »Klar.«

Stan lachte und blieb stehen. »Erinnerst du dich an die Szene, wo Alvy zum ersten Date mit Annie geht, und er sagt, wenn sie sich vor dem Essen küssen würden, könnten sie sich später besser entspannen?«

Kat wäre fast ohnmächtig geworden. Woody Allen bleibt stehen, bevor er und Diane Keaton am Restaurant sind – so wie Stan es gerade getan hatte –, und sagt: »Gib mir 'nen Kuss.« Diane Keaton sagt: »Jetzt?« Woody sagt: »Ja, wir gehen später noch zusammen nach Hause, nicht? Und wenn wir uns jetzt schon küssen, bauen wir so langsam die Spannung zwischen uns ab. Wer weiß, ob ich gleich den richtigen Dreh kriege. Wenn wir uns jetzt küssen, haben wir das wenigstens hinter uns und können in Ruhe essen. Dann verdauen wir das Essen auch besser.«

Oh, sie liebte diese Szene. Sie lächelte Stan zu und wartete.

»Hey«, sagte Stan, in einer eher kläglichen Woody-Allen-Imitation. »Lass uns Sex haben, bevor wir essen.«

Kat blinzelte. »Entschuldigung?«

»Stimmt. Ich weiß, dass das Zitat ein wenig anders lautet, aber denk drüber nach. Ich weiß nicht, wann ich das zur Sprache bringen kann und wie viele Dates wir brauchen, bis wir in die Kiste springen, und wenn man richtig darüber nachdenkt, können wir auch gleich in die Horizontale gehen, denn wenn das im Bett nicht gut klappt, na ja, wozu soll das Ganze dann gut sein? Verstehst du, was ich meine?«

Sie sah ihn an und wartete darauf, dass er lachen würde. Er lachte nicht. »Moment, du meinst das ernst?«

»Klar. Dann verdauen wir das Essen auch besser, oder?«

»Ich merke gerade, wie mir das Essen wieder hochkommt«, sagte Kat.

Beim Essen versuchte sie, sich am relativ sicheren Thema Woody Allen entlangzuhangeln. Es stellte sich schnell heraus, dass Stan kein Fan war, aber den *Stadtneurotiker* gesehen hatte.

»Pass auf, ich mach das so«, gestand er ihr leise flüsternd. »Ich suche einfach auf der Webseite nach Frauen, die den Film mögen. Und das Zitat? Bei dir hat's zwar nicht funktioniert, aber die meisten von Woodys Fans machen sofort die Beine breit.«

Fantastisch.

Stacy hörte sich Kats Geschichte vom Date mit Stan aufmerksam an und musste sich sehr zusammennehmen, um nicht zu lachen. »Wow«, sagte sie. »Klingt wie ein totaler Vollpfosten.«

»Richtig.«

»Trotzdem bist du immer noch zu anspruchsvoll. Der Typ vom zweiten Date klang doch ganz nett.«

»Das stimmt. Immerhin hat er mir nicht einen meiner Lieblingsfilme verdorben.«

»Höre ich da ein *aber?*«

»Aber er hat eine Flasche *Dasani* bestellt. Nicht eine Flasche Wasser. Eine Flasche *Dasani*.«

Stacy runzelte die Stirn. »Scheint ja ein echter Hannibal Lecter zu sein.«

Kat stöhnte laut.

»Du bist zu anspruchsvoll, Kat.«

»Wahrscheinlich brauche ich noch ein bisschen Zeit.«

»Um über Jeff hinwegzukommen?«

Kat sagte nichts.

»Um über einen Typen hinwegzukommen, der dich vor …
wie lange ist das jetzt her … zwanzig Jahren sitzen gelassen
hat?«

»Lass gut sein.« Dann: »Vor achtzehn Jahren.«

Sie waren fast aus der Tür, als Kat hörte, wie jemand ihren
Namen rief. Beide blieben stehen und drehten sich um. Es
war Chaz.

»Ich muss dich kurz sprechen«, sagte Chaz.

»Ich geh gerade in die Mittagspause«, sagte Kat.

Chaz winkte sie mit einem Finger heran, ohne den Blick
von Stacy abzuwenden. Kat seufzte und ging zu ihm. Chaz
drehte sich um und deutete mit dem Daumen hinter sich
auf Stacy. »Wer ist diese Güteklasse A, beste Fleischqualität,
handverlesene heiße Braut?«

»Nicht dein Typ.«

»Sieht aber aus wie mein Typ.«

»Sie ist in der Lage zu denken.«

»Hä?«

»Was willst du, Chaz?«

»Du hast einen Besucher.«

»Ich hab jetzt Mittagspause.«

»Das hab ich dem Jungen auch gesagt. Hab angeboten,
dass ich ihm helfe, aber er wollte warten.«

»Junge?«

Chaz zuckte die Achseln.

»Was für ein Junge?«

»Sehe ich aus wie deine Sekretärin? Frag ihn selbst. Er
sitzt an deinem Schreibtisch.«

Sie signalisierte Stacy, dass sie noch eine Minute brauchte, und ging in die nächste Etage. Ein Teenager saß auf dem Stuhl neben ihrem Schreibtisch – so tief in sich zusammengesunken, als würde er zerschmelzen oder als ob jemand die Knochen aus seinem Körper entfernt und ihn irgendwo abgelegt hätte. Sein Arm hing über die Stuhllehne, als gehöre er gar nicht zu ihm. Seine Haare waren zu lang, gingen in Richtung Boygroup oder Surfer, nur dass sie ihm ins Gesicht hingen wie ein Fransenteppich.

Kat ging zu ihm. »Kann ich dir helfen?«

Er richtete sich auf und schob sich den Vorhang aus dem Gesicht. »Captain Donovan.«

Es war mehr ein Statement als eine Frage.

»Die bin ich. Was kann ich für dich tun?«

»Ich heiße Brandon.« Er streckte die Hand aus. »Brandon Phelps.«

Sie schüttelte seine Hand. »Nett, dich kennenzulernen, Brandon. Was führt dich zu mir?«

»Es geht um meine Mom.«

»Was ist mit ihr?«

»Sie wird vermisst. Ich glaube, Sie können mir helfen, sie zu finden.«

Kat sagte das Mittagessen mit Stacy ab. Dann ging sie zurück zu ihrem Schreibtisch und setzte sich Brandon Phelps gegenüber. Sie stellte die erste Frage, die ihr in den Sinn kam.

»Warum ich?«

Brandon schluckte. »Was?«

»Warum wolltest du gerade mich sprechen? Mein Partner sagte, du wolltest auf mich warten.«

»Ja.«

»Warum?«

Brandons Blick schoss unruhig durchs Revier. »Ich hab gehört, dass Sie die Beste sind.«

Eine Lüge. »Von wem?«

Brandon zuckte in typischer Teenagermanier – gleichermaßen schlaff und melodramatisch – die Achseln. »Ist doch völlig egal. Ich wollte Sie, nicht den anderen Typen.«

»So funktioniert das nicht. Man kann sich seinen Ermittler nicht aussuchen.«

Plötzlich sah er aus, als würde er in Tränen ausbrechen. »Sie wollen mir nicht helfen?«

»Das habe ich nicht gesagt.« Kat begriff nicht, was hier gerade geschah, aber es fühlte sich nicht richtig an. »Wie wäre es, wenn du mir erst einmal erzählst, was passiert ist.«

»Es geht um meine Mom.«

»Okay.«

»Sie wird vermisst.«

»Gut, fangen wir ganz von vorne an.« Kat nahm einen Stift und einen Zettel. »Du heißt Brandon Phelps?«

»Ja.«

»Und deine Mutter?«

»Dana.«

»Phelps?«

»Ja.«

»Ist sie verheiratet?«

»Nein.« Er fing an, an einem Fingernagel zu kauen. »Mein Dad ist vor drei Jahren gestorben.«

»Das tut mir leid«, sagte sie, weil, na ja, weil man es eben so sagt. »Hast du Geschwister?«

»Nein.«

»Also bist du allein mit deiner Mom?«

»Genau.«

»Wie alt bist du, Brandon?«

»Neunzehn.«

»Wo wohnst du?«

»1279 3rd Avenue.«

»In welchem Apartment?«

»Äh, 8J.«

»Telefon?«

Er nannte ihr seine Handynummer. Sie wollte noch ein paar Details wissen, bemerkte aber, dass er ungeduldig wurde. Also fragte sie: »Und ... wo ist das Problem?«

»Sie wird vermisst.«

»Mir ist nicht so ganz klar, was du mit vermisst meinst.«

Brandon zog die Augenbrauen hoch. »Sie wissen nicht, was vermisst bedeutet?«

»Nein, ich meine ...« Sie schüttelte den Kopf. »Okay, versuchen wir es so: Wie lange wird sie schon vermisst?«

»Drei Tage.«

»Dann erzähl mir doch mal, was passiert ist.«

»Mom hat gesagt, dass sie mit ihrem Freund eine Reise macht.«

»Okay.«

»Aber ich glaube nicht, dass sie das getan hat. Ich hab sie auf dem Handy angerufen. Sie ist nicht rangegangen.«

Kat versuchte, nicht die Stirn zu runzeln. Deshalb verpasste sie also das Mittagessen im Carlyle? »Wohin wollte sie?«

»Irgendwo in die Karibik.«

»Wohin genau?«

»Weiß ich nicht, es sollte eine Überraschung sein.«

»Vielleicht ist der Handyempfang dort schlecht.«

Brandon runzelte die Stirn. »Das glaub ich nicht.«

»Oder sie ist beschäftigt.«

»Sie hat gesagt, sie schreibt mir mindestens eine SMS pro Tag.« Als er Kats Gesichtsausdruck sah, fügte er hinzu: »Normalerweise machen wir das nicht. Aber sie ist zum ersten Mal weg, seit Dad gestorben ist.«

»Hast du versucht, im Hotel anzurufen?«

»Das hab ich doch schon gesagt. Sie hat mir nicht erzählt, wohin sie fährt.«

»Und du hast sie auch nicht gefragt?«

Wieder zuckte er die Achseln. »Ich dachte, wir simsen uns oder so.«

»Hast du versucht, ihren Freund zu erreichen?«

»Nein.«

»Warum nicht?«

»Ich kenn ihn nicht. Als sie angefangen haben, sich zu verabreden, war ich schon auf dem College.«

»Auf welches College gehst du?«

»Ich bin auf der University of Connecticut. Was hat das damit zu tun?«

Da hatte er recht. »Ich versuche nur, mir ein Bild von der Sache zu machen, okay? Wann hat deine Mom angefangen, mit diesem Mann auszugehen?«

»Keine Ahnung. Wir sprechen nicht über solche Sachen.«

»Aber sie hat dir erzählt, dass sie mit ihm wegfährt.«

»Ja.«

»Wann?«

»Wann sie mir erzählt hat, dass sie mit ihm wegfährt?«

»Ja.«

»Ich weiß nicht. Vor einer Woche oder so. Hören Sie, können Sie sich das nicht einfach mal ansehen? Bitte.«

Kat starrte ihn an. Er zuckte zurück. »Brandon?«

»Ja?«

»Was geht hier vor?«

Seine Antwort überraschte sie. »Wissen Sie das wirklich nicht?«

»Nein.«

Brandon sah sie skeptisch an.

»Yo, Donovan?«

Kat drehte sich zu der wohlbekannten Stimme um. Captain Stagger stand an der Treppe. »Bei mir im Büro«, sagte er.

»Ich bin mitten in einem …«

»Dauert nicht lange.«

Sein Ton ließ keinen Raum für Diskussionen. Kat sah Brandon an. »Warte hier einen Moment, ja?«

Brandon wandte den Blick ab und nickte.

Kat stand auf. Stagger hatte nicht auf sie gewartet. Kat folgte ihm die Treppe hinunter in sein Büro. Stagger schloss die Tür hinter ihr. Er setzte sich nicht erst hinter seinen Schreibtisch, er kam direkt zur Sache.

»Monte Leburne ist heute Morgen gestorben.«

Sie ließ sich gegen die Wand fallen. »Mist.«

»Nun, das sehe ich etwas anders, aber ich dachte mir, du willst das wissen.«

In den letzten zwei Wochen hatte sie mehrfach versucht, noch einmal an ihn heranzukommen. Es hatte nicht geklappt. Jetzt war es zu spät. »Danke.«

Sie standen einen kurzen Moment betreten da.

»Noch was?«, fragte Kat.

»Nein. Ich dachte nur, du willst es wissen.«

»Danke.«

»Ich gehe davon aus, dass du dem, was er gesagt hat, nachgegangen bist.«

»Das bin ich, ja.«

»Und?«

»Und nichts, Captain«, sagte Kat. »Ich habe nichts gefunden.«

Er nickte langsam. »Okay, du kannst gehen.«

Sie ging Richtung Tür. »Gibt es eine Beerdigung?«

»Was? Für Leburne?«

»Ja.«

»Keine Ahnung. Wieso?«

»Es gibt keinen Grund.«

Aber vielleicht gab es doch einen. Leburne hatte eine
Familie. Sie hatte einen anderen Namen angenommen und
war in einen anderen Bundesstaat gezogen, aber vielleicht
wollte sie sich trotzdem von den sterblichen Überresten verabschieden. Vielleicht wusste auch jemand etwas. Vielleicht
wollte jemand, jetzt, wo der liebe Monte tot war, seine Un-
schuld in mindestens einem Fall beweisen.

Ziemlich weit hergeholt.

Als Kat Staggers Büro verließ, versuchte sie, ihre Gefühle zu ergründen. Alles war taub. Ein Großteil ihres
Lebens schien aus unbeantworteten Fragen zu bestehen. Sie
war Polizistin. Sie mochte abgeschlossene Fälle. Wenn etwas Schlimmes geschah, versuchte man festzustellen, wer es
warum getan hatte. Alle Antworten fand man nur sehr selten.
Aber meistens fand man genug.

Ihr eigenes Leben kam ihr plötzlich wie ein riesiger unab-
geschlossener Fall vor, was sie nicht ausstehen konnte.

Das allerdings spielte jetzt keine Rolle. Ihre kleine Selbst-
mitleidsparty konnte sie später noch feiern. Jetzt musste sie
zurück zur Arbeit und sich auf Brandon und seine vermisste
Mutter konzentrieren. Doch als sie zurück in ihr Stockwerk
kam, war der Stuhl vor ihrem Schreibtisch leer. Sie setzte
sich, dachte, der Junge wäre vielleicht zur Toilette gegangen
oder so etwas, als sie den Zettel entdeckte:

MUSSTE LOS. BITTE FINDEN SIE MEINE MOM.
SIE HABEN MEINE HANDYNUMMER, FALLS SIE
MICH ERREICHEN MÜSSEN. – BRANDON.

Sie las den Zettel noch einmal. Irgendetwas an der ganzen
Sache – die vermisste Mutter, dass er ausgerechnet Kat auf-
gesucht hatte, eigentlich alles – schien nicht richtig zu sein.
Offenbar übersah sie irgendetwas. Kat sah auf ihre Notizen.

Dana Phelps.

Was konnte es schaden, den Namen kurz durchs System
zu jagen?

Das Diensttelefon klingelte. Sie nahm den Hörer ab und
sagte: »Donovan.«

»Hey, Kat.« Es war Chris Harrop von der Strafvollzugs-
behörde. »Tut mir leid, dass es so lange gedauert hat, aber
ich hatte dir ja gesagt, dass die alten Besucherlisten noch
nicht im Computer sind. Ich musste also jemanden hoch
nach Albany ins Archiv schicken. Na ja, und dann musste ich
warten.«

»Worauf warten?«

»Ich musste warten, bis der Mann, Monte Leburne, gestorben war. Es ist kompliziert, läuft aber darauf hinaus, dass
es eine Verletzung seiner Rechte gewesen wäre, wenn ich dir
die Liste gezeigt hätte, es sei denn, er hätte zugestimmt oder
du hättest dir einen Gerichtsbeschluss besorgt und so weiter,
du kennst das ja. Aber jetzt, wo er tot ist…«

»Hast du die Liste?«

»Ja.«

»Kannst du sie mir rüber faxen?«

»Faxen? Wo lebst du denn? Im Jahr 1996? Wie wär's,
wenn ich sie dir als Fernschreiben schicke. Ich hab dir ge-

rade eine E-Mail geschickt. Aber es steht nichts drin, was dich weiterbringen könnte.«

»Wie meinst du das?«

»Am fraglichen Tag hatte er nur einen Besucher. Seinen Anwalt, ein gewisser Alex Khowaylo.«

»Das ist alles?«

»Das ist alles. Oh, und zwei Männer vom FBI. Ihre Namen habe ich hier. Und ein Cop vom NYPD. Ein Thomas Stagger.«

ZWÖLF

Stagger war nicht in seinem Büro.

Kat stand immer noch vor seiner Bürotür und tippte eine SMS ein, in der sie ihm mitteilte, dass sie ihn sofort sprechen müsse. Ihre Finger zitterten, aber es gelang ihr, die Senden-Taste zu drücken. Dann stand sie zwei Minuten lang nur da und starrte auf den Bildschirm.

Keine Antwort.

Das war vollkommen unlogisch. Das FBI hatte Monte Leburne festgenommen, genauer gesagt die FBI-Männer, die für den RICO-Act gegen kriminelle Vereinigungen und das organisierte Verbrechen arbeiteten. Das NYPD war an der Festnahme überhaupt nicht beteiligt gewesen. Das FBI hatte Monte in Verdacht gehabt, zwei Mitglieder einer rivalisierenden Mafia-Familie umgebracht zu haben. Erst ein paar Tage später hatten sie Informationen gefunden, die darauf hindeuteten, dass Leburne auch für die Ermordung ihres Vaters verantwortlich war.

Warum also hatte Stagger Leburne besucht, bevor diese Hinweise aufgetaucht waren? Gleich einen Tag nach seiner Verhaftung?

Kat brauchte frische Luft. Ein kurzes Stechen im Magen erinnerte sie daran, dass sie das Mittagessen hatte ausfallen lassen. Kat vertrug es nicht, eine Mahlzeit auszulassen. Sie neigte dazu, unkonzentriert und mürrisch zu werden. Also eilte sie die Treppe hinunter und bat Keith Inchierca am

Empfang, sie zu kontaktieren, sobald Stagger zurückkäme. Inchierca runzelte die Stirn.

»Seh ich aus wie deine Sekretärin?«, fragte er.

»Der war gut.«

»Was?«

»Bitte. Es ist wichtig, okay?«

Er bedeutete ihr, dass sie gehen sollte.

Als sie sich an einem Stand an der 3rd Avenue eine Falafel kaufte, fiel ihr Brandon Phelps' Adresse ein, und sie dachte, na ja, wieso nicht? Also ging sie Richtung Norden. Nach sieben Blocks erreichte sie ein recht bescheidenes Hochhaus. Im Erdgeschoss befanden sich ein Duane-Reade-Drogeriemarkt und ein Laden namens Scoop, in dem Kat zuerst einen Eisladen vermutete, bei dem es sich aber um eine Nobelboutique handelte. Der Eingang zu den Wohnungen lag in der 74th Street. Kat zeigte dem Türsteher ihre Marke.

»Ich bin hier wegen Dana Phelps«, sagte sie. »Apartment 8J.«

Der Türsteher starrte ihre Marke an. Dann sagte er: »Falsches Haus.«

»Hier wohnt keine Dana Phelps?«

»Hier wohnt keine Dana Phelps. Hier gibt's auch kein Apartment 8J. Hier gibt's überhaupt keine Apartments mit Buchstaben. Im achten Stock sind die Apartments 801 bis 816.«

Kat steckte ihre Marke ein. »Ist das hier die 3rd Avenue Nummer 1279?«

»Nein, dies ist East 74th Street Nummer 200.«

»Aber Sie sind an der Ecke 3rd Avenue.«

Der Türsteher starrte sie nur an. »Äh, ja, und?«

»Aber an diesem Gebäude steht 1279, 3rd Avenue.«

Er verzog das Gesicht. »Was soll das jetzt? Glauben Sie, ich würde eine falsche Adresse angeben?«

»Nein.«

»Bitte, Detective, wenn Sie meinen, gehen Sie rauf zu Apartment 8J. Meinen Segen haben Sie.«

New Yorker. »Hören Sie, ich suche Apartment 8J in Nummer 1279, 3rd Avenue.«

»Da kann ich Ihnen nicht weiterhelfen.«

Kat verließ das Gebäude und ging wieder um die Ecke. Auf der Markise stand tatsächlich 200 East 74th Street. Kat ging zurück zur 3rd Avenue. Die Nummer 1279 stand direkt über dem Eingang zum Duane Reade. Was sollte es? Sie ging hinein, suchte den Leiter und fragte ihn: »Befinden sich über dem Geschäft irgendwelche Apartments?«

»Äh, wir sind ein Drogeriemarkt.«

New Yorker. »Das ist mir klar, was ich meine ist, wie kommt man in die Wohnungen über Ihnen?«

»Kennen Sie viele Leute, die durch einen Drogeriemarkt gehen, um in ihre Wohnung zu kommen? Der Eingang ist um die Ecke an der 74th Street.«

Weitere Fragen sparte sie sich. Die Antwort war verdammt offensichtlich. Brandon Phelps, wenn er denn so hieß, hatte ihr die falsche – oder, noch genauer, eine falsche – Adresse gegeben.

Als sie wieder an ihrem Arbeitsplatz war, bekam Kat von Google ein paar Antworten, die ihr nicht wirklich weiterhalfen.

Es gab eine Dana Phelps mit einem Sohn namens Brandon, aber sie wohnten nicht in der Upper East Side in Manhattan. Die Familie Phelps lebte in einer sehr noblen Ecke von Greenwich, Connecticut. Brandons Vater war eine große

Nummer im Finanzbusiness gewesen, ein Hedgefonds-Manager. Jede Menge Kohle. Er war mit einundvierzig gestorben. Im Nachruf wurde keine Todesursache genannt. Kat schaute, ob eine Wohltätigkeitsorganisation erwähnt wurde, denn die Leute baten oft um Spenden für Herz- oder Krebsstiftungen oder ähnliche Zwecke, die Rückschlüsse auf eine Krankheit erlaubten, aber sie fand nichts.

Aber warum hatte Brandon sich an eine bestimmte Polizistin aus New York gewandt?

Kat sah nach, ob die Familie Phelps vielleicht noch weitere Wohnungen besaß. Es war natürlich möglich, dass eine wohlhabende Familie aus Connecticut ein Apartment in der Upper East Side besaß, in Manhattan wurde sie jedoch nicht fündig. Sie jagte Brandons Handynummer durch die Polizeidatenbanken. Aha. Es war eine Prepaid-Nummer. Das war untypisch für reiche Jugendliche aus Greenwich. Solche Verträge wurden meist von Personen benutzt, die keinen Kredit bekamen, na ja, oder eben von Personen, die nicht zurückverfolgt werden wollten. Wobei die meisten dieser Personen nicht wussten, dass es ziemlich einfach war, Einweghandys zurückzuverfolgen. Tatsächlich hatte das Bundesberufungsgericht der Vereinigten Staaten für den Sechsten Bezirk vor Kurzem entschieden, dass man ein Handy zur Bestimmung des Aufenthaltsortes sogar ohne Gerichtsbeschluss »anpingen« durfte. So weit brauchte sie jedoch nicht zu gehen. Jedenfalls noch nicht.

Fürs Erste folgte sie einer Ahnung. Alle Verkäufe von Prepaid-Handys wurden in einer Datenbank gespeichert. Sie gab die Handynummer ein und konnte genau sehen, wo Brandon sein Handy gekauft hatte. Die Antwort war keine Überraschung. Er hatte es bei Duane Reade gekauft... in der Filiale in der 3rd Avenue 1279.

Vielleicht hatte er deshalb diese Adresse genannt.

Okay, gut möglich. Die anderen Dinge erklärte das jedoch nicht.

Sie musste weiteren Spuren nachgehen, aber das würde dauern. Brandon Phelps hatte zwar einen Facebook-Account, sein Profil war aber nicht öffentlich zugänglich. Wahrscheinlich hätte sie mit ein oder zwei Telefonanrufen herausbekommen können, wie Brandons Vater gestorben war, aber was hätte das bringen sollen? Der Junge war zu ihr gekommen, weil seine Mutter mit irgendeinem Kerl durchgebrannt war.

Und das war genau das Problem: Na und?

Die ganze Sache konnte ein schlechter Scherz sein. Warum vergeudete sie ihre Zeit mit diesem Unsinn? Hatte sie nichts Besseres zu tun? Vielleicht, vielleicht aber auch nicht. Die Wahrheit war doch, dass die Zeit heute nicht verging. Also war es einfach eine willkommene Abwechslung, bis Stagger zurückkam.

Okay, dachte sie. Sieh es dir genauer an.

Angenommen, es handelte sich um einen Scherz: Falls es ein Witz auf Brandons Kosten sein sollte, war er fast schon erbärmlich. Es war weder komisch noch irgendwie clever. Keine Pointe, kein Lacher.

Das passte nicht.

Polizisten glaubten gerne an den von ihnen selbst erschaffenen Mythos, sie besäßen die angeborene Fähigkeit, in die Menschen »hineinzuschauen«, als wären sie menschliche Lügendetektoren, die Lüge und Wahrheit irgendwie an der Körpersprache oder dem Klang der Stimme erkennen könnten. Kat wusste, dass diese Überheblichkeit absoluter Unsinn war. Schlimmer noch, sie zog oft lebensverändernde Katastrophen nach sich.

Wenn Brandon nicht ein Soziopath war oder kürzlich

seinen Abschluss am Lee Strasberg Institute für Method Acting gemacht hatte, war der Junge über irgendetwas ernsthaft besorgt.

Die Frage lautete: worüber?

Die Antwort: Vergeude nicht weiter deine Zeit und ruf ihn an.

Sie nahm den Hörer ab und wählte die Nummer, die Brandon ihr gegeben hatte. Eigentlich rechnete sie damit, dass er sich nicht melden würde, dass er das kleine Spielchen, das er angefangen hatte, unabhängig davon, ob es ernst gemeint war oder nicht, beendet hatte und zur University of Connecticut, nach Greenwich oder wohin auch immer zurückgekehrt war. Aber dann meldete er sich nach dem zweiten Klingeln.

»Hallo?«

»Brandon?«

»Detective Donovan.«

»Richtig.«

»Ich wette, Sie haben meine Mutter noch nicht gefunden.«

Sie kam zu dem Schluss, dass Bescheidenheit sie in diesem Fall nicht weiterbrachte. »Nein, aber ich war im Duane Reade Drogeriemarkt in der 3rd Avenue 1279.«

Schweigen.

»Brandon?«

»Was ist?«

»Bist du bereit auszupacken?«

»Falsche Frage, Detective.«

Sein Ton war ziemlich scharf.

»Was meinst du?«

»Die Frage lautet«, sagte Brandon, »sind Sie es?«

Kat nahm den Hörer vom rechten zum linken Ohr. Sie wollte sich Notizen machen. »Wovon sprichst du, Brandon?«

»Finden Sie meine Mom.«

»Du meinst deine Mom, die in Greenwich, Connecticut, wohnt?«

»Ja.«

»Ich bin vom NYPD, der Polizei in New York. Du musst zu einem Revier in Greenwich gehen.«

»Da war ich schon. Ich habe mit Detective Schwartz gesprochen.«

»Und?«

»Und er hat mir nicht geglaubt.«

»Wie bist du darauf gekommen, dass ich dir glauben würde? Was willst du von mir? Wozu all die Lügen?«

»Sie sind Kat, richtig?«

»Was?«

»Ich meine, so nennt man Sie doch. Kat.«

»Woher weißt du das?«

Brandon legte auf.

Kat starrte auf das Telefon. Woher wusste er, dass sie Kat genannt wurde? Hatte sie jemand im Revier so angesprochen, als er dort war? Schon möglich. Oder vielleicht wusste Brandon Phelps einfach viel über sie. Schließlich war dieser College-Bursche aus Greenwich extra zu ihr gekommen, damit sie seine Mom suchte. Falls Dana Phelps wirklich seine Mom war. Und falls er wirklich Brandon Phelps war. Bisher hatte sie im Internet noch kein Bild von den beiden entdeckt.

Das ergab alles überhaupt keinen Sinn. Was sollte sie also tun?

Ihn zurückrufen. Besser noch, ihn anpingen und seinen Aufenthaltsort feststellen. Und ihn dann festnehmen.

Weshalb?

Vielleicht wegen einer falschen Vermisstenmeldung. Weil er eine Polizistin belogen hatte. Vielleicht war er nur ein wild gewordener Psycho. Vielleicht hatte er seiner Mutter etwas angetan, oder Dana Phelps, oder ...

Sie dachte über weitere Möglichkeiten nach, als das Telefon auf ihrem Schreibtisch klingelte. Kat nahm den Hörer ab. »Donovan.«

»Hier ist deine Sekretärin.« Es war Sergeant Inchierca. »Du wolltest wissen, wann der Captain zurückkommt, richtig?«

»Richtig.«

»Die Antwort lautet: im Moment.«

»Danke.«

Mir nichts, dir nichts waren die Sorgen um Brandon und seine möglicherweise vermisste Mom verflogen. Kat war schon unterwegs und rannte die Treppe hinunter. Als sie eine Etage tiefer ankam, sah sie, wie Stagger mit zwei anderen Cops in seinem Büro verschwand. Einer war sein und ihr direkter Vorgesetzter, Stephen Singer, ein Mann, der so dünn war, dass er sich hinter einem Laternenpfahl verstecken konnte. Der andere war David Karp, der die Aufsicht über die Streifenpolizisten hatte.

Stagger wollte gerade die Tür schließen, aber Kat kam ihm zuvor und hielt sie mit der Hand auf.

Sie rang sich ein Lächeln ab. »Captain?«

Stagger starrte die Hand an der Tür an, als hätte sie ihn beleidigt.

»Hast du meine SMS bekommen?«, fragte Kat.

»Ich bin gerade beschäftigt.«

»Das kann nicht warten.«

»Es wird warten müssen. Ich habe ein Meeting mit ...«

»Ich habe die Besucherliste vom Tag nach Leburnes Verhaftung«, sagte sie. Kat sah ihn an, suchte nach einem verräterischen Zeichen. Okay, offenbar versuchte auch sie sich in der Deutung von Körpersprache. Sie tat es nur nicht mit dieser weit verbreiteten Überheblichkeit. »Ich brauche deine Hilfe bei dieser Sache.«

Das verräterische Zeichen war so unübersehbar wie eine Neonwerbung in Las Vegas. Er ballte die Fäuste. Sein Gesicht lief rot an. Alle, auch Kats ungehaltener Vorgesetzter, konnten es sehen.

Zwischen zusammengebissenen Zähnen presste Stagger heraus: »Detective?«

»Ja.«

»Ich habe gesagt, ich bin gerade beschäftigt.«

Die beiden Vorgesetzten, besonders Singer, den Kat mochte und respektierte, quittierten ihre scheinbare Aufsässigkeit mit missbilligenden Blicken. Ziemlich benommen verließ Kat schließlich sein Büro. Und er schloss die Tür hinter ihr.

Zehn Minuten später kam die SMS. Sie stammte von Brandons Prepaid-Handy.

Tut mir leid.

Es reichte. Sie nahm das Handy und wählte seine Nummer. Brandon ging sofort ran. Seine Stimme klang zaghaft.

»Kat?«

»Was zum Teufel geht hier vor, Brandon?«

»Ich bin im Buchladen vom Hunter College, gleich um die Ecke. Können Sie vorbeikommen?«

»Ich habe wirklich keine Lust, mich weiter wie eine Idiotin behandeln zu lassen.«

»Ich erklär Ihnen alles. Versprochen.«

Sie seufzte. »Ich mach mich auf den Weg.«

Brandon saß draußen auf einer Bank an der Ecke zur Park Avenue. Er passte gut dorthin, wo er von Jugendlichen seines Alters umgeben war, die erschöpft, in Kapuzenpullovern und mit Rucksäcken hin und her hasteten. Er kauerte sich zusammen, als ob ihm kalt wäre. Er wirkte jung, verängstigt und zerbrechlich.

Sie setzte sich neben ihn. Sie stellte ihm keine Frage, sondern sah ihn nur an. Er war am Zug. Also wartete sie darauf, dass er das Wort ergriff. Es dauerte eine Weile. Erst starrte er nur auf seine Hände. Sie saß sein Schweigen aus.

»Mein Dad ist an Krebs gestorben«, fing Brandon an. »Ein langsamer Tod. Die Krankheit hat ihn von innen heraus zerfressen. Mom ist nicht von seiner Seite gewichen. Sie kannten sich von der Highschool. Sie haben sich gut verstanden, wissen Sie? Also ich meine, wenn ich meine Freunde besuche, sind deren Eltern eigentlich immer in verschiedenen Zimmern. Bei meinen Eltern war das nie so. Als Dad gestorben ist, war ich am Boden zerstört, klar. Aber nicht so wie Mom. Es war, als wäre ein Teil von ihr gestorben.«

Kat öffnete den Mund, schloss ihn dann wieder. Sie hatte tausend Fragen, aber die liefen nicht weg.

»Mom ruft immer an. Ich weiß, wie sich das anhört. Aber ich meine *immer*. Deshalb hab ich Verdacht geschöpft. Wissen Sie, wir haben ja nur uns. Und sie hat eine Wahnsinnsangst, noch jemanden zu verlieren. Also meldet sie sich andauernd, einfach, um sicher zu sein, dass … was weiß ich … dass ich noch am Leben bin, oder so.«

Er wandte den Blick ab.

Schließlich brach Kat das Schweigen. »Sie war einsam, Brandon.«

»Ich weiß.«

»Und jetzt ist sie mit einem anderen Mann unterwegs. Das verstehst du doch, oder?«

Er antwortete nicht.

»Ist der Mann ihr erster Freund, seit …?«

»Nein, eigentlich nicht«, sagte er. »Aber es ist das erste Mal, dass sie mit jemandem weggefahren ist.«

»Vielleicht liegt es ja daran«, sagte Kat.

»Was liegt woran?«

»Vielleicht hat sie Angst davor, wie du reagierst.«

Brandon schüttelte den Kopf. »Sie weiß, dass ich will, dass sie jemanden findet.«

»Wirklich? Du hast gerade gesagt, dass ihr nur euch habt. Vielleicht stimmt das. Aber vielleicht verändert es sich gerade. Stell dir mal vor, wie schwer das für sie wäre. Vielleicht muss sie da erst einmal etwas Abstand gewinnen.«

»Das ist es nicht«, sagte Brandon. »Sie ruft immer an.«

»Das habe ich begriffen. Aber vielleicht, na ja, im Moment vielleicht mal nicht. Glaubst du, dass sie verliebt ist?«

»Mom? Wahrscheinlich.« Dann: »Ja, sie ist in den Kerl verliebt. Wenn sie nicht verliebt wäre, würde sie nicht mit ihm wegfahren.«

»Die Liebe macht uns vergesslich, Brandon. Sie macht uns alle ein bisschen egozentrisch.«

»Das ist es auch nicht. Hören Sie, dieser Kerl …? Er ist ein totaler Frauenheld. Das kapiert sie einfach nicht.«

»Ein Frauenheld?« Kat lächelte ihm zu, schien ihn etwas besser zu verstehen. Er wollte seine Mutter beschützen. Eigentlich ganz süß. »Dann hat deine Mutter vielleicht ein gebrochenes Herz. Na und? Sie ist ja kein Kind mehr.«

Brandon schüttelte noch einmal den Kopf. »Sie verstehen das nicht.«

»Was ist passiert, als du bei der Polizei in Greenwich warst?«

»Was glauben Sie? Die haben das Gleiche gesagt wie Sie gerade eben.«

»Und warum bist du dann zu mir gekommen? Das verstehe ich immer noch nicht.«

Er zuckte die Achseln. »Ich dachte, Sie würden es verstehen.«

»Aber wieso ich? Ich meine, woher kennst du mich? Und woher weißt du, dass man mich Kat nennt?« Sie versuchte, ihm in die Augen zu schauen. »Brandon?« Er sah sie nicht an. »Warum glaubst du, dass ich dir helfen kann?«

Er antwortete nicht.

»Brandon?«

»Sie wissen es wirklich nicht?«

»Natürlich nicht.«

Er sagte nichts.

»Brandon? Was zum Teufel geht hier vor?«

»Sie haben sich im Internet kennengelernt«, sagte Brandon.

»Was?«

»Meine Mom und ihr Freund.«

»Viele Leute lernen sich im Internet kennen.«

»Ja, ich weiß, aber …« Brandon stockte. Dann murmelte er: »Keck und hübsch.«

Kats Augen weiteten sich. »Was hast du gesagt?«

»Nichts.«

Sie stellte sich ihr Profil bei YouAreJustMyType vor. Das Motto, das Stacy für sie ausgewählt hatte: Hübsch und keck!

»Bist du …« Plötzlich lief ihr ein kalter Schauer über den Rücken. »Warte, stalkst du mich im Internet oder sowas?«

»Was?« Brandon richtete sich auf. »Nein! Verstehen Sie das nicht?«

»Was versteh ich nicht?«

Er griff in seine Jackentasche. »Das ist der Kerl, mit dem Mom weggefahren ist. Ich hab das von der Internetseite.«

Brandon reichte ihr ein Foto. Als Kat das Gesicht sah, stürzte ihr Herz erneut in ein tiefes Loch.

Es war Jeff.

DREIZEHN

In seiner Anfangszeit hatte Titus sich seine Mädels folgendermaßen besorgt:

Er trug Anzug und Krawatte. Die Sweatshirts und tief hängenden Jeans überließ er seinen Konkurrenten. Er hatte einen Aktenkoffer dabei. Er trug eine Hornbrille. Er hatte ordentlich kurzgeschnittene Haare.

Titus setzte sich immer auf die gleiche Bank in der zweiten Etage des Port-Authority-Fernbusbahnhofs. Wenn ein Obdachloser dort geschlafen hatte, überließ er sofort Titus die Bank. Titus brauchte gar nichts zu sagen. Die Ortsansässigen wussten einfach, dass sie Abstand halten mussten. Das war Titus' Bank. Von dort hatte er einen perfekten Überblick auf die Gates 226 bis 234 des Süd-Terminals unter ihm. Er konnte die Passagiere sehen, die aus den Bussen stiegen, sie sahen ihn aber nicht.

Er war ein Raubtier, und das wusste er.

Er beobachtete die Mädchen, die aus den Bussen stiegen, wie ein Löwe eine Herde Gazellen, immer auf der Suche nach einem Tier, das hinkte.

Der Schlüssel war die Geduld.

Titus wollte keine Mädchen aus größeren Städten. Er wartete auf die Busse aus Tulsa, Topeka oder vielleicht noch aus Des Moines. Boston brachte nichts. Das galt auch für Kansas City oder St. Louis. Am besten waren die Ausreißer aus dem sogenannten Bibelgürtel. Sie kamen mit einer Mischung aus

Hoffnung und Rebellion in den Augen. Je mehr Rebellion – je dringender sie es ihrem Daddy beweisen wollten –, desto besser. Das war die Großstadt. Hier wurden Träume wahr.

Wenn die Mädchen ankamen, verlangten sie nach Veränderung und Unterhaltung – es war ihre Chance, und die würden sie nutzen. In Wahrheit waren sie aber hungrig, ängstlich und erschöpft, schleppten einen zu schweren Koffer mit sich herum, und wenn sie eine Gitarre dabeihatten, war es noch besser. Titus konnte nicht sagen warum, aber sobald er eine mit einer Gitarre entdeckte, stiegen seine Chancen.

Titus versuchte nie, mit Gewalt an ein Mädchen heranzukommen.

Wenn nicht alles optimal war – wenn das Mädchen nicht das perfekte Opfer war –, ließ er die Finger davon. Das war der Schlüssel. Geduld. Wenn man genug Netze auswarf – genug ankommende Busse beobachtete –, stieß man schließlich auf das, was man brauchte.

Also wartete Titus auf seiner Bank, und wenn er ein Mädchen sah, das reif zu sein schien, legte er los. Meistens klappte es nicht. Das war in Ordnung. Die Nummer, mit der er die Mädchen ansprach, war gut. Sein Mentor, ein gewalttätiger Zuhälter namens Louis Castman, hatte ihm das beigebracht. Man sprach mit höflicher Stimme. Man machte Vorschläge oder äußerte Wünsche, nie Befehle oder Forderungen. Man manipulierte die Mädchen, indem man sie in dem Glauben ließ, dass sie alles im Griff hatten.

Natürlich war es gut, wenn sie hübsch waren, entscheidend war es jedoch nicht.

Meistens verwendete Titus die Model-Masche. Er hatte sich gute Visitenkarten auf hochwertigem Papier machen lassen, nicht so billiges, dünnes Zeug. Man musste Geld ausgeben, um Geld zu verdienen. Die Karten hatten eine Prägung. Darauf stand in feiner Kalligrafie *Elitism Model Agency*. Auch sein Name stand drauf. Es waren eine Geschäftsnummer, eine Privatnummer und eine Handynummer angegeben (alle drei Nummern wurden zu seinem Handy weitergeleitet). Die angegebene Postadresse war in der 5th Avenue, und wenn die Mädchen Elitism mit Elite verwechselten, tja, dann war das ihr Problem.

Er machte nie Druck. Er erzählte dem Mädchen, dass er von seinem Haus in Montclair, einem wohlhabenden Vorort in New Jersey, auf dem Weg zur Arbeit sei, sie zufällig gesehen und gedacht habe, dass sie es als Model weit bringen könne, »falls sie nicht schon irgendwo unter Vertrag sei«. Er gab vor, es nicht nötig zu haben, Mitbewerbern jemanden abzuwerben. Im Endeffekt wollten die Mädchen ihm glauben. Das half. Alle hatten Geschichten über Models oder Schauspielerinnen gehört, die im örtlichen Kaufhaus, in einem Eiscafé oder beim Kellnern entdeckt worden waren.

Warum nicht an einem Busbahnhof in Manhattan?

Er erzählte ihnen, dass sie eine Mappe bräuchten. Er lud sie zu einem Fotoshooting mit Top-Modefotografen ein. In dem Moment schreckten einige zurück. Das hatten sie schon einmal gehört. Sie wollten wissen, wie viel das kosten würde. Titus gluckste: »Ich geb dir einen Tipp«, sagte er dann immer. »Eine echte Agentur bezahlt man nicht – sie bezahlt dich.«

War das Mädchen zu besorgt oder zu misstrauisch, ließ er sie ihrer Wege ziehen und kehrte auf seine Bank zurück. Man musste bereit sein, sie jederzeit gehen zu lassen. Das war der Schlüssel. Wenn sie zum Beispiel keine Ausreißerinnen waren, wenn sie nur für einen kurzen Urlaub gekommen waren, wenn sie in regelmäßigem Kontakt zu einem Verwandten standen... wenn auch nur einer dieser Punkte zutraf, suchte er sich einfach die Nächste.

Geduld.

Und die, die alle Hürden genommen hatten, tja, da kam es darauf an.

Sein Mentor Louis Castman hatte Spaß daran, Menschen Schmerzen zuzufügen. Titus nicht. Er hatte kein Problem mit Gewalt – ihm war es egal, ob er welche anwendete. Er suchte einfach immer nach dem profitabelsten Weg. Trotzdem hatte Titus Castmans Methoden im Prinzip übernommen: Man lud die Mädchen zu einem Fotoshooting ein. Man machte ein paar Bilder – Castman hatte dafür tatsächlich einen guten Blick –, dann überfiel man sie. So einfach war das. Man hielt ihnen ein Messer an die Kehle. Man nahm ihnen das Handy und das Portemonnaie ab. Man fesselte sie ans Bett. Manchmal vergewaltigte man sie.

Auf jeden Fall setzte man sie unter Drogen.

Das dauerte dann ein paar Tage. Ein besonders schönes, willensstarkes Mädchen hatte er einmal vierzehn Tage lang so festgehalten.

Die Drogen waren teuer – Titus' Lieblingsdroge war Heroin –, aber auch das war nur eine Geschäftsinvestition. Irgendwann war das Mädel süchtig. Das dauerte nicht sehr lange. So war das bei Heroin. Hatte man den Geist einmal aus der Flasche gelassen, bekam man ihn nicht wieder hinein. Titus reichte das normalerweise. Louis hingegen hatte die Vergewaltigungen gerne gefilmt, wobei er das Mädel so in Szene setzte, dass es nach einvernehmlichem Sex aussah, und um den letzten Hoffnungsschimmer zu zerstören, hatte er schließlich damit gedroht, die Videos an ihre oft sehr religiösen Eltern zu schicken.

In vieler Hinsicht war es ein perfektes System. Man suchte sich Mädchen, die von Anfang an gezeichnet, von Anfang an auf der Flucht waren, zumindest an einem üblen Vaterkomplex litten oder vielleicht vor Misshandlungen flohen. Das waren seine hinkenden Gazellen. Man nahm diese Mädchen und entfernte alles, was noch übrig war. Man fügte ihnen Schmerzen zu. Man jagte ihnen Angst ein. Man machte sie drogensüchtig. Und dann, wenn sie alle Hoffnung aufgegeben hatten, präsentierte man ihnen einen Retter.

Sich selbst.

Wenn er sie schließlich auf die Straße oder in ein anständiges Bordell schickte – Titus fuhr mehrgleisig –, taten sie alles, um ihn zu erfreuen. Ein paar flohen nach Hause – eine verlorene Investition –, aber das waren nicht viele. Zwei von den Mädels waren sogar zur Polizei gegangen, aber da hatte sein Wort gegen ihres gestanden, sie hatten keine Beweise, außerdem waren sie inzwischen Crack- (oder Heroin-) Huren, und wer glaubte einem solchen Menschen schon?

Doch das hatte er inzwischen alles hinter sich gelassen.

Titus beendete gerade seinen Nachmittagsspaziergang. Er genoss die Zeit allein im Wald hinter der Scheune, wo ihn das üppige Grün der Blätter und der tiefblaue Himmel umgaben. Das hatte ihn überrascht. Er war in der Bronx aufgewachsen, zehn Blocks nördlich vom Yankee-Stadium. Als Kind hatte der Begriff »unter freiem Himmel« die Feuerleiter bezeichnet. Er kannte nur den Lärm und das Treiben der Großstadt und glaubte, dass ihm das im Blut läge, ein Teil von ihm wäre, und dass er sich nicht nur vollständig an das Leben zwischen Backstein, Mörtel und Beton gewöhnt hatte, sondern dass er ohne all das nicht leben könnte. Titus war eins von acht Kindern gewesen, die in einer heruntergekommenen Dreizimmerwohnung ohne Fahrstuhl an der Jerome Avenue gelebt hatten. Er erinnerte sich nicht an eine einzige Situation, in der er allein war oder mehr als einen kurzen Augenblick Stille genießen konnte. Insgesamt hatte es in seinem Leben nur sehr wenig Ruhe gegeben. Er hatte sich auch nie danach gesehnt – er hatte sie einfach nie kennengelernt.

Als er zum ersten Mal auf der Farm war, hatte Titus gedacht, dass er in dieser Stille unmöglich überleben könnte. Inzwischen liebte er die Einsamkeit.

Er erreichte die Lichtung, an der Reynaldo Wache hielt, ein übermäßig muskelbepackter, aber loyaler Arbeiter. Reynaldo, der seinen Hund einen Stock apportieren ließ, nickte Titus zu. Titus nickte zurück. Die Amish, denen das Grundstück ursprünglich gehörte, hatten hier draußen Rübenkeller gebaut. Ein Rübenkeller war einfach ein Loch im Boden mit einer Tür als Abdeckung. Er diente als unterirdischer Lagerraum, um Lebensmittel bei niedrigeren Temperaturen aufzubewahren. Die Rübenkeller waren praktisch unsichtbar, wenn man nicht bewusst nach ihnen suchte.

Auf dem Grundstück gab es vierzehn Stück.

Er schlenderte am Kleiderhaufen vorbei. Das hellgelbe Sommerkleid lag noch ganz oben.

»Wie geht's ihr?«

Reynaldo zuckte die Achseln. »Wie immer.«

»Glaubst du, sie ist so weit?«

Das war eine dumme Frage. Reynaldo konnte es nicht wissen. Er antwortete nicht einmal. Titus hatte Reynaldo vor sechs Jahren in Queens kennengelernt. Er war ein spindeldürrer Teenager gewesen, der sich an Männer verkaufte und etwa zweimal pro Woche mächtig verprügelt wurde. Titus hatte erkannt, dass der Junge keinen Monat länger überleben würde. Der Einzige, der für Reynaldo so etwas wie Familie oder Freundschaft verkörperte, war Bo, der Labrador, den er streunend am East River aufgelesen hatte.

Also hatte Titus Reynaldo »gerettet«, er hatte ihm Drogen und Zuversicht gegeben und ihn sich zunutze gemacht.

Auch diese Beziehung hatte, wie bei den Mädchen, mit einem klassischen Trick angefangen. Reynaldo war zu seinem zuverlässigsten Handlanger und Lakaien geworden. Aber im Lauf der Jahre hatte sich etwas verändert. Entwickelt, wenn man so wollte. So seltsam es auch klingen mochte, aber Titus empfand etwas für Reynaldo. Nein, nicht so.

Er betrachtete Reynaldo als Familienmitglied.

»Bring sie heute Abend zu mir«, sagte Titus. »Um zehn.«

»Ziemlich spät«, sagte Reynaldo.

»Ja. Ist das ein Problem?«

»Nein, absolut nicht.«

Titus starrte das hellgelbe Sommerkleid an. »Eins noch.«

Reynaldo wartete.

»Die Kleidung. Verbrenn sie.«

VIERZEHN

Die Park Avenue schien erstarrt zu sein.

Kat sah zwar die Studenten, die an ihr vorbeiliefen, hörte jemanden lachen oder ein Auto hupen, aber all das war plötzlich unendlich weit weg.

Kat hielt das Bild in der Hand. Es war das Foto von Jeff auf dem Strand mit dem kaputten Zaun und den sich brechenden Wellen im Hintergrund. Vielleicht lag es am maritimen Ambiente auf dem Foto, jedenfalls kam es ihr vor, als hätte sie Muscheln auf den Ohren. Kat fühlte sich allein und verloren, während sie benommen auf das Foto ihres ehemaligen Verlobten starrte, als würde es ihr eine Erklärung liefern.

Brandon stand auf. Im ersten Moment fürchtete sie, er könnte davonlaufen und sie mit dem verdammten Foto und zu vielen Fragen alleine lassen. Sie streckte ihre Hand aus und packte sein Handgelenk. Nur um ganz sicher zu gehen. Um ihn davon abzuhalten zu verschwinden.

»Sie kennen ihn, stimmt's?«, fragte er.

»Was zum Teufel läuft hier, Brandon?«

»Sie sind Polizistin.«

»Stimmt.«

»Bevor ich Ihnen etwas erzähle, müssen Sie mir Immunität garantieren, oder so.«

»Was?«

»Darum habe ich Ihnen nicht gleich alles erzählt, was ich

getan habe. Das ist wie der fünfte Verfassungszusatz, oder so. Ich will mich nicht selbst belasten.«

»Also war es kein Zufall«, sagte Kat, »dass du zu mir gekommen bist?«

»Nein.«

»Wie hast du mich gefunden?«

»Das gehört auch zu dem Teil, von dem ich nicht weiß, ob ich Ihnen davon erzählen darf«, sagte er. »Ich meine, wegen dem fünften Verfassungszusatz und so.«

»Brandon?«

»Was ist?«

»Hör auf mit dem Quatsch«, sagte Kat. »Erzähl mir, was los ist. Und zwar sofort.«

»Nehmen wir mal an«, sagte er langsam, »dass die Art, wie ich es rausgefunden habe, nicht ganz legal war.«

»Ist mir egal.«

»Was?«

Kat durchbohrte ihn mit ihrem Blick. »Ich bin kurz davor, meine Pistole zu ziehen und dir den Lauf in den Mund zu stecken. Was zum Teufel geht hier vor, Brandon?«

»Eins müssen Sie mir aber zuerst sagen.« Er deutete auf das Foto in ihrer Hand. »Sie kennen ihn, oder?«

Sie blickte wieder auf das Foto. »Ich kannte ihn.«

»Und wer ist das?«

»Ein alter Liebhaber«, sagte sie leise.

»Ja, das weiß ich, ich meine …«

»Was meinst du mit: das weiß ich?« Sie sah ihn an. Seine Miene verdunkelte sich. Wie hatte er sie gefunden? Woher konnte er wissen, dass Jeff ihr ehemaliger Liebhaber war? Woher …

Plötzlich lag die Antwort auf der Hand. »Hast du dich in einen Computer gehackt, oder so?«

Sie sah an seinem Gesicht, dass sie richtiglag. Jetzt passte alles zusammen. Brandon wollte nicht zugeben, dass er das Gesetz gebrochen hatte. Also hatte er behauptet, er hätte gehört, dass sie eine gute Polizistin sei.

»Schon in Ordnung, Brandon. Das interessiert mich nicht.«

»Wirklich nicht?«

Kat schüttelte den Kopf. »Erzähl mir einfach, was los ist, okay?«

»Und Sie versprechen mir, dass es unter uns bleibt?«

»Versprochen.«

Er holte tief Luft und ließ es heraus. Seine Augen füllten sich mit Tränen. »Ich studiere Informatik an der UConn. Meine Freunde und ich können ziemlich gut programmieren und designen und so weiter. Daher war das nicht besonders schwer. Also, das ist ja auch nur die Internetseite einer Partnerbörse. Bei den Seiten, die durch mehrstufige Firewalls und andere Sicherheitsmaßnahmen geschützt werden, ist das was ganz anderes. Das Einzige, was man von so einer Dating-Seite abgreifen könnte, wären Kreditkartendaten. Die sind da auch noch mal gesondert gesichert. Aber der Rest der Internetseite eben nicht.«

»Du hast dich in YouAreJustMyType.com gehackt?«

Brandon nickte. »Ja, aber wie gesagt, nicht in den Bereich, wo's ums Bezahlen geht. Das würde ewig dauern. Aber die anderen Seiten, na ja, wir haben vielleicht zwei Stunden gebraucht, bis wir drin waren. Und die speichern da alles Mögliche – wer wen anklickt, wer mit wem kommuniziert, wer wem eine Nachricht schickt. Sogar die Chats speichern die. Das konnten wir uns alles angucken.«

Jetzt verstand Kat. »Und da bist du auf meinen Chat mit Jeff gestoßen.«

»Ja.«

»Und daher kanntest du meinen Namen. Aus unserem Chat.«

Er antwortete nicht. Aber jetzt passte alles zusammen. Kat gab ihm das Foto zurück.

»Du solltest nach Hause fahren, Brandon.«

»Was?«

»Jeff ist ein anständiger Kerl. Jedenfalls war er das früher. Sie haben sich gefunden. Deine Mom ist Witwe, er ist Witwer. Vielleicht ist es was Ernstes. Vielleicht lieben sie sich. Außerdem ist deine Mutter eine erwachsene Frau. Du darfst ihr nicht nachspionieren.«

»Ich hab ihr nicht nachspioniert«, rechtfertigte er sich. »Zu Anfang jedenfalls nicht. Aber als sie dann nicht angerufen hat …«

»Sie ist mit einem Mann unterwegs. Deshalb ruft sie nicht an. Werd erwachsen.«

»Aber er liebt sie nicht.«

»Woher willst du das wissen?«

»Er hat sich Jack genannt. Warum macht er das, wenn er Jeff heißt?«

»Viele Leute nutzen im Internet Pseudonyme. Das hat nichts zu bedeuten.«

»Aber er hat auch mit jeder Menge anderer Frauen gechattet.«

»Na und? Das ist der Sinn solcher Webseiten. Man nimmt Kontakt zu vielen potenziellen Partnern auf. Man sucht die Nadel im Heuhaufen.«

Jeff hatte sogar mit mir gechattet, dachte sie. Aber dann war er nicht Manns genug gewesen, ihr zu sagen, dass er schon eine neue Partnerin gefunden hatte. Nein, stattdessen hatte er ihr diesen Mist erzählt, dass er übervorsichtig sei und einen Neuanfang brauche. Dabei hatte er sich längst eine andere Frau geangelt.

Warum hatte er das nicht einfach gesagt?

»Hören Sie«, sagte Brandon. »Ich brauche nur seinen richtigen Namen und seine Adresse. Weiter nichts.«

»Ich kann dir nicht helfen.«

»Warum nicht?«

»Weil mich die Sache nichts angeht.« Sie schüttelte den Kopf und ergänzte: »Mann, du kannst dir gar nicht vorstellen, wie wenig mich die ganze Sache angeht.«

Ihr Handy surrte. Sie schaute aufs Display und sah, dass Stagger ihr eine SMS geschickt hatte.

Bethesda-Brunnen. Zehn Minuten.

Kat stand auf. »Ich muss los.«

»Wohin?«

»Das geht *dich* jetzt wieder nichts an. Es ist vorbei, Brandon. Fahr nach Hause.«

»Sagen Sie mir einfach seinen Namen und seine Adresse, okay? Ich meine, das kann doch nicht schaden. Nur den Namen.«

Vielleicht wäre es ein Fehler, ihm das zu sagen. Aber sie fühlte sich noch ein bisschen verletzt, weil er sie einfach beiseitegeschoben hatte. Ach, was sollte es. Der Junge hatte ein Recht darauf zu wissen, wer seine Mom fickte, oder etwa nicht?

»Jeff Raynes«, sagte sie und buchstabierte ihn mit dem y in der Mitte. »Wo er wohnt, weiß ich nicht, und es interessiert mich auch nicht.«

Der Bethesda-Brunnen ist das Herzstück des Central Park. Der Engel auf der hoch aufragenden Statue oben auf dem

Brunnen hält in einer Hand Lilien, während er mit der anderen das Wasser segnet. Seine steinerne Miene wirkt ernst, an der Grenze zur Langeweile. Das Wasser, das er immerwährend segnet, heißt einfach *The Lake*. Der Name gefiel Kat schon immer. The Lake. Der See. Nichts Ausgefallenes. Nenn es so, wie es ist.

Unter dem Engel befinden sich vier Putten, die Enthaltsamkeit, Reinheit, Gesundheit und Frieden repräsentieren. Der Brunnen steht dort seit 1873. In den Sechzigern hatten Hippies ihn Tag und Nacht besetzt gehalten. Die erste Szene des Films *Godspell* spielt dort. Genau wie die Schlüsselszene in *Hair*. In den Siebzigern war der Bethesda-Brunnen ein Hauptumschlagplatz für Drogen und Prostitution. Ihr Vater hatte Kat erzählt, dass selbst Polizisten damals Angst hatten, die Terrasse zu betreten. Besonders an einem so schönen Sommertag wie heute konnte man sich jetzt kaum noch vorstellen, dass dieser Ort etwas anderes als das Paradies auf Erden sein könnte.

Stagger saß auf einer Bank mit Blick auf den Lake. Touristen gondelten in Booten vorbei, unterhielten sich in allen erdenklichen Sprachen miteinander, während sie mit den Rudern kämpften, bis sie schließlich aufgaben und sich von der fast unmerklichen Strömung treiben ließen. Rechts hatte sich eine große Menschengruppe um Straßenkünstler (oder waren es Parkkünstler?) versammelt, die sich die *Afrobats* nannten. Die Afrobats waren schwarze Teenager, die eine Kombination aus Akrobatik, Tanz und Comedy darboten. Ein anderer Straßenkünstler trug ein Schild, auf dem stand: 1 Dollar pro Witz. Lachen garantiert. Menschliche Statuen standen kostümiert oder angemalt unbewegt auf dem Anleger, um sich mit Touristen fotografieren zu lassen – wer hatte nur als Erster diese Idee gehabt? Ein Mann, der wie jedermanns Lieblingsonkel aussah, spielte enthusiastisch auf einer

Ukulele, und ein anderer, der einen schmierigen Bademantel trug, tat so, als wäre er ein Zauberer aus Hogwarts.

Mit seiner schwarzen Baseballkappe sah Stagger aus wie ein kleiner Junge. Sein Blick glitt wie ein flacher Stein über die Wasseroberfläche. In vieler Hinsicht war es eine Szenerie, die typisch für Manhattan war – umgeben von den herumwirbelnden Menschenmassen fand man trotzdem Trost, Ruhe und Einsamkeit. Stagger sah bestürzt aus, als er aufs Wasser hinausstarrte, und Kat wusste nicht, was sie bei diesem Anblick empfinden sollte.

Er sah sie nicht an, als sie näher kam. Als Kat bei ihm war, wartete sie einen Moment lang, dann sagte sie nur: »Hey.«

»Was zum Teufel stimmt mit dir nicht?«

Er blickte weiter aufs Wasser hinaus, während er das fragte.

»Wie bitte?«

»Du hast nicht einfach so in mein Büro zu platzen.«

Endlich drehte Stagger sich um und sah sie an. Wenn er beim Blick über den Lake Ruhe in den Augen gehabt hatte, war diese jetzt verschwunden.

»Ich wollte nicht respektlos sein.«

»Blödsinn, Kat.«

»Es lag nur daran, dass ich endlich Einblick in Leburnes Besucherliste bekommen habe.«

»Und deshalb musstest du so ein Theater veranstalten?«

»Ja.«

»Du konntest nicht mal warten, bis mein Meeting zu Ende war?«

»Ich dachte…« Die Menschenmenge hinter ihr brach in schallendes Gelächter aus, als die Afrobats so taten, als würden sie die Leute ausrauben. »Du weißt doch, wie ich auf diesen Fall reagiere.«

»Du bist davon besessen.«

»Es geht um Dad, Stagger. Warum verstehst du das nicht?«

»Oh, ich versteh das schon, Kat.« Er drehte sich wieder um und blickte aufs Wasser.

»Stagger?«

»Was ist?«

»Du weißt, was ich gefunden habe, oder?«

»Ja.« Ein verhaltenes Lächeln breitete sich auf seinem Gesicht aus. »Ich weiß.«

»Und?«

Sein Blick erfasste ein Boot und folgte ihm.

»Warum hast du Leburne einen Tag nach seiner Verhaftung besucht?«

Stagger sagte nichts.

»Er wurde vom FBI verhaftet, nicht vom NYPD. Du hattest nichts damit zu tun. Du hast den Fall nicht einmal bearbeitet, erstens weil du sein Partner warst und zweitens, weil du die Leiche gefunden hattest. Warum warst du bei ihm, Stagger?«

Die Frage schien ihn fast zu amüsieren. »Wie lautet deine Theorie, Kat?«

»Die Wahrheit?«

»Wenn möglich.«

»Ich habe keine«, sagte sie.

Stagger sah sie an. »Glaubst du, dass ich etwas damit zu tun hatte, was Henry passiert ist?«

»Nein. Natürlich nicht.«

»Sondern?«

Sie wünschte sich, sie hätte eine bessere Antwort: »Ich weiß es nicht.«

»Glaubst du, dass ich Leburne angeheuert habe oder so was?«

»Ich glaube nicht, dass Leburne etwas damit zu tun hatte. Ich glaube, er hat nur den Kopf für jemand anders hingehalten.«

Er runzelte die Stirn. »Komm schon, Kat. Nicht das schon wieder.«

»Warum warst du bei ihm?«

»Und wieder lautet die Antwort, was glaubst du?« Stagger schloss einen Moment lang die Augen, atmete tief durch und blickte wieder auf den Lake. »Jetzt verstehe ich, warum wir nie jemanden einen Fall bearbeiten lassen, der privat darin involviert ist.«

»Soll heißen?«

»Dir geht nicht nur jede Objektivität ab, du kannst kaum einen klaren Gedanken fassen.«

»Warum warst du bei ihm, Stagger?«

Er schüttelte den Kopf. »Das ist doch vollkommen offensichtlich.«

»Für mich nicht.«

»Genau das meine ich ja.« Er heftete seinen Blick an ein Boot, auf dem ein paar Teenager hektisch und stümperhaft mit den Rudern herumfuchtelten. »Geh doch mal einen Schritt zurück. Denk darüber nach. Vor seiner Ermordung war dein Vater kurz davor, einen der berüchtigsten Verbrecher der Stadt zur Strecke zu bringen.«

»Cozone.«

»Natürlich Cozone. Und plötzlich wird er eliminiert. Wie lautete unsere Theorie damals?«

»*Meine* Theorie war das nicht.«

»Nichts für ungut, Kat, aber du warst damals noch keine Polizistin. Du warst eine muntere, kleine Studentin an der Columbia. Wie lautete unsere offizielle Theorie?«

»Die offizielle Theorie«, antwortete Kat, »besagte, dass

mein Vater eine Bedrohung für Cozone war und der ihn deshalb eliminieren ließ.«

»Genau.«

»Aber Cozone wusste ganz genau, dass man keinen Cop umbringt.«

»Lass dich nicht von den Gangstern und ihrem sogenannten Kodex täuschen. Sie tun nur das, was ihrer Ansicht nach am besten für langfristigen Profit und das Überleben ist. Dein Vater stand beidem im Weg.«

»Ja, ich weiß, deshalb glaubst du, Cozone hat Leburne den Auftrag gegeben, meinen Vater umzubringen. Allerdings erklärt das nicht, warum du Leburne besucht hast.«

»Klar tut's das. Das FBI hat einen von Cozones wichtigsten Auftragskillern verhaftet. Natürlich sind auch wir der Spur sofort nachgegangen. Wieso ist das so schwer zu verstehen?«

»Warum du?«

»Was?«

»Bobby Suggs und Mike Rinsky waren für den Fall zuständig. Warum bist du also bei Leburne gewesen?«

Wieder lächelte er, wenn auch freudlos. »Weil ich wie du war.«

»Soll heißen?«

»Das heißt, dass dein Vater mein Partner war. Du weißt, wie viel er mir bedeutet hat.«

Schweigen.

»Ich hatte keine Lust zu warten, bis das NYPD und das FBI ihre Reviere markiert und alle Rechtsfragen geklärt hatten. Das hätte Leburne nur Zeit gegeben, sich einen Anwalt zu suchen. Ich wollte mit ihm reden. Ich war impulsiv. Ich habe einen Freund beim FBI angerufen und ihn um einen Gefallen gebeten.«

»Du warst also da, um Leburne zu vernehmen?«

»So was, ja. Ich war ein dummer, junger Cop, der versucht hat, seinen Mentor zu rächen, bevor es zu spät war.«

»Wieso zu spät?«

»Wie schon gesagt, hatte ich Angst, dass er sich hinter einem Anwalt verschanzt. Noch mehr Angst hatte ich aber davor, dass Cozone ihn ausschaltet, bevor er etwas sagen kann.«

»Also hast du mit Leburne gesprochen.«

»Ja.«

»Und?«

Stagger zuckte die Achseln. Wieder sah sie vor sich, wie er in der Grundschule ausgesehen haben musste, mit seiner Baseballkappe und diesem Achselzucken. Kat legte ihm sanft die Hand auf die Schulter. Warum, wusste sie nicht genau. Vielleicht um ihn daran zu erinnern, dass sie auf derselben Seite standen. Vielleicht um einen alten Freund ein wenig zu trösten. Stagger hatte ihren Vater geliebt. Natürlich nicht so sehr wie sie. Freunde und Kollegen vergessen die Verstorbenen irgendwann. Sie trauern eine Weile, dann leben sie weiter. Nur die engsten Verwandten vergessen ihre Toten nicht. Aber sein Leiden war echt.

»Und es hat nichts gebracht«, sagte Stagger.

»Leburne hat es abgestritten?«

»Er hat mir einfach gegenübergesessen und kein Wort gesagt.«

»Aber ein paar Tage später hat Leburne doch sein Geständnis abgelegt.«

»Natürlich. Sein Anwalt hat einen Deal gemacht. Hat dafür gesorgt, dass nicht über die Todesstrafe verhandelt wird.«

Die Afrobats kamen zu ihrem großen Finale – einer von

ihnen sprang über Zuschauer, die sich freiwillig gemeldet hatten. Das Publikum applaudierte laut. Kat und Stagger beobachteten, wie die Menge sich langsam auflöste.

»Das war's also«, sagte Kat.

»Das war's.«

»Das hast du mir nie erzählt.«

»Stimmt.«

»Warum nicht?«

»Was hätte ich dir erzählen sollen, Kat? Dass ich einen Verdächtigen besucht und nichts herausbekommen habe?«

»Ja.«

»Du warst Studentin und wolltest bald heiraten.«

»Na und?«

Ihre Stimme klang vermutlich härter, als sie es gemeint hatte. Ihre Blicke trafen sich, und etwas übertrug sich. Er wandte sich ab.

»Deine Unterstellungen gefallen mir nicht, Kat.«

»Ich unterstelle überhaupt nichts.«

»Doch, das tust du.« Er stand auf. »Dieses Passiv-Aggressiv steht dir nicht, Kat. Es passt nicht zu dir. Also lass uns mit offenen Karten spielen, okay?«

»Okay.«

»Leburne hat bis zum Schluss behauptet, er hätte ganz allein beschlossen, dass dein Vater sterben muss. Wir wissen beide ganz genau, dass das eine Lüge ist. Wir wissen beide, dass der Auftrag von Cozone kam und Leburne ihn geschützt hat.«

Kat sagte nichts.

»Wir haben jahrelang versucht, ihn dazu zu bringen, das zu widerrufen und uns die Wahrheit zu sagen. Das hat er nicht getan. Jetzt hat er die Wahrheit mit ins Grab genommen, und wir wissen nicht, wie wir deinem Vater Gerechtigkeit widerfahren lassen können. Es ist frustrierend und bringt uns zur Verzweiflung.«

»Uns?«

»Ja.«

Kat runzelte die Stirn. »Wer ist denn hier passiv-aggressiv?«

»Glaubst du nicht, dass mir das auch wehtut?«

»Oh doch, ich glaube dir, dass dir das wehtut. Du willst mit offenen Karten spielen? Dann tun wir das. Ja, ich habe jahrelang an die Theorie geglaubt, dass der Auftrag zum Mord von Cozone stammte und Leburne ihn ausgeführt hat. Ich war nie ganz überzeugt, für mich passte das nicht so richtig zusammen. Und als Leburne – der keinen Grund hatte zu lügen – der Schwester erzählte, dass er nichts damit zu tun hatte, habe ich ihm geglaubt. Okay, vielleicht hat er unter Drogen gestanden oder gelogen, aber ich bin dabei gewesen. Was er sagte, klang wie die Wahrheit. Und daher will ich jetzt wissen, warum du ihn vor allen anderen besucht hast. Denn, und jetzt lege ich meine Karten auf den Tisch, ich glaube dir nicht, Stagger.«

Weit hinten in seinen Augen explodierte etwas. Er musste schwer an sich halten, um mit ruhiger Stimme zu sprechen. »Dann sag's mir doch, Kat. Warum bin ich zu ihm hochgefahren?«

»Ich weiß es nicht. Aber ich würde mir wünschen, dass du es mir erzählst.«

»Bezeichnest du mich als Lügner?«

»Ich frage dich, was passiert ist.«

»Das habe ich dir schon erzählt«, sagte er, stand auf und schob sich an ihr vorbei. Dann drehte er sich zu ihr um. Es lag tatsächlich Zorn in seinem Blick, aber da war noch etwas anderes. Schmerz. Und vielleicht sogar Angst. »Du hast noch ein paar Tage Urlaub, Kat. Ich hab nachgesehen. Nimm sie. Ich will dich nicht in meinem Revier sehen, bis ich deine Versetzung veranlasst habe.«

FÜNFZEHN

Kat nahm ihren Laptop und ging zu O'Malley's Pub. Sie setzte sich auf den alten Hocker ihres Vaters. Pete, der Barkeeper, schlenderte auf sie zu. Kat musterte die Sohlen ihrer staubigen Schuhe.

»Was ist?«, fragte er.

»Habt ihr mehr Sägespäne als sonst gestreut?«

»Neuer Mitarbeiter. Hat das Konzept Spelunken-Charme übertrieben. Was nimmst du?«

»Cheeseburger, Medium rare, Pommes, ein Bud.«

»Und hinterher eine Untersuchung der Blutgefäße auf Ablagerungen?«

»Sehr witzig, Pete. Beim nächsten Mal probier ich eins von euren glutenfreien, veganen Hauptgerichten.«

Die Gästeschar war gemischt. An den Ecktischen gönnten sich Masters of the Universe Feierabend-Cocktails. An der Theke saßen ein paar Einzelgänger, wie sie jede Bar braucht, die Typen, die mit hängenden Schultern schweigend in ihr Glas starren und sich einzig und allein nach der Benommenheit sehnen, in die die bernsteinfarbene Flüssigkeit sie versetzt.

Sie hatte Stagger zu viel Druck gemacht, aber Feingefühl brachte sie hier nicht weiter. Sie wusste immer noch nicht, was sie von Stagger halten sollte. Sie wusste nicht, was sie von Brandon halten sollte. Und sie wusste nicht, was sie von Jeff halten sollte.

Die Neugier gewann die Oberhand. Sie klappte den Laptop auf und begann, nach Brandons Mom und Jeffs neuer Geliebten Dana Phelps zu suchen, vor allem in der Bildersuche und in sozialen Netzwerken. Kat sagte sich, dass sie nur ein paar Spuren nachging, um den Fall endgültig abzuschließen. Dass sie nur die letzte offene Frage beantworten wollte, ob es sich bei dem Jungen, der bei ihr gewesen war, wirklich um Brandon Phelps, Danas Sohn, handelte, und nicht etwa um einen Hochstapler oder etwas noch Übleres.

Obwohl mindestens zehn Hocker an der Theke frei waren, setzte sich ein Mann mit Unterlippenbärtchen und blondierten Strähnen direkt neben sie. Er räusperte sich und sagte: »Hallo, kleine Lady.«

»Yeah, hi.«

Das erste Bild von Dana fand sie auf einer Webseite, die die »Gesellschaftlichen Ereignisse in Connecticut« dokumentierte. Es war eine derjenigen Webseiten, auf der Fotos von reichen Leuten zu sehen waren, die sich auf so schicken Partys trafen, dass man sie nicht Partys, sondern Galas nannte. Und obwohl ebendiese reichen Leute doch im Leben so viel erreicht hatten, mussten sie anschließend unbedingt solche Webseiten besuchen, um nachzusehen, ob ihr Foto auch darunter war.

Im letzten Jahr hatte Dana Phelps zu einer Wohltätigkeitsgala zur Unterstützung eines Tierheims geladen. Kat erkannte sofort, warum es Jeff zu ihr hinzog.

Dana Phelps sah einfach umwerfend aus.

Sie trug ein langes, silbernes Kleid, das sich auf eine Art an sie schmiegte, wie Kat es nie bei einem Kleidungsstück erleben würde. Jede ihrer Poren verströmte Klasse. Sie war groß, blond und so ziemlich alles, was Kat nicht war.

Miststück.

Kat gluckste laut, was Blondsträhnchen neben ihr als Einladung auffasste. »Was Witziges?«

»Ja, dein Gesicht.«

Pete runzelte die Stirn, woraufhin Kat nur die Achseln zuckte. Ja, es war nicht sehr witzig gewesen, aber es funktionierte. Strähnchen trollte sich. Kat trank etwas und versuchte, eine »Lasst-mich-zufrieden«-Aura um sich aufzubauen. Es funktionierte ganz gut. Sie startete eine Bildersuche nach Brandon Phelps, und ja, er war tatsächlich der dünne Bursche mit den strähnigen Haaren, der zu ihr gekommen war. Mist, es wäre viel einfacher gewesen, wenn er in Bezug auf seine Identität gelogen hätte.

Kat fühlte sich beschwipst, so beschwipst, dass sie nahe dran war, einem alten Freund eine SMS zu schreiben, was natürlich nicht ging, da sie Jeffs Telefonnummer nicht kannte. Sie entschied sich stattdessen für das Nächstbeste – sie cyberstalkte ihn. Sie gab seinen Namen in mehrere Suchmaschinen ein, fand aber nichts. Absolut nichts. Sie hatte geahnt, dass das passieren würde – schließlich war es nicht das erste Mal, dass sie betrunken seinen Namen googelte –, trotzdem überraschte es sie. Ein paar Werbefenster öffneten sich und boten an, Jeff zu suchen oder – noch besser – zu prüfen, ob er vorbestraft war.

Schließen.

Sie beschloss, auf Jeffs Profilseite auf YouAreJustMyType. com zurückzukehren. Wahrscheinlich war sie inzwischen gelöscht, wo er doch mit einer hinreißenden Blondine an irgendein exotisches Ziel jettete. Wahrscheinlich gingen sie gerade Hand in Hand am Strand entlang, Dana in einem silbernen Bikini, während der Mond sich im Wasser spiegelte.

Miststück.

Kat klickte auf Jeffs Profilseite. Sie war noch aktiv. Sie

prüfte seinen Status. Dort stand immer noch: Auf der Suche. Hm. Hatte nicht viel zu bedeuten. Wahrscheinlich hatte er nur vergessen, die Seite zu deaktivieren. Wahrscheinlich war er so überwältigt gewesen, die High-Society-Blondine eingesackt zu haben, dass ihm solche Kleinigkeiten, wie auf einen Button zu klicken, um andere potenzielle Bewerberinnen darüber zu informieren, dass er vom Markt war, schlicht am Arsch vorbeigingen. Oder vielleicht hatte der hübsche Jeff auch einen Back-up-Plan, einen Plan B, für den Fall, dass es sich mit Dana nicht so entwickelte (oder sie ihn nicht ranließ), wie er sich das vorstellte. Ja, gut möglich, dass der gute alte Jeff ein paar Frauen mit angehaltenem Atem in Wartestellung positioniert hatte, für den Fall, dass er einen Ersatz brauchte oder ...

Dankenswerterweise befreite sie ihr Handy von ihrem Wahn. Sie nahm das Gespräch an, ohne aufs Display zu sehen.

»Es gibt nichts über ihn.«

Es klang wie Brandon.

»Was?«

»Über Jeff Raynes. Es gibt absolut nichts über ihn im Netz.«

»Oh, das hätte ich dir vorher sagen können.«

»Sie haben nach ihm gesucht?«

»Betrunken gegoogelt.«

»Was?«

Sie lallte leicht. »Was willst du, Brandon?«

»Es gibt nichts über Jeff Raynes.«

»Ja, ich weiß. Hatten wir das nicht schon geklärt?«

»Wie kann das sein? Es gibt über jeden was.«

»Vielleicht hält er sich bedeckt.«

»Ich habe alle Datenbanken gecheckt. Es gibt in den USA

drei Personen mit dem Namen Jeff Raynes. Einer lebt in North Carolina, einer in Texas und einer in Kalifornien. Keiner davon ist Ihr Jeff Raynes.«

»Was soll ich dazu sagen, Brandon. Es gibt viele Leute, die sich bedeckt halten.«

»Nicht mehr. Also wirklich nicht. So bedeckt kann sich niemand halten. Verstehen Sie? Da stimmt was nicht.«

Die Jukebox spielte *Oh Very Young* von Cat Stevens an. Der Song deprimierte sie. Cat, eine Art Namensvetter, sang von dem Wunsch, dass der Vater ewig leben möge, *but you know he never will,* und dass dieser Mann, den man so liebt, einst ebenso verblassen wird wie das Blau seiner besten Jeans. Mann, der Text machte ihr schwer zu schaffen.

»Ich weiß nicht, was ich da machen soll, Brandon.«

»Sie müssen mir noch einen Gefallen tun.«

Sie seufzte.

»Ich habe die Kreditkarten meiner Mutter überprüft. In den letzten vier Tagen gab es nur eine Zahlung. Sie hat Geld von einem Automaten abgehoben. An dem Tag, an dem sie verschwunden ist.«

»Sie ist nicht verschwunden. Sie ist…«

»Schon gut, ist auch egal, jedenfalls befindet sich der Geldautomat in Parkchester.«

»Und?«

»Und die Strecke zum Flughafen geht über die Whitestone Bridge. Parkchester ist mindestens eine, wenn nicht zwei Ausfahrten abseits der Strecke. Warum sollte sie einen Umweg machen?«

»Wer weiß? Vielleicht hat sie die Ausfahrt verpasst. Vielleicht wollte sie bei einer schicken Dessous-Boutique halten, von der du nichts weißt, und sich ein Negligé für die Reise kaufen.«

»Dessous-Boutique?«

Kat schüttelte den Kopf, damit er wieder etwas klarer wurde. »Hör zu, Brandon. Das liegt sowieso nicht in meinem Zuständigkeitsbereich. Du musst mit dem Cop in Greenwich sprechen, bei dem du schon gewesen bist. Wie hieß der noch?«

»Detective Schwartz.«

»Genau. Sprich mit dem.«

»Bitte. Können Sie das nicht machen?«

»Was machen?«

»Sich ansehen, wie das Geld am Automaten abgehoben wurde.«

»Und was sollte ich da deiner Ansicht nach finden, Brandon?«

»Mom benutzt ihre Karte nie am Geldautomaten. Wirklich nie. Ich glaube, sie weiß gar nicht, wie das funktioniert. Ich hol ihr immer das Bargeld. Können Sie nicht… was weiß ich… das Video von der Überwachungskamera überprüfen oder so was?«

»Es ist spät«, sagte Kat, die sich an ihre Regel erinnerte, Trinken und Denken zu trennen. »Lass uns morgen darüber sprechen, okay?«

Bevor er antworten konnte, drückte sie die BEENDEN-Taste. Beim Aufstehen forderte sie Pete durch ein kurzes Nicken auf, die Rechnung auf ihren Deckel zu schreiben, dann ging sie raus an die frische Luft. Sie liebte New York. Freunde hatten versucht, ihr die Schönheit der Wälder oder des Strandlebens näherzubringen, und klar, für ein paar Tage war das okay, aber Wandern langweilte sie. Pflanzen, Bäume, Grünzeug und Tiere konnten ganz interessant sein, aber was konnte interessanter sein als Gesichter, Outfits, Kopfbedeckungen, Schuhe, Läden, Straßenhändler und so weiter?

Der Mond stand sichelförmig am Himmel. Als sie klein war, hatte der Mond sie fasziniert. Sie blieb stehen, starrte nach oben und spürte, wie ihr Tränen in die Augen traten. Dann übermannte sie plötzlich eine Erinnerung. Als sie sechs Jahre alt war, hatte ihr Vater eine Leiter in den Hof gestellt. Er hatte sie nach draußen geführt, auf die Leiter gedeutet und gesagt, dass er den Mond dort gerade aufgehängt hätte, speziell für sie. Sie hatte ihm geglaubt. Sie hatte geglaubt, dass der Mond nachts an den Himmel gehängt wurde, bis sie viel zu alt geworden war, um noch an solche Dinge zu glauben.

Kat war zweiundzwanzig Jahre alt gewesen, als ihr Vater starb – eindeutig zu jung. Aber Brandon Phelps hatte seinen Vater mit sechzehn verloren.

Kein Wunder, dass er sich so an seine Mutter klammerte.

Es war schon spät, als Kat in ihr Apartment kam, aber Polizeireviere haben schließlich keine Öffnungszeiten. Sie suchte die Telefonnummer vom Greenwich Police Department heraus, rief dort an, stellte sich als Detective vom NYPD vor und ging davon aus, eine Nachricht für Detective Schwartz hinterlassen zu müssen, aber die Telefonistin bescherte ihr eine Überraschung.

»Einen Moment. Joe ist noch da. Ich verbinde.«

Es klingelte zweimal, dann: »Detective Joe Schwartz. Was kann ich für Sie tun?«

Höflich.

Noch einmal nannte Kat ihren Namen und Dienstgrad. »Ein junger Mann namens Brandon Phelps ist heute Morgen bei mir gewesen.«

»Moment, sagten Sie nicht gerade, Sie wären vom NYPD?«

»Ja.«

»Dann war Brandon bei Ihnen in New York City?«

»Richtig.«

»Sind Sie eine Freundin der Familie oder so etwas?«

»Nein.«

»Das verstehe ich nicht.«

»Er glaubt, dass seine Mutter vermisst wird«, sagte Kat.

»Ja, ich weiß.«

»Er wollte, dass ich mir die Sache mal ansehe.«

Schwartz seufzte. »Warum um alles in der Welt ist Brandon zu Ihnen gekommen?«

»Das klingt, als würden Sie ihn kennen.«

»Natürlich kenne ich ihn. Sie sagten, Sie wären vom NYPD, richtig? Warum war er bei Ihnen?«

Kat wusste nicht, wie viel sie von Brandons illegalen Hacking-Aktivitäten oder der Tatsache, dass sie eine Partner-vermittlungs-Webseite besuchte, erzählen sollte. »Das weiß ich auch nicht genau, er sagte aber, er hätte Sie zuerst um Hilfe gebeten. Stimmt das?«

»Ja, das stimmt.«

»Ich weiß, dass es verrückt klingt«, fuhr Kat fort, »aber ich frage mich, ob wir nicht etwas tun können, um ihn zu beruhigen.«

»Detective Donovan?«

»Nennen Sie mich Kat.«

»Okay, ich bin Joe. Ich überlege gerade, wie ich das ausdrücken soll…« Er ließ sich einen Moment Zeit. Dann: »Ich nehme mal an, er hat Ihnen nicht die ganze Geschichte erzählt.«

»Wie wäre es, wenn Sie sie mir erzählen?«

»Ich hätte eine bessere Idee, wenn Sie nichts dagegen haben«, sagte er. »Warum gucken Sie morgen nicht mal in Greenwich vorbei?«

»Weil es weit ist.«

»Von Midtown Manhattan sind es nur vierzig Minuten. Ich glaube, es könnte uns beiden helfen. Ich bin bis mittags hier.«

Kat wäre auf der Stelle hingefahren, aber sie hatte zu viel getrunken. Sie schlief unruhig, und da sie den Berufsverkehr lieber abwarten wollte, ging sie rüber zum Yoga-Kurs. Aqua, der immer schon vor den ersten Kursteilnehmerinnen da war, ließ sich nicht blicken. Die Schülerinnen tuschelten besorgt. Eine von ihnen, eine zu magere ältere Frau, bot an, den Kurs zu geben, es fanden sich aber keine Interessentinnen. Die Gruppe löste sich langsam auf. Kat wartete noch ein paar Minuten in der Hoffnung, dass Aqua noch kommen würde. Er kam nicht.

Um Viertel nach neun ging Kat davon aus, dass der Berufsverkehr sich gelegt hatte, und besorgte sich einen Carsharing-Wagen von Zipcar. Wie angekündigt dauerte die Fahrt vierzig Minuten.

Eigentlich sollte man unter dem Stichwort »todschick« im Bildwörterbuch ein Foto des luxuriösen, feudalen Greenwich, Connecticut, finden. Jeder Leiter eines Hedgefonds, der mehr als eine Milliarde Dollar verwaltete, war praktisch per Gesetz dazu verpflichtet, in Greenwich, Connecticut, zu wohnen. Greenwich hat das höchste Pro-Kopf-Vermögen in den ganzen USA, und genau so sah es dort auch aus.

Detective Schwartz bot Kat eine Cola an. Sie akzeptierte und setzte sich ihm gegenüber an den modernen Schreibtisch. Alles hier im Revier wirkte neuwertig, teuer und gepflegt. Schwartz hatte einen Schnurrbart mit gewachsten Spitzen, wie man sie vielleicht noch von alten Barbershop-Quartetts kannte. Er trug ein Anzughemd und Hosenträger.

»Dann erzählen Sie doch mal, was Sie mit dem Fall zu tun haben«, sagte Schwartz.

»Brandon ist zu mir gekommen. Er hat mich um Hilfe gebeten.«

»Ich verstehe noch immer nicht, warum.«

Kat war weiterhin nicht bereit, ihm alles zu erzählen. »Er sagte, er wäre zu mir gekommen, weil Sie ihm nicht geglaubt haben.«

Schwartz musterte sie mit einem misstrauischen Polizistenblick. »Und dann dachte er sich, irgendeine x-beliebige Polizistin in New York City würde ihm schon glauben?«

Sie versuchte, ihn von dem Thema abzubringen. »Aber er war bei Ihnen, richtig?«

»Ja.«

»Und Sie sagten am Telefon, dass Sie ihn schon länger kennen.«

»So in der Art, ja.« Joe Schwartz beugte sich etwas weiter zu ihr herüber. »Dies ist eine kleine Stadt, wenn Sie wissen, was ich meine. Also, es ist keine Kleinstadt, aber es ist eine kleine Stadt.«

»Ich soll Ihnen Diskretion zusichern.«

»Ja.«

»Ist hiermit getan.«

Er lehnte sich zurück und legte die Hände flach auf den Tisch. »Hier bei der Polizei kennen wir Brandon Phelps etwas zu gut.«

»Was meinen Sie damit?«

»Was könnte ich damit wohl meinen?«

»Das habe ich überprüft«, sagte Kat. »Brandon ist nicht vorbestraft.«

Schwartz breitete die Hände aus. »Offenbar haben Sie den Teil verpasst, als ich sagte, dass dies eine kleine Stadt ist.«

»Aha.«

»Kennen Sie den Film *Chinatown*?«

»Natürlich.«

Er räusperte sich und versuchte, Joe Mantell zu imitieren: »›Vergiss es, Jake. Wir sind in Greenwich.‹ Verstehen Sie mich nicht falsch. Er wurde nur ein paar Mal wegen Kleinigkeiten festgenommen. Er ist mal in die Highschool eingebrochen, zu schnell gefahren, dazu kam Vandalismus und der Handel mit kleinen Mengen Hasch. Sie kennen das bestimmt. Fairerweise sollte man noch hinzufügen, dass das alles erst nach dem Tod seines Vaters passiert ist. Wir alle kannten und mochten seinen Vater, und die Mutter, Dana Phelps, ist ein guter Mensch. Das Salz der Erde. Sie würde alles für dich tun. Aber der Junge … wie soll ich sagen. Der war immer schon ein bisschen seltsam.«

»Wieso seltsam?«

»Nicht weiter von Bedeutung. Ich habe auch einen Sohn in Brandons Alter. Aber Brandon hat hier irgendwie nicht richtig reingepasst, was an diesem Ort allerdings auch nicht ganz einfach ist.«

»Aber er war vor ein paar Tagen bei Ihnen. Er hat Ihnen erzählt, dass er sich Sorgen um seine Mutter macht.«

»Das stimmt.« Auf dem Schreibtisch lag eine Büroklammer. Schwartz nahm sie und fing an, sie hin und her zu biegen. »Aber er hat uns belogen.«

»Inwiefern?«

»Was hat er Ihnen über das angebliche Verschwinden seiner Mutter erzählt?«

»Er sagte, sie hätte im Internet einen Mann kennengelernt und wäre mit ihm weggefahren. Und dass sie sich sonst immer bei ihm gemeldet hätte, dieses Mal aber nicht.«

»Ja, das hat er uns auch erzählt«, sagte Schwartz. »Das ist

aber nicht die Wahrheit.« Er legte die Büroklammer bei-seite und öffnete die Schreibtischschublade, aus der er einen Eiweißriegel zog. »Wollen Sie einen? Ich habe jede Menge davon.«

»Nein, danke. Und was ist die Wahrheit?«

Er fing an, in einem Papierstapel zu blättern. »Ich habe die Akte schon rausgelegt, weil ich wusste, dass Sie ... ja, hier ist sie. Die Verbindungsdaten von Brandons Handy.« Er gab ihr die Blätter. »Ist gelb markiert.«

Sie entdeckte zwei gelb markierte Stellen. Zwei Anrufe von derselben Telefonnummer.

»Brandon hat zwei SMS von seiner Mutter bekommen. Eine vorgestern Nacht, die andere gestern am frühen Mor-gen.«

»Das ist vom Handy seiner Mutter?«

»Ja.«

Kat spürte, wie ihr Gesicht rot anlief. »Wissen Sie, was drinsteht?«

»Als er das letzte Mal hier war, hatte ich nur die Verbin-dungsdaten der ersten SMS. Ich habe ihn damit konfrontiert, da hat er sie mir gezeigt. Der Inhalt lautete in etwa: ›Ange-kommen, alles wunderbar hier, ich vermisse dich.‹ So unge-fähr.«

Kat blickte immer noch auf die Liste. »Hatte er eine Er-klärung dafür?«

»Er sagte, sie wäre nicht von seiner Mutter. Es ist aber ihre Handynummer. Da sieht man es, ganz eindeutig.«

»Haben Sie versucht, das Handy anzurufen?«

»Haben wir. Es meldet sich niemand.«

»Finden Sie das nicht verdächtig?«

»Nein. Um es ganz direkt zu sagen: Wir glauben, dass sie auf einer Insel in der Karibik ist und womöglich seit drei

Jahren das erste Mal wieder flachgelegt wird. Sehen Sie das anders?«

»Nein«, sagte sie. »Ich seh das genauso. Ich wollte nur sehen, wie Sie reagieren.«

»Natürlich ist das nicht die einzig mögliche Erklärung.«

»Was meinen Sie?«

»Ich meine«, sagte Schwartz achselzuckend, »dass Dana Phelps durchaus vermisst werden könnte.«

Kat wartete, dass er weitersprach. Schwartz war geduldiger. Schließlich fragte Kat: »Hat Brandon Ihnen erzählt, dass Geld am Automaten abgehoben wurde?«

»Interessanterweise nicht.«

»Vielleicht wusste er noch nichts davon, als er bei Ihnen war.«

»Eine mögliche Theorie.«

»Haben Sie eine andere?«

»Hab ich. Oder sagen wir, ich hatte eine. Wissen Sie, das ist der eigentliche Grund, warum ich Sie hierhergebeten habe.«

»Aha?«

»Versetzen Sie sich in meine Lage. Ein besorgter Teenager kommt zu mir. Er behauptet, seine Mutter wird vermisst. Durch die Verbindungsdaten wissen wir, dass er lügt. Wir stellen fest, dass Geld vom Automaten abgehoben wurde. Falls da also irgendetwas nicht stimmen sollte, wer wäre dann wohl unser Hauptverdächtiger?«

Sie nickte: »Der besorgte Teenager.«

»Bingo.«

Der Gedanke war Kat auch kurz gekommen, sie hatte ihn aber nicht weiterverfolgt. Einerseits hatte sie nichts über die Vergangenheit des Jungen gewusst – andererseits wusste Joe Schwartz nicht, dass Brandon sich in die Seite von YouAreJustMyType gehackt hatte, und er kannte ihre Verbindung zu dem Fall nicht. Trotzdem hatte Brandon sie wegen der SMS belogen. Das wusste sie jetzt. Was genau hatte er also vor?

Kat sagte: »Sie dachten, Brandon könnte seiner Mutter etwas angetan haben?«

»So weit bin ich nicht gegangen. Aber ich habe ihm auch nicht geglaubt, dass sie verschwunden ist. Also habe ich als Vorsichtsmaßnahme einen weiteren Schritt unternommen.«

»Und das wäre?«

»Ich habe mir eine Kopie des Überwachungsvideos vom Geldautomaten schicken lassen. Ich dachte, Sie würden das vielleicht auch gern sehen.«

Er drehte den Computerbildschirm auf seinem Schreibtisch so, dass sie ihn sehen konnte. Dann drückte er ein paar Tasten. Der Bildschirm war geteilt und zeigte das Video aus zwei Blickwinkeln. Das war neueste Sicherheitstechnik. Zu viele Menschen wussten von der Kamera vorne am Geldautomaten und hielten sich einfach die Hand vors Gesicht. Genau diese Einstellung war auf der linken Bildschirmseite zu sehen. Das Bild rechts war von oben aufgenommen, so wie man es von Überfällen von Lebensmittelläden oder Tankstellen kannte. Kat wusste, dass es einfacher war, eine Kamera an der Decke anzubringen, meistens nützte es jedoch nichts. Die Verbrecher trugen irgendwelche Schirmmützen oder sahen einfach nur nach unten. Man musste die Kameras unten anbringen, nicht oben.

Die Videos waren in Farbe, nicht in Schwarz-Weiß. Auch das wurde immer gängiger. Schwartz legte die Hand auf die Maus. »Kann's losgehen?«

Sie nickte. Er klickte auf PLAY.

Ein paar Sekunden geschah nichts. Dann sah man eine Frau. Es handelte sich zweifellos um Dana Phelps.

»Finden Sie, dass sie gepeinigt aussieht?«

Kat schüttelte den Kopf. Selbst auf dem Bild der Überwachungskamera war Dana ziemlich schön. Außerdem sah sie aus, als wollte sie mit einem neuen Lover in den Urlaub fahren. Kat konnte einen kurzen Anfall von Neid oder Eifersucht nicht ganz unterdrücken. Danas Frisur sah aus, als wäre ein Profi am Werk gewesen. Ihre Fingernägel – Kat sah sie von Nahem, als sie die Geheimzahl eintippte – waren frisch maniküt. Auch ihr Outfit passte perfekt für die Karibik.

Ein hellgelbes Sommerkleid.

SECHZEHN

Aqua ging vor Kats Apartment auf und ab.
Er tat das in einer engen Zwei-Schritte-180°-Dre-
hung-zwei-Schritte-Formation. Kat blieb an der Ecke stehen und beobachtete ihn einen Moment lang. Er hielt etwas in der Hand, das er immer wieder ansah. Ein Zettel? Er
redete auf ihn ein – nein, dachte Kat, er diskutierte mit ihm,
flehte ihn gar an.

Die Leute ließen Aqua genug Raum, und – schließlich
waren sie in New York – niemand geriet aus der Ruhe. Kat
ging auf ihn zu. Aqua war seit mehr als zehn Jahren nicht
mehr bei ihr an der Wohnung gewesen. Was wollte er jetzt
hier? Als sie noch etwa drei Meter von ihm entfernt war, erkannte sie, was er in der rechten Hand hielt.

Es war das Foto von Jeff, das sie ihm vor über zwei Wochen
gegeben hatte.

»Aqua?«

Er stoppte abrupt und drehte sich zu ihr um. Seine Augen
waren weit aufgerissen und hart an der Grenze zum Wahnsinn. Sie hatte schon öfter gesehen, wie er Selbstgespräche
führte, war Zeugin von einigen Anfällen geworden, aber so
hatte sie ihn noch nie gesehen, so ... war erregt das passende
Wort? Nein, es war mehr als das. Es war, als leide er Schmerzen.

»Warum?«, schrie Aqua und hielt Jeffs Bild hoch.

»Warum was, Aqua?«

»Ich habe ihn geliebt«, sagte er mit wehklagender Stimme.
»Du hast ihn geliebt.«

»Das weiß ich.«

»Warum?«

Er fing an zu schluchzen. Jetzt machten die Fußgänger einen größeren Bogen um ihn. Kat trat näher zu ihm. Sie breitete die Arme aus, und Aqua ließ sich direkt hineinfallen, lehnte den Kopf an ihre Schulter und weinte.

»Schon in Ordnung«, sagte sie leise.

Aqua weinte immer noch, und bei jedem Schluchzen zog sich sein ganzer Körper zusammen. Sie hätte ihm das Foto nicht zeigen dürfen. Er war mehr als nur zerbrechlich. Er brauchte seine Routine. Er brauchte Gleichförmigkeit, einen geregelten Tagesablauf, und obwohl sie das wusste, hatte sie ihm ein Foto von jemandem gegeben, der ihm sehr viel bedeutet hatte und den er nicht mehr sah.

Moment. Woher wollte sie wissen, dass Aqua Jeff nicht mehr sah?

Jeff hatte vor achtzehn Jahren mit ihr gebrochen. Das bedeutete jedoch nicht, dass er den Kontakt zu allen alten Freunden und Bekannten abgebrochen haben musste, oder? Er und Aqua könnten weiterhin in Kontakt stehen, immer noch das tun, was Freunde miteinander taten … abhängen, Bier trinken, zu Sportveranstaltungen gehen. Obwohl Aqua keinen Computer, kein Telefon und nicht einmal eine Adresse hatte.

Könnten sie trotzdem noch in Kontakt stehen?

Sie bezweifelte es. Kat erlaubte Aqua, sich auf der Straße auszuheulen. Das ging eine ganze Weile, aber irgendwann riss er sich zusammen. Sie klopfte ihm auf den Rücken und gab beruhigende Worte von sich. Das hatte sie schon früher für Aqua getan, vor allem nachdem Jeff gegangen war. Aber das war lange her. Damals hatte er ihr einerseits leidgetan, andererseits war sie wütend über seine Reaktion gewesen. Schließlich war sie von Jeff verlassen worden, nicht er. Wäre es nicht Aquas Aufgabe gewesen, sie zu trösten?

Aber, Mann, wie sie die alte Freundschaft vermisste. Vor langer Zeit hatte sie den Verlust dieses Freundes betrauert und akzeptiert, dass die Yogalehrer-Yogaschülerin-Beziehung das Einzige war, was sie vernünftigerweise von ihm erwarten konnte. Aber in diesem Moment, als sie ihn so in den Armen hielt, war die Vergangenheit wieder gegenwärtig, und die Verluste, die sie vor achtzehn Jahren erlitten hatte, schmerzten wieder von Neuem.

»Hast du Hunger?«, fragte sie ihn.

Aqua nickte und hob den Kopf. Tränen und Rotz waren in seinem Gesicht. Und auf Kats Bluse. Es störte sie nicht. Auch sie hatte Tränen in den Augen, nicht nur, weil sie Jeff und die alte Beziehung zu Aqua verloren hatte, sondern auch, weil sie jemanden in den Arm genommen und getröstet hatte, der ihr etwas bedeutete. Das letzte Mal war lange her. Viel zu lange.

»Ein bisschen Hunger hab ich wohl«, sagte Aqua.

»Wollen wir etwas essen?«

»Ich muss gehen.«

»Nein, nein, lass uns etwas essen gehen, okay?«

»Lieber nicht, Kat.«

»Das versteh ich nicht. Warum bist du eigentlich hergekommen?«

»Morgen ist Unterricht«, sagte Aqua. »Ich muss mich vorbereiten.«

»Komm schon«, sagte sie, hielt seine Hand fest und versuchte, nicht zu flehentlich zu klingen. »Bleib noch ein bisschen bei mir, okay?«

Er antwortete nicht.

»Du hast gesagt, dass du hungrig bist, stimmt's?«

»Stimmt.«

»Dann lass uns etwas essen gehen, okay?«

Aqua wischte sich mit dem Ärmel übers Gesicht. »Okay.« Sie gingen Arm in Arm die Straße entlang, ein ziemlich bizarres Paar, nahm sie an, aber auch da war es hilfreich, dass sie in Manhattan waren. Sie gingen eine Weile schweigend nebeneinander her. Aqua hörte auf zu weinen. Kat wollte ihn nicht drängen, konnte das Thema aber auch nicht ruhen lassen.

»Du vermisst ihn«, sagte sie.

Aqua kniff die Augen zu, als wünschte er, die Worte würden verschwinden.

»Es ist okay. Ich versteh das.«

»Nein, du verstehst gar nichts«, sagte Aqua.

Sie wusste nicht, wie sie darauf reagieren sollte, also sagte sie: »Dann erklär's mir.«

»Ich vermisse ihn«, sagte Aqua. Dann blieb er stehen, drehte sich um und sah sie direkt an. Seine Augen waren nicht mehr weit aufgerissen, etwas wie Mitleid zeichnete sich jetzt darin ab. »Aber nicht so wie du, Kat.«

Er ging los. Sie eilte ihm hinterher.

»Mir geht's gut«, sagte Kat.

»Es hätte klappen müssen.«

»Was hätte klappen müssen?«

»Du und Jeff«, sagte Aqua. »Es hätte klappen müssen.«

»Ja, aber es hat halt nicht geklappt.«

»Es ist, als ob ihr euer Leben lang auf getrennten Wegen gereist wärt – zwei Wege, die dazu bestimmt waren, sich zu vereinen. Ihr müsst das einsehen. Ihr beide.«

»Nun, es war wohl nicht für beide so offensichtlich«, sagte sie.

»Ihr reist auf eurem Lebensweg. Man wählt einen Weg, aber manchmal ist man gezwungen, eine andere Route zu nehmen.«

Sie war jetzt wirklich nicht in Stimmung für diesen Yoga-Schnickschnack. »Aqua?«

»Ja.«

»Hast du Jeff gesehen?«

Wieder blieb er stehen.

»Ich meine, nachdem er mich verlassen hat. Hast du ihn gesehen?«

Aquas Griff um ihren Arm wurde fester. Er ging wieder los. Sie blieb bei ihm. Er bog rechts ab in die Columbus Avenue und ging Richtung Norden.

»Zweimal«, sagte er.

»Du hast ihn zweimal gesehen?«

Aqua blickte zum Himmel hinauf und schloss die Augen. Kat ließ ihm Zeit. Das hatte er damals an der Uni schon gemacht. Er hatte über die Sonne in seinem Gesicht gesprochen und erzählt, wie sie ihn entspannte und ihm half, sein Zentrum zu finden. Eine Weile lang hatte es sogar so ausgesehen, als würde es funktionieren. Aber inzwischen war dieses Gesicht verhärmt. An den Falten um Augen und Mund konnte man die schlechten Jahre ablesen. Seine mokka-latte-farbene Haut hatte die ledrige Struktur der Menschen angenommen, die zu lange auf der Straße gelebt hatten.

»Er ist noch mal in sein Zimmer zurückgekommen«, sagte Aqua, »nachdem er mit dir Schluss gemacht hatte.«

»Oh«, sagte sie. Das war nicht die Antwort, auf die sie gehofft hatte.

Weil er so war, wie er war, hatte Aqua auf dem Campus immer ein Einzelzimmer gehabt. Die Universität hatte mehrfach versucht, ihm einen Zimmergenossen zu geben, aber das hatte nicht funktioniert. Manche hatten einfach Angst gehabt vor dem Transvestiten, das Hauptproblem war jedoch, dass Aqua nie schlief. Er lernte. Er las. Er arbeitete im Labor, der Uni-Cafeteria – und nachts hatte er einen Job in einem Fetischclub in Jersey City. In seinem dritten Studienjahr hatte Aqua dann sein Einzelzimmer verloren. Die Verwaltung bestand darauf, ihn mit drei anderen Studenten in ein Zimmer zu stecken. Was nicht gutgehen konnte. Damals war Jeff gerade in eine Dreizimmerwohnung in der 178th Street gezogen. Er hatte es als glücklichen Zufall bezeichnet.

Wieder traten Aqua Tränen in die Augen. »Jeff war vollkommen erledigt, weißt du?«

»Danke. Achtzehn Jahre später bedeutet mir das sehr viel.«

»Sei doch nicht so, Kat.«

Aqua mochte verwirrt sein, ihr Sarkasmus war ihm jedoch nicht entgangen.

»Und wann hast du ihn das zweite Mal gesehen?«, fragte Kat.

»Am einundzwanzigsten März«, sagte er.

»In welchem Jahr?«

»Was meinst du damit? Dieses Jahr.«

Kat blieb stehen. »Moment. Willst du sagen, dass du Jeff das erste Mal vor sechs Monaten wiedergesehen hast, seit wir uns getrennt haben?«

Aqua fing an zu zappeln.

»Aqua?«

»Ich unterrichte Yoga.«

»Ja, ich weiß.«

»Ich bin ein guter Lehrer.«

»Der beste. Wo genau hast du Jeff gesehen?«

»Du warst auch da.«

»Was redest du denn?«

»Du warst in meinem Kurs. Am einundzwanzigsten März. Du bist nicht meine beste Schülerin. Aber du gibst dir Mühe. Du bist gewissenhaft.«

»Aqua, wo hast du Jeff gesehen?«

»Beim Kurs«, sagte Aqua. »Am einundzwanzigsten März.«

»Dieses Jahr?«

»Ja.«

»Willst du mir sagen, dass Jeff vor sechs Monaten in deinem Kurs mitgemacht hat?«

»Er hat nicht mitgemacht«, sagte Aqua. »Er hat sich hinter einem Baum versteckt. Er hat dich beobachtet. Er hat so gelitten.«

»Hast du mit ihm gesprochen?«

Aqua schüttelte den Kopf. »Ich habe unterrichtet. Ich dachte, er hätte vielleicht mit dir gesprochen.«

»Nein«, sagte sie. Als ihr wieder bewusst wurde, dass sie nicht mit dem zuverlässigsten Geist der freien Welt sprach, versuchte sie, die Sache auf sich beruhen zu lassen. Es war ausgeschlossen, dass Jeff vor sechs Monaten im Central Park war und hinter einem Baum gestanden hatte, um den Kurs zu beobachten. Das ergab einfach überhaupt keinen Sinn.

»Tut mir sehr leid, Kat.«

»Mach dir keine Sorgen, okay?«

»Es hat alles verändert. Das war mir damals nicht klar.«

»Das ist schon okay.«

Sie waren noch einen halben Block vom O'Malley's entfernt. Früher hatten sie da öfter rumgehangen – Kat, Jeff, Aqua und noch ein paar Freunde. Man hätte meinen können, dass das O'Malley's damals kein einfacher Ort für einen farbigen Transvestiten war. Und das stimmte auch. Am Anfang war Aqua nur in Männerkleidung ins O'Malley's gegangen, was aber die Spötteleien nicht hatte verhindern können. Dad hatte nur den Kopf geschüttelt. Er war nicht so schlimm wie die meisten anderen im Viertel gewesen, hatte aber trotzdem nichts für »Schwuchteln« übrig gehabt.

»Du musst aufhören, mit diesen Typen rumzuhängen«, hatte ihr Vater zu Kat gesagt. »Mit denen stimmt was nicht.«

Sie hatte nur den Kopf geschüttelt und die Augen verdreht. Und sie hatte sie alle damit gemeint. Man sagt heute, diese Cops wären »vom alten Schlag«. Und das waren sie auch. Aber das war kein Kompliment, sondern eine versteckte Kritik. Sie waren engstirnig und einsam. Natürlich konnte man das erklären und rechtfertigen (was ja auch geschah), aber im Endeffekt waren sie einfach scheinheilig. Oft liebenswürdig, aber scheinheilig. Sie spotteten nicht nur über Homosexuelle, sondern über praktisch jede andere Gruppierung oder Nationalität, wenn auch weniger heftig. Man konnte es am Wortschatz dieser Zeit ablesen. Wenn jemand zu hart verhandelte, beklagte man sich, dass er »schachere wie ein Jude«. Alles, was nicht als machohaft galt, war etwas für »Schwuchteln«. Wenn ein Ballspieler einen Fehler machte, war die Hautfarbe Nebensache, er spielte sowieso wie ein »verdammter N…« (hier das N-Wort einfügen). Kat wollte das nicht rechtfertigen, aber damals hatte sie sich nicht allzu viele Gedanken darüber gemacht.

Aquas Gleichmut ehrte ihn – das alles schien ihn nicht zu stören. »Wie sollen sich Ansichten denn deiner Meinung nach weiterentwickeln?«, hatte er sie gefragt. Er betrachtete es in gewisser Weise als »Herausforderung«. Und so war Aqua ins O'Malley's geschwebt und hatte sich entweder nichts aus dem Spott und dem Gekicher gemacht – oder, was wahrscheinlicher war, sich gezwungen, es zu ignorieren. Nach einer Weile wurde es den meisten Cops zu langweilig, sie kümmerten sich nicht mehr darum und guckten kaum ein zweites Mal hin, wenn Aqua in den Pub schlenderte. Dad und seine Kumpel hielten Abstand.

Es hatte Kat angekotzt, vor allem, weil ihr Vater dazugehörte, aber Aqua hatte nur die Achseln gezuckt und gesagt: »Der Fortschritt.«

Als sie den Pub erreichten, zuckte Aqua zurück. Er riss die Augen wieder weit auf.

»Was ist los?«, fragte Kat.

»Ich muss einen Kurs geben.«

»Klar, ich weiß. Morgen.«

Er schüttelte den Kopf. »Ich muss mich vorbereiten. Ich bin ein Yogi. Ein Lehrer.«

»Und ein guter.«

Aqua schüttelte weiter den Kopf. Wieder hatte er Tränen in den Augen. »Ich kann nicht wieder zurückgehen.«

»Du musst nirgendwo hingehen.«

»Er hat dich so geliebt.«

Sie sparte sich die Frage, wen er meinte. »Schon gut, Aqua. Wir gehen nur einen Happen essen, okay?«

»Ich bin ein guter Lehrer, nicht wahr?«

»Der beste.«

»Dann lass mich tun, was ich tue. So helfe ich. So kann ich mein Zentrum halten. Und so leiste ich meinen Beitrag für die Gesellschaft.«

»Du musst was essen.«

An der Tür zum O'Malley's war eine Budweiser-Neonreklame. Sie sah, wie sich das rote Licht in Aquas Augen spiegelte. Sie umfasste den Griff und öffnete die Tür.

Aqua schrie: »Ich kann nicht wieder zurückgehen!«

Kat ließ die Tür los. »Schon gut. Ich hab's begriffen. Lass uns woanders hingehen.«

»Nein! Lass mich zufrieden! Lass ihn zufrieden!«

»Aqua?«

Sie griff nach ihm, aber er riss sich los. »Lass ihn zufrieden«, wiederholte er, zischte es dieses Mal aber mehr zwischen den Zähnen hervor. Dann rannte er die Straße entlang zurück zum Park.

SIEBZEHN

Eine Stunde später kam Stacy zu ihr ins O'Malley's.
Kat erzählte ihr die ganze Geschichte. Stacy hörte zu, schüttelte den Kopf und sagte: »Mann, dabei wollte ich dir doch nur zu ein wenig Sex verhelfen.«

»Ich weiß, und?«

»Undank ist der Welten Lohn.« Stacy starrte etwas zu intensiv auf ihr Bier. Sie fing an, das Etikett abzupulen.

»Was ist los?«, fragte Kat.

»Ich, äh, habe mir die Freiheit genommen, in diesem Punkt selbst ein wenig zu ermitteln.«

»Soll heißen?«

»Ich habe deinen alten Verlobten, Jeff Raynes, komplett durchgecheckt.«

Kat schluckte kurz. »Was hast du gefunden?«

»Nicht viel.«

»Soll heißen?«

»Weißt du, wohin er gegangen ist, nachdem ihr euch getrennt habt?«

»Nein.«

»Warst du nicht neugierig?«

»Klar war ich neugierig«, sagte Kat. »Aber er hat mich sitzen gelassen.«

»Ja, das hab ich inzwischen begriffen.«

»Und wohin ist er gegangen?«

»Cincinnati.«

Kat starrte gerade nach vorne. »Klingt logisch. Er stammt aus Cincinnati.«

»Okay. Jedenfalls ist er etwa drei Monate nach eurer Trennung in eine Kneipenschlägerei geraten.«

»Jeff?«

»Ja.«

»In Cincinnati?«

Stacy nickte. »Die Einzelheiten kenne ich nicht. Die Polizei ist gekommen, hat ihn festgenommen, und ihm wurde wegen einer Ordnungswidrigkeit eine kleine Geldstrafe aufgebrummt. Die hat er bezahlt, und das war's.«

»Okay. Und dann?«

»Und dann nichts.«

»Wie meinst du das?«

»Es gibt nichts Weiteres über Jeff Raynes. Keine Kreditkartenabrechnungen. Keine Ausweise. Keine Bankkonten. Nichts.«

»Warte, das sind vorläufige Ergebnisse, richtig?«

Stacy schüttelte den Kopf. »Ich hab alles versucht. Er ist wie vom Winde verweht.«

»Unmöglich. Er ist bei YouAreJustMyType.«

»Aber hat dein Freund Brandon nicht gesagt, dass er sich da unter einem anderen Namen angemeldet hat?«

»Jack. Und weißt du was?« Kat klatschte mit beiden Händen auf die Theke. »Es interessiert mich nicht. Das ist vorbei.«

Stacy lächelte. »Schön für dich.«

»Ich hab fürs Erste genug von den Geistern der Vergangenheit.«

»Hört, hört.«

Sie stießen mit den Bierflaschen an. Kat versuchte, nicht mehr daran zu denken.

»In seinem Profil stand, er wäre Witwer«, sagte Kat. »Und dass er ein Kind hat.«

»Ich weiß.«

»Aber darüber hast du nichts gefunden.«

»Seit der Kneipenschlägerei vor fast achtzehn Jahren habe ich überhaupt nichts gefunden.«

Kat schüttelte den Kopf. »Das versteh ich nicht.«

»Aber es interessiert dich ja auch nicht, richtig?«

Kat nickte entschlossen. »Richtig.«

Stacy sah sich im Pub um. »Ist das nur mein Eindruck, oder ist der Laden heute voller Weicheier?«

Sie versucht, mich abzulenken, dachte Kat, aber das war in Ordnung. Und nein, es war nicht nur Stacys Eindruck. Im O'Malley's schien an diesem schönen Abend ein Treffen der Vereinten Nationen der Weicheier stattzufinden. Ein Mann mit Cowboyhut tippte sich mit dem Finger an die Krempe und murmelte doch tatsächlich und zu allem Überfluss mit einem Brooklyn-Akzent: »Howdy, Ma'am.« Der Tänzer – in jeder Bar gibt es einen, der irgendwann auch den Robo-Dance oder den Moonwalk vorführen muss, während seine Kumpel ihn anfeuern – arbeitete sich neben der Jukebox ab. Einer der Männer trug ein Football-Trikot, ein Outfit, das Kat bei Männern nicht gefiel und bei Frauen sogar verabscheute, besonders bei denen, die zu laut jubelten, sich zu sehr anstrengten, um jedermann zu beweisen, dass sie auch wirklich zu den wahren Fans gehörten. Dabei wirkte es einfach nur verzweifelt. Zwei zu stark eingeölte, Anabolika-getränkte Muskelprotze putzten sich in der Mitte des Pubs das Gefieder – diese Kerle saßen nie in einer dunklen Ecke. Sie wollten gesehen werden. Ihre Shirts hatten immer die gleiche Größe: zu klein. Ein paar Nachwuchs-Hipster rochen nach Hasch. Ein paar der Männer hatten Tätowierungen auf den Armen. Ein sentimentaler Trinker hatte den Arm um die Schultern eines anderen gelegt, dem er hier zum ersten Mal begegnet war, und erzählte ihm, dass er ihn liebte und dass sie beide, obwohl sie sich gerade erst kennengelernt hätten, ihr Leben lang die besten Freunde bleiben würden.

Ein Möchtegern-Biker in schwarzer Lederkluft mit rotem Kopftuch – das ging gar nicht – kam auf sie zu. Er hatte ein Streichholzheftchen in der Hand. »Hey, Babe«, sagte er und sah direkt zwischen den beiden Frauen hindurch. Kat nahm an, dass es sich um den Versuch handelte, zwei Frauen mit einem Spruch anzubaggern.

»Ich hab hier ein paar Streichhölzer…«, fuhr Kopftuch fort und zog eine Augenbraue hoch, »… ihr dürft wählen, oder wollt ihr direkt dahin greifen, wo sich der Längste versteckt?«

Stacy sah Kat an. »Wir müssen uns dringend einen neuen Laden suchen.«

Kat nickte. »Ist sowieso gerade Mittagszeit. Lass uns in einem guten Laden essen gehen.«

»Wir wäre es mit dem Telepan?«

»Lecker.«

»Wir nehmen das Probiermenü.«

»Mit den passenden Weinen.«

»Dann los.«

Sie verließen das O'Malley's und waren bereits unterwegs, als Kats Handy summte. Ein Anruf von Brandons normalem Handy – er brauchte jetzt kein Einweghandy mehr. Sie überlegte, ob sie es klingeln lassen sollte, denn im Moment wollte sie nur das Telepan-Probiermenü mit den passenden Weinen. Schließlich ging sie doch ran.

»Hallo?«

»Wo sind Sie?«, fragte Brandon. »Wir müssen reden.«

»Nein, Brandon, das müssen wir nicht. Rat mal, wo ich heute war.«

»Äh, wo?«

»Auf dem Polizeirevier in Greenwich. Ich habe ein wenig mit unserem gemeinsamen Freund Detective Schwartz geplaudert. Er hat mir von einer SMS erzählt, die du bekommen hast.«

»Das ist nicht so, wie Sie denken.«

»Du hast mich angelogen.«

»Ich hab Sie nicht angelogen. Ich habe Ihnen nur nichts von der SMS erzählt. Das kann ich aber erklären.«

»Nicht nötig. Ich bin raus aus der Sache, Brandon. Nett, dich kennengelernt zu haben und so weiter, und viel Glück für die Zukunft.«

Sie wollte gerade die BEENDEN-Taste drücken, als Brandon sagte: »Ich habe etwas über Jeff herausbekommen.«

Sie hielt das Handy wieder ans Ohr. »Dass er vor achtzehn Jahren in eine Kneipenschlägerei verwickelt war?«

»Was? Nein. Etwas Neueres.«

»Hör zu, es interessiert mich eigentlich nicht.« Dann: »Ist er mit deiner Mutter unterwegs?«

»Es ist nicht so, wie wir dachten.«

»Was ist nicht so, wie wir dachten?«

»Alles.«

»Wie meinst du das?«

»Zum Beispiel die Sache mit Jeff.«

»Was ist damit?«

»Er ist nicht so, wie Sie denken. Wir müssen reden, Kat. Ich muss Ihnen etwas zeigen.«

Reynaldo achtete darauf, dass die Blondine – ihren Namen brauchte er nicht zu wissen – sicher untergebracht war, bevor er den üblichen Pfad zum Farmhaus nahm. Es war dunkel geworden. Er beleuchtete den Weg mit der Taschenlampe.

Reynaldo hatte erst hier draußen gemerkt, dass er Angst vor der Dunkelheit hatte. Vor der *dunklen* Dunkelheit. Echter Dunkelheit. In der Stadt gab es keine echte Dunkelheit. Da waren überall Straßenlaternen, erleuchtete Fenster oder angestrahlte Ladenfronten. Die reine, schwarze Dunkelheit lernte man dort gar nicht kennen. Hier draußen im Wald sah man die Hand vor Augen nicht. Man wusste nicht, was vor einem war. Da konnte einem alles Mögliche auflauern.

Als er die Lichtung erreichte, sah Reynaldo, dass auf der Veranda Licht brannte. Er blieb stehen und betrachtete die friedliche Umgebung. Bevor sie hier rausgekommen waren, hatte er noch nie so etwas wie diese Farm gesehen. Außer in Filmen und im Fernsehen natürlich. Er hatte nicht geglaubt, dass solche Orte wirklich existierten – ebenso wenig wie er geglaubt hatte, dass es den Todesstern aus *Star Wars* wirklich gab. Es war eine Fantasiewelt, dieses Farmland, in dem Kinder meilenweit gehen, auf Sandplätzen spielen, zu Mama und Papa nach Hause kommen und dann ihre Hausarbeiten machen konnten. Jetzt wusste er, dass diese Welt existierte. Die glücklichen, harmonischen Geschichten waren trotzdem bloße Fantasie.

Er hatte seine Befehle, ging aber erst zur Scheune, um nach Bo, seinem schokoladenbraunen Labrador, zu sehen. Wie immer kam Bo ihm entgegen und begrüßte ihn, als hätte er ihn ein Jahr nicht gesehen. Reynaldo lächelte, kraulte ihn hinter den Ohren und prüfte, ob seine Wasserschüssel voll war.

Nachdem er sich um den Hund gekümmert hatte, machte Reynaldo sich auf den Weg zum Farmhaus. Er öffnete die

Tür. Titus und Dmitry saßen im Wohnzimmer. Dmitry war Titus' Computer-Nerd. Er trug grellbunte Hemden und Strickmützen. Titus hatte beschlossen, das Haus im Stil der Amish einzurichten. Reynaldo wusste nicht, warum. Lauter hochwertige Holzmöbel – robust, schwer, schlicht, schmucklos. Nichts Schickes oder Elegantes. Aber alles strahlte Ruhe und Kraft aus.

In einem Schlafzimmer oben gab es eine Hantelbank und ein paar Hanteln. Ursprünglich waren sie im Keller gewesen, aber nachdem sie eine Weile an diesem Ort verbracht hatten, wollte niemand mehr Räume betreten, die unter der Erde lagen. Also hatten sie die Geräte nach oben geschafft.

Reynaldo arbeitete jeden Tag mit Gewichten. Komme, was da wolle. Außerdem hatte er eine ordentliche Auswahl an muskelaufbauenden Mitteln im Kühlschrank und in der Kommode. Meistens spritzte er sie sich selbst in den Oberschenkel. Titus besorgte sie für ihn.

Vor sechs Jahren hatte Titus Reynaldo aus dem Müll geholt. Buchstäblich. Reynaldo hatte an einer Ecke in Queens gestanden und die anderen Stricher mit fünfzehn Dollar pro Nummer unterboten. An diesem Tag war es zur Abwechslung mal kein Freier gewesen, der ihn verprügelt hatte. Das war die Konkurrenz gewesen. Sie hatten die Schnauze voll davon gehabt, dass er immer wieder in ihrem Territorium wilderte. Und als Reynaldo wieder einmal aus einem Wagen ausstieg – zum sechsten Mal an diesem Abend –, hatten sich zwei von ihnen auf ihn gestürzt, ihn grün und blau geprügelt und am Straßenrand liegen lassen. Da hatte Titus ihn blutend auf dem Boden liegend gefunden. Das Einzige, was Reynaldo gespürte hatte, war, wie Bo ihm das Gesicht ableckte. Titus hatte ihn gewaschen. Er hatte ihn in ein Fitnessstudio gebracht und ihm das Gewichtheben und den

Umgang mit Anabolika beigebracht. Und ihn gelehrt, dass er sich für niemanden mehr prostituieren musste.

Titus hatte mehr getan, als Reynaldo das Leben zu retten. Er hatte Reynaldo erst ein richtiges Leben geschenkt.

Reynaldo ging zur Treppe.

»Moment noch«, sagte Titus zu ihm.

Reynaldo drehte sich zu ihm um. Dmitry starrte weiter auf den Rechner, konzentrierte sich etwas zu sehr auf den Bildschirm.

»Gibt's Probleme?«, fragte Reynaldo.

»Nichts, was sich nicht lösen ließe.«

Reynaldo wartete. Titus kam auf ihn zu und reichte ihm eine Pistole.

»Warte auf mein Zeichen.«

»Okay.«

Reynaldo steckte die Pistole in den Hosenbund und zog das Hemd darüber. Titus inspizierte ihn einen Moment lang, dann nickte er beifällig. »Dmitry?«

Dmitry blickte erschrocken über seine rosa gefärbte Brille. »Ja?«

»Hol dir was zu essen.«

Das ließ Dmitry sich nicht zweimal sagen. Ein paar Sekunden später hatte er den Raum verlassen. Reynaldo und Titus waren alleine. Titus stellte sich in die Tür. Reynaldo sah einen Taschenlampenstrahl im Wald auf und ab hüpfen. Er erreichte die Lichtung, dann die Treppe.

»Hey, Jungs.«

Claude trug seinen edlen schwarzen Anzug. Titus hatte zwei Männer, die für die Transporte zuständig waren. Claude war einer von ihnen.

»Was gibt's?«, fragte Claude breit lächelnd. »Soll ich schon wieder eine Ladung abholen?«

»Noch nicht«, sagte Titus mit so ruhiger Stimme, dass sich sogar Reynaldos Nackenhaare sträubten. »Wir müssen uns erst noch unterhalten.«

Claudes Lächeln wurde unsicher. »Gibt's ein Problem?«

»Zieh dein Jackett aus.«

»Wie bitte?«

»Es ist ein schöner Anzug. Die Nacht ist warm. Du brauchst es nicht. Zieh es bitte aus.«

Es fiel ihm sichtbar schwer, trotzdem gelang es Claude, beiläufig die Achseln zu zucken. »Klar, wieso nicht.«

Claude zog das Jackett aus.

»Die Hose auch.«

»Was?«

»Zieh sie aus, Claude.«

»Was läuft hier? Ich versteh das nicht.«

»Tu mir den Gefallen, Claude. Zieh die Hose aus.«

Claude sah Reynaldo an. Der musterte ihn nur ausdruckslos.

»Okay, wieso nicht?«, sagte Claude und versuchte, immer noch so zu tun, als wäre alles in Ordnung. »Na ja, schließlich tragt ihr beide Shorts. Kann ich dann ja auch machen, oder?«

»So ist es, Claude.«

Er zog die Hose aus und reichte sie Titus. Titus ging in die hintere Ecke und hängte sie dort ordentlich über eine Stuhllehne. Er wandte sich wieder Claude zu. Der stand in Anzughemd, Krawatte, Boxershorts und Socken vor ihm.

»Du musst mir noch von der letzten Lieferung erzählen.«

Claudes Lächeln zitterte, aber es hielt stand. »Was soll ich da erzählen? Ist alles bestens gelaufen. Sie ist hier angekommen, richtig?«

Claude rang sich ein kurzes Kichern ab. Er breitete die

Arme aus und sah Reynaldo wieder Hilfe suchend an. Reynaldo stand wie versteinert da. Er wusste, worauf das hinauslief. Nur den genauen Ablauf kannte er noch nicht.

Titus trat so nah an Claude heran, dass er nur noch eine Handbreit von Claudes Gesicht entfernt war. »Erzähl mir vom Geldautomaten.«

»Vom was?« Als ihm klar wurde, dass er damit nicht durchkam, fügte er hinzu: »Ach das.«

»Erzähl.«

»Okay, pass auf, das ist alles okay. Ich weiß, dass du Regeln hast, Titus, und du weißt, dass ich sie nie brechen würde, wenn es nicht unbedingt sein muss.«

Titus stand nur da, geduldig, er hatte alle Zeit der Welt.

»Also gut, ja? Ich bin losgefahren, und dann hab ich gemerkt… Mann, ich hab mich wie ein Idiot gefühlt. – Nein, nicht *wie* ein Idiot… ich war ein Idiot. Ein richtiger Idiot. Ein vergesslicher Idiot. Weißt du, ich hatte mein Portemonnaie zu Hause liegen lassen. Blöd, oder? Na ja, jedenfalls konnte ich die Tour doch nicht ganz ohne Bargeld machen, stimmt's? Ist ja schließlich 'ne lange Fahrt. Das verstehst du doch, oder, Titus?«

Er geriet ins Stocken, wartete darauf, dass Titus antwortete. Der sagte nichts.

»Also gut, wir haben dann bei einem Geldautomaten gehalten. Aber keine Sorge, das war noch in Connecticut. Wir waren ja noch keine dreißig Kilometer von ihrem Haus entfernt. Und ich bin auch gar nicht ausgestiegen, ich war nicht im Bereich der Überwachungskamera. Ich hab die Pistole auf sie gerichtet. Ich hab ihr gesagt, wenn sie irgendwelchen Scheiß baut, hol ich mir ihren Jungen. Sie hat das Geld abgehoben…«

»Wie viel?«

»Was?«

Titus lächelte ihm zu. »Wie viel Geld hast du sie abheben lassen?«

»Äh, das Maximum.«

»Und wie viel war das, Claude?«

Das Lächeln flackerte noch einmal kurz auf, dann verschwand es. »Tausend Dollar.«

»Das ist eine Menge Bargeld«, sagte Titus, »was du da für so eine Fahrt brauchst.«

»Na ja, hey, komm schon. Also, sie hat ja sowieso Geld abgehoben. Warum sollte sie dann nicht gleich so viel wie möglich mitnehmen, oder?«

Titus sah ihn nur an.

»Oh, klar, ich Blödmann. Du fragst dich, warum ich es dir nicht gesagt habe. Das wollte ich, ich schwör's. Hab ich bloß vergessen.«

»Du bist ziemlich vergesslich, Claude.«

»Also, wenn man das große Ganze betrachtet, ist es eine ziemlich kleine Summe.«

»So ist es. Du hast uns alle für ein bisschen Kleingeld in Gefahr gebracht.«

»Tut mir leid. Wirklich. Hier, ich hab das Geld. Ist in meiner Hosentasche. Kannst reingucken. Gehört dir, okay. Ich hätt das nicht machen dürfen. Kommt nicht wieder vor.«

Titus ging wieder nach hinten ins Zimmer, in dem der Stuhl stand, über den er die Hose gehängt hatte. Er griff in die Tasche und zog die Banknoten heraus. Er wirkte erfreut, nickte – das Zeichen – und steckte das Geld in die eigene Tasche.

»Alles in Butter?«, fragte Claude.

»Alles klar.«

»Okay, prima. Kann ich, äh, meine Sachen wieder anziehen?«

»Nein«, sagte Titus. »Der Anzug ist teuer. Ich will nicht, dass er Blutflecken bekommt.«

»Blutflecken?«

Reynaldo stand jetzt direkt hinter Claude. Ohne jede Vorwarnung presste er Claude den Pistolenlauf an den Hinterkopf und drückte ab.

ACHTZEHN

Brandon wartete auf einer Bank am *Strawberry Field* im Central Park, in der Nähe der 72nd Street. Zwei Männer sangen Beatles-Songs zur Gitarre und wetteiferten so um Aufmerksamkeit (und Geld). Einer konzentrierte sich auf das naheliegende *Strawberry Fields Forever*, aber das Geschäft lief längst nicht so gut wie bei dem anderen Typen, der in einem Eggman-T-Shirt *I Am the Walrus* sang.

»Lassen Sie mich kurz die Sache mit der SMS erklären«, sagte Brandon. »Die SMS, die meine Mom laut Detective Schwartz geschickt hat.«

Kat wartete. Stacy war auch mitgekommen. Kat hatte schon jetzt den Eindruck, dass sie zu nah an der Sache dran war. Sie brauchte jemanden mit etwas Abstand und der richtigen Perspektive.

»Moment, ich zeig's Ihnen.« Er beugte sich vor und fummelte an seinem Handy rum. »Hier, lesen Sie selbst.«

Hi. Sicher angekommen. Bin total aufgeregt. Vermisse dich!

Kat reichte es Stacy. Sie las die SMS und gab Brandon das Handy zurück.

»Sie kam vom Handy deiner Mutter?«, sagte Kat.

»Ja, aber sie hat sie nicht geschrieben.«

»Wie kommst du darauf?«

Brandon sah fast beleidigt aus. »Mom schreibt nie ›Vermisse dich!‹ Zum Schluss schreibt sie immer ›Liebe dich‹.«

»Das ist jetzt doch ein Witz, oder?«

»Das ist mein voller Ernst.«

»Brandon, wie oft ist deine Mutter allein weggefahren?«

»Das ist das erste Mal.«

»Okay, also könnte sie selbstverständlich auch ›Vermisse dich!‹ schreiben, oder?«

»Sie versteh'n das nicht. Sie hat ihre SMS immer mit xx und oo, Kuss und Umarmung, und mit *Mom* unterschrieben. Sie hat sich auch immer mit Mom gemeldet. Auch wenn sie mich angerufen hat, obwohl ihr Name im Display erscheint und ich ihre Stimme besser kenne als meine eigene, hat sie jedes Mal gesagt: ›Brandon, hier ist deine Mom.‹ Das ist so eine Art Running Gag.«

Kat sah Stacy an. Stacy zuckte kurz die Achseln. Der Junge hatte auf alles eine Antwort.

»Außerdem habe ich mir das Überwachungsvideo angesehen«, sagte Kat.

»Welches Überwachungsvideo?«

»Vom Geldautomaten.«

Seine Augen weiteten sich. »Hey, Sie haben es gesehen? Wieso?«

»Detective Schwartz hat gründlicher gearbeitet, als ich es getan hätte. Er hat es sich schicken lassen.«

»Und was ist darauf zu sehen?«

»Was könnte darauf wohl zu sehen sein, Brandon?«

»Ich weiß nicht. War meine Mutter drauf?«

»Ja.«

»Das glaub ich Ihnen nicht.«

»Denkst du, dass ich lüge?«

»Was hat sie angehabt?«

»Ein gelbes Sommerkleid.«

Sein Gesicht fiel in sich zusammen. Der Typ im Eggman-T-Shirt beendete *I Am the Walrus*. Dünner Applaus ertönte. Der Mann verbeugte sich tief, dann fing er wieder an, *I Am the Walrus* zu singen.

»Sie sah auch gut aus«, sagte Kat. »Deine Mutter ist eine sehr schöne Frau.«

Brandon wischte das Kompliment über seine Mutter beiseite. »Sind Sie sicher, dass sie allein war?«

»Hundertprozentig. Es gab zwei Kameras, eine von vorn und eine von oben. Sie war allein.«

Brandon sank zurück auf die Bank. »Das versteh ich nicht.« Dann: »Ich glaube Ihnen nicht. Sie wollen nur, dass ich aufhöre. Das von dem gelben Kleid könnten Sie auch irgendwie anders erfahren haben.«

Stacy runzelte die Stirn und mischte sich ein. »Komm schon, Junge.«

Er schüttelte weiter den Kopf. »Das ist unmöglich.«

Stacy schlug ihm auf den Rücken. »Sei froh, Junge. Sie ist gesund und munter.«

Er schüttelte den Kopf noch eine Weile. Dann stand er auf und fing an, auf und ab zu gehen, wobei er das *Imagine*-Mosaik betrat. Ein Tourist schrie: »Hey!«, weil Brandon ihm das Foto verdorben hatte. Kat folgte ihm.

»Brandon?«

Er blieb stehen.

»Du hast gesagt, dass du was über Jeff gefunden hast.«

»Er heißt nicht Jeff«, sagte Brandon.

»Klar. Du hast schon gesagt, dass er sich im Internet Jack nennt.«

»So heißt er auch nicht.«

Kat blickte kurz zu Stacy. »Ich kann dir nicht folgen.«

Er zog seinen Laptop aus dem Rucksack und klappte ihn auf. Der Bildschirm erwachte zum Leben. »Es war so, wie ich es gesagt habe. Ich habe ihn gegoogelt und nichts gefunden. Aber, na ja, ich weiß nicht, warum ich nicht schon vorher dran gedacht habe. Ich hätte gleich draufkommen müssen.«

»Was?«

»Wissen Sie, was eine Bildersuche ist?«, fragte Brandon.

Sie hatte auf diese Weise gerade nach dem Bild seiner Mutter gesucht, was sie ihm aber nicht unbedingt unter die Nase reiben musste. »Das ist, wenn man nach einem Bild von jemandem sucht.«

»Nein, das mein ich nicht«, sagte er mit einem Anflug von Ungeduld. »Das ist ziemlich banal. Wenn man, sagen wir, ein Bild von sich im Internet sucht, klickt man auf BILDER und gibt seinen Namen ein. Das, was ich meine, ist etwas komplexer.«

»Okay, dann weiß ich nicht, was es ist«, sagte Kat.

»Statt nach Text zu suchen, sucht man ein bestimmtes Bild«, sagte Brandon. »Dazu lädt man ein bestimmtes Bild auf einer Webseite hoch, und die sucht nach allen anderen Orten, wo dieses Bild noch abgelegt sein könnte. Gut programmierte Software kann sogar nach dem Gesicht einer Person auf anderen Fotos suchen. Das meine ich.«

»Und das hast du also gemacht. Du hast ein Foto von Jeff hochgeladen?«

»Genau. Ich habe die Bilder von seiner Profilseite bei YouAreJustMyType.com gespeichert und sie dann in eine Google-Bildersuche eingefügt.«

»Und«, sagte Kat, »wenn eins der Bilder irgendwo im Internet wäre ...«

»Würde die Bildersuche es finden.«

»Und so war es?«

»Zuerst nicht. Da gab's wieder keine Treffer. Aber da ist noch was. Die meisten Suchmaschinen gehen nur das durch, was aktuell im Netz ist. Sie wissen doch, wie Eltern uns Jugendlichen immer Angst einjagen wollen, indem sie uns erzählen, dass alles, was einmal im Netz ist, für immer drinbleibt?«

»Klar.«

»Na ja, das stimmt im Prinzip. Die Datei wird gecached. Das wird jetzt etwas technisch, aber wenn man im Netz etwas löscht, ist es nicht wirklich weg. Das ist eher so, als wenn man sein Haus streicht. Man übermalt die alte Farbe nur. Die alte Farbe ist aber noch da, und man kann sie auch noch sehen, wenn man sich die Zeit nimmt, die neue Farbe runterzukratzen.« Er überlegte kurz. »Das ist keine perfekte Analogie, aber Sie wissen, was ich meine.«

»Du hast also die alte Farbe abgekratzt.«

»So in der Art. Ich habe eine Möglichkeit gefunden, die gelöschten Seiten zu durchsuchen. Ein Kumpel von mir, der im Computer-Lab an der UConn arbeitet, hat das Programm geschrieben. Es ist aber nur eine Beta-Version.«

»Was hast du gefunden?«

Brandon drehte den Computer um, sodass sie ihn sehen konnte. »Das.«

Es war eine Facebook-Seite. Das Profilbild war das gleiche Foto, das Jeff bei YouAreJustMyType verwendet hatte.

Aber der Name, der dort genannt wurde, lautete Ron Kochman.

Auf der Seite stand nicht viel. Sie enthielt genau die gleichen Fotos wie die Seite von YouAreJustMyType.com. Sonst gab es keine Posts, und es hatte auch keine Aktivität stattgefunden, seit die Seite vor vier Jahren eingerichtet worden war. Also waren die Fotos mindestens vier Jahre alt. Na ja, das erklärte vielleicht, warum Jeff alias Jack alias Ron so verdammt jung und hübsch war. Wahrscheinlich war er in den letzten vier Jahren mächtig gealtert, dachte Kat.

Ja, aber klar doch.

Aber eigentlich war die Frage: Wer zum Teufel war Ron Kochman?

»Darf ich mal einen Schuss ins Blaue wagen?«, fragte Stacy.

»Natürlich.«

»Bist du sicher, dass das dein alter Verlobter ist und nicht irgendein Typ, der aussieht wie er?«

Kat nickte. »Wäre möglich.«

»Nein, ist es nicht«, sagte Brandon. »Sie haben doch mit ihm gechattet. Er kannte Sie. Er hat Ihnen gesagt, dass er einen Neuanfang braucht.«

»Ja«, sagte Kat. »Ich weiß. Und du, Stacy, weißt es auch besser, stimmt doch, oder?«

»Ja«, sagte sie.

»Wieso?«, fragte Brandon.

Kat ignorierte ihn und versuchte, den Ablauf mit Stacy zu rekonstruieren. »Jeff ist also vor achtzehn Jahren nach Cincinnati gezogen. Da ist er in eine Kneipenschlägerei geraten. Er hat seinen Namen in Ron Kochman geändert…«

»Nein«, sagte Stacy.

»Warum nicht?«

»Du musst mich für die schlechteste Detektivin auf Gottes grüner Erde halten. Ich habe die Datenbanken geprüft. Wenn Jeff seinen Namen in Ron Kochman geändert hat, dann jedenfalls nicht auf legalem Weg.«

»Aber man braucht es doch gar nicht auf legalem Weg zu machen«, sagte Kat. »Man kann sich doch einfach anders nennen.«

195

»Aber sobald man eine Kreditkarte braucht oder ein Bankkonto …«

»Vielleicht hat er die nicht gebraucht.«

»So richtig passt das aber trotzdem nicht. Oder glaubst du wirklich, dass Jeff seinen Namen in Ron geändert, geheiratet und ein Kind bekommen hat? Dann ist seine Frau gestorben, und daraufhin hat er sich bei YouAreJustMyType angemeldet und nach einer neuen Partnerin gesucht?«

»Ich weiß nicht. Schon möglich.«

Stacy dachte darüber nach. »Ich muss mir Ron Kochmans Background mal etwas genauer ansehen. Wenn er verheiratet war oder ein Kind hat, finde ich etwas über ihn.«

»Gute Idee«, sagte Brandon. »Ich habe ihn zwar gegoogelt, aber nicht viel gefunden. Nur ein paar Artikel, die er geschrieben hat.«

Kats Herz machte einen Satz. »Artikel?«

»Ja«, sagte Brandon. »Wie's aussieht, ist Ron Kochman Journalist.«

Die nächsten Stunden verbrachte Kat damit, seine Artikel zu lesen.

Sie hatte keinen Zweifel, dass Ron Kochman Jeff Raynes war. Der Stil. Das Vokabular. »Ron« fand immer einen tollen Einstieg, man wurde langsam, aber unaufhaltsam ins Thema hineingezogen. Selbst Nebensächlichkeiten wurden gut eingebunden. Alle Artikel waren gut recherchiert, waren durch mehrere voneinander unabhängige Quellen belegt und gründlich geprüft. Ron arbeitete freiberuflich. Er publizierte in fast jedem größeren Print- oder Online-Medium.

Manche dieser Publikationen enthielten Fotos der Mitarbeiter im Impressum. Von Ron Kochman gab es keine. Und so genau sie auch suchte, sie fand keinen Artikel über Ron

Kochman. In seiner Biographie wurden nur ein paar Artikel aufgeführt – kein Wort über die Familie oder den Wohnort, nichts über seine Ausbildung, den Background, nicht einmal Zeugnisse. Er hatte keinen aktiven Facebook-Account, twitterte nicht und nutzte auch sonst keine der üblichen Werbe-Plattformen für Journalisten.

Offenbar hatte Jeff seinen Namen in Ron Kochman geändert.

Warum?

Brandon saß in ihrer Wohnung und bearbeitete fieberhaft seinen Laptop. Als er aufstand, fragte er: »Ist Ron Ihr früherer Verlobter Jeff?«

»Ja.«

»Ich habe ein paar Datenbanken gecheckt. Bisher habe ich noch nicht rausgekriegt, wann oder warum er seinen Namen geändert hat.«

»Das wird auch schwer zu finden sein, Brandon. Es ist nicht verboten, seinen Namen zu ändern. Überlass das Stacy, okay?«

Er nickte, und seine langen Haare fielen ihm ins Gesicht. »Detective Donovan?«

»Nenn mich Kat, ja?«

Er starrte auf seine Schuhe. »Sie müssen das verstehen.«

»Was muss ich verstehen?«

»Meine Mom. Sie ist eine Kämpferin. Ich weiß nicht, wie ich das sonst sagen soll. Als mein Dad krank wurde, hat er sofort aufgegeben. Aber meine Mom... sie ist wie eine Naturgewalt. Sie hat ihn noch lange mit durchgezogen. Das ist ihre Art.«

Er blickte auf.

»Letztes Jahr waren wir beide auf Hawaii. Mom und ich.« Tränen traten ihm in die Augen. »Ich bin zu weit rausgeschwommen. Sie hatten mich gewarnt. Da gab's einen Sog oder so was. Man sollte nah am Ufer bleiben. Aber ich hab nicht drauf gehört. So bin ich eben, voll der Draufgänger.« Er lächelte kurz und schüttelte den Kopf. »Na ja, jedenfalls hat mich dieser Sog erfasst. Ich hab versucht, dagegen anzuschwimmen, hatte aber keine Chance. Ich war erledigt. Ich wurde runtergezogen und weiter raus ins Meer. Ich wusste, dass es nur eine Frage der Zeit war. Aber plötzlich war Mom da. Sie war die ganze Zeit in meiner Nähe geblieben, wissen Sie, hat aufgepasst, für alle Fälle. Sie hatte kein Wort gesagt. So ist sie. Jedenfalls hat sie mich gepackt und gesagt, ich soll mich festhalten. So ist's gut, sagte sie. Nur festhalten. Und dann hat die Strömung uns beide rausgezogen. Ich bin in Panik geraten und habe sie weggestoßen. Mom hat einfach die Augen geschlossen und mich weiter festgehalten. Sie hat mich einfach festgehalten und nicht mehr losgelassen. Irgendwann hat sie uns auf eine kleine Insel geschleppt.«

Eine Träne lief ihm die Wange hinunter.

»Sie hat mir das Leben gerettet. Solche Sachen macht sie. Sie ist sehr stark. Sie hat mich einfach nicht losgelassen. Ganz egal, was passiert, sie hätte mich festgehalten, selbst wenn ich sie mit runtergezogen hätte. Und jetzt, na ja, jetzt bin ich an der Reihe und muss sie festhalten. Verstehen Sie das?«

Kat nickte langsam. »Ja.«

»Tut mir leid, Kat. Ich hätte Ihnen die SMS zeigen müssen. Aber dann hätten Sie bestimmt nicht auf mich gehört.«

»Wo wir gerade beim Thema sind?«

»Was?«

»Du hast mir nur eine SMS gezeigt. Du hast aber zwei bekommen.«

Er drückte ein paar Tasten auf seinem Smartphone und reichte es ihr. Die SMS lautete:

Ist wundervoll hier. Kann kaum erwarten, dir alles zu erzählen.
Hab auch eine große Überraschung. Schlechter Handyempfang.
Vermisse dich.

Kat gab ihm das Handy zurück. »Große Überraschung. Hast du eine Idee, was damit gemeint ist?«

»Nein.«

Ihr Handy klingelte. Auf dem Display sah Kat, dass es ihre Mutter war. Perfektes Timing. »Einen Augenblick«, sagte sie.

Sie verschwand ins Schlafzimmer und überlegte dabei, wie lange ihre Mutter in einem Sog durchhalten würde, dann nahm sie das Gespräch an. »Hey, Mom.«

»Ach, ich finde das furchtbar«, sagte ihre Mutter.

»Was?«

Ihre Stimme war rau vom jahrelangen Rauchen. »Dass du immer schon weißt, dass ich das bin, bevor du rangehst.«

»Es steht im Display. Das habe ich dir doch schon ein paar Mal erklärt.«

»Ich weiß, aber müssen die Leute immer alles sofort wissen? Kann nicht mal irgendetwas wenigstens ein paar Sekunden lang geheim bleiben?«

Kat unterdrückte einen Seufzer, erlaubte sich aber, die Augen zu verdrehen. Sie stellte sich vor, wie ihre Mom auf dem Linoleumfußboden in der alten Küche stand und eins von den alten Wandtelefonen in der Hand hielt, das schon seit Jahren nicht mehr elfenbeinfarben war, sondern stark vergilbt. Sie hatte sich den Hörer unters Kinn geklemmt, ein Glas mit billigem Weißwein in der Hand, und die angebrochene Flasche stand im Kühlschrank, damit sie nicht warm wurde. Auf dem Küchentisch lag die Plastiktischdecke mit aufgedrucktem Häkelrand, auf der zweifelsohne ein Aschenbecher stand. Die lose Tapete hatte ein Blumenmuster, wobei viele der Blüten im Lauf der Jahre blassgelb geworden waren.

Wenn man mit einer Raucherin zusammenlebte, wurde alles irgendwann gelblich.

»Kommst du, oder nicht?«, fragte Mom.

Kat hörte, dass ihre Mutter getrunken hatte. Das war nicht ungewöhnlich.

»Wohin soll ich kommen, Mom?«

Hazel Donovan – sie und Kats Vater hatten sich eine ganze Weile H&H genannt, für Hazel und Henry, und auch ihre Briefe so unterschrieben, als wäre das eine unglaublich witzige Idee – bemühte sich nicht, ihren Seufzer zu unterdrücken.

»Steve Schraders Pensionierungsfeier.«

»Ach, richtig.«

»Du kannst dir dafür freinehmen, weißt du. Die müssen das genehmigen.«

Mussten sie nicht – Mom hatte eine Menge seltsame Ideen über die laxen Regelungen im Polizeidienst, die sie irgendwann in der Zeit ihres Vaters und ihres Großvaters aufgeschnappt hatte –, aber Kat versuchte nicht, sie zu berichtigen.

»Ich hab wirklich viel zu tun, Mom.«

»Alle werden da sein. Das ganze Viertel. Ich geh mit Flo und Tessie hin.«

Die Dreifaltigkeit der Polizistenwitwen.

Kat sagte: »Ich arbeite an einem ziemlich großen Fall.«

»Tim McNamara bringt seinen Sohn mit. Er ist Arzt, weißt du?«

»Er ist Chiropraktiker.«

»Na und. Sie nennen ihn Doktor. Und ein Chiropraktiker hat deinem Onkel Al sehr geholfen. Erinnerst du dich?«

»Ja.«

»Der Mann konnte sich kaum bewegen, erinnerst du dich da auch noch dran?«

Sie erinnerte sich. Onkel Al hatte von der betrieblichen Versicherung Zahlungen für einen Betriebsunfall in der Orange-Mattress-Fabrik bekommen. Zwei Wochen später hatte sein Chiropraktiker ihn geheilt. Ein wahres Wunder.

»Und Tims Sohn sieht auch noch toll aus. So wie der Typ in *Der Preis ist heiß*.«

»Danke für die Einladung, Mom, aber ich muss passen, okay?«

Schweigen.

»Mom?«

Kat glaubte jetzt, ein leises Schluchzen zu hören. Sie wartete. Ihre Mutter rief immer spätnachts an – betrunken und leicht lallend. Der Anruf konnte alle möglichen Untertöne haben: von Sarkasmus über Verbitterung und Zorn. Schuldgefühle aus der Mutter-Tochter-Beziehung spielten allerdings immer mit hinein.

Kat erinnerte sich jedoch nicht, sie je schluchzen gehört zu haben.

»Mom?«, versuchte sie es noch mal, dieses Mal etwas sanfter.

»Er ist gestorben, oder?«

»Wer?«

»Dieser Mann. Der, der unser Leben zerstört hat.«

Monte Leburne. »Wie hast du das denn rausbekommen?«

»Bobby Suggs hat es mir erzählt.«

Suggs. Einer der beiden Detectives, die den Fall bearbeitet hatten. Er war im Ruhestand und wohnte nicht weit von

Mom entfernt. Mike Rinsky, der andere Detective, war vor drei Jahren an einem Herzinfarkt gestorben.

»Ich hoffe, er hat gelitten«, sagte Mom.

»Ich glaube schon. Er hatte Krebs.«

»Kat?«

»Ja, Mom?«

»Du hättest es mir erzählen müssen.«

Guter Punkt. »Du hast recht. Tut mir leid.«

»Wir hätten uns treffen müssen. Wir hätten uns an den Küchentisch setzen müssen, wie wir es getan haben, als wir vom Tod deines Dads erfahren haben. Er hätte es so gewollt.«

»Ich weiß. Tut mir leid. Ich komme demnächst mal vorbei.«

Dann legte Hazel Donovan auf. Das machte sie auch immer so. Sie legte einfach auf, ohne sich zu verabschieden.

Dana Phelps war schon ein oder zwei Tage verschwunden gewesen, bevor es ihrem Sohn aufgefallen war und er angefangen hatte, sich Sorgen zu machen. Kat fragte sich, wie lange ihre Mutter verschwinden könnte, bevor es jemand merkte. Wahrscheinlich wochenlang. Und Kat wäre nicht diejenige, die es bemerken würde. Flo oder Tessie würde es zuerst auffallen.

Sie rief Joe Schwartz in Greenwich kurz an und bat ihn, ihr das Video vom Geldautomaten zu mailen. »Scheiße«, sagte er. »Ich will nicht in die Sache reingezogen werden. Mein Captain hat mich total zusammengestaucht, weil ich die Geschichte so weit getrieben habe.«

»Ich brauche nur das Video. Mehr nicht. Ich glaube, Brandon beruhigt sich, wenn er seine Mutter gesehen hat.«

Schwartz überlegte einen Moment lang. »In Ordnung, aber dann ist Schluss, ja? Und ich kann es nicht per E-Mail schicken. Ich kann Ihnen nur einen sicheren Link mailen, über den Sie es sich dann eine Stunde lang angucken können.«

»Danke.«

»Ja, schon okay.«

Kat ging zurück ins Wohnzimmer. »Entschuldigung«, sagte sie zu Brandon. »Ich musste da rangehen.«

»Wer war das?«

Sie war drauf und dran, ihm zu sagen, dass ihn das nichts anginge, entschied sich aber für einen anderen Weg. »Ich will dir was zeigen.«

»Was?«

Sie winkte Brandon zu ihrem Computer und checkte ihren Posteingang. Zwei Minuten später kam die Mail von Joe Schwartz. Der Betreff lautete: Wie besprochen. Der Inhalt bestand nur aus einem Link.

»Was ist das?«, fragte Brandon.

»Das Überwachungsvideo, das deine Mom am Bankautomaten zeigt.«

Sie klickte auf den Link und dann auf PLAY. Dieses Mal konzentrierte sie sich eher auf Brandons Reaktion als auf das Video. Als seine Mutter vor dem Geldautomaten erschien, erschlaffte sein Gesicht. Er wandte den Blick nicht vom Monitor ab, keine Sekunde. Er blinzelte auch nicht.

Kat hatte Psychos gesehen, die Daniel Day Lewis in den Schatten stellten, wenn es darum ging, die Polizei zu belügen. Aber dass dieser Junge seiner Mutter etwas angetan hatte, war völlig ausgeschlossen.

»Was meinst du?«, fragte Kat.

Er schüttelte den Kopf.

»Was ist?«

»Sie sieht ängstlich aus. Und blass.«

Kat drehte sich um und sah auf den Bildschirm. Ängstlich, blass – schwer zu sagen. Auf Überwachungsvideos von Geldautomaten sehen alle ein bisschen mitgenommen aus. Die Bilder waren oft noch weniger schmeichelhaft als Führerscheinfotos. Man konzentrierte sich auf einen kleinen Bildschirm und versuchte, die Tasten in der richtigen Reihenfolge zu drücken – immerhin ging es um Geld –, und sah dabei im Prinzip eine Wand an. Unter solchen Umständen sah keine Frau besonders gut aus.

Das Video lief weiter. Dieses Mal sah Kat genauer hin. Dana brauchte drei Versuche, um die PIN richtig einzugeben, aber das hatte nicht viel zu sagen. Als das Geld bereitgestellt wurde, nestelte Dana einen Moment lang am Ausgabeschacht herum, aber manchmal klemmten die Banknoten auch ziemlich fest.

Schließlich war Dana fertig und machte sich auf den Rückweg. Und jetzt fiel Kat etwas auf. Sie streckte die Hand aus und klickte auf PAUSE.

Brandon sah sie an. »Was ist?«

Wahrscheinlich hatte es nichts zu bedeuten, andererseits hatte sich auch niemand das Video genauer angesehen. Es war einfach nicht notwendig gewesen. Die Kollegen in Greenwich hatten nur nach einer Bestätigung dafür gesucht, dass Dana Phelps das Geld persönlich abgehoben hatte. Kat klickte auf den Rücklauf in Zeitlupe. Auf dem Monitor ging Dana rückwärts auf den Geldautomaten zu.

Da.

In der rechten oberen Bildschirmecke hatte Kat eine Bewegung gesehen. Etwas – oder jemand – war in der Entfernung kaum zu erkennen, was keine große Überraschung war. Aber diese Person schien sich im gleichen Moment zu bewegen wie Dana.

Die Auflösung des Videos war so hoch, dass Kat die Gestalt heranzoomen konnte. Sie klickte so lange auf die Lupe, bis der dunkle Punkt zu einem Bild wurde.

Es war ein Mann in schwarzem Anzug mit einer schwarzen Mütze.

»Wie wäre deine Mutter normalerweise zum Flughafen gekommen?«, fragte Kat.

Brandon deutete auf den Mann im schwarzen Anzug. »Er hätte sie jedenfalls nicht hingefahren.«

»Das war nicht meine Frage.«

»Wir haben immer den Bristol Car Service benutzt.«

»Hast du die Telefonnummer?«

»Ja, Moment.« Brandon suchte in seinem Handy. »Die haben mich ein paar Mal vom College abgeholt, wissen Sie, wenn ich übers Wochenende nach Hause wollte. Das war manchmal einfacher, als dass Mom mich abholt. Hier.«

Brandon las die Nummer vor. Kat tippte sie in ihr Handy ein und drückte VERBINDEN. Der automatische Antwortdienst bot ihr zwei Möglichkeiten an: Für eine Reservierung drücken Sie die Eins, für eine Beförderung drücken Sie die Zwei. Sie entschied sich für »Beförderung«. Als sich eine Männerstimme meldete, stellte sie sich vor und identifizierte sich als Polizistin. Manchmal machten die Leute sofort dicht und verlangten einen Nachweis. Meistens aber öffnete es Türen.

Wenn Menschen sowohl vorsichtig und neugierig waren, gewann die Neugier normalerweise die Oberhand.

Kat sagte: »Ich würde gern wissen, ob eine Frau namens Dana Phelps kürzlich eine Fahrt zu einem Flugplatz in der Umgebung gebucht hat.«

»Oh, natürlich, ich kenne Mrs Phelps. Sie ist eine Stammkundin. Nette Dame.«

»Hat sie vor Kurzem einen Wagen bei Ihnen reserviert?«

»Ja, vor etwa einer Woche. Zum Kennedy-Airport.«

»Könnte ich bitte den Fahrer sprechen?«

»Oh.«

»Oh?«

»Ja, oh, Sie haben richtig gehört, einen Moment, bitte. Sie haben gefragt, ob sie einen Wagen zum JFK reserviert hat.«

»Richtig.«

»Also, sie hatte den Wagen reserviert, hat ihn dann aber nicht in Anspruch genommen.«

Kat wechselte das Handy von der linken in die rechte Hand. »Wie meinen Sie das?«

»Mrs Phelps hat etwa zwei Stunden vor Fahrtbeginn abgesagt. Ich habe den Anruf selbst entgegengenommen. Es war irgendwie sogar komisch.«

»Inwiefern?«

»Sie hat sich entschuldigt, weil sie so kurz vorher absagt und so weiter. Aber sie war auch, na ja, ziemlich aufgelöst.«

»Aufgelöst?«

»Ja, sie hat die ganze Zeit gekichert.«

»Hat Sie einen Grund für die späte Absage genannt?«

»Gewissermaßen schon. Deshalb war sie auch so aufgelöst. Sie sagte, ihr Liebhaber würde seine eigene schwarze Stretchlimousine schicken, um sie abholen zu lassen. Als Überraschung oder so etwas.«

NEUNZEHN

In der Hoffnung, dass sich die Situation wieder etwas beruhigt hatte – und weil sie eine offizielle polizeiliche Anfrage stellen musste –, ging Kat am nächsten Tag zur Arbeit ins Revier. Ihr Immer-noch-Partner (bah!) Chaz stand mit in die Hüfte gestemmten Fäusten in einem so hochglänzenden Anzug am Schreibtisch, dass Kat schon nach ihrer Sonnenbrille greifen wollte. Er wirkte überrascht, sie zu sehen.

»Yo, Kat, brauchst du irgendwas?«

»Nein«, sagte sie.

»Der Boss hat gesagt, dass du Urlaub hast.«

»Ja, ich hab's mir anders überlegt. Ich muss nur kurz was erledigen, dann kannst du mich auf den neuesten Stand bringen.«

Kat setzte sich an ihren Computer. Unter Verwendung von Google Earth hatte sie gestern festzustellen versucht, welche Überwachungskameras ihr einen größeren Überblick über die Straße vor Danas Geldautomaten verschaffen könnten. Sie wollte sehen, in was für einen Wagen Dana eingestiegen war, und hoffte darauf, das Nummernschild lesen zu können oder irgendeinen anderen Hinweis zu finden.

Chaz sah ihr über die Schulter. »Geht's um den Jungen, der letztens hier war?«

Sie ignorierte ihn, gab die Anfrage ein und wurde aufgefordert, ihren Namen und ihr Passwort einzugeben. Das tat sie und drückte ENTER.

Kat versuchte es noch einmal. Mit dem gleichen Ergebnis. Sie drehte sich zu Chaz um, der sie mit verschränkten Armen beobachtete.

»Was geht hier vor, Chaz?«

»Der Boss sagte, du hättest Urlaub.«

»Wir sperren hier keine Computerzugänge, wenn Leute in Urlaub gehen.«

»Ja, schon richtig.« Chaz zuckte die Achseln. »Aber du hast es wohl auch drauf angelegt, oder?«

»Worauf angelegt?«

»Du hast um eine Versetzung gebeten, jetzt bekommst du sie.«

»Ich habe nie um eine Versetzung gebeten.«

»Das hat der Captain mir so gesagt. Er meinte, du hättest den Antrag auf einen neuen Partner gestellt.«

»Ich habe den Antrag gestellt, einen neuen Partner zu bekommen. Ich habe nicht um eine Versetzung gebeten.«

Chaz wirkte verletzt. »Ich versteh immer noch nicht, warum du das machst.«

»Weil ich dich nicht mag, Chaz. Du bist grob, du bist faul, du hast kein Interesse daran, das Richtige zu tun…«

»Hey, ich habe meinen eigenen Arbeitsstil.«

Sie hatte keine Lust auf eine Diskussion.

»Detective Donovan?«

Kat drehte sich um. Es war Stephen Singer, ihr direkter Vorgesetzter.

»Du hattest Urlaub beantragt.«

»Nein, habe ich nicht.«

Singer trat etwas näher heran. »Man kann es nicht gegen dich auslegen, wenn du Urlaub nimmst. Es zieht auch keinen

Eintrag in die Personalakte nach sich, wie, sagen wir, unge-bührliches Verhalten gegenüber einem Vorgesetzten.«

»Ich habe mich nicht...«

Singer unterbrach sie, indem er die Hand hob und die Augen schloss. »Genieß deinen Urlaub, Kat. Du hast ihn verdient.«

Er ging. Kat sah Chaz an. Chaz sagte nichts. Sie verstand, was man ihr sagen wollte – verhalt dich ruhig, es ist nur ein kleiner Klaps auf die Finger, das legt sich wieder. Das wäre wohl das Klügste, dachte sie. Eigentlich hatte sie auch keine andere Wahl. Sie beugte sich vor, um ihren Computer aus-zuschalten.

»Nicht«, sagte Chaz.

»Was?«

»Singer hat gesagt, du sollst gehen. Also geh. Jetzt.«

Ihre Blicke begegneten sich. Möglich, dass Chaz kurz ge-nickt hatte – sie war sich nicht sicher, jedenfalls schaltete sie den Computer nicht aus. Als sie die Treppe hinunterging, blickte sie kurz zu Staggers Büro. Was zum Teufel war mit ihm los? Sie wusste, dass er sehr genau auf die Einhaltung der Regeln und Vorschriften achtete, und vielleicht hätte sie wirklich etwas respektvoller sein müssen, aber die Reaktion kam ihr doch ein bisschen übertrieben vor.

Sie sah auf die Uhr. Plötzlich hatte sie den ganzen Tag frei. Sie nahm die U-Bahn, stieg dreimal um, bis sie den Bahnhof der Linie 7 an der Main Street in Flushing erreichte.

Der Saal des Kolumbus-Ritter-Ordens war holzvertäfelt und mit amerikanischen Fahnen, Adlern, Sternen und diver-sen anderen Emblemen geschmückt, die in irgendeinem Zu-sammenhang mit Patriotismus standen. Wie immer ging es im Saal hoch her. In Sälen der Kolumbus-Ritter konnte es nicht ruhig sein – ähnlich wie in Schulturnhallen. Steve

Schrader, der im zarten Alter von dreiundfünfzig in den Ruhestand gegangen war, stand in der Nähe eines Fasses und empfing die Gäste wie ein Bräutigam auf der Hochzeitsfeier.

Kat entdeckte den pensionierten Detective Bobby Suggs an einem Tisch in der Ecke, auf dem sich Budweiser-Flaschen sammelten. Er trug eine karierte Sportjacke und eine graue Hose, die so nach Polyester aussah, dass Kat schon bei ihrem Anblick die Beine juckten. Während sie zu ihm ging, musterte Kat die Gesichter der anderen Gäste. Sie kannte unglaublich viele von ihnen. Die alten Freunde und Kollegen blieben stehen, umarmten sie und wünschten ihr alles Gute. Sie sagten ihr – das sagten sie ihr immer –, dass sie ihrem lieben Vater, Gott sei seiner Seele gnädig, wie aus dem Gesicht geschnitten sei, und fragten sie, wann sie einen Mann finden und eine Familie gründen würde. Sie versuchte, sich nickend und lächelnd durch die Menge vorzuarbeiten, was nicht einfach war. Die Leute beugten ihre Gesichter nah – zu nah – an sie heran, um verstanden zu werden, sodass Kat gelegentlich das Gefühl hatte, erdrückt oder von Pockennarben und geplatzten Äderchen verschluckt zu werden. Eine vierköpfige Polka-Kapelle unter Führung eines Tuba-Spielers legte los. Der Saal roch nach schalem Bier und Tänzerschweiß.

»Kat? Schätzchen, wir sind hier drüben.«

Sie drehte sich zu der wohlbekannten, rauen Stimme um. Moms Gesicht war schon vom Alkohol gerötet. Sie winkte Kat zu dem Tisch, an dem sie mit Flo und Tessie saß. Auch Flo und Tessie winkten sie heran, nur für den Fall, dass Kat Moms Aufforderung, sich zu ihnen zu setzen, nicht verstanden hatte.

Kat saß in der Falle. Sie ging auf sie zu. Sie gab ihrer Mutter einen Wangenkuss und begrüßte Flo und Tessie.

»Was?«, beschwerte sich Flo. »Kein Küsschen für Tante Flo und Tante Tessie?«

Keine der Frauen war eine Tante, sie waren nur gute Freunde der Familie, aber Kat gab ihnen trotzdem einen Kuss. Flo hatte schlecht gefärbte rote Haare, die manchmal sogar ins Violette changierten. Auch Tessies graue Haare schimmerten gelegentlich violett. Beide rochen ein bisschen wie das Duftspray auf einer alten Couch. Beide »Tanten« ergriffen Kats Kopf, bevor sie ihren Wangenkuss erwiderten. Flo trug einen kräftigen, rubinroten Lippenstift. Kat überlegte, wie sie ihn unauffällig abwischen konnte.

Alle drei Witwen musterten sie unverhohlen.

»Du bist zu mager«, sagte Flo.

»Lass sie zufrieden«, sagte Tessie. »Du siehst gut aus, Schatz.«

»Was? Ich mein ja bloß. Männer mögen es, wenn die Frauen ein bisschen Fleisch auf den Rippen haben.« Zur Untermalung ihrer Worte hob Flo ohne jeden Anflug von Verlegenheit ihren massiven Busen an. Das machte Flo immer – sie rückte ihre Brüste zurecht wie ungehorsame Kleinkinder.

Mom musterte Kat weiter mit nicht sehr gut verborgener Missbilligung. »Glaubst du, die Frisur schmeichelt deinem Gesicht?«

Kat starrte sie nur an.

»Ich meine, du hast so ein schönes Gesicht.«

»Du bist schön«, sagte Tessie, die Trotzigste, aber zugleich Normalste von ihnen. »Und mir gefällt deine Frisur.«

»Danke, Tante Tessie.«

»Bist du wegen Tims Sohn gekommen, dem Arzt?«, fragte Flo.

»Nein.«

»Er ist noch nicht da. Er kommt aber noch.«

»Gefällt er dir?«, fragte Tessie. »Er ist sehr attraktiv.«

»Er sieht aus wie der Kerl in *Der Preis ist heiß*«, ergänzte Flo.

Mom und Tessie nickten begeistert.

Kat fragte: »Welcher Kerl?«

»Was?«

»Meint ihr den, der die Show im Augenblick moderiert, oder den, der sie früher moderiert hat?«

»Welchen wir meinen?«, fragte Flo nach. »Jetzt sind wir aber wählerisch. Was kümmert es dich denn, welchem von den beiden Kerlen er ähnelt? Oder ist dir einer von denen nicht hübsch genug?« Wieder zog Flo ihren Busen hoch. »Welcher Kerl, also ich hör wohl nicht richtig.«

»Hör auf damit«, sagte Tessie.

»Womit?«

»Mit deinem Busen rumzuspielen. Sonst stichst du damit noch jemandem ein Auge aus.«

Flo blinzelte. »Der könnte sich glücklich schätzen.«

Flo war lebensfroh, kräftig gebaut und immer noch auf der Suche nach einem Mann. Und tatsächlich warfen die Männer eher zu oft als zu selten ein Auge auf sie, die Beziehungen waren aber nie von Dauer. All ihre Lebenserfahrung hätte dagegen sprechen müssen, trotzdem war und blieb sie eine hoffnungslose Romantikerin. Sie verliebte sich schnell und heftig, und alle außer Flo sahen, was kommen musste. Sie und Mom waren beste Freundinnen, seit sie die St.-Mary's-Grundschule besucht hatten. Als Kat auf der Highschool war, hatte es eine kurze Phase von etwa sechs Monaten oder einem Jahr gegeben, in der sie nicht miteinander geredet hatten – es ging um einen Streit über einen Logiergast, oder so etwas –, aber abgesehen davon waren sie unzertrennlich.

Flo hatte sechs erwachsene Kinder und sechzehn Enkel. Tessie hatte acht Kinder und neun Enkel. Diese Frauen hatten harte Leben hinter sich – sie hatten viele Kinder unter der Fuchtel nicht aktiv mithelfender Ehemänner und einer sich zu aktiv einmischenden Kirche großgezogen. Mit neun Jahren war Kat einmal früher als erwartet aus der Schule nach Hause gekommen, wo Tessie weinend in ihrer Küche gesessen hatte. Mom hatte in der Stille der mittäglichen Küche neben ihr gesessen, ihre Hand gehalten und ihr erzählt, wie leid ihr das alles tue, und dass alles wieder ins Lot kommen würde. Tessie hatte nur geschluchzt und den Kopf geschüttelt. Die neunjährige Kat hatte sich gefragt, welche Tragödie über Tessies Familie hereingebrochen war, ob ihrer Tochter Mary, die Lupus hatte, vielleicht etwas passiert war, ob ihr Mann, Onkel Ed, seinen Job verloren hatte, oder ob Tessies rüpelhafter Sohn Pat von der Schule geflogen war.

Aber all das war es nicht gewesen.

Tessie hatte geweint, weil sie gerade erfahren hatte, dass sie wieder schwanger war. Sie heulte Papiertaschentücher voll und wiederholte ein ums andere Mal, dass sie es nicht schaffen würde, und Mom hatte neben ihr gesessen und ihre Hand gehalten. Schließlich war Flo herübergekommen und hatte sich dazugesetzt, bis sie schließlich alle geweint hatten.

Tessies Kinder waren inzwischen erwachsen. Nachdem Onkel Ed vor sechs Jahren gestorben war, hatte Tessie, die nie weiter weg gewesen war als in einem Casino in Atlantic City, ausgiebig zu reisen angefangen. Ihre erste Fahrt hatte sie drei Monate nach Eds Tod nach Paris geführt. Jahrelang hatte Tessie sich Sprachkassetten aus der Queens Library ausgeliehen und sich selbst Französisch beigebracht. Dann konnte sie es endlich einsetzen. Tessie bewahrte ihre privaten Reisetagebücher in Ledermappen im Wohnzimmer auf.

Sie drängte sie nie jemandem auf – erzählte nicht einmal, worum es sich handelte –, aber Kat las sehr gerne darin.

Kats Vater hatte das alles früh erkannt. »Dieses Leben«, hatte Dad einmal zu ihr gesagt und Mom angesehen, die sich über den Herd beugte, »für Frauen ist das eine Falle.« Die wenigen Mädchen, die mit Kat aufgewachsen waren und auch heute noch im Viertel lebten, waren die, die jung schwanger geworden waren. Alle anderen waren, im Guten oder im Bösen, geflohen.

Kat drehte sich um und sah wieder zu Suggs' Tisch hinüber. Er starrte sie direkt an. Er wandte auch dann den Blick nicht ab, als sie ihn ansah, sondern prostete ihr mit der Flasche aus der Ferne traurig zu. Sie erwiderte den Gruß mit einem Nicken. Suggs legte den Kopf in den Nacken und nahm einen langen, kräftigen Zug, so dass sie sah, wie sein Kehlkopf auf und ab glitt.

»Ich bin gleich wieder bei euch«, sagte Kat und ging auf ihn zu.

Suggs stand auf und kam ihr entgegen. Er war ein kleiner, stämmiger Mann, der ging, als wäre er gerade vom Pferd gestiegen. Es war warm im Saal, die schwache Klimaanlage hatte bei den vielen Menschen keine Chance. Alle, auch Suggs und Kat, hatten einen dünnen Schweißfilm auf der Haut. Sie umarmten sich wortlos.

»Dann hast du's wohl gehört«, sagte Suggs, als er sie losließ.

»Von Leburne? Ja.«

»Ich weiß nicht, was ich sagen soll, Kat. ›Tut mir leid‹ klingt ziemlich unangemessen.«

»Ich weiß schon, was du meinst.«

»Du sollst nur wissen, dass ich an dich gedacht habe. Ich bin froh, dass du hier bist.«

»Danke.«

Suggs hob die Flasche. »Du brauchst ein Bier.«

»Das ist wahr«, stimmte Kat zu.

Es gab keine Theke, nur ein paar Kühlschränke und Zapf-anlagen in der Ecke. Ganz Gentleman öffnete Suggs Kat die Flasche mit seinem Ehering. Sie stießen an und tranken. Bei allem Respekt gegenüber Mister »Heißer Preis«, aber eigentlich war Kat hergekommen, um mit Suggs zu spre-chen. Sie wusste nur nicht, wie sie anfangen sollte.

Suggs kam ihr entgegen. »Ich hab gehört, dass du Leburne vor seinem Tod noch besucht hast.«

»Ja.«

»Wie war er?«

»Er hat gesagt, er war's nicht.«

Suggs lächelte, als hätte sie ihm gerade einen Witz erzählt, von dem er vorgab, ihn komisch zu finden. »Hat er das?«

»Er war völlig weggetreten von all den Medikamenten.«

»Dann hat er wohl eine letzte Lüge erzählt.«

»Ganz im Gegenteil. Das war eher eine Art Wahrheits-serum. Er hat zugegeben, andere Menschen umgebracht zu haben. Er sagte aber, für Dads Ermordung hätte er nur den Kopf hingehalten, weil es sowieso klar war, dass er den Rest seines Lebens hinter Gittern verbringt.«

Suggs nahm noch einen Schluck vom Bier. Er war Anfang sechzig. Er hatte immer noch volle, graue Haare, aber am beeindruckendsten fand sie – ebenso wie alle anderen auch – sein extrem freundliches Gesicht. Es war weder hübsch noch sonst irgendwie bemerkenswert. Aber einen Menschen mit einem so freundlichen Gesicht musste man einfach mögen. Manche Leute, sie können die nettesten Menschen der Welt sein, sehen einfach aus wie Fieslinge. Bei Suggs war es genau andersherum – man konnte sich nicht vorstellen, dass ein

Mensch mit einem solchen Gesicht nicht vertrauenswürdig sein könnte.

Man musste sich einfach immer wieder klarmachen, dass es nur ein Gesicht war.

»Ich hab die Pistole gefunden, Kat.«

»Ich weiß.«

»Sie war bei ihm im Haus versteckt. In einem Geheimfach im Fußboden unter dem Bett.«

»Auch das weiß ich. Aber kam dir das denn nie seltsam vor? Der Mann war immer so vorsichtig. Er hat die Waffen immer sofort weggeworfen, nachdem er sie benutzt hatte. Und plötzlich liegt die Mordwaffe zwischen seinen noch nicht genutzten Pistolen.«

Das mehr oder minder amüsierte Lächeln umspielte weiter seine Lippen. »Du siehst aus wie dein alter Herr, weißt du das?«

»Ja, hat man mir erzählt.«

»Wir hatten keine anderen Verdächtigen. Wir hatten nicht einmal irgendwelche anderen Theorien.«

»Was nicht heißt, dass es keine gab.«

»Cozone hatte einen Mord in Auftrag gegeben. Wir hatten die Mordwaffe. Wir hatten ein Geständnis. Leburne hatte die Mittel und die Gelegenheit. Die Festnahme war vollkommen gerechtfertigt.«

»Ich will damit nicht sagen, dass ihr keine gute Arbeit gemacht habt.«

»Klingt aber so.«

»Es gibt nur ein paar Details, die nicht richtig zusammenpassen.«

»Komm schon, Kat. Du weißt, wie das läuft. Bei so einem Fall passt nie alles perfekt. Deshalb haben wir Gerichtsverfahren und Verteidiger, die uns, selbst wenn der Fall absolut wasserdicht ist, immer wieder erzählen, dass es noch Lücken und Ungereimtheiten gibt oder dass die Version der Anklage…«, er malte mit den Fingern Anführungszeichen in die Luft, »… ›nicht richtig zusammenpasst‹.«

Die Kapelle hörte auf zu spielen. Jemand ging ans Mikrofon und brachte einen langen, komplizierten Toast aus. Suggs drehte sich zum Redner um und sah ihm zu. Kat beugte sich zu ihm hinüber und fragte: »Darf ich dir noch eine Frage stellen?«

Er sah sie nicht an. »Selbst wenn ich meine Waffe dabei hätte, würde ich dich nicht davon abhalten können.«

»Warum hat Stagger Leburne am Tag nach seiner Verhaftung besucht?«

Suggs blinzelte ein paar Mal, bevor er sich zu ihr umdrehte. »Wie war das?«

»Ich habe die Besucherliste gesehen«, sagte Kat. »Einen Tag nachdem Leburne vom FBI festgenommen worden war, hat Stagger ihn vernommen.«

Suggs dachte darüber nach. »Normalerweise würde ich jetzt so etwas sagen wie ›du musst dich irren‹, aber ich vermute mal, dass du das schon überprüft hast.«

»Wusstet ihr das?«

»Nein.«

»Stagger hat es euch nie erzählt?«

»Nein«, sagte Suggs noch einmal. »Hast du ihn gefragt?«

»Er sagte, er wäre auf eigene Faust hingegangen, weil er von dem Fall besessen war. Dass er impulsiv gehandelt hat.«

»Impulsiv«, wiederholte Suggs. »Schönes Wort.«

»Er hat auch gesagt, dass Leburne nicht mit ihm gesprochen hat.«

Suggs fing an, das Etikett von seinem Bier zu pulen. »Und wo liegt jetzt das Problem, Kat?«

»Vielleicht gibt es gar keins«, sagte sie.

Beide standen eine Weile da und taten so, als würden sie dem Redner zuhören.

Dann fragte Suggs: »Wann genau hat Stagger ihn besucht?«

»Einen Tag, nachdem Leburne verhaftet worden war.«

»Interessant.«

»Warum?«

»Anfangs hatten wir Leburne überhaupt nicht auf dem Schirm. Das war erst rund eine Woche später.«

»Trotzdem war Stagger zuerst da.«

»Könnte ein richtiger Verdacht von ihm gewesen sein.«

»Einer, den du und Rinsky dann wohl übersehen habt.«

Suggs runzelte die Stirn. »Glaubst du wirklich, dass ich jeden hingeworfenen Köder schlucke, Kat?«

»Ich mein ja nur. Bizarr, oder?«

Suggs machte eine abwägende Geste. »Stagger war leidenschaftlich dabei, er hat es aber hingekriegt, uns nicht allzu sehr in die Quere zu kommen. Er hat akzeptiert, dass Rinsky und ich die Ermittlung geleitet haben. Wir haben ihn nur hinterher einen zufälligen Treffer von dem Fingerabdruck überprüfen lassen, aber da war die Sache schon längst in trockenen Tüchern.«

Kat spürte ein leichtes Kribbeln im Rückgrat. »Moment, welchen Fingerabdruck?«

»Es war nichts. Eine Sackgasse.«

Sie legte ihm eine Hand auf den Unterarm. »Sprichst du von dem Fingerabdruck, der am Tatort gefunden wurde?«

»Ja.«

Kat traute ihren Ohren nicht. »Ich dachte, da hätte es keine Treffer gegeben?«

»Nicht als die Ermittlungen noch liefen. Es war keine

große Sache, Kat. Ein paar Monate nach Leburnes Geständnis konnten wir die Person identifizieren, da war der Fall aber längst abgeschlossen.«

»Also habt ihr das einfach auf sich beruhen lassen?«

Die Frage irritierte ihn: »Eigentlich müsstest du Rinsky und mich besser kennen. Wir haben nichts unversucht gelassen, klar?«

»Klar.«

»Wie schon gesagt hat Stagger das für uns überprüft. Hat sich herausgestellt, dass es ein Obdachloser war, der Selbstmord begangen hat. Eine Sackgasse.«

Kat stand nur da.

»Dein Gesichtsausdruck gefällt mir ganz und gar nicht, Kat.«

»Die Fingerabdrücke«, sagte sie. »Sind die noch in der Akte?«

»Ich denke schon. Klar sind sie das. Die Akte müsste inzwischen im Archiv sein, aber vielleicht…«

»Wir müssen sie noch mal überprüfen«, sagte Kat.

»Ich hab dir doch schon gesagt, dass das nichts bringt.«

»Dann tu's für mich, okay? Um mir einen Gefallen zu tun. Von mir aus auch, um mich zum Schweigen zu bringen.«

Auf der anderen Seite des Saals kam der Redner zum Ende. Die Menge klatschte. Die Tuba begann zu spielen. Die Band stimmte ein.

»Suggs?«

Er antwortete nicht. Er ließ sie einfach stehen und drängte sich durch die Menge. Seine Freunde riefen seinen Namen. Er beachtete sie nicht und ging zum Ausgang.

ZWANZIG

Brandon brauchte erst einmal einen Spaziergang an der frischen Luft.

Seine Mom wäre stolz auf ihn gewesen. Wie alle Eltern beklagte auch sie, dass ihr Sohn viel zu viel Zeit vor Bildschirmen verbrachte – Computer, Fernseher, Smartphones, Videospiele und was sonst noch alles. Es war ein ewiger Streit. Sein Dad hatte mehr Verständnis dafür gezeigt. »Jede Generation hat irgend so etwas«, hatte er Brandons Mutter gesagt. Mom hatte eine abfällige Handbewegung gemacht. »Und deshalb sollen wir einfach aufgeben? Wir sollen ihn den ganzen Tag in seinem dunklen Käfig sitzen lassen?« »Nein«, hatte Dad entgegnet. »Aber wir hängen die Sache nicht ganz so hoch.«

Dad war gut darin, Dinge nicht ganz so hoch zu hängen. Er konnte die Dinge relativieren und hatte so einen beruhigenden Einfluss auf Freunde und Familie. Er hatte Brandon erklärt, wie das bei ihm früher abgelaufen war: Seine Eltern hatten, wie so viele, über das faule Kind geschimpft, das seine Nase dauernd in irgendwelche Bücher steckte, und es aufgefordert, häufiger rauszugehen und selbst etwas zu erleben, statt nur darüber zu lesen.

»Kommt dir das irgendwie bekannt vor?«, hatte Dad Brandon gefragt.

Brandon hatte genickt.

Dann, fuhr Dad fort, als er größer wurde, hatten seine

Eltern ihn dauernd angeschrien, dass er den Fernseher ausmachen und entweder vor die Tür gehen oder – und das war
eigentlich ziemlich witzig, wenn man sich an die Zeit davor
erinnerte – lieber ein Buch lesen sollte.

Brandon erinnerte sich noch daran, wie sein Dad gelächelt
hatte, als er ihm das erzählte.

»Aber weißt du, was das Entscheidende ist, Brandon?«

»Nein, was?«

»Einen Ausgleich zu finden.«

Damals hatte Brandon nicht verstanden, was sein Dad damit meinte. Er war erst dreizehn gewesen. Vielleicht hätte
er nachgefragt, wenn er gewusst hätte, dass sein Vater drei
Jahre später tot war. Egal. Inzwischen hatte er es begriffen.
Wenn man etwas übertrieb – selbst etwas, das einem Spaß
machte –, war das nicht gut.

Das Problem mit den langen Spaziergängen an der frischen Luft und dem ganzen Naturkram war, na ja, es war
eben einfach todlangweilig. Die Online-Welten mochten
virtuell sein, aber da veränderte sich dauernd irgendwas, sodass man neue Anregungen bekam. Man sah etwas, machte
neue Erfahrungen, reagierte. Es wurde nie langweilig. Es
wurde nie alt, weil dauernd etwas Neues passierte. Man
konnte völlig darin versinken.

Umgekehrt war dieses Herumlaufen – in *The Ramble*, dem
größten Waldstück im Central Park – einfach fad. Er hielt
nach Vögeln Ausschau – im Internet stand, The Ramble
könne »sich rühmen« (das war das Wort, das die Webseite
benutzte), dass dort etwa 230 Vogelarten lebten. Im Moment
sah er exakt null davon. Es gab Platanen, Eichen, jede Menge
Blumen und andere Pflanzen. Aber keine Vögel. Was sollte
also so toll daran sein, zwischen den Bäumen hindurchzu-
gehen?

Etwas mehr Verständnis hatte er dafür, wenn jemand durch die Straßen der Stadt ging. Da gab es wenigstens etwas zu sehen – Geschäfte, Menschen und Autos, vielleicht gab es Streit um ein Taxi oder einen Parkplatz. Da passierte wenigstens was. Im Wald? Grüne Blätter und ein paar Blumen. Für ein, zwei Minuten war das ja ganz nett, aber dann, na ja, große Ödnis.

Nein, Brandon ging nicht durch dieses Waldgebiet in Manhattan, weil er plötzlich Freude an der freien Natur, frischer Luft oder Ähnlichem empfand. Er machte es, weil ihn solche Spaziergänge langweilten. Sie langweilten ihn zu Tode.

Es war der Ausgleich zu den dauernden Anregungen.

Außerdem war Langeweile gewissermaßen eine Inspiration. Man kam auf neue Gedanken. Brandon ging nicht im Wald spazieren, um zur Ruhe oder in Einklang mit der Natur zu kommen. Er tat es, weil die Langeweile ihn zwang, in sich hineinzusehen, scharf nachzudenken, sich einzig und allein auf seine eigenen Gedanken zu konzentrieren, weil nichts um ihn herum es wert war, dass er ihm seine Aufmerksamkeit schenkte.

Manche Probleme konnte man nicht lösen, wenn man dauernd unterhalten und abgelenkt wurde.

Ganz konnte Brandon trotzdem nicht verzichten. Er hatte sein Smartphone dabei. Als er Kat anrief, wurde er zu ihrer Mailbox durchgestellt. Er hinterließ nie eine Nachricht auf einer Mailbox – das machten nur alte Leute –, also schickte er ihr eine SMS und bat sie, ihn anzurufen, wenn sie Zeit hatte. Keine Eile. Zumindest noch nicht. Er wollte das, was er gerade erfahren hatte, erst einmal verdauen.

Er blieb auf den sich schlängelnden Parkwegen. Es überraschte ihn, wie wenige Menschen er sah. Er war im Herzen

Manhattans, spazierte zwischen der 73rd und der 78th Street herum (zumindest der Webseite zufolge – in Wahrheit hatte er keinen Schimmer, wo er war) und hatte trotzdem das Gefühl, allein zu sein. Er verpasste sein Seminar, aber das ließ sich nicht ändern. Er hatte Jayme Ratner, seine Laborpartnerin, informiert, dass er fürs Erste außen vor war. Sie kam damit klar. Ihre vorherige Partnerin hatte im letzten Semester so eine Art Nervenzusammenbruch erlitten, daher war sie glücklich, dass er nicht auch irgendwo in der Psychiatrie saß, wie offensichtlich etwa die Hälfte ihrer Freunde.

Sein Handy klingelte. Auf dem Display stand Bork Investments. Er ging ran.

»Hallo?«

Eine Frauenstimme fragte: »Spreche ich mit Mr Brandon Phelps?«

»Ja.«

»Bitte bleiben Sie am Apparat, ich verbinde mit Mr Martin Bork.«

Die Pausenmusik war eine Instrumentalversion von *Blurred Lines*. Dann: »Ja, hallo Brandon.«

»Hallo Onkel Marty.«

»Schön, von dir zu hören, mein Junge. Wie läuft die Uni?«

»Gut.«

»Wunderbar. Hast du schon Pläne für den Sommer?«

»Noch nicht.«

»Nur keine Hektik, stimmt's? Genieß es, das rate ich dir. Der Ernst des Lebens fängt schon früh genug an. Hör auf meine Worte.«

Martin Bork war ganz nett, aber wie alle Erwachsenen klang er ziemlich großkotzig, wenn er mit seinen Ratschlägen fürs Leben kam. »Geht klar, mach ich.«

»Also, ich habe deine Nachricht bekommen, Brandon.«

Er war jetzt ganz Geschäftsmann. »Was kann ich für dich tun?«

Der Pfad lief runter Richtung *The Lake*. Brandon verließ ihn und trat näher ans Wasser. »Es geht um das Konto meiner Mutter.«

Am anderen Ende der Leitung war es still. Brandon hakte nach.

»Sie hat ziemlich viel Geld abgehoben.«

»Woher weißt du das?«, fragte Bork.

Der neue Tonfall gefiel Brandon nicht. »Wie bitte?«

»Ich werde weder bestätigen noch abstreiten, was du gerade gesagt hast, aber woher weißt du von dieser vermeintlichen Abhebung?«

»Aus dem Internet.«

Weiteres Schweigen.

»Sie hat mir ihr Passwort gegeben, falls dir das Sorgen bereitet.«

»Brandon, hast du irgendwelche Fragen zu deinem eigenen Konto?«

Brandon ging wieder zurück auf den Pfad und weiter Richtung Bach. »Nein.«

»Dann werde ich wohl leider gleich auflegen müssen.«

»Es fehlt fast eine Viertelmillion Dollar auf dem Konto meiner Mutter.«

»Ich versichere dir, dass nichts fehlt. Falls du irgendwelche Fragen zum Konto deiner Mutter hast, wäre es vielleicht am besten, wenn du sie fragst.«

»Hast du mit ihr gesprochen? Hat sie die Transaktion abgesegnet?«

»Mehr kann ich dazu nicht sagen, Brandon. Ich hoffe, das verstehst du. Aber sprich mit deiner Mutter. Auf Wiederhören.«

Martin Bork legte auf.

Leicht benommen taumelte Brandon über die alte Steinbrücke in ein abgelegeneres Gebiet. Die Vegetation war hier dichter. Endlich entdeckte er auch einen Vogel – einen Rotkardinal. Irgendwo hatte er gelesen, die Cherokee glaubten, die Kardinäle seien die Töchter der Sonne. Wenn der Vogel in Richtung Sonne flog, hatte man Glück. Wenn der Vogel nach unten flog, na ja, dann eben das Gegenteil.

Brandon stand wie versteinert da und wartete darauf, dass der Kardinal sich bewegte.

Deshalb hörte er auch den Mann nicht, der hinter ihm lauerte, und dann war es zu spät.

Chaz, ihr zukünftiger Ex-Partner, rief Kat auf dem Handy an. »Ich hab's.«

»Was hast du?«

Kat war gerade aus dem U-Bahnhof Lincoln Center, in dem es eindeutig nach Pisse roch, auf die 66th Street hinausgetreten, auf der es fast ebenso eindeutig nach Kirschblüten roch. Kat ♥ New York. Brandon hatte ihr eine SMS geschickt. Sie hatte ihn angerufen, er war aber nicht rangegangen, also hatte sie eine kurze Nachricht auf der Mailbox hinterlassen.

»Du hast versucht, ein Überwachungsvideo anzufordern«, sagte Chaz. »Es ist angekommen.«

»Warte, wieso das denn?«

»Du weißt ganz genau, wieso, Kat.«

So absurd es sein mochte, aber sie wusste es wirklich. Chaz hatte das Video für sie angefordert. Die einzige Erkenntnis über das Verhalten von Menschen, die sich in ihrem Leben als beständig herausgestellt hatte, war die, dass das Verhalten von Menschen unbeständig war. »Du könntest Schwierigkeiten kriegen«, sagte Kat.

»Schwierigkeiten ist mein zweiter Vorname«, sagte er. »Nein, warte, in Wirklichkeit ist mein zweiter Vorname Hengst. Hast du deiner heißen Freundin erzählt, dass ich reich bin?«

Alles klar. Beständig. »Chaz.«

»Okay, 'tschuldigung. Soll ich dir das Video mailen?«

»Das wäre prima, danke.«

»Wolltest du wissen, in was für einen Wagen die Lady eingestiegen ist?«

»Du hast dir das Video angeguckt?«

»War doch okay, oder? Noch bin ich ja dein Partner.«

Auch wieder wahr, dachte Kat.

»Wer ist sie?«

»Sie heißt Dana Phelps. Der Junge, der mich vor ein paar Tagen sprechen wollte, ist ihr Sohn. Er glaubt, dass sie vermisst wird. Keiner glaubt ihm.«

»Dich eingeschlossen?«

»Ich bin da etwas empfänglicher.«

»Verrätst du mir, warum?«

»Ist eine lange Geschichte«, sagte Kat. »Können wir das später klären?«

»Ja, ich denke schon.«

»Und, ist Dana Phelps in ein Auto eingestiegen?«

»Das ist sie«, sagte Chaz. »Um genau zu sein, in eine schwarze Lincoln Town Car Stretchlimousine.«

»Trug der Fahrer eine schwarze Mütze und einen Anzug?«

»Ja.«

»Kennzeichen?«

»Das wird jetzt etwas komplizierter. Auf dem Video sind die Kennzeichen nicht zu sehen. War schwer genug, die Marke herauszufinden.«

»Mist.«

»Also, nein, eigentlich nicht«, sagte Chaz.

»Wieso nicht?«

Chaz räusperte sich, weniger aus Notwendigkeit als um des Effekts willen. »Ich habe das auf Google Earth gecheckt und gesehen, dass ein kleines Stück weiter in Fahrtrichtung des Wagens eine Exxon-Tankstelle liegt. Ich hab ein bisschen herumtelefoniert. Die Überwachungskamera der Tankstelle erfasst auch die Straße.«

Die meisten Menschen hatten zwar irgendwie mitgekriegt, dass es überall jede Menge Überwachungskameras gab, aber nur wenige hatten begriffen, was das eigentlich bedeutete. Allein in den Vereinigten Staaten gab es vierzig Millionen Überwachungskameras, und es wurden stetig mehr. Es verging kein Tag, an dem man nicht aufgenommen wurde.

»Jedenfalls«, sagte Chaz, »kann es noch ein, zwei Stunden dauern, bis das Video da ist, aber dann müssten wir das Kennzeichen haben.«

»Großartig.«

»Ich ruf dich an, sobald ich das Video habe. Melde dich, wenn du noch was brauchst.«

»Okay«, sagte Kat. Dann: »Chaz?«

»Ja.«

»Ich weiß das zu schätzen. Ich meine, du weißt schon, äh, danke.«

»Gibst du mir die Telefonnummer von deiner heißen Freundin?«

Kat legte auf. Ihr Handy klingelte fast im selben Moment wieder. Das Display zeigte den Namen Brandon Phelps.

»Hey, Brandon.«

Aber die Stimme am anderen Ende war nicht die von Brandon. »Darf ich fragen, mit wem ich spreche?«

»Sie haben mich angerufen«, wandte Kat ein. »Hey, mit wem spreche ich? Was ist los?«

»Hier spricht Officer John Glass«, sagte der Mann am Handy. »Ich rufe wegen Brandon Phelps an.«

Die 350 Hektar des Central Park lagen im Zuständigkeitsbereich des 22. Reviers, des ältesten Reviers der Stadt, besser bekannt als Central Park-Revier. In den Siebzigern hatte Kats Vater dort acht Jahre lang gearbeitet. Damals waren die Beamten des Zweiundzwanzigsten in einem alten Pferdestall untergebracht gewesen. Das waren sie zwar irgendwie immer noch, im Zuge einer 61 Millionen Dollar teuren Renovierung war aber eher etwas zu viel von der alten Patina abgetragen worden. Das Revier sah inzwischen eher wie ein Museum für moderne Kunst aus als wie ein Gebäude, das mit Strafverfolgung zu tun hatte. Es war typisch für New York, dass man das recht beeindruckende Atrium angeblich aus kugelsicherem Glas gebaut hatte, wobei nicht sicher war, ob das der Wahrheit entsprach oder ob es sich dabei um einen Witz handelte. Der ursprüngliche Kostenvoranschlag war um fast zwanzig Millionen Dollar niedriger ausgefallen, aber dann war man bei den Bauarbeiten – auch das typisch Manhattan – plötzlich auf alte Bahnschienen gestoßen.

Die Geister der Vergangenheit ließen diese Stadt nie ganz los.

Kat eilte zum Empfang und fragte nach Officer Glass. Der Sergeant deutete auf einen schlanken Schwarzen hinter ihr. Officer Glass trug Uniform. Gut möglich, dass sie ihn kannte – das Central Park-Revier war nicht weit vom 19. entfernt –, aber sicher war sie sich nicht.

Glass unterhielt sich mit zwei älteren Herren, die aussahen, als kämen sie gerade von einem Gin-Rommé-Turnier in Miami Beach. Einer hatte einen Filzhut auf und stützte sich auf einen Stock. Der andere trug eine hellblaue Jacke zu einer mangofarbenen Hose. Glass machte sich Notizen. Als Kat dazukam, hörte sie, wie er den alten Männern sagte, dass das erst einmal alles wäre und sie jetzt gehen könnten.

»Unsere Telefonnummern haben Sie doch, oder?«, fragte Filzhut.

»Ja, die habe ich, danke.«

»Wenn Sie noch Fragen haben, rufen Sie ruhig an«, sagte Mangohose.

»Das werde ich. Und noch einmal vielen Dank für Ihre Hilfe.«

Als sie sich auf den Weg machten, sah Glass sie und sagte: »Hey, Kat.«

»Kennen wir uns?«

»Nicht persönlich, aber mein alter Herr hat hier gemeinsam mit deinem alten Herrn gearbeitet. Dein Dad war eine Legende.«

Zu einer Legende wurde man, wie Kat wusste, indem man bei der Arbeit starb. »Und wo ist Brandon?«

»Mit dem Arzt im Hinterzimmer. Er wollte nicht, dass wir ihn ins Krankenhaus bringen.«

»Kann ich ihn sehen?«

»Klar, komm mit.«

»Wie schlimm ist er verletzt?«

Glass zuckte die Achseln. »Wäre wohl erheblich schlimmer geworden, wenn die beiden dort nicht gerade ihre alten Jugenderinnerungen aufgefrischt hätten.« Er deutete auf Filzhut und Mangohose, die langsam das Atrium verließen.

»Wieso das?«

»Die, äh, farbenfrohe Vergangenheit von The Ramble ist dir bekannt, oder?«

Sie nickte. Selbst die offizielle Webseite des Central Park bezeichnete The Ramble als »einen berühmten Ort für persönliche homosexuelle Begegnungen im 20. Jahrhundert«. Damals hatten die dichte Vegetation und die schlechte Beleuchtung das Gehölz zu einem perfekten Cruising-Areal, einem Treffpunkt für anonymen Sex unter Schwulen, gemacht. In letzter Zeit hatte sich The Ramble zum schönsten Waldgebiet des Central Park entwickelt und galt auch als Meilenstein in der Geschichte der Lesben, Schwulen, Bisexuellen und Transgender-Community.

»Jedenfalls haben sich die beiden vor fünfzig Jahren im Ramble kennengelernt«, sagte Glass. »Und so hatten sie beschlossen, dort ihr Jubiläum zu feiern, sich hinter den alten Büschen zu verstecken und sich, äh, ein bisschen der Nostalgie hinzugeben.«

»Am helllichten Tag?«

»Yep.«

»Wow.«

»Sie sagten, in ihrem Alter würde es ihnen schwerfallen, lange aufzubleiben. Oder überhaupt, aufrecht zu bleiben. Jedenfalls haben sie da was auch immer gemacht und gehört, dass da irgendetwas im Gange war. Sie sind rausgerannt – in welchem Nacktheitsgrad, ist mir nicht bekannt – und haben gesehen, wie so ein ›obdachloser Typ‹ deinen Jungen angegriffen hat.«

»Woher wussten sie, dass er obdachlos ist?«

»Das war ihre Beschreibung, nicht meine. Anscheinend hat sich der Täter an Brandon angeschlichen und ihn ins Gesicht geschlagen. Ohne jede Vorwarnung oder sonst irgendetwas. Einer unserer beiden Zeugen meinte, er hätte ein Messer gehabt, der andere hat keins gesehen, also weiß ich es nicht. Es wurde nichts gestohlen – wahrscheinlich weil

dafür keine Zeit war –, aber es war entweder ein Raubüber-
fall oder jemand, der seine Medikamente nicht genommen
hatte. Vielleicht auch ein altmodischer Schwulenhasser, was
ich allerdings bezweifele. Trotz der erotischen Handlungen
von Romeo und, äh, Romeo ist The Ramble nicht mehr bekannt dafür – und tagsüber passiert da sonst eigentlich gar
nichts.«

Glass öffnete eine Tür. Brandon und der Arzt saßen an
einem Tisch und unterhielten sich. Brandon hatte ein Pflas-
ter auf der Nase. Er war blass und mager – was er aber
eigentlich immer war.

Der Arzt drehte sich zu Kat um. »Sind Sie seine Mutter?«

Brandon lächelte. Kat war einen Moment lang beleidigt,
aber dann wurde ihr klar, dass sie erstens wirklich alt genug
war, um einen Sohn in Brandons Alter haben zu können –
wie deprimierend –, und zweitens, dass seine richtige Mom
wahrscheinlich jünger aussah als sie selbst. Noch deprimie-
render.

»Nein, nur eine Freundin.«

»Ich möchte, dass er für weitere Untersuchungen ins
Krankenhaus geht«, sagte der Arzt zu Kat.

»Mir geht's gut«, sagte Brandon.

»Erstens ist seine Nase gebrochen. Außerdem glaube ich,
dass er eine mehr oder minder schwere Gehirnerschütterung
hat.«

Kat sah Brandon an. Der schüttelte nur den Kopf.

»Ich kümmere mich um ihn«, sagte Kat.

Der Arzt quittierte das mit einem Achselzucken und ging.
Glass half ihnen beim Ausfüllen der restlichen Papiere. Brandon hatte den Angreifer nicht gesehen und schien sich auch
nicht besonders für ihn zu interessieren. Er versuchte nur, so
schnell wie möglich fertig zu werden. »Ich muss Ihnen etwas

erzählen«, flüsterte er, als Glass einen Moment lang nicht in der Nähe war.

»Konzentrieren wir uns erst einmal auf das, was gerade passiert ist, okay?«

»Sie haben doch gehört, was Officer Glass gesagt hat. Ich bin das Zufallsopfer eines Raubüberfalls.«

Kat glaubte das nicht. Zufallsopfer? Jetzt, wo sie mitten in einem …

In was eigentlich?

Es gab immer noch keinen Hinweis auf ein Verbrechen. Und was hatte sie sonst noch zu bieten? Hatte der Chauffeur seinen schwarzen Anzug abgelegt, sich als Obdachloser verkleidet und Brandon in The Ramble verfolgt? Das ergab doch alles keinen Sinn.

Als Glass sie wieder ins kugelsichere Atrium führte, bat Kat ihn, sich zu melden, sobald er neue Erkenntnisse hatte.

»Geht klar«, versprach Glass.

Er schüttelte beiden die Hand. Brandon bedankte sich bei ihm, war aber offenbar immer noch in Eile. Er ließ das Revier fast im Laufschritt hinter sich. Kat folgte ihm zu dem großen Gewässer, das ein Achtel des Parks einnahm und Jacqueline Kennedy Onassis Reservoir hieß. Ernsthaft.

Brandon sah auf die Uhr. »Wir haben noch Zeit.«

»Wofür?«

»Um runter zur Wall Street zu kommen.«

»Warum?«

»Irgendjemand klaut meiner Mutter Geld.«

EINUNDZWANZIG

K at wollte nicht reingehen.

Bork Investments befand sich in einem schicken Mega-Wolkenkratzer an der Vesey Street und am Hudson in Manhattans Finanzdistrikt, nur einen Steinwurf vom neuen World Trade Center entfernt. An jenem schönen, sonnigen Morgen, als das alte nach dem Anschlag einstürzte, war Kat noch eine ziemlich junge Polizistin gewesen, aber eine Entschuldigung war das nicht. Als der erste Turm um 8 Uhr 46 getroffen wurde, hatte sie nur acht Blocks entfernt ihren Rausch ausgeschlafen. Als sie endlich aufgestanden war, ihren Kater niedergerungen und sich auf den Weg gemacht hatte, waren beide Türme bereits eingestürzt, und es war zu spät, um irgendetwas für die Toten, insbesondere für ihre Polizistenkollegen, zu tun. Viele von denen, die dort umgekommen waren, hatten eine viel längere Anfahrt gehabt. Aber sie hatte es nicht rechtzeitig geschafft.

Nicht dass sie irgendetwas hätte tun können, niemand hätte das. Aber die Schuldgefühle, es überlebt zu haben, waren nie ganz verschwunden. Sie war zu so vielen Beerdigungen von Kollegen wie möglich gegangen und war sich wie eine Betrügerin vorgekommen, wenn sie in Uniform in der Menge stand. Sie hatte Albträume gehabt – wie fast alle, die damals vor Ort waren. Man kann sich im Leben vieles vergeben, aber aus rational nur sehr schwer erklärbaren Gründen war es fast unmöglich, sich das eigene Überleben zu vergeben.

Das war lange her. Sie dachte nicht mehr allzu oft daran, eigentlich nur noch am Jahrestag. Und diese Tatsache erschreckte sie auf einer ganz anderen Ebene – sie staunte, in welchem Ausmaß die Zeit tatsächlich die Wunden heilte. Trotzdem hielt Kat sich seit damals fern von dieser Gegend, wobei es für sie sowieso nicht viele Gründe gab herzukommen. Es war ein Land der Toten, der Geister und der Anzugträger mit viel Geld. Für sie gab es hier nichts. Viele Jungs aus ihrem alten Viertel – ja, auch ein paar Mädchen, viel weniger allerdings – waren hier gelandet. Als Kinder hatten sie alle ihre Väter, die Polizisten und Feuerwehrmänner waren, bewundert und gefürchtet und genau wie sie werden wollen. Sie waren auf die St.-Francis-Grundschule gegangen, dann auf die Notre-Dame- oder die Holy-Cross-Highschool, hatten angefangen, Schrottpapiere oder Derivate zu verkaufen, damit viel Geld verdient und sich auf diese Art so weit, wie sie irgend konnten, von ihrer Erziehung und ihren Wurzeln entfernt – genau wie ihre Väter sich von deren Vätern distanziert hatten, die in Fabriken geschuftet oder in fernen Ländern Hunger gelitten hatten.

Der Fortschritt.

In Amerika wurden Kontinuität und Nostalgie zwar verklärt, in Wahrheit aber rannte jede Generation vor ihrer Vorgängergeneration davon. Und seltsamerweise rannten sie meistens zu einem besseren Ort.

Seinem feudalen Büro nach zu urteilen, war auch Martin Bork zu einem besseren Ort gerannt. Kat und Brandon warteten in einem Konferenzraum mit einem Mahagonitisch in der Größe einer Landebahn. Darauf waren ein paar Snacks bereitgestellt: Muffins, Donuts und Obstsalat. Brandon war am Verhungern und fing an, die Sachen herunterzuschlingen.

»Woher kennst du diesen Mann noch mal?«, fragte Kat.

»Er ist der Finanzberater der Familie. Er hat mit meinem Dad zusammen für den Hedgefonds gearbeitet.«

Kat wusste nicht genau, was ein Hedgefonds war, zuckte aber immer leicht zusammen, wenn sie den Begriff hörte. Sie betrachtete den Ausblick über den Hudson und auf Jersey City. Eins dieser Riesen-Kreuzfahrtschiffe fuhr nach Norden zur Landungsbrücke an der 12th Avenue. Die Passagiere an Deck winkten. Obwohl sie unmöglich in dieses Gebäude hineinsehen konnten, winkte Kat zurück.

Martin Bork kam herein und begrüßte sie mit einem knappen »Guten Tag«.

Kat hatte erwartet, dass Bork ein Bonze mit Wurstfingern, zu engem Kragen und geröteten Wangen war. Falsch. Bork war klein und drahtig, fast wie ein Bantamgewicht-Boxer, und seine Haut war olivfarben. Sie schätzte ihn auf jung gebliebene fünfzig. Er trug eine flippige Designerbrille, die einem jüngeren Mann vermutlich besser gestanden hätte. Sein Gesicht war so glatt, dass es den Verdacht auf eine Schönheitsbehandlung nährte, und der Diamantstecker im linken Ohr wirkte auch nicht mehr hip, sondern eher etwas verzweifelt.

Borks Unterkiefer sackte herab, als er Brandons Gesicht sah. »Mein Gott, was ist denn mit dir passiert?«

»Mir geht's gut«, sagte Brandon.

»Sieht aber nicht so aus.« Er ging auf ihn zu. »Wurdest du geschlagen?«

»Ihm geht's gut«, versicherte Kat, die sich nicht ablenken lassen wollte. »Es war nur ein kleiner Unfall.«

Bork sah sie unsicher an, verfolgte das Thema aber nicht weiter. »Setzen wir uns doch.«

Er nahm den Stuhl am Kopfende des Tisches. Kat und

Brandon setzten sich neben ihn. Ein seltsames Gefühl, zu dritt an einem Tisch zu sitzen, der wahrscheinlich dreißig Personen Platz bot.

Bork wandte sich zuerst an Kat. »Mir ist nicht ganz klar, warum Sie hier sind, Miss ...?«

»Donovan. Detective Donovan vom NYPD.«

»Ja, entschuldigen Sie, ich verstehe allerdings nicht recht, was Sie damit zu tun haben. Sind Sie offiziell in Ihrer Funktion als Polizistin hier?«

»Noch nicht«, sagte sie. »Bisher ist das Ganze eher informell.«

»Verstehe.« Bork legte beide Hände zusammen zu einer Gebetsgeste. Er kümmerte sich nicht um Brandon. »Und ich gehe davon aus, dass es etwas mit Brandons Anruf vorhin zu tun hat.«

»Soweit uns bekannt ist, wurde vom Konto seiner Mutter eine Viertelmillion Dollar überwiesen.«

»Haben Sie einen Durchsuchungsbeschluss, Detective?«

»Nein, habe ich nicht.«

»Dann bin ich nicht nur nicht verpflichtet, mit Ihnen zu reden, es wäre sogar unmoralisch, mehr darüber zu sagen.«

Kat hatte die Sache nicht richtig durchdacht. Getrieben von Brandons Begeisterung für seine Finanzentdeckung war sie mit ihm hergekommen. Seit der Abhebung vom Geldautomaten hatte auf Dana Phelps' Konten keine weitere Bewegung mehr stattgefunden. Doch gestern hatte Dana Phelps eine »telegrafische Transaktion« – so stand es im Online-Auszug – über fast 250 000 Dollar veranlasst.

»Sie kennen die Familie Phelps, richtig?«

Seine Hände befanden sich immer noch in Gebetshaltung. Jetzt hob er sie zu seiner Nase, als wäre das eine schwierige Frage. »Ich kenne sie sehr gut, ja.«

»Sie waren mit Brandons Vater befreundet.«

Seine Miene verdunkelte sich einen Moment lang. Plötzlich sprach er leise: »Ja.«

»Fakt ist«, fuhr Kat mit sorgfältig abgewogenen Worten fort, »dass die Familie Phelps sich bei all den Personen, die sie mit der Betreuung ihrer finanziellen Angelegenheiten hätten beauftragen können, ausgerechnet für Sie entschieden hat. Das sagt sehr viel, nicht nur über Ihren Geschäftssinn – denn wenn wir ehrlich sind, muss man festhalten, dass es in dieser Gegend genug vermeintliche Finanzgenies gibt –, ich vermute aber, dass Sie ausgewählt wurden, weil sie Ihnen vertrauen. Weil Ihnen das Wohlergehen der Familie am Herzen liegt.«

Martin Borks Blick wanderte zu Brandon. Brandon starrte ihn nur an. »Mir liegt ihr Wohlergehen sehr am Herzen.«

»Und Sie wissen auch, dass Brandon und seine Mutter sich sehr nahestehen.«

»Das weiß ich. Das bedeutet aber nicht, dass sie ihn über alle ihre finanziellen Angelegenheiten informiert.«

»Doch, das tut sie«, sagte Brandon, der sich bemühte, nicht zu quengeln oder zu jammern. »Deshalb hat sie mir die Passwörter und die Kontonummern gegeben. Sie hat da keine Geheimnisse vor mir.«

»Das ist nicht von der Hand zu weisen«, sagte Kat. »Wenn seine Mutter eine Überweisung tätigen wollte, ohne dass er etwas davon erfährt, hätte sie dann nicht ein anderes Konto benutzt?«

»Das weiß ich nicht«, sagte Bork. »Vielleicht sollte Brandon sie anrufen.«

»Haben Sie das getan?«, fragte Kat.

»Wie bitte?«

»Haben Sie Mrs Phelps vor Ausführung der Überweisung angerufen?«

»Sie hat mich angerufen«, sagte er.

»Wann?«

»Es ist mir nicht gestattet, darüber ...«

»Könnten Sie sie jetzt anrufen?«, fragte Kat. »Nur um auf Nummer sicher zu gehen?«

»Was geht hier vor?«

»Rufen Sie sie einfach an, in Ordnung?«

»Was soll das beweisen?«

»Onkel Marty?« Beide sahen Brandon an. »Ich habe seit fünf Tagen nichts mehr von Mom gehört. Sie ist einfach verschwunden.«

Bork sah Brandon mit einem Blick an, der Mitleid ausdrücken sollte, aber doch eher herablassend wirkte. »Meinst du nicht, dass es an der Zeit ist, dich vom Rockzipfel deiner Mutter zu lösen, Brandon? Sie ist schon lange Zeit einsam.«

»Ich weiß«, fauchte Brandon. »Glaubst du, ich wüsste das nicht?«

»Tut mir leid.« Bork wollte aufstehen. »Sowohl aus rechtlichen als auch aus ethischen Gründen kann ich dir nicht helfen.«

So viel zu dem Versuch, es auf die nette Art zu erledigen. »Setzen Sie sich, Mr Bork.«

Er hielt in der Bewegung inne und sah sie verblüfft an. »Wie bitte?«

»Brandon, warte bitte im Flur.«

»Aber ...«

»Geh«, sagte Kat.

Sie brauchte es ihm nicht zweimal zu sagen. Brandon ging hinaus und ließ Kat mit Martin Bork allein. Bork stand immer noch in leicht gebeugter Haltung und mit offenem Mund vor ihr.

»Ich sagte, Sie sollen sich setzen.«

»Sind Sie übergeschnappt?«, fragte Bork. »Das kann Sie Ihre Marke kosten.«

»Ja, der ist echt witzig. Die Drohung mit der Marke. Rufen Sie doch auch noch den Bürgermeister oder meinen Vorgesetzten an? Die sind auch gut.« Sie deutete aufs Telefon. »Rufen Sie sofort Dana Phelps an.«

»Ich nehme von Ihnen keine Befehle entgegen.«

»Glauben Sie wirklich, ich wäre hier, um ihrem Jungen einen Gefallen zu tun? Es handelt sich um eine laufende Ermittlung in einer Serie von Schwerverbrechen.«

»Dann zeigen Sie mir den Durchsuchungsbeschluss.«

»Sie wollen keinen Durchsuchungsbeschluss, glauben Sie mir. Wissen Sie, für Gerichtsbeschlüsse braucht man Richter, und dann müssen wir uns alles angucken, jede Akte in Ihrem Büro, jedes Konto…«

»Das können Sie nicht machen.«

Er hatte recht. Sie bluffte, aber was sollte es. Manchmal war es gar nicht schlecht, etwas irre rüberzukommen, etwas zu heiß gebadet. Kat nahm den Hörer ab. »Ich fordere Sie auf, einen Anruf zu machen.«

Bork zögerte einen Moment. Dann zog er sein Smartphone aus der Tasche, suchte Dana Phelps' Handynummer und wählte. Kat hörte, wie es einmal klingelte, dann meldete sich die Mailbox. Dana Phelps' fröhliche Stimme bat den Anrufer, eine Nachricht zu hinterlassen. Bork legte auf.

»Ist wahrscheinlich am Strand«, sagte er.

»Wo?«

»Es ist mir nicht gestattet, darüber zu sprechen.«

»Ihre Klientin hat eine Viertelmillion Dollar ins Ausland überwiesen.«

»Was ihr gutes Recht ist.«

Kaum hatte er das ausgesprochen, wurde Bork blass, weil

ihm klar wurde, dass er zu viel gesagt hatte. Kat nickte. Das Geld war also ins Ausland überwiesen worden. Das hatte sie bisher nicht gewusst.

»Das ist alles vollkommen korrekt gelaufen«, erläuterte Bork schnell. »Heutzutage gibt es diverse Verfahrensvorschriften für Transfers in dieser Höhe. Im Spielfilm lässt sich das vielleicht mit ein paar Mausklicks erledigen. Hier nicht. Dana Phelps hat die Überweisung in Auftrag gegeben. Ich habe am Telefon mit ihr persönlich darüber gesprochen.«

»Wann?«

»Gestern.«

»Wissen Sie, von wo sie angerufen hat?«

»Nein, aber sie hat von ihrem eigenen Handy aus angerufen. Ich versteh das Ganze nicht. Was soll denn Ihrer Ansicht nach passiert sein?«

Kat wusste nicht, wie sie die Frage beantworten sollte. »Über die Ergebnisse der Ermittlung darf ich keine Auskunft geben.«

»Und ich darf Ihnen ohne Danas Erlaubnis keine Auskunft geben. Sie hat mir klare Anweisungen gegeben, die Sache vertraulich zu behandeln.«

Kat legte den Kopf auf die Seite. »Und das fanden Sie nicht etwas seltsam?«

»Was? Etwas vertraulich zu behandeln?« Bork überlegte. »In diesem Fall nicht.«

»Und wieso nicht?«

»Es ist nicht meine Aufgabe, das zu beurteilen. Mein Job ist es, die Anweisungen zu befolgen. Wenn Sie mich jetzt bitte entschuldigen ...«

Aber Kat hatte noch einen Trumpf im Ärmel. »Dann gehe ich davon aus, dass Sie die Transaktion an FinCEN gemeldet haben?«

Bork erstarrte. Volltreffer, dachte Kat. FinCEN stand für das Financial Crimes Enforcement Network, eine Furcht verbreitende Abteilung des Finanzministeriums. FinCEN kontrollierte verdächtige Finanzaktivitäten, um Geldwäsche, Terrorismus, Betrug, Steuerhinterziehung und Ähnliches zu bekämpfen.

»Eine Transaktion in der Größenordnung«, sagte Kat. »Da hätte doch eine Warnleuchte angehen müssen, oder was meinen Sie?«

Bork versuchte, Ruhe zu bewahren. »Ich habe keinen Grund zu der Annahme, dass Dana Phelps etwas Illegales getan haben könnte.«

»Okay, dann haben Sie gewiss nichts dagegen, wenn ich Max anrufe.«

»Max?«

»Mein Kumpel beim FinCEN. Ich meine, wenn das alles total korrekt abgelaufen …«

»Das ist es.«

»Cool.« Sie zog ihr Handy heraus. Es war ein weiterer Bluff, aber effektiv. Es gab keinen Max bei FinCEN, aber wie kompliziert konnte es schon sein, so etwas dem Finanzamt zu melden? Sie lächelte und versuchte, wieder ein bisschen zu heiß gebadet zu wirken. »Ich habe sonst nichts, also kann ich ebenso gut …«

»Das ist nicht nötig.«

»Aha?«

»Dana …« Er blickte zur Tür. »Ich bin dabei, das Vertrauen einer Klientin zu missbrauchen.«

»Sie können es mir erklären oder Sie erklären es Max und seinem Team. Liegt ganz bei Ihnen.«

Bork begann, an seinem manikürten Daumennagel zu kauen. »Dana hat explizit um Vertraulichkeit gebeten.«

»Um ein Verbrechen zu decken?«

»Was? Nein.« Bork beugte sich vor und fragte leise: »Inoffiziell?«

»Klar.«

Inoffiziell? Hielt er sie für eine Reporterin?

»Ihre Transaktion ist, wie ich zugeben muss, ziemlich unkonventionell. Vielleicht reichen wir tatsächlich einen SAR ein, aber dafür habe ich dreißig Tage Zeit.«

Ein SAR war ein Suspicious Activity Report, ein Bericht über verdächtige Geldtransfers. Laut Gesetz musste eine Auslandstransaktion dieser Größenordnung vom ausführenden Finanzinstitut dem Finanzamt gesondert gemeldet werden. Das war nicht in Stein gemeißelt, aber die meisten ehrlichen Institute verfuhren so.

»Dana hat mich gebeten, etwas Zeit verstreichen zu lassen.«

»Wie meinen Sie das?«

»Auch das ist nicht illegal.«

»Sondern?«

Wieder blickte er zur Tür. »Sie dürfen es Brandon nicht erzählen.«

»Okay.«

»Das ist mein Ernst. Dana Phelps hat ausdrücklich verlangt, dass niemand, und schon gar nicht ihr Sohn, etwas von ihren Plänen erfährt.«

Kat beugte sich weiter vor. »Meine Lippen sind versiegelt.«

»Ich dürfte Ihnen gar nichts davon erzählen – eigentlich *darf* ich es absolut nicht, aber meine Hauptaufgabe besteht darin, meine Klienten und ihre Geschäfte zu schützen. Ich weiß nicht, was Dana dazu sagen würde, ich habe aber das Gefühl, es wäre ihr nicht angenehm, wenn ihre vertrauliche telegrafische Transaktion – die ihr Sohn übrigens nie hätte zu Gesicht bekommen sollen – vom Finanzamt überprüft werden würde. Nicht weil sie illegal ist. Sondern weil sie womöglich Aufmerksamkeit auf sich ziehen würde, die ihr dann Probleme bereiten könnte.«

Kat wartete. Bork sprach eigentlich gar nicht mit ihr. Er führte eine Art Selbstgespräch, in dem er nach einer Rechtfertigung suchte, ihr die erwünschten Informationen zukommen zu lassen.

»Dana Phelps kauft sich ein Haus.«

Kat wusste nicht, was sie erwartet hatte, das war es jedenfalls nicht. »Was?«

»In Costa Rica. Eine Sieben-Zimmer-Strandvilla auf der Halbinsel Papagayo. Wundervoll gelegen. Direkt am Pazifik. Der Mann, mit dem sie unterwegs ist, hat ihr einen Heiratsantrag gemacht.«

Kat saß nur da. Das Wort *Heiratsantrag* verdichtete sich zu einem Stein, der einen inneren Grubenschacht hinunterstürzte. Sie sah das alles vor sich – den fantastischen Strand, die Kokospalmen (gab es in Costa Rica Kokospalmen? Sie wusste es nicht), Jeff und Dana, die Hand in Hand den Strand entlangschlenderten, ein sanfter Kuss, während sie sich im Sonnenuntergang gemeinsam in einer Hängematte rekelten.

»Sie müssen das verstehen«, fuhr Bork fort. »Es war nicht leicht für Dana, seid ihr Mann verstorben ist. Sie hat Brandon allein aufgezogen. Er war kein einfacher Junge. Der Tod seines Vaters … na ja … er hat ihm schwer zu schaffen gemacht. Ich werde nicht in Details gehen, aber jetzt, wo Brandon auf dem College ist, tja, da möchte Dana ihr eigenes Leben führen. Das werden Sie doch sicher verstehen.«

Kat wurde schwummerig. Sie versuchte, die Gedanken an das Leben in einer Strandvilla beiseitezuschieben und sich auf die vor ihr liegende Aufgabe zu konzentrieren. Was hatte noch in Danas letzter SMS an ihren Sohn gestanden? Etwas über eine wunderbare Zeit und eine große Überraschung …

»Dana wird jedenfalls heiraten. Sie und ihr neuer Ehemann überlegen sogar, ob sie dauerhaft in die Villa ziehen sollen. Diese Nachricht möchte sie Brandon natürlich nicht telefonisch übermitteln. Deshalb hat sie sich ein wenig von der Außenwelt zurückgezogen.«

Kat sagte nichts, war immer noch dabei, die Informationen zu verarbeiten. Ein Heiratsantrag. Eine Strandvilla. Keine Lust, es ihrem Sohn am Telefon mitzuteilen. War das plausibel?

Absolut.

»Also hat Dana Phelps das Geld an den Hauseigentümer überwiesen?«

»Nein, sie hat das Geld an sich selbst transferiert. Für den Hauskauf sind komplizierte lokale Gesetze und sonstige Besonderheiten zu beachten, die eine gewisse Diskretion erforderlich machen. Es gehört nicht zu meiner Arbeit, da weiter hinterherzuschnüffeln. Dana hat ganz legal ein Konto in der Schweiz eröffnet und Geld von einem anderen Konto dorthin transferiert.«

»Sie hat ein Schweizer Bankkonto auf ihren Namen eröffnet?«

»Was vollkommen legal ist.« Dann: »Aber nein, nicht auf ihren Namen.«

»Auf was für einen Namen dann?«

Bork bearbeitete wieder den manikürten Daumennagel. Es war faszinierend, dass alle Männer, egal wie erfolgreich sie auch waren, immer noch die Unsicherheiten von kleinen Jungs in sich trugen. Schließlich sagte er: »Nicht auf einen Namen.«

Jetzt verstand sie. »Also ein Nummernkonto.«

»Das ist nicht so dramatisch, wie es klingt. Die meisten Schweizer Konten sind Nummernkonten. Wissen Sie, wie das funktioniert?«

Sie lehnte sich zurück. »Tun wir mal so, als wüsste ich es nicht.«

»Nummernkonten sind so ziemlich das, was man sich darunter vorstellt – sie sind mit einer Nummer verbunden statt mit einem Namen. Dadurch bieten sie eine größere Vertraulichkeit – und zwar nicht nur Kriminellen, sondern auch anständigen Bürgern, die nicht wollen, dass ihre finanzielle Situation bekannt wird. Das Geld ist sicher untergebracht.«

»Und geheim.«

»In gewissem Grade schon. Aber nicht mehr so wie früher. Die Regierung der USA kann sich die Kontodaten beschaffen, was sie im Zweifel auch tut. Alle Beteiligten halten nach Vergehen oder Verbrechen Ausschau und müssen bei Verdacht Meldung erstatten. Und auch die Geheimhaltung hat ihre Grenzen. Viele Leute glauben törichterweise, dass niemand weiß, wem welches Nummernkonto gehört. Das ist natürlich lächerlich. Ausgewählte Bankangestellte wissen Bescheid.«

»Mr Bork?«

»Ja.«

»Würden Sie mir bitte die Bank und die Kontonummer nennen?«

»Das würde Ihnen nichts helfen. Selbst ich weiß nicht genau, auf welchen Namen das Konto läuft. Wenn Sie sich einen Gerichtsbeschluss auf Herausgabe der Kontodaten besorgen, wird die Schweizer Bank Sie jahrelang hinhalten. Falls Sie Dana Phelps also wegen eines Bagatelldelikts verhaften wollen ...«

»Ich habe nicht das geringste Interesse daran, Dana Phelps zu verhaften. Darauf gebe ich Ihnen mein Wort.«

»Worum geht es dann?«

»Geben Sie mir die Nummer, Mr Bork.«

»Und falls ich das nicht tue?«

Sie hob ihr Handy hoch. »Kann ich immer noch Max anrufen.«

ZWEIUNDZWANZIG

Auf dem Weg nach draußen rief Kat Chaz an und nannte ihm den Namen der Bank und die Kontonummer. Sie meinte übers Telefon hören zu können, wie er die Stirn runzelte.

»Und was soll ich damit jetzt machen?«, fragte Chaz.

»Keine Ahnung. Es ist ein neues Konto. Vielleicht können wir feststellen, ob es da Bewegungen gegeben hat.«

»Das soll doch wohl ein Witz sein. Ein Cop vom NYPD erkundigt sich bei einer Schweizer Großbank nach Kontobewegungen?«

Er hatte recht. Das war wirklich ziemlich absurd. »Dann schick die Nummer doch einfach ans Finanzamt. Ich habe da eine Quelle. Ali Oscar. Vielleicht erfahren wir was, falls jemand in Zukunft noch einen SAR für das Konto erstellt.«

»Okay, ja. Alles klar.«

Auf der U-Bahnfahrt zurück nach Uptown war Brandon seltsam still. Kat hatte erwartet, dass er sie mit Fragen bombardieren würde, wissen wollte, warum er den Raum verlassen musste und was Martin Bork ihr erzählt hatte. Das tat er nicht. Er saß zusammengesunken und mit hängenden Schultern auf seinem Platz. Sein Körper schaukelte und schwankte scheinbar ohne jeden Widerstand.

Kat saß neben ihm. Sie nahm an, dass ihre eigene Körpersprache kaum positiver ausfiel. Die Wahrheit sank langsam in ihr Bewusstsein. Jeff hatte einer Frau einen Heiratsantrag gemacht. Oder sollte sie ihn lieber Ron nennen? Sie konnte den Namen Ron nicht ausstehen. Jeff war Jeff. Er war kein Ron. Nannten ihn die Leute jetzt wirklich so? »Hey Ron!« Oder: »Guck mal, da ist Ronnie!« Oder: »Yo, das ist Ronald der Ronster, Ronamama...«

Warum zum Teufel entschied sich jemand für den Namen Ron?

Alberne Gedanken, aber was sollte man machen? Es lenkte sie vom Offensichtlichen ab. Achtzehn Jahre waren eine lange Zeit. Der alte Jeff war damals alles andere als materialistisch gewesen, aber der neue Ron war bis über beide Ohren in eine megareiche Witwe verliebt, die ihm eine Villa in Costa Rica kaufte. Sie verzog das Gesicht. Wie einem jugendlichen Liebhaber, oder so. Bah.

Als sie sich kennengelernt hatten, wohnte Jeff in dieser wunderbaren Rumpelkammer mit Blick auf den Washington Square. Seine Matratze lag auf dem Fußboden. Es war immer laut. Das Wasser pfiff in den Rohren, falls sie nicht gerade leckten. Es sah ständig aus, als wäre gerade eine Bombe in der Wohnung eingeschlagen. Wenn Jeff einen Artikel schrieb, besorgte er sich jede Menge verfügbare Fotos zu dem Thema und pinnte sie wahllos an die Wände. Es war kein geplantes Vorgehen. Das Durcheinander, sagte er dann, würde ihn inspirieren. Es sähe aus, entgegnete Kat, als wären irgendwelche Fernsehpolizisten in das geheime Zimmer des Mörders eingedrungen, wo überall Fotos vom Opfer hingen.

Aber es hatte sich so richtig angefühlt mit ihm. Alles – von der kleinsten, banalsten Tätigkeit bis zum Höhepunkt, wenn man so wollte, des Liebesakts – war ihr mit ihm richtig und perfekt vorgekommen. Sie vermisste diese Rumpelkammer. Sie vermisste das Durcheinander und die Fotos an den Wänden.

Herrgott, was hatte sie ihn geliebt.

An der 66th Street in der Nähe des Lincoln Center stiegen sie aus. Die Nachtluft war kühl. Brandon wirkte immer noch gedankenverloren. Kat ließ ihn zufrieden. Als sie wieder in Kats Wohnung waren – sie hielt es wirklich nicht für ratsam, ihn jetzt alleine zu lassen –, fragte sie: »Hast du Hunger?«

Brandon zuckte die Achseln. »Denke schon.«

»Ich bestell uns eine Pizza«, sagte Kat. »Ist scharfe Salami okay?«

Brandon nickte. Er sank auf einen Stuhl und starrte aus dem Fenster. Kat rief die *La Traviata*-Pizzeria an und gab ihre Bestellung auf. Sie setzte sich ihm gegenüber auf einen Stuhl.

»Du bist schrecklich still, Brandon.«

»Ich hab nur nachgedacht«, sagte er.

»Worüber?«

»Die Beerdigung von meinem Dad.«

Kat wartete. Als er nicht weitersprach, hakte sie behutsam nach: »Was ist damit?«

»Ich habe über Onkel Marty – also Mr Bork – nachgedacht. Über seine Grabrede. Sie war sehr kurz, aber auch sehr schön. Am besten erinnere ich mich aber daran, dass er hinterher sofort die Kapelle, oder wie man das nennt, verlassen hat. Er war kaum fertig, da ist er rausgestürmt. Ich bin ihm gefolgt. Ich hab das damals noch völlig abgeblockt und nichts an mich rangelassen. Ich war vollkommen abwesend, als ob ich bei irgendeinem Gottesdienst wäre, der mich überhaupt nichts angeht. Verstehen Sie, was ich meine?«

Kat erinnerte sich an ihr taubes Gefühl bei der Beerdigung ihres Vaters. »Klar.«

»Ich hab ihn dann hinten in einem Büro entdeckt. Er hat da im Dunkeln gesessen. Ich konnte ihn kaum sehen, hab ihn aber gehört. Ich glaube, er hatte sich für die Grabrede total zusammengerissen und all seine Kraft verbraucht, sodass danach nichts mehr ging. Onkel Marty hat auf dem Boden gekniet und sich die Augen aus dem Kopf geheult. Ich hab ihn nur von der Tür aus beobachtet. Er wusste nicht, dass ich da bin. Er dachte, er wär allein.«

Brandon sah zu Kat hinauf.

»Onkel Marty hat Ihnen erzählt, dass meine Mutter ihn angerufen hat, stimmt's?«

»Stimmt.«

»Darüber würde er nicht lügen.«

Da Kat nicht recht wusste, was sie darauf erwidern sollte, entschied sie sich für ein neutrales: »Gut zu wissen.«

»Hat er Ihnen erzählt, weshalb sie das Geld überwiesen hat?«

»Ja.«

»Aber Sie werden's mir nicht sagen.«

»Er sagte, deine Mutter hätte ihn um Verschwiegenheit gebeten.«

Brandon starrte weiter aus dem Fenster.

»Brandon?«

»Meine Mom ist zwischendurch auch mit einem anderen Mann ausgegangen. Mit einem, den sie nicht im Internet kennengelernt hat. Er wohnt in Westport.«

»Wann war das?«

Brandon zuckte die Achseln. »So etwa zwei Jahre nach dem Tod meines Vaters. Er hieß Charles Reed. Geschieden. Er hatte zwei Kinder, die bei ihrer Mutter in Stamford lebten. Am Wochenende und auch gelegentlich abends in der Woche waren sie bei ihm.«

»Und was ist passiert?«

»Ich«, sagte Brandon. »Ich bin passiert.« Er hatte ein seltsames Lächeln im Gesicht. »Als Sie bei Detective Schwartz waren, hat er Ihnen da erzählt, dass ich festgenommen wurde?«

»Er sagte, es hätte ein paar Vorfälle gegeben.«

»Na ja, die waren wohl ziemlich nachsichtig mit mir. Wissen Sie, ich wollte nicht, dass meine Mom mit einem anderen Mann ausgeht. Ich hatte damals die Vorstellung, dass dieser Typ die Rolle von meinem Dad übernimmt – in seinem Haus wohnt, auf seiner Seite des Betts schläft, seinen Schrank und seine Kommode benutzt, auf seinem Parkplatz parkt. Sie verstehen schon, was ich meine.«

»Natürlich«, sagte Kat. »Solche Gefühle sind ganz normal.«

»Aber ich habe angefangen, diese Gefühle ›auszuleben‹«, er zeichnete Anführungszeichen in die Luft, »wie mein Therapeut es nannte. Ich war eine Zeit lang von der Schule suspendiert. Ich habe einem Nachbarn die Reifen aufgeschlitzt. Und wenn die Polizei mich nach Hause gebracht hat, hab ich gelächelt. Ich wollte, dass sie leidet. Ich habe meiner Mom erzählt, dass es ihre Schuld ist. Ich habe gesagt, dass ich das mache, weil sie meinen Vater betrügt.« Er blinzelte und rieb sich das Kinn. »Und einmal hab ich sie auch Hure genannt.«

»Was hat sie getan?«

»Nichts«, sagte Brandon und lachte leise. »Sie hat kein Wort gesagt. Sie hat nur dagestanden und mich angestarrt. Den Blick werde ich nie vergessen. Niemals. Aber das konnte mich auch nicht stoppen. Ich hab weitergemacht, bis … Charles Reed weg war.«

Kat beugte sich zu ihm. »Warum erzählst du mir das gerade jetzt?«

»Weil ich ihr das versaut habe. Ich glaube, der Typ war eigentlich ganz nett. Vielleicht wäre sie mit ihm glücklich geworden. Daher frage ich Sie jetzt, Kat, tu ich ihr das jetzt wieder an?« Brandon drehte sich um und sah ihr in die Augen. »Versau ich es meiner Mom wieder, so wie beim letzten Mal?«

Kat versuchte, es mit etwas Abstand zu betrachten, gewissermaßen aus der Sicht der Polizistin. Was wussten sie wirklich? Eine Mutter war weggefahren und hatte keinen Kontakt zu ihrem Sohn aufgenommen. Vielleicht entsprach das ja nicht ihrem Charakter oder war zumindest ungewöhnlich, aber dafür hatte Martin Bork eine gute Erklärung geliefert. Und was die Sache mit dem Geldautomaten und das Überwachungsvideo betraf, was hatte Kat da an konkreten Hinweisen gefunden? Eine schwarze Limousine und ein Fahrer, der auf sie wartete – was perfekt zu der Erklärung passte, die Dana Phelps dem Fahrdienst gegeben hatte: Ihr Liebhaber hatte seine eigene Limousine geschickt, die sie abholen sollte.

Und jetzt noch einen kalten, schweren Schritt zurück: Welche Hinweise hatte sie darauf, dass Dana Phelps in Schwierigkeiten steckte?

Keine.

Brandon war ein verschreckter Junge. Er hatte seinen Vater geliebt und jetzt das Gefühl, dass seine Mutter ihn betrog, indem sie mit anderen Männern ausging. Also verdrehte sein Unterbewusstsein die Fakten so, dass sie konspirativ wirkten.

Und was konnte sie zu ihrer Entschuldigung vorbringen?

Natürlich konnte man ein paar von Jeffs Reaktionen als abstrus bezeichnen. Na und? Er hatte seinen Namen geändert und lebte sein Leben. Er hatte ihr deutlich zu verstehen gegeben, dass er nicht zu seinem alten Leben zurückkehren wollte. Das hatte Kat verletzt. Also hatte auch sie lieber eine Verschwörung gesehen, als die Zurückweisung zu akzeptieren. Die Vergangenheit – ihr Vater, ihr ehemaliger Verlobter –, das stürzte alles auf einmal auf sie ein.

Es gab nichts weiter zu diskutieren. Es war Zeit, das Ganze hinter sich zu lassen. Wenn Dana Phelps mit einem anderen Mann als Jeff verschwunden wäre, hätte sie die Sache längst auf sich beruhen lassen. Das Problem war – ein Problem, dem sie sich nie gestellt hatte –, dass sie Jeff nie wirklich losgelassen hatte. Pfui, dachte sie, als sich ihr dieser Gedanke aufdrängte. Aber all das lag daran, dass sie im Herzen (wenn schon nicht im Kopf) immer geglaubt hatte, sie wären füreinander bestimmt. Sie hatte geglaubt, dass das Schicksal sie, wenn auch erst nach diversen Umwegen und Tiefschlägen, irgendwie wieder zusammenführen würde und – auch wenn das nie ein bewusster Gedanke gewesen war – sie und Jeff ihr Leben gemeinsam fortsetzen könnten. Aber jetzt, wo sie hier auf dem Boden saß und mit Brandon Pizza aß, wurde ihr klar, dass vermutlich noch mehr dahintersteckte. Ja, diese Lebensphase war von großer Unruhe und einem großen Umbruch geprägt gewesen, das alles hatte viele geballte und ungefilterte Emotionen hervorgebracht, aber vor allem war all dies vorzeitig beendet worden. Es kam ihr unvollständig vor.

Die große Liebe und die Verlobung, die Ermordung ihres Vaters, die Trennung, die Festnahme des Mörders – das alles verlangte nach einem Abschluss, sie wollte endlich einen Schlussstrich ziehen können. Abgesehen von dem Lügengebilde, das auf ihr eigenes Konto ging, hatte sie tief im Herzen nie ganz verstanden, warum Jeff mit ihr Schluss gemacht hatte. Sie hatte nie ganz verstanden, warum ihr Vater ermordet worden war, oder warum sie nie richtig geglaubt hatte, dass Cozone Leburne den Auftrag dazu gegeben hatte. Es hatte nicht einfach nur ein paar Umwege in ihrem Leben gegeben, es war nicht einfach aus der Bahn geraten. Es war eher so, als wären die Gleise, auf denen sie sich bewegt hatte, plötzlich unter ihr verschwunden.

Der Mensch braucht Antworten. Und diese Antworten müssen zumindest halbwegs plausibel sein.

Sie aßen die Pizza in Rekordzeit. Brandon war noch ziemlich groggy vom Überfall im Park. Sie blies die Luftmatratze auf und gab ihm ein paar Schmerztabletten, die sie bei einer 24-Stunden-Apotheke besorgt hatte. Er schlief sofort ein. Sie betrachtete ihn eine Weile und überlegte, wie er mit den Neuigkeiten über seine Mutter zurechtkommen würde.

Kat schlüpfte unter ihre Bettdecke. Sie versuchte, noch ein wenig zu lesen, was ihr nicht gelang. Die Worte auf den Seiten verschwammen zu einem sinnlosen Nebel. Sie legte das Buch zur Seite und starrte in die Dunkelheit. Konzentrier dich auf das, was möglich ist, dachte sie. Dana Phelps und Ron Kochman waren außerhalb ihrer Reichweite.

Die Wahrheit über die Ermordung ihres Vaters war selbst nach achtzehn Jahren nicht ans Tageslicht gekommen. Konzentrier dich darauf.

Kat schloss die Augen und fiel in einen tiefen, traumlosen Schlaf. Als das Telefon klingelte, dauerte es etwas, bis sie wieder zu sich kam. Sie griff blind nach dem Hörer und hielt ihn sich ans Ohr.

»Hallo?«

»Hey, Kat. Hier ist John Glass.«

Sie war immer noch müde. Der Digitalwecker zeigte 3:18 Uhr. »Wer?«

»Officer Glass vom Central Park-Revier.«

»Oh, klar, 'tschuldigung. Du weißt schon, dass es drei Uhr morgens ist?«

»Na ja, also, ich leide an Schlaflosigkeit.«

»Yeah … äh … ich nicht«, sagte Kat.

»Wir haben den Kerl gefasst, der Brandon Phelps angegriffen hat. Wie erwartet ist er ein Obdachloser. Er hat keinen Ausweis bei sich und will keine Aussage machen.«

»Danke für das Update, aber hätte das nicht bis morgen warten können?«

»Normalerweise würde ich dir recht geben«, sagte Glass, »aber es ist etwas Ungewöhnliches geschehen.«

»Und das wäre?«

»Der Obdachlose.«

»Was ist mit ihm?«, fragte Kat.

»Er hat nach dir gefragt.«

Kat schlüpfte in ihre Sportsachen, schrieb Brandon einen Zettel, für den Fall, dass er aufwachte, und joggte die zwanzig Blocks zum Central Park-Revier. John Glass erwartete sie in Uniform am Eingang.

»Erklärst du mir das?«, fragte er.

»Was soll ich erklären?«

»Warum er nach dir gefragt hat.«

»Vielleicht sollte ich erst einmal gucken, wer es ist.«

Er breitete die Hände aus. »Hier entlang.«

Seine Schritte hallten durch das fast leere, kugelsichere Glas-Atrium. Nach Glass' Beschreibung am Telefon glaubte Kat zu wissen, wen sie in der Arrestzelle finden würde. Als sie ankamen, ging Aqua in seinem engen Formationsschritt in der Zelle auf und ab. Er zupfte sich an der Unterlippe. Es war seltsam. Kat überlegte, wann sie ihn zum letzten Mal in etwas anderem als einer Yoga-Hose oder Frauenkleidung gesehen hatte. Sie erinnerte sich nicht. Im Moment trug Aqua jedenfalls eine gürtellose Jeans, die so tief hing wie bei einem obercoolen Teenager. Dazu ein zerrissenes Flanellhemd. Seine ursprünglich weißen Sportschuhe hatten einen Braunton angenommen, den man vermutlich dadurch erzeugte, dass man sie einen Monat lang im Schlamm vergrub.

»Kennst du ihn?«

Kat nickte. »Sein richtiger Name ist Dean Vanech, aber jeder nennt ihn Aqua.«

Aqua ging weiter auf und ab, während er leise mit einem unsichtbaren Widersacher diskutierte. Es gab kein Anzeichen dafür, dass er ihre Ankunft bemerkt hatte.

»Irgendeine Idee, warum er diesen Jungen angegriffen hat?«

»Nein.«

»Wer ist Jeff?«, fragte Glass.

Kats Kopf fuhr zu ihm herum. »Was?«

»Er murmelt immer wieder etwas von einem Jeff.«

Kat schüttelte den Kopf und schluckte. »Kann ich ein paar Minuten allein mit ihm reden?«

»Ihn vernehmen?«

»Er ist ein alter Freund.«

»Also eher eine Art Anwaltsgespräch?«

»Ich bitte dich um einen Gefallen, John. Keine Sorge, wir tun das Richtige.«

Glass quittierte es mit einem »Wenn du meinst«-Achselzucken und verließ den Raum. Die Arrestzellen waren nicht vergittert, sondern aus Plexiglas. Das ganze Revier war Kat einfach zu schick, es sah eher aus wie ein Filmset und nicht wie ein echtes Polizeirevier. Kat trat einen Schritt vor und klopfte, um auf sich aufmerksam zu machen. »Aqua?«

Er ging schneller, als könnte er vor ihr weglaufen.

Sie wiederholte seinen Namen etwas lauter: »Aqua.«

»Du bist sauer auf mich.«

Er fing an zu weinen. Sie musste die Sache ruhig angehen, sonst würde sie ihn vollkommen verlieren.

»Ist schon okay. Ich bin nicht sauer. Ich will nur wissen, was passiert ist.«

Aqua schloss die Augen und holte tief Luft. Er atmete wieder aus und holte noch einmal Luft – ein wichtiger Aspekt beim Yoga. Er schien zu versuchen, sein Zentrum zu finden. Schließlich sagte er. »Ich bin dir gefolgt.«

»Wann?«

»Nachdem wir geredet haben. Weißt du noch? Du bist zum O'Malley's gegangen. Du wolltest, dass ich mitkomme.«

»Aber du wolltest da nicht rein«, sagte sie.

»Genau.«

»Warum nicht?«

Er schüttelte den Kopf. »Da sind zu viele alte Geister drin, Kat.«

»Das waren aber auch gute Zeiten, Aqua.«

»Und die sind jetzt vorbei«, sagte er. »Aber nicht vergessen. Sie verfolgen uns.«

Kat musste beim Thema bleiben. »Du bist mir also gefolgt.«

»Ja. Du bist mit Stacy gegangen.« Er lächelte kurz. »Ich mag Stacy. Sie ist eine sehr talentierte Schülerin.«

Fantastisch, dachte Kat. Selbst schwule, schizophrene Transvestiten konnten Stacy nicht widerstehen. »Du bist mir gefolgt?«, fragte sie.

»Genau. Ich habe mich umgezogen und ein Stück die Straße runter gewartet. Ich wollte mich noch weiter mit dir unterhalten, oder vielleicht, ich weiß nicht, vielleicht auch nur sichergehen, dass du da heil wieder rauskommst.«

»Aus dem O'Malley's?«

»Natürlich.«

»Aqua, ich gehe fünfmal die Woche ins O'Malley's.« Sie stoppte. Das Thema. Bleib beim Thema. »Du bist uns also gefolgt.«

Er lächelte und sang mit seiner schönen Falsettstimme: »I am the Walrus, koo kook kachoo.«

Kat setzte die Einzelteile zusammen. »Du bist uns in den Park gefolgt. Zu Strawberry Fields. Da hast du gesehen, wie ich mit Brandon gesprochen habe.«

»Hab mehr als gesehen«, sagte er.

»Was willst du damit sagen?«

»Wenn ich mich so kleide, bin ich nur ein Dunkelhäutiger, dem man aus dem Weg geht. Alle gucken weg. Selbst du, Kat.«

Sie wollte widersprechen – ihre Vorurteilsfreiheit gegenüber Schwarzen und das allgemeine Wohlwollen allen Menschen gegenüber hervorheben –, aber es war immer noch wichtiger, darauf zu achten, dass er beim Thema blieb. »Und was hast du dann getan, Aqua?«

»Ihr habt auf Elizabeths Bank gesessen.«

»Auf was für einer Bank?«

Er zitierte aus dem Kopf. »Die schönsten Tage meines Lebens – diese Bank, Schokoladeneis und Daddy – Ich vermisse euch, Elizabeth.«

»Oh.«

Sie verstand, was er meinte, und unwillkürlich traten ihr Tränen in die Augen. Im Central Park gab es ein »Adoptiere eine Bank«-Programm, um Spenden zu sammeln. Für 7500 Dollar wurde eine Plakette mit einem kurzen persönlichen Text auf der Bank angebracht. Kat hatte viele Stunden damit verbracht, diese Plaketten zu lesen und sich die dazugehörigen Geschichten vorzustellen. Auf einer Bank stand: AUF DIESER BANK WIRD WAYNE KIM EINES TAGES EINEN HEIRATSANTRAG MACHEN. (Hatte er das getan?, fragte Kat sich immer. Hatte sie ja gesagt?) Auf einer anderen in der Nähe einer Hunde-Auslaufzone stand: LEO UND LASZLO, EIN TOLLER MANN UND SEIN EDLER HUND, während auf einer anderen einfach stand: RUHE DEINEN HINTERN AUS – ALLES WIRD GUT.

Im Gewöhnlichen, scheinbar Banalen, lag oft eine besondere Kraft.

»Ich habe euch gehört«, sagte Aqua und wurde lauter. »Ich habe gehört, was ihr geredet habt.« Seine Miene verdunkelte sich. »Wer ist der Junge?«

»Er heißt Brandon.«

»Das weiß ich!«, schrie er. »Glaubst du, das wüsste ich nicht? Wer ist er, Kat?«

»Er ist bloß ein Student.«

»Und was machst du dann mit ihm?« Er klatschte die Hände gegen das Plexiglas. »Was machst du mit ihm? Warum willst du ihm helfen?«

»Hey?« Von der plötzlichen Aggression überrascht, trat sie einen Schritt zurück. »Verdreh jetzt nicht die Fakten, Aqua. Hier geht's um dich. Schließlich hast du ihn angegriffen.«

»Natürlich habe ich ihn angegriffen. Glaubst du, ich lasse es zu, dass man seine Verletzung wieder aufreißt?«

»Bei wem reißt die Verletzung wieder auf?«, fragte sie, während sie Stacys Stimme hörte – so verrückt war das Leben –, die sie leise korrigierte: Wessen Verletzung.

Aqua sagte nichts.

»Wen will Brandon verletzen?«

»Du weißt schon«, sagte er.

»Nein, weiß ich nicht.« Aber plötzlich glaubte sie, dass sie es eventuell doch wusste.

»Ich habe mich gleich dort versteckt. Du hast auf Elizabeths Bank gesessen. Ich habe jedes Wort gehört. Ich habe dir gesagt, dass du ihn zufriedenlassen sollst. Warum hörst du nicht auf mich?«

»Aqua?«

Er schloss die Augen.

»Sieh mich an, Aqua.«

Er tat es nicht.

Sie musste ihn dazu bringen, den Namen auszusprechen. Sie musste aufpassen, dass sie es ihm nicht suggerierte. »Wen soll ich zufriedenlassen? Wen versuchst du zu schützen?«

Ohne die Augen zu öffnen, sagte Aqua: »Er hat mich beschützt. Und dich hat er auch beschützt.«

»Wer, Aqua?«

»Jeff.«

Da. Aqua hatte es gesagt.

Kat hatte mit der Antwort gerechnet – sie war darauf gefasst gewesen –, trotzdem traf sie der Schlag so hart, dass sie einen Schritt zurückwich.

»Kat?« Aqua kam mit dem Gesicht nah ans Glas, sah dabei nach rechts und links, um zu prüfen, ob auch wirklich niemand in der Nähe war. »Wir müssen den Jungen aufhalten. Er sucht Jeff.«

»Und deshalb hast du ihn angegriffen?«

»Ich wollte ihn nicht verletzen. Er soll nur aufhören. Verstehst du das nicht?«

»Nein, ich versteh das nicht«, sagte Kat. »Warum hast du solche Angst davor, dass er gefunden wird?«

»Er hat nie aufgehört, dich zu lieben, Kat.«

Sie ging nicht darauf ein. »Hast du gewusst, dass Jeff seinen Namen geändert hat?«

Aqua wandte sich ab.

»Er heißt jetzt Ron Kochman. Wusstest du das?«

»So viele Tote«, sagte Aqua. »Es hätte mich treffen müssen.«

»Was hätte dich treffen müssen?«

»Ich hätte sterben müssen.« Tränen strömten seine Wangen herab. »Dann wäre alles in Ordnung. Du wärst mit Jeff zusammen.«

»Wovon sprichst du, Aqua?«

»Ich spreche über das, was ich getan habe.«

»Was hast du getan, Aqua?«

Er weinte weiter. »Das ist alles meine Schuld.«

»Du hattest nichts damit zu tun, dass Jeff mit mir Schluss gemacht hat.«

Mehr Tränen.

»Aqua? Was hast du getan?«

Er begann zu singen: »The gypsy wind it says to me, things are not what they seem to be. Beware.«

»Was?«

Er lächelte durch die Tränen hindurch. »Es ist wie in dem alten Song. Der über den *Demon Lover*. Der Freund stirbt, daher heiratet sie einen anderen, liebt ihn aber immer noch, nur ihn, und eines Tages kommt sein Geist zu ihr, sie fahren gemeinsam weg und gehen in Flammen auf.«

»Aqua, ich weiß nicht, wovon du sprichst.«

Aber etwas an dem Song kam ihr bekannt vor. Sie konnte es nur nicht richtig zuordnen …

»Die letzten Verse«, sagte Aqua. »Du musst dir die letzten Verse anhören. Nachdem sie in Flammen aufgegangen sind. Du musst auf die Warnung hören.«

»Ich kann mich nicht daran erinnern«, sagte Kat.

Aqua räusperte sich. Dann sang er die letzten Verse mit seiner schönen, klaren Stimme:

»Watch out for people who belong in your past. Don't let 'em back in your life.«

DREIUNDZWANZIG

Dann machte Aqua dicht. Er sang einfach immer wieder die gleichen Verse: »*Watch out for people who belong in your past. Don't let 'em back in your life.*«

Als sie den Text auf ihrem Handy googelte, fiel ihr alles wieder ein. Es war *Demon Lover* von Michael Smith. Sie hatten ihn vor rund zwanzig Jahren in irgendeinem schäbigen Lokal unten in Greenwich Village gesehen. Jeff hatte die Tickets besorgt, nachdem er ihn zwei Jahre vorher in Chicago gesehen hatte. Aqua und ein Transvestiten-Freund namens Yellow waren auch mitgekommen. Die beiden waren später gemeinsam in einer Travestie-Show in Jersey City aufgetreten. Als die Beziehung zerbrach, hatte Aqua natürlich verkündet: »Aqua und Yellow beißen sich.«

Sie konnte dem Text keine weiteren Informationen entnehmen. Schließlich suchte sie den Song im Internet und hörte ihn sich an. Er war poetisch und unheimlich, eher ein Gedicht als ein Song, und erzählte die Geschichte einer Frau namens Agnes Hines, die einen Jungen namens Jimmy Harris liebte, der in jungen Jahren bei einem Verkehrsunfall ums Leben kam und dann Jahre später, als sie schon verheiratet war, im gleichen Auto wieder zu ihr zurückkehrte. Die Botschaft des Songs war eindeutig: Lass die Vergangenheit vergangen sein und die alten Liebhaber dort, wo sie hingehören.

Basierte Aquas Redeschwall also nur auf einem alten

Lieblingssong? Hatte er ihn sich angehört und das Gefühl, dass Jeff und sie wie Agnes und Jimmy in Flammen aufgehen würden, wenn sie weiter nach ihrem *Demon Lover* Jeff suchte? Oder steckte doch mehr dahinter?

Sie dachte an Aqua. Daran, wie sehr es ihn mitgenommen hatte, dass Jeff sie hatte sitzenlassen und nach Cincinnati zurückgekehrt war. Sein Zustand hatte sich vorher schon verschlechtert, aber Jeffs Weggang hatte ihn dann völlig aus der Bahn geworfen. War er schon in der Klinik gewesen, als Jeff ging? Sie überlegte. Nein, dachte sie, das war später gewesen.

Es spielte keine Rolle. Eigentlich spielte das alles keine Rolle. Ganz egal was Jeff für Mist gebaut hatte – sie ging davon aus, dass er Mist gebaut hatte, weil man nicht ohne Grund seinen Namen ändert –, das war seine Angelegenheit, nicht ihre. Trotz seiner psychischen Erkrankung war Aqua der klügste Mensch, den sie je kennengelernt hatte. Unter anderem deshalb liebte sie seinen Yogakurs so sehr – es waren diese kleinen Weisheiten, die er bei der Meditation von sich gab, die knappen Einblicke, die einen tief berührten, seine extravagante Art, einem etwas mitzuteilen.

Dazu gehörte auch, ein obskures Lied zu singen, das sie vor fast zwanzig Jahren das letzte Mal gehört hatte.

Aquas Warnung klang sehr plausibel, ganz unabhängig davon, dass sie aus einer kranken Psyche kam.

Brandon war wach, als sie vom Revier zurückkam. Die gebrochene Nase hatte ihm zwei blaue Augen beschert. »Wo waren Sie?«, fragte er.

»Wie geht's dir?«

»Alles tut weh.«

»Vielleicht nimmst du noch ein paar Schmerztabletten. Hier, ich habe dir Muffins mitgebracht.« Auf dem Rückweg war sie kurz in die Magnolia Bakery gegangen. Sie reichte ihm die Tüte. »Ich muss dich um einen Gefallen bitten.«

»Schießen Sie los«, sagte Brandon.

»Sie haben den Mann festgenommen, der dich überfallen hat. Deshalb war ich gerade auf dem Revier.«

»Wer war es?«

»Da sind wir auch schon bei dem Gefallen, um den ich dich bitte. Er ist ein Freund von mir. Er dachte, er müsste mich beschützen. Du musst die Anschuldigungen widerrufen.«

Sie erklärte ihm die Situation, versuchte aber, alles so vage wie möglich zu halten.

»Irgendwie versteh ich das trotzdem nicht«, sagte Brandon.

»Dann tu's für mich, ja? Als Gefallen.«

Er zuckte die Achseln. »Okay.«

»Außerdem glaube ich, dass wir die Finger von der Sache lassen sollten, Brandon. Was meinst du?«

Brandon zerriss einen Muffin und fing an, eine Hälfte zu essen. »Darf ich Sie was fragen?«

»Klar.«

»Im Fernsehen reden sie immer über die Intuition von Polizisten, dass sie die Dinge ahnen.«

»Ja?«

»Haben Sie so was auch manchmal?«

»Alle Polizisten haben das. Und nicht nur die, alle Menschen haben das. Aber wenn eine solche Ahnung in einem krassen Widerspruch zu den Fakten steht, führt sie oft zu Fehlern.«

»Und Sie glauben, dass meine Ahnung in einem krassen Widerspruch zu den Fakten steht?«

Sie dachte darüber nach. »Nein, nicht direkt. Aber sie stimmt auch nicht mit den Fakten überein.«

Brandon lächelte und nahm noch einen Bissen. »Wenn sie mit allen Fakten übereinstimmen würde, wäre es auch keine Ahnung, oder?«

»Guter Einwand. Ich halte mich aber trotzdem an Sherlock Holmes' Grundsatz.«

»Und der wäre?«

»Das ist jetzt keine wörtliche Wiedergabe, aber im Prinzip hat Sherlock davor gewarnt, Theorien aufzustellen, bevor man alle Fakten kennt, weil man sonst die Fakten so verdreht, dass sie der Theorie entsprechen, statt die Theorie den Fakten anzupassen.«

Brandon nickte. »Find ich gut.«

»Aber?«

»Aber ich bin immer noch nicht überzeugt.«

»Und was ist mit dem Gerede, dass du es deiner Mom nicht verderben willst?«

»Das werde ich nicht. Wenn es wahre Liebe ist, werde ich mich nicht einmischen.«

»Die Entscheidung darüber, um welche Art von Liebe es sich handelt, steht dir nicht zu«, sagte Kat. »Deine Mom hat das Recht, ihre eigenen Fehler zu machen. Sie darf sich auch von ihm das Herz brechen lassen.«

»So wie Sie?«

»Ja«, sagte Kat. »So wie ich. Er war mein Demon Lover. Du musst ihn in meiner Vergangenheit lassen.«

»Demon Lover?«

Sie lächelte und griff nach einem Karotten-Muffin mit Frischkäse-Glasur und Walnüssen. »Vergiss es.«

Es war ein gutes Gefühl, das Ganze auf sich beruhen zu lassen. Zumindest etwa zwanzig Minuten lang. Dann erhielt Kat zwei Anrufe.

Der erste kam von Stacy. »Ich habe eine Spur zu Jeff Raynes, auch bekannt als Ron Kochman«, sagte sie.

Zu spät. Kat wollte es nicht mehr wissen. Es spielte keine Rolle mehr. »Und was?«

»Jeff hat seinen Namen nicht offiziell geändert.«

»Bist du sicher?«

»Absolut. Ich habe sogar alle fünfzig Landesämter angerufen. Das ist eine falsche Identität. Aber gut gemacht. Profiarbeit. Ein kompletter Neuanfang. Ich frage mich sogar, ob er im Zeugenschutzprogramm war oder so etwas.«

»Könnte das der Grund sein? Zeugenschutz, meine ich?«

»Unwahrscheinlich. Männer aus dem Zeugenschutzprogramm sind eigentlich nicht dafür bekannt, sich bei Partnervermittlungen zu präsentieren, ganz ausgeschlossen ist es aber nicht. Ich habe schon eine Quelle drangesetzt. Das Einzige, was ich sicher sagen kann, ist, dass Jeff seinen Namen nicht auf offiziellem Wege geändert hat. Ach so, und dass er nicht gefunden werden will. Er hat weder Kreditkarten noch Bankkonten und auch keinen Wohnsitz angemeldet.«

»Er arbeitet als Journalist«, sagte Kat. »Er muss doch irgendwo Steuern zahlen.«

»Dem gehe ich jetzt gerade nach – äh, in Person meiner Quelle beim Finanzamt. Ich hoffe, dass ich demnächst eine Adresse bekomme. Es sei denn …?«

»Es sei denn, was?«

»Es sei denn du sagst, ich soll die Sache abblasen«, sagte Stacy.

Kat rieb sich die Augen. »Du hast mir doch erzählt, dass es bei uns das märchenhafte Happy End geben könnte.«

»Ich weiß, aber hast du je ein Märchen richtig gelesen? So wie Rotkäppchen? Oder Hänsel und Gretel? Da gibt's jede Menge Blutvergießen und Schmerz.«

»Du denkst, ich soll die Finger davon lassen, richtig?«

»Nein, auf keinen Fall«, sagte Stacy.

»Aber du hast gerade gesagt…«

»Wen interessiert, was ich gerade gesagt habe? Du kannst nicht die Finger davon lassen, Kat. Du erträgst kein ungelöstes Ende. Und im Moment ist dein Ex-Verlobter ein gewaltiges ungelöstes Ende. Also vergiss es. Lass uns feststellen, was zum Teufel mit ihm passiert ist, damit du ein für alle Mal über diesen Schwachkopf hinwegkommst, der so dumm war, dir einen Tritt in deinen wohlgeformten Hintern zu geben.«

»Also, wenn du es so ausdrückst«, sagte Kat. Dann: »Du bist wirklich eine gute Freundin.«

»Die beste«, stimmte Stacy zu.

»Aber weißt du was? Lass es gut sein.«

»Wirklich?«

»Ja.«

»Bist du sicher?«

Nein, dachte Kat. Herrgott, auf keinen Fall. »Absolut.«

»Wow, wenn man dich jetzt so hört. Ganz tapfer und überhaupt«, sagte Stacy. »Gehen wir heute Abend was trinken?«

»Ich zahle«, sagte Kat.

»Ich mag dich sehr.«

»Ich dich auch.«

Nach dem Muffin hatte Brandon sich besser gefühlt und war gegangen. Also war Kat allein, zog sich aus und stellte die Dusche an – sie freute sich auf einen faulen Tag im Bett vor dem Fernseher –, als der zweite Anruf kam.

»Bist du zu Hause?«

Stagger. Er klang nicht sehr gut gelaunt.

»Ja.«

»In fünf Minuten bin ich bei dir«, sagte er.

Es ging schneller. Stagger musste direkt vor der Haustür gewesen sein, als er angerufen hatte. Sie begrüßte ihn nicht, als er hereinkam. Er grüßte nicht zurück. Er stürmte einfach herein und sagte: »Rate mal, wer mich angerufen hat.«

»Wer?«

»Suggs.«

Kat sagte nichts.

»Du bist wirklich zu Suggs gegangen? Was soll der Scheiß?«

Es war komisch. Bei ihrer letzten Begegnung hatte Kat mehrmals gedacht, dass Stagger wie ein kleiner Junge aussah. Jetzt dachte sie das Gegenteil. Er sah alt aus. Seine Haare gingen zurück, wurden dünn und fisselig. Er hatte hängende Wangen und einen Bauch – keinen großen, aber er vermittelte den Eindruck von Altersmilde. Sie wusste, dass seine Kinder keine Babys mehr waren. Die Fahrten nach Disneyland wurden weniger, die zu verschiedenen Colleges nahmen zu. Das, dachte sie, hätte auch ihr Leben sein können. Wäre sie zur Polizei gegangen, wenn sie Jeff geheiratet hätte? Oder wäre sie jetzt eine alternde Vorort-Mom, die in einem zu groß geratenen Haus auf einem zu kleinen Grundstück wohnte und damit beschäftigt war, ihre Kinder von einer Sportveranstaltung zur nächsten zu kutschieren?

»Wie konntest du das tun, Kat?«

»Das soll jetzt ein Witz sein, oder?«

Stagger schüttelte den Kopf. »Guck mich an. Okay? Guck mich mal richtig an.« Er trat zu ihr und legte ihr die Hände auf die Schultern. »Glaubst du wirklich, ich hätte deinem Vater Schaden zufügen wollen?«

Sie tat, was er verlangt hatte, dann antwortete sie: »Ich weiß es nicht.«

Ihre Worte trafen ihn wie ein Schlag ins Gesicht. »Ist das dein Ernst?«

»Du lügst, Stagger. Das wissen wir beide. Du hast irgendetwas zu verbergen.«

»Und da denkst du, dass ich etwas mit der Ermordung deines Vaters zu tun hatte?«

»Ich weiß nur, dass du lügst. Dass du jahrelang gelogen hast.«

Stagger schloss die Augen und trat einen Schritt zurück. »Hast du einen Drink für mich?«

Sie ging zur Bar und hielt eine Flasche Jack Daniel's hoch. Er nickte und sagte: »Nicht übel.« Sie schenkte ihm ein Glas ein, dachte, was soll's, und schenkte sich auch eins ein. Sie stießen nicht an. Stagger führte das Glas an den Mund und trank einen kräftigen Schluck. Sie starrte ihn an.

»Was ist?«, fragte er.

»Ich glaube, ich hab dich noch nie trinken sehen.«

»Dann stecken wir wohl beide voller Überraschungen.«

»Oder wir kennen uns einfach nicht besonders gut.«

»Auch möglich«, sagte er. »Uns beide verbindet im Prinzip nur dein Vater. Und als er gestorben war, ist auch unsere Beziehung gestorben. Ich bin zwar dein Chef, aber wir reden eigentlich nicht viel miteinander.«

Stagger trank noch einen Schluck. Sie nippte an ihrem Glas.

»Aber«, fuhr er fort, »gerade wenn im Zuge einer Tragödie eine Bindung entsteht, wenn man, wie wir, eine gemeinsame Geschichte hat…« Er drehte sich um und sah ihre Tür an, als hätte sie sich gerade erst materialisiert. »Ich erinnere mich an alles, was an jenem Tag passiert ist. Vor allem erinnere ich mich aber an den Moment, in dem du diese Tür geöffnet hast. Du hattest keine Ahnung, dass ich deine Welt zerstören würde.«

Er drehte sich wieder zu ihr um. »Kannst du es nicht einfach gut sein lassen?«

Sie trank einen langen Schluck. Sie sparte sich die Antwort.

»Ich habe dich nicht belogen«, sagte Stagger.

»Natürlich hast du das. Du belügst mich seit achtzehn Jahren.«

»Ich habe das getan, was Henry sich wünschen würde.«

»Mein Vater ist tot«, sagte Kat. »Er hat zu dem Thema kein Mitspracherecht mehr.«

Noch ein kräftiger Schluck. »Es bringt ihn nicht wieder zurück. Und an den Tatsachen ändert es auch nichts. Cozone hat den Mord in Auftrag gegeben. Monte Leburne hat ihn ausgeführt.«

»Wie kam's, dass du Leburne so schnell in Verdacht hattest?«

»Ich hatte ihn vorher schon im Auge.«

»Wieso?«

»Weil ich wusste, dass Cozone deinen Dad hat ermorden lassen.«

»Und Suggs und Rinsky haben das übersehen?«

Er leerte sein Glas mit einem letzten Schluck. »Sie waren wie du.«

»Inwiefern?«

»Sie dachten, Cozone würde keinen Cop ermorden lassen.«

»Aber du warst anderer Ansicht.«

»Ja.«

»Warum?«

Stagger griff nach der Flasche und schraubte sie auf. »Weil Cozone deinen Vater nicht als Cop gesehen hat.«

Sie verzog das Gesicht. »Als was hat er ihn dann gesehen?«

»Als Mitarbeiter.«

Ihr Gesicht wurde schlagartig heiß. »Wovon sprichst du?«
Er sah sie nur an.

»Willst du damit sagen, dass er Schmiergeld genommen
hat?«

Er schenkte sich noch ein Glas ein. »Mehr als das.«

»Was zum Teufel soll das heißen?«

Stagger sah sich in der Wohnung um, als sähe er sie zum
ersten Mal. »Ist übrigens 'ne hübsche Bude.« Er legte den
Kopf schräg. »Wie viele Cops kennst du, die sich so eine
Wohnung in der Upper West Side leisten können, ohne einen
Kredit aufzunehmen?«

»Sie ist klein«, sagte sie, hörte aber, wie sie sich bereits
rechtfertigte. »Ein Mann, dem er geholfen hat, hat ihm ein
gutes Angebot gemacht.«

Stagger lächelte freudlos.

»Was willst du damit sagen, Stagger?«

»Nichts. Ich will damit gar nichts sagen.«

»Warum hast du Leburne im Gefängnis besucht?«

»Was denkst du?«

»Ich weiß es nicht.«

»Ich erklär's dir noch mal von Anfang an. Ich wusste, dass
Leburne deinen Vater umgebracht hat. Ich wusste, dass Cozone den Mord in Auftrag gegeben hatte. Verstehst du es immer noch nicht?«

»Nein.«

Er schüttelte ungläubig den Kopf. »Ich war nicht bei Leburne, um ihn zu einem Geständnis zu bewegen«, sagte er.
»Ich wollte sicherstellen, dass er nicht erzählt, warum er es
getan hat.«

Stagger trank das Glas in einem Zug aus.

»Das ist Irrsinn«, sagte Kat, aber der Boden begann bereits unter ihren Füßen zu schwanken. »Was war mit den Fingerabdrücken?«

»Bitte?«

»Die Fingerabdrücke, die am Tatort gefunden wurden. Du hast sie für Suggs und Rinsky überprüft.«

Er schloss die Augen. »Ich geh jetzt.«

»Du lügst immer noch«, sagte sie.

»Es waren einfach die Fingerabdrücke von einem Obdachlosen.«

»Das ist Blödsinn.«

»Lass es gut sein, Kat.«

»Deine ganze Theorie ergibt überhaupt keinen Sinn«, sagte sie. »Wenn mein Vater Schmiergeld genommen hat, warum hätte Cozone ihn dann umbringen lassen sollen?«

»Weil klar war, dass er nicht mehr lange auf der Bestechungsliste stehen würde.«

»Wieso? Wollte er Cozone ans Messer liefern?«

»Ich habe genug gesagt.«

»Von wem waren die Fingerabdrücke am Tatort?«, fragte sie.

»Das hab ich dir schon gesagt. Von niemandem.«

Stagger lallte jetzt. Sie hatte recht gehabt, als sie sagte, dass sie ihn noch nie trinken gesehen hatte. Es lag nicht daran, dass sie ihn nicht kannte. Es lag daran, dass er keinen Alkohol gewohnt war. Weil er normalerweise nicht viel trank.

Er ging Richtung Tür. Kat trat ihm in den Weg.

»Du erzählst mir immer noch nicht alles.«

»Du wolltest wissen, wer deinen Vater getötet hat. Das habe ich dir gesagt.«

»Du hast mir immer noch nicht erzählt, was wirklich passiert ist.«

»Vielleicht solltest du diese Frage nicht mir stellen«, sagte er.

»Wem dann?«

Seine Miene nahm einen seltsamen Ausdruck an – eine Mischung aus Trunkenheit und Schadenfreude. »Hast du dich nie gefragt, warum dein Dad manchmal tagelang am Stück verschwunden war?«

Sie erstarrte. Einen Moment lang stand sie perplex und hilflos blinzelnd vor ihm und versuchte, sich zu sammeln. Stagger nutzte die Situation, ging zur Tür, legte die Hand auf den Knauf und öffnete sie.

»Was?«, bekam sie heraus.

»Du hast schon verstanden, was ich gesagt habe. Du willst die Wahrheit wissen, steckst aber den Kopf in den Sand. Warum ist Henry immer wieder verschwunden? Warum hat niemand bei euch zu Hause ein Wort darüber verloren?«

Sie öffnete den Mund, schloss ihn wieder und versuchte es noch einmal. »Was willst du damit sagen, Stagger?«

»Ich habe dazu nichts zu sagen, Kat. Das verstehst du einfach nicht. Ich bin nicht derjenige, mit dem du reden musst.«

VIERUNDZWANZIG

Kat nahm die U-Bahnlinie B, stieg in die E und dann in die 7 um und fuhr in ihr altes Viertel in Flushing. Sie ging die Roosevelt Avenue hinunter zum Parsons Boulevard und dann gedankenlos, wie man es an Orten, die man schon seit der Kindheit kannte, oft machte, weiter zu ihrem Elternhaus. Sie kannte einfach jeden Schritt. Sie wohnte inzwischen länger in Manhattan, als sie hier gewohnt hatte, kannte die Upper West Side in vieler Hinsicht besser, trotzdem fühlte sich dieses Viertel anders an. Mehr nach Heimat. Sie hatte eine stärkere Bindung zu diesem Viertel. Es war ein Teil von ihr. Es kam ihr vor, als befände sich ein Teil ihrer DNA in den blauen Bretterverschalungen, den elfenbeinfarbenen Cape-Cod-Häusern, dem aufgeplatzten Straßenbelag und den Vorgärten – als wären ein paar Partikel von ihr zurückgeblieben, als man sie wie in *Raumschiff Enterprise* von hier weggebeamt hatte. Ein Teil von ihr würde für immer bei Onkel Tommys und Tante Eileens Thanksgiving-Feier am »Kindertisch« sitzen, einer Tischtennisplatte mit einem übergroßen Laken als Tischdecke. Dad hatte immer den Truthahn zerlegt – kein anderer durfte ihn berühren. Onkel Tommy hatte die Getränke eingeschenkt. Er wollte, dass auch die Kinder Wein bekamen. Es fing mit einem Löffel an, den er in die Sprite mixte, mit zunehmendem Alter wurde es etwas mehr, bis man irgendwann die Tischtennisplatte verließ und ein ganzes Glas Wein bekam. Onkel Tommy hatte sechsunddreißig Jahre lang Elektrogeräte für Sears repariert, dann war er in Rente gegangen und mit Tante Eileen runter nach Fort Myers in Florida gezogen. Das alte Haus gehörte jetzt einer koreanischen Familie, die die Rückwand heraus- gerissen und ein Zimmer mit einer Aluminiumverkleidung angebaut hatte. Als Onkel Tommy und Tante Eileen hier wohnten, war die Farbe von der Wand abgeblättert, als ob sie Schuppen hätte.

Aber in einem Punkt war Kat sich sicher – ihre DNA war noch dort.

Die Häuser im Block standen schon immer sehr dicht, was durch die vielen Anbauten noch schlimmer geworden war. Auf den meisten Dächern standen noch Fernsehanten- nen, obwohl jeder entweder Kabel- oder Satellitenfernse- hen hatte. Statuen der Jungfrau Maria – manche aus Stein, die meisten aus Plastik – wachten über die winzigen Gärten. Gelegentlich sah man ein Grundstück, auf dem der Eigen- tümer das alte Haus komplett hatte abreißen lassen, um ein aufgedonnertes McMansion aus ausgeblichenen Ziegeln mit Fensterbögen draufzuquetschen, die jedes Mal aussahen wie ein fetter Typ, der sich auf einen zu kleinen Stuhl gezwängt hatte.

Kats Handy surrte, kurz bevor sie ihr Elternhaus er- reichte. Ein Blick aufs Display zeigte, dass sie eine SMS von Chaz bekommen hatte:

Habe das Kennzeichen vom Tankstellen-Video.

Sie simste sofort zurück: Was Interessantes?

Schwarzer Lincoln Town Car angemeldet auf James Isherwood, Islip, New York. Er ist sauber. Anständiger Bürger.

Das überraschte sie nicht. Wahrscheinlich der Name eines unschuldigen Limousinenfahrers, den ihr neuer Liebhaber angeheuert hatte. Noch eine Sackgasse. Noch ein Grund, Dana und Jeff zu vergessen.

Wie immer war die hintere Küchentür nicht abgeschlossen. Als Kat eintrat, saß ihre Mutter mit Tante Tessie am Küchentisch. Auf dem Tisch lagen Gutscheine aus dem Supermarkt und ein Kartenspiel. Der Aschenbecher quoll über von Zigarettenkippen mit Lippenstiftflecken. Dieselben fünf Stühle, die sie noch aus Kindertagen kannte, standen um den Tisch. Dads Stuhl hatte Armlehnen und wirkte wie ein Thron im Gegensatz zu den anderen. Kat hatte zwischen ihren beiden Brüdern gesessen. Auch sie waren aus dem Viertel weggezogen. Jimmy, ihr großer Bruder, hatte seinen Abschluss an der Fordham University gemacht. Er lebte mit seiner Frau und drei Kindern in einer protzigen Villa in Garden City auf Long Island und arbeitete als Wertpapierhändler in einem turbulenten Börsensaal. Er hatte ihr hundertmal erklärt, was genau er dort tat, aber sie hatte es immer noch nicht begriffen. Ihr kleiner Bruder Farrell war auf die University of California in Los Angeles gegangen und dort geblieben. Er machte angeblich Dokumentarfilme und wurde dafür bezahlt, Drehbücher zu schreiben, die nie verfilmt wurden.

»Zwei Tage hintereinander«, sagte Mom. »Das muss ein Welt- und Olympiarekord sein.«

»Hör auf«, schalt Tessie sie. »Es ist schön, dass sie da ist.«

Mom tat es mit einer Handbewegung ab. Tessie stand auf und gab Kat einen Wangenkuss. »Ich muss los. Brian ist zu Besuch, und ich mache ihm immer mein berühmtes Thunfisch-Sandwich.«

Kat erwiderte den Wangenkuss. Sie erinnerte sich an die Thunfisch-Sandwiches. Tessies Geheimnis: Kartoffelchips. Sie streute sie auf den Thunfisch. So wurde das Sandwich knuspriger und würziger, wenn auch nicht unbedingt gesünder.

Als sie alleine waren, fragte Mom: »Willst du einen Kaffee?«

Sie deutete auf ihre alte Kaffeemaschine. Daneben stand eine Dose Folgers-Kaffee. Letztes Jahr zu Weihnachten hatte Kat ihr eine Cuisinart-Kaffee-Pod-Maschine aus Edelstahl geschenkt, aber Mom behauptete, der Kaffee schmecke »nicht richtig«, was in ihrem Fall hieß, dass er gut schmeckte. Mom war so. Alles, was etwas teurer war, hatte bei ihr keine Chance. Wenn man ihr Wein für zwanzig Dollar kaufte, zog sie den vor, der nur sechs kostete. Wenn man ihr ein Markenparfüm kaufte, zog sie die billige Kopie aus dem Drogeriemarkt vor. Sie kaufte all ihre Kleidung bei Marshalls oder T.K. Maxx und zwar ausschließlich im Sonderangebot. Zum Teil lag es daran, dass sie sparsam war. Aber der andere Teil verriet einem sehr viel mehr über sie.

»Mir geht's gut«, sagte Kat.

»Soll ich dir ein Sandwich machen? Ich weiß, dass ich nichts machen kann, das auch nur halb so gut ist wie Tessies Thunfisch-Sandwich, obwohl der Thunfisch auch nur aus der Dose kommt, aber ich habe guten Truthahnaufschnitt von Mel's.«

»Das wäre schön.«

»Isst du immer noch am liebsten Weißbrot mit Mayonnaise?«

Nein, tat sie nicht, aber es war ja schließlich nicht so, als hätte sie bei ihrer Mom eine Auswahl aus einem Sortiment von Mehrkornbroten. »Klar, ganz egal.«

Mom stemmte sich langsam hoch, machte ein ziemliches Aufheben darum, indem sie sich auf dem Tisch und der Stuhllehne abstützte. Sie wartete auf einen Kommentar ihrer Tochter. Doch Kat ließ sich nicht provozieren. Mom öffnete den Kühlschrank – einen alten Kenmore, den Onkel Tommy ihnen zum Selbstkostenpreis besorgt hatte – und holte den Truthahn und die Mayonnaise heraus.

Kat überlegte, wie sie das Thema ansprechen sollte. Sie hatten zu viel durchgemacht, um mit Spitzfindigkeiten oder irgendwelchen Spielchen anzufangen. Also beschloss sie, direkt ins kalte Wasser zu springen.

»Wohin ist Dad gegangen, wenn er verschwand?«

Mom hatte ihr den Rücken zugewandt, als Kat die Frage stellte. Sie hatte die Hand im Brotfach. Kat versuchte, ihre Reaktion zu sehen. Sie hielt nur ganz kurz inne – weiter nichts.

»Ich toaste das Brot lieber«, sagte Mom. »Dann schmeckt es besser.«

Kat wartete.

»Was meinst du mit verschwand? Dein Vater ist nie verschwunden.«

»Doch, das ist er.«

»Du sprichst wahrscheinlich von seinen Ausflügen mit den Jungs. Sie sind zum Jagen in die Catskills gefahren. Erinnerst du dich an Jack Kiley? Netter Mann. Er hatte da eine Hütte oder ein kleines Häuschen oder so was. Dein Vater hat es geliebt, da raufzufahren.«

»Ich erinnere mich, dass er einmal dahin gefahren ist. Er war aber dauernd weg.«

»Übertreibst du jetzt nicht ein bisschen?«, sagte Mom und zog eine Augenbraue hoch. »Verschwunden. Weg. Das klingt ja, als wäre dein Vater ein Zauberer gewesen.«

»Wohin ist er gegangen?«

»Das habe ich dir doch gerade gesagt. Hörst du nicht zu?«

»Zu Jack Kileys Hütte?«

»Manchmal schon, natürlich.« Kat hörte die wachsende Beunruhigung in der Stimme ihrer Mutter. »Einmal war er auch mit Onkel Tommy auf einer Angeltour. Wo, weiß ich nicht mehr. Irgendwo am North Fork River. Und dann war er einmal mit ein paar Kollegen auf einem Golf-Trip. Solche Sachen hat er gemacht. Er war viel mit Freunden und Kollegen unterwegs.«

»Ich erinnere mich nicht, dass er dich je mitgenommen hat.«

»Oh, natürlich hat er das.«

»Wohin?«

»Was spielt das schon noch für eine Rolle? Dein Vater hat gern mit den Jungs Dampf abgelassen. Golfausflüge, Angelausflüge, Jagdausflüge. Was Männer eben so machen.«

Mom strich die Mayonnaise so hart aufs Brot, als wollte sie Farbe abkratzen.

»Wohin ist er gegangen, Mom?«

»Das hab ich dir doch gesagt«, schrie sie und ließ das Messer fallen. »Mist, jetzt guck mal, was du angerichtet hast.«

Kat wollte aufstehen und das Messer vom Boden nehmen.

»Bleib einfach sitzen, kleines Fräulein. Ich hab's schon.« Mom hob das Messer auf, warf es in die Spüle und nahm ein anderes. Fünf altehrwürdige McDonald's-Gläser aus dem Jahr 1977 – *Grimace, Ronald McDonald, Mayor McCheese, Big Mac* und *Captain Crook* – standen auf dem Fensterbrett. Das vollständige Set bestand aus sechs Gläsern. Der *Hamburglar* war runtergefallen, als Farrell mit sieben im Haus Frisbee gespielt hatte. Jahre später hatte er Mom bei eBay einen alten Ersatz-Hamburglar gekauft, sie weigerte sich aber, das Glas zu den anderen zu stellen.

»Mom?«

»Was ist?« Sie schmierte weiter das Sandwich. »Wie um alles in der Welt kommst du jetzt überhaupt auf diese Frage? Dein Vater, Gott hab ihn selig, ist seit fast zwanzig Jahren tot. Wen interessiert, wohin er gegangen ist?«

»Ich muss die Wahrheit wissen.«

»Warum? Warum müssen wir darüber reden, besonders jetzt, wo das Monster, das ihn umgebracht hat, endlich tot ist? Lass es gut sein. Es ist vorbei.«

»Hat Dad für Cozone gearbeitet?«

»Was?«

»Hat Dad Schmiergeld genommen?«

Für eine Frau, die Hilfe beim Aufstehen brauchte, bewegte Mom sich jetzt mit schwindelerregender Geschwindigkeit. »Wie kannst du?« Sie fuhr herum und schlug Kat, ohne zu zögern, auf die linke Wange. Das ekelhafte Geräusch von Fleisch auf Fleisch hallte in ohrenbetäubender Lautstärke in der stillen Küche. Kat spürte, wie ihr Tränen in die Augen traten, sie wandte sich aber nicht ab und strich sich nicht einmal mit der Hand über die rot anlaufende Wange.

Moms Gesicht fiel ein. »Tut mir leid. Ich wollte dich nicht...«

»Hat er für Cozone gearbeitet?«

»Hör bitte auf.«

»Hat er so die Wohnung in Manhattan bezahlt?«

»Was? Nein, nein. Jemand hat ihm ein gutes Angebot gemacht, weißt du nicht mehr? Er hatte dem Mann das Leben gerettet.«

»Welchem Mann?«

»Was meinst du mit ›welchem Mann‹?«

»Welchem Mann? Wie hieß er?«

»Woher soll ich das jetzt noch wissen?«

»Weil ich zwar noch weiß, dass Dad als Polizist viele gute Sachen gemacht hat, mich aber nicht mehr daran erinnern kann, dass er einem Immobilienkönig das Leben gerettet hat. Kannst du dich daran erinnern? Warum haben wir die Story einfach so akzeptiert? Warum haben wir nicht nachgefragt?«

»Nachgefragt?«, wiederholte Mom. Sie schnürte ihr Schürzenband neu und zog es dabei zu fest. »Du meinst, so wie du es jetzt tust? So eine Art Verhör? Als ob dein Vater ein Lügner gewesen wäre? Würdest du das mit diesem Mann machen – mit deinem Vater? Du würdest ihn in seinem eigenen Haus verhören und ihn als Lügner bezeichnen?«

»Das meine ich nicht«, sagte Kat, jetzt allerdings nicht mehr so resolut.

»Und was meinst du dann? Alle übertreiben, Kat. Das weißt du doch. Männer sowieso. Dann hat dein Vater dem Mann vielleicht nicht das Leben gerettet. Vielleicht hat er nur einen Dieb gefangen, der ihn beklaut hatte, oder ihm bei einem Strafzettel geholfen. Was weiß denn ich? Dein Vater hat erzählt, dass er ihm das Leben gerettet hat. Ich habe sein Wort nicht in Zweifel gezogen. Ed, Tessies Mann, der hat immer ein bisschen gehinkt, erinnerst du dich? Er hat allen erzählt, dass das von einem Schrapnell-Splitter aus dem Krieg kommt. Dabei hat er wegen seiner schlechten Augen nur in der Schreibstube gesessen. Das Bein hat er sich verletzt, als er mit sechzehn die U-Bahntreppe runtergefallen ist. Glaubst du, Tessie hat ihn immer als Lügner bloßgestellt, wenn er die Geschichte erzählt hat?«

Mom kam mit dem Sandwich zum Tisch. Sie wollte es eben diagonal durchschneiden – ihr Bruder hatte es so bevorzugt, aber Kat, die immer alles anders haben wollte –, hatte darauf bestanden, dass Sandwiches in zwei gleich große Rechtecke geteilt wurden. Mom fiel es wieder ein – auch das eine alte Gewohnheit –, drehte das Messer und zerschnitt das Sandwich in zwei gleich große Rechtecke.

»Du warst nie verheiratet«, sagte Mom leise. »Du verstehst das nicht.«

»Was versteh ich nicht?«

»Wir haben alle unsere Dämonen. Aber Männer? Bei denen ist das viel schlimmer. Die Welt verlangt von ihnen, dass sie die Anführer sind, stark und machohaft, viel Geld verdienen und ein aufregendes Leben führen. Aber das tun sie nicht, oder? Sieh dir die Männer hier im Viertel an. Die haben alle viel zu viele Überstunden gemacht. Dann sind sie in ihr viel zu lautes Haus gekommen, in dem immer etwas repariert werden musste. Sie waren immer mit den Raten-zahlungen im Rückstand. Wir Frauen haben das verstanden. Das Leben ist zumindest zum Teil Plackerei. Uns wurde bei-gebracht, nicht zu viel zu wollen oder zu verlangen. Männer werden das nie verstehen.«

»Wohin ist er gegangen, Mom?«

Sie schloss die Augen. »Iss dein Sandwich.«

»Hat er für Cozone gearbeitet?«

»Vielleicht.« Dann: »Ich glaube nicht.«

Kat zog den Stuhl ihrer Mutter vor, damit sie sich setzte. Mom ließ sich fallen, als hätte ihr jemand die Beine unter dem Körper weggeschlagen.

»Was hat er getan?«, fragte Kat.

»Erinnerst du dich an Gary?«

»Flos Mann?«

»Genau. Er ist auf die Rennbahn gegangen, weißt du noch? Er hat immer alles verspielt, was sie hatten. Flo hat stundenlang geheult. Dein Onkel Tommy hat zu viel getrunken. Er ist zwar jeden Abend nach Hause gekommen, aber kaum einmal vor elf Uhr nachts. Er ist nur auf ein kurzes Feierabendbier in den Pub gegangen und dann erst Stunden später wieder rausgekommen. Männer. Irgendwie brauchen die alle so etwas. Manche trinken. Manche spielen. Manche huren rum. Manche, die Glücklichen, haben zu Gott gefunden, langweilen einen dann aber mit ihrem frömmlerischen Geschwafel zu Tode. Der springende Punkt ist aber, dass Männern das wahre Leben nie reicht. Weißt du, was mein Dad, dein Opa, immer gesagt hat?«

Kat schüttelte den Kopf.

»Wenn ein Mann genug zu essen hat, versucht er, sich einen zweiten Mund wachsen zu lassen. Er hatte auch noch eine schmutzige Art, das Gleiche zu sagen, aber die wiederhole ich hier nicht.«

Kat ergriff die Hand ihrer Mutter. Sie versuchte, sich zu erinnern, wann sie das zum letzten Mal getan hatte – die Hand ihrer eigenen Mutter genommen hatte –, es fiel ihr nicht ein.

»Was war mit Dad?«

»Du hast immer gedacht, dein Dad ist derjenige, der will, dass du hier rauskommst. Aber das war ich. Ich wollte nicht, dass du hier hängen bleibst.«

»Hast du das Leben hier so sehr gehasst?«

»Was? Nein. Es war mein Leben. Es war alles, was ich hatte.«

»Dann versteh ich es nicht.«

Mom drückte die Hand ihrer Tochter. »Verlang nicht von mir, dass ich mich einer Sache stelle, der ich mich nicht stellen muss«, sagte sie. »Das ist vorbei. Die Vergangenheit soll man ruhen lassen, sie lässt sich sowieso nicht mehr ändern. Aber eins kann man. Man kann sie in der Erinnerung formen. Ich suche mir aus, welche Erinnerungen ich behalte, nicht du.«

Kat versuchte, mit sanfter Stimme zu sprechen. »Mom?«

»Was ist?«

»Das klingt nicht nach Erinnerungen. Das klingt nach Illusionen.«

»Wo ist der Unterschied?« Mom lächelte. »Du hast auch hier gelebt, Kat.«

Kat lehnte sich zurück. »Was?«

»Du warst natürlich noch ein Kind, aber ein ziemlich kluges. Und du warst sehr reif für dein Alter. Du hast deinen Vater bedingungslos geliebt, trotzdem hast du gesehen, wie er immer wieder verschwunden ist. Du hast mein falsches Lächeln durchschaut und meine aufgesetzte Freundlichkeit, wenn er wieder nach Hause kam. Aber du hast weggesehen, oder?«

»Aber jetzt sehe ich nicht mehr weg.« Wieder ergriff Kat die Hand ihrer Mutter. »Bitte sag mir, wohin er gegangen ist.«

»Die Wahrheit? Ich weiß es nicht.«

»Aber du weißt mehr, als du mir sagst.«

»Dein Vater war ein guter Mann. Er hat für dich und deine Brüder gesorgt. Er hat euch beigebracht, was richtig und was falsch ist. Er hat viel gearbeitet und dafür gesorgt, dass ihr alle aufs College gehen konntet.«

»Hast du ihn geliebt?«, fragte Kat.

Mom fing an, sich zu beschäftigen, spülte eine Tasse ab, legte die Mayonnaise wieder in den Kühlschrank. »Oh, dein Vater war wirklich ein attraktiver Bursche, als wir uns kennengelernt haben. Damals wollten alle Mädchen mit ihm ausgehen.« Ihr Blick wirkte leicht verträumt, als sie das sagte. »Ich war damals auch nicht ganz hässlich.«

»Das bist du jetzt auch nicht.«

Mom ignorierte die Bemerkung.

»Hast du ihn geliebt?«

»So gut ich konnte«, sagte sie, blinzelte kurz, woraufhin der verträumte Blick verschwand. »Aber es ist nie genug.«

FÜNFUNDZWANZIG

Kat ging zurück zur U-Bahnlinie 7. Die Schule musste zu Ende sein. Kinder mit riesigen Rucksäcken schlurften an ihr vorbei, den Blick meistens nach unten auf ihr Smartphone gerichtet. Zwei Mädchen von der St. Francis Prep kamen ihr in ihren Cheerleader-Kostümen entgegen. Zum Schrecken aller, die sie kannten, hatte Kat in ihrem 2. Jahr auf der St. Francis versucht, Cheerleaderin zu werden. Ihr Haupt-Cheer war ein alter Klassiker gewesen: »We're St. Francis Prep, we don't come any prouder, and if you can't hear us, we'll shout a little louder. St. Francis Prep, klingt das vertraut, sonst rufen wir es extra laut.« Und das hatten sie dann wiederholt, waren dabei immer lauter geworden, was ihr damals schon ziemlich albern vorgekommen war. Der andere Cheer – sie lächelte, als sie sich daran erinnerte – war zum Einsatz gekommen, wenn die Mannschaft einen Fehler gemacht hatte. Dann hatten sie kurz geklatscht und gerufen: »Alles klar, alles gut, das lässt sich leicht ertragen, am Ende werden wir euch sowieso schlagen.« Vor ein paar Jahren hatte Kat gehört, dass der Reim auf »schlagen« durch ein politisch Korrekteres »ihr könnt nicht entrinnen – am Ende werden wir sowieso gewinnen« ersetzt worden war.

Ja, ja, der Fortschritt.

Kat stand vor Tessies Haus, als ihr Handy klingelte. Es war Chaz.

»Hast du meine SMS bekommen?«

»Die mit dem Autokennzeichen? Ja, danke.«

»Sackgasse?«

»Ich denke schon.«

»Da war nämlich was mit dem Kennzeichen«, sagte Chaz, »das mir nicht gefallen hat.«

Kat sah blinzelnd in die Sonne. »Was?«

»Unter dem Kennzeichen war ein schwarzer Lincoln Town Car registriert. Kein Stretch-Modell. Kennst du dich aus mit Stretchlimousinen?«

»Nein, eigentlich nicht.«

»Die werden alle im Kundenauftrag hergestellt. Man nimmt ein normales Auto, baut alles aus und zersägt es in der Mitte. Dann zieht man es auseinander, schweißt das vorgefertigte Mittelteil und ein paar Träger dazwischen und versieht das Innere mit einer Bar, einem Fernseher oder sonst was.«

Weitere Kinder schlenderten auf dem Heimweg von der Schule an ihr vorbei. Wieder dachte sie an ihre Schulzeit, als es beim Verlassen der Schule laut und ausgelassen hergegangen war. Die Kids hier sagten kein Wort. Sie starrten nur auf ihre Smartphones.

»Okay«, sagte Kat. »Und?«

»Und in James Isherwoods Registrierung stand nichts von ›Stretch‹ oder einer Verlängerung. Das muss nicht unbedingt etwas heißen und könnte einfach vergessen worden sein, aber ich habe mir das mal näher angesehen. Für den Wagen gab es auch keine Lizenz von der Zunft der Personenbeförderungsunternehmen. Auch das hat nicht unbedingt etwas zu sagen und ist bei einem Privatwagen auch gar nicht nötig. Aber der Liebhaber heißt doch nicht Isherwood, oder?«

»Das stimmt«, sagte Kat.

»Jedenfalls habe ich weitergesucht. Kann ja nicht schaden, was? Ich habe Isherwood angerufen.«

»Und?«

»Und er war nicht zu Hause. Ich überspringe jetzt mal ein paar Schritte und komme auf den Punkt, okay? Isherwood wohnt in Islip, arbeitet aber für einen Energiekonzern, dessen Zentrale in Dallas ist. Er fliegt da oft rüber. Im Moment ist er auch dort. Und er hat seinen Wagen auf dem Langzeitparkplatz am Flugplatz abgestellt.«

Ein kalter Schauer lief Kat über den Rücken. »Und da hat ihm jemand die Nummernschilder geklaut.«

»Bingo.«

Amateure klauen Autos, um Verbrechen zu begehen. Das war nicht ohne. Gestohlene Autos werden sofort der Polizei gemeldet. Aber wenn man ein Nummernschild klaut, besonders das vordere von einem Wagen auf einem Langzeitparkplatz, konnte es Tage oder Wochen dauern, bis der Diebstahl angezeigt wurde. Und es ist schwieriger, ein Nummernschild zu entdecken als ein ganzes Auto. Bei gestohlenen Autos kann man nach bestimmten Marken oder Modellen Ausschau halten. Bei einem geklauten Nummernschild – besonders wenn man so clever war, es von einem ähnlichen Modell zu klauen …

Chaz sagte: »Kat?«

»Wir müssen so viel wie irgend möglich über Dana Phelps herausbekommen. Versuch, ihr Handy anzupingen. Besorg dir die aktuellen SMS.«

»Das ist nicht in unserem Zuständigkeitsbereich. Sie wohnen in Connecticut.«

Tessies Haustür wurde geöffnet. Tessie trat heraus.

»Ich weiß«, sagte Kat. »Pass auf. Schick eine E-Mail mit

allem, was du hast, an Detective Schwartz vom Greenwich Police Department. Schreib dazu, dass ich mich später bei ihm melde.«

Kat legte auf. Was zum Teufel ging da vor? Sie überlegte, ob sie Brandon anrufen sollte, doch es erschien ihr verfrüht. Sie musste darüber nachdenken. Chaz hatte recht – das war nicht ihr Fall. So viel war klar. Außerdem musste Kat sich gerade um ihre eigenen Angelegenheiten kümmern, herzlichen Dank auch. Sie würde die Informationen an Joe Schwartz weiterreichen und es damit gut sein lassen.

Tessie kam auf sie zu. Kat dachte an damals, als sie sich mit neun Jahren hinter der Küchentür versteckt und zugehört hatte, wie Tessie geweint hatte, weil sie wieder einmal schwanger war. Tessie gehörte zu den Leuten, die sämtliche Probleme hinter einem Lächeln verstecken. Sie hatte innerhalb von zwölf Jahren acht Kinder zur Welt gebracht, und das in einer Zeit, in der Ehemänner eher aus einer Klärgrube getrunken als eine Windel gewechselt hätten. Ihre Kinder lebten jetzt wie von einer riesigen Hand verstreut übers ganze Land verteilt. Manche zogen immer wieder um. Normalerweise blieb wenigstens ein Kind in der Nähe der Eltern. Tessie war das egal. Sie legte keinen Wert auf ihre Gesellschaft, lehnte sie aber auch nicht ab. Für sie war die Mutterschaft beendet, zumindest der arbeitsintensive Teil. Ihre Kinder konnten bleiben oder gehen. Manchmal machte sie Brian ein Thunfisch-Sandwich, manchmal nicht. Sie nahm es, wie es kam.

»Ist alles in Ordnung?«, fragte Tessie.

»Ja, alles klar.«

Tessie sah sie skeptisch an. »Setzt du dich ein bisschen zu mir?«

»Natürlich«, sagte Kat. »Sehr gern.«

Von Moms Freundinnen hatte sie Tessie immer am liebsten gemocht. Als Kat klein war, hatte Tessie, trotz des Durcheinanders und der Erschöpfung, immer Zeit gefunden, mit ihr zu plaudern. Nachdem sie das Gespräch in der Küche mitgehört hatte, hatte Kat sich eine Zeit lang Sorgen gemacht, dass sie nur eine weitere Last und Verpflichtung für Tessie wäre, irgendwann hatte sie aber begriffen, dass das nicht der Fall war, sondern dass es Tessie Spaß machte, Zeit mit ihr zu verbringen. Tessie hatte Schwierigkeiten, sich mit ihren Töchtern zu unterhalten, genau wie es bei Kat mit ihrer Mutter der Fall war. Manche Leute mochten in ihrer Beziehung etwas Besonderes sehen, vielleicht dass Tessie Kats Mom hätte sein sollen, oder so etwas, wahrscheinlich aber lebte ihr gutes Verhältnis gerade davon, dass sie nicht verwandt waren, keine Verpflichtungen entstanden und beide sich entspannt unterhalten konnten.

Vielleicht erzeugte Familiarität – mit der Betonung auf Familie – wirklich oft Missachtung.

Tessies Haus im Tudorstil wirkte müde und abgenutzt. Es war ziemlich geräumig, aber als zehn Personen darin gewohnt hatten, hatte es immer den Eindruck gemacht, als würden sich die Wände nach außen krümmen. Die Einfahrt war mit einem Gatter versperrt. Tessie öffnete es, und sie gingen in den kleinen Garten hinterm Haus.

»Wieder ein schlechtes Jahr«, sagte Tessie und deutete auf die Tomatenpflanzen. »Diese globale Erwärmung oder was auch immer bringt meinen Zeitplan durcheinander.«

Kat setzte sich auf die Bank.

»Willst du was trinken?«

»Nein, danke.«

»Also gut«, sagte Tessie und breitete die Arme aus. »Erzähl.«

Also erzählte Kat.

»Der kleine Willy Cozone«, sagte Tessie kopfschüttelnd, als Kat fertig war. »Du weißt, dass er auch aus dem Viertel kommt, oder? Ist in der Farrington Street aufgewachsen, bei der Autowaschanlage.«

Kat nickte.

»Mein großer Bruder Terry war mit ihm zusammen auf der Bishop Reilly Highschool. Cozone war ein magerer Junge. Er hat sich in der ersten Klasse in der St. Mary's übergeben. Hat mitten im Unterricht auf die Nonne gekotzt. Der ganze Raum stank. Danach haben die Kids angefangen, ihn zu hänseln. Nannten ihn Kotzi und Stinki oder so. Sehr originell.« Sie schüttelte den Kopf. »Weißt du, was er getan hat, damit es aufhört?«

»Was aufhört?«

»Die Hänseleien.«

»Nein. Was?«

»In der fünften Klasse hat Cozone einen Jungen totgeschlagen. Hat einen Hammer mit zur Schule genommen und ihm den Kopf eingeschlagen. Mit der spitzen Seite auf den Hinterkopf, so dass das Gehirn frei lag.«

Kat versuchte, nicht das Gesicht zu verziehen. »Davon hab ich in den Akten gar nichts gelesen.«

»Die Akten werden unter Verschluss gehalten, vielleicht wurde er deshalb auch nie verurteilt, ich weiß es nicht. Das wurde damals alles ziemlich unter den Teppich gekehrt.«

Kat schüttelte nur den Kopf.

»Als Cozone noch hier wohnte, sind immer wieder Haustiere aus dem Viertel verschwunden. Du weißt schon, was ich meine. Gelegentlich wurde mal eine Pfote oder so was im Müll gefunden. Mehr nicht. Du weißt auch, dass seine ganze Familie Gewaltverbrechen zum Opfer gefallen ist?«

»Natürlich«, sagte Kat. »Und deshalb glaube ich auch nicht, dass mein Dad für ihn gearbeitet hat.«

»Davon weiß ich überhaupt nichts«, sagte Tessie.

Tessie fing an, sich mit dem Garten zu beschäftigen, befestigte Triebe an den Bambusstöcken.

»Und wovon weißt du etwas, Tessie?«

Sie inspizierte eine Tomate, die noch am Strauch hing. Sie war zu klein und zu grün. Sie ließ sie wieder los.

»Du hast es miterlebt«, sagte Kat. »Du bist hier gewesen, als mein Vater immer wieder verschwunden ist.«

»Das war ich, ja. Deine Mutter hat immer so getan, als ob alles in Ordnung wäre. Sie hat selbst Flo und mich belogen.«

»Weißt du, wohin er gegangen ist?«

»Nein, nicht genau.«

»Aber du hast eine Ahnung.«

Tessie hörte auf, an den Tomaten herumzufummeln, und stand auf. »Ich stecke da in einer Zwickmühle.«

»Inwiefern?«

»Das Übliche. Einerseits geht es mich nichts an. Und dich eigentlich auch nicht. Und es ist lange her. Wir sollten den Wunsch deiner Mutter respektieren.«

Kat nickte. »Finde ich nachvollziehbar.«

»Danke.«

»Und andererseits?«

Tessie setzte sich neben sie. »Wenn man jung ist, glaubt man, auf alles eine Antwort zu haben. Man ist rechts oder links und die Gegenseite ist nichts als ein Haufen Idioten. Du kennst das. Wenn man älter wird, erkennt man immer mehr Grautöne. Jetzt weiß ich, dass die echten Idioten diejenigen sind, die davon überzeugt sind, auf alles eine Antwort zu haben. So einfach ist das nie. Verstehst du, was ich sagen will?«

»Ja.«

»Ich meine nicht, dass es kein Richtig und Falsch gibt. Aber ich meine, dass Dinge, die einigen Menschen guttun, bei anderen nicht funktionieren. Du hast gerade von deiner Mutter erzählt, die Erinnerung und Illusion verwechselt. Aber das ist in Ordnung. Das hilft ihr zu überleben. Manche Menschen brauchen ihre Illusionen. Und manche Menschen, und zu denen gehörst du, brauchen Antworten.«

Kat wartete.

»Außerdem muss man die Schmerzen gegeneinander abwägen«, sagte Tessie.

»Was meinst du damit?«

»Wenn ich dir erzähle, was ich weiß, wird es dir wehtun. Vermutlich sogar ziemlich stark. Ich mag dich. Ich will dir nicht wehtun.«

Kat wusste, dass Tessie, anders als Flo oder Mom, keinen Hang zum Melodramatischen hatte. Sie durfte die Warnung nicht auf die leichte Schulter nehmen. »Ich komm damit klar«, sagte Kat.

»Davon bin ich überzeugt. Außerdem steht dieser Schmerz dem lang anhaltenden dumpfen Schmerz gegenüber, den dir die ungeklärten Fragen bereiten würden, wenn sie unbeantwortet bleiben. Auch das tut weh.«

»Schlimmer, finde ich«, sagte Kat.

»Da würde ich nicht widersprechen.« Tessie atmete tief aus. »Es gibt aber noch ein Problem.«

»Ich höre.«

»Meine Informationen beruhen ausschließlich auf Gerüchten. Ein Freund von Gary – du erinnerst dich an Gary?«

»Flos Mann.«

»Genau. Ein Freund von Gary hat es Gary erzählt, Gary

hat es Flo erzählt, und Flo hat es mir erzählt. Es ist also sehr gut möglich, dass es totaler Unsinn ist.«

»Aber du glaubst das nicht.«

»Richtig. Ich glaube das nicht. Ich glaube, dass es die Wahrheit ist.«

Tessie sammelte sich noch einmal.

»Schon okay«, sagte Kat, so sanft sie konnte. »Erzähl.«

»Dein Vater hatte eine Freundin.«

Kat blinzelte zweimal. Tessie hatte sie gewarnt, dass die Enthüllung ihr wehtun würde. Und wahrscheinlich würde sie auch wehtun, dachte Kat, aber im Moment glitten die Worte nur über die Oberfläche, ohne die Haut zu durchdringen.

Tessie sah Kat unverwandt an. »Ich würde sagen, das ist keine große Sache – zum Teufel, ich würde sagen, über die Hälfte der verheirateten Männer in dieser Stadt hatten irgendwelche Mädchen –, aber es gab ein paar Punkte, die dafür sprechen, dass das bei deinem Vater etwas anderes war.«

Kat schluckte und versuchte, ihre Gedanken zu ordnen. »Zum Beispiel?«

»Willst du nicht doch einen Drink?«

»Nein, Tante Tessie, nicht nötig.« Kat setzte sich gerade hin und kämpfte sich voran. »Warum war es bei meinem Vater etwas anderes?«

»Erstens scheint es lange gehalten zu haben. Dein Vater hat ziemlich viel Zeit mit ihr verbracht. Bei den meisten Männern ist es eine Nacht, eine Stunde, ein Besuch im Striptease-Club, vielleicht eine kurze Affäre mit einem Mädchen von der Arbeit. So etwas war das nicht. Das war etwas Ernsteres. Das besagten die Gerüchte jedenfalls. Deshalb ist er immer wieder verschwunden. Sie sind zusammen weggefahren, glaube ich zumindest.«

»Und Mom wusste das?«

»Das weiß ich nicht, Schatz.« Dann: »Aber ja, ich glaube schon.«

»Warum hat sie ihn nicht verlassen?«

Tessie lächelte. »Und wo hätte sie dann hingehen sollen, meine Liebe? Deine Mutter hat drei Kinder großgezogen. Er war der Ernährer der Familie und ihr Ehemann. Wir hatten damals keine Alternativen. Und, na ja, deine Mutter hat ihn geliebt. Und er hat sie geliebt.«

Kat schnaubte. »Das soll doch jetzt ein Witz sein, oder?«

Tessie schüttelte den Kopf. »Siehst du, du bist noch jung. Du glaubst, dass das alles ganz einfach ist. Mein Ed hat auch Freundinnen gehabt. Soll ich dir die Wahrheit sagen? Es war mir egal. Besser sie als ich, das habe ich damals gedacht. Ich hatte die vielen Kinder am Hals und war andauernd schwanger – wenn ich ehrlich bin, war's mir ganz recht, wenn er die Finger von mir gelassen hat. Als junges Ding kann man sich nicht vorstellen, es so zu sehen, aber so war es nun einmal.«

Das war's also, dachte Kat. Dad hatte eine Freundin. Ein Bündel unterschiedlicher Gefühle überschlugen sich in ihr. Dank ihres Yoga-Trainings konnte sie diese Gefühle aus einer gewissen Distanz betrachten, und so kümmerte sie sich erst einmal nicht weiter darum, weil sie konzentriert bleiben wollte.

»Da ist noch etwas«, sagte Tessie.

Kat hob den Kopf und sah sie an.

»Vergiss nicht, wo wir leben. Wer wir sind. Wie es damals war.«

»Ich kann dir nicht folgen.«

»Die Freundin deines Vaters ...«, sagte Tessie, »... also, auch diese Information stammt von Garys Freund. Na ja, dass ein verheirateter Mann etwas mit einer anderen Frau hat, ist ja keine große Überraschung, stimmt's? Da hätte keiner ein Wort drüber verloren, aber, äh, Gary meinte, dass diese Freundin, äh, schwarz gewesen ist.«

Wieder blinzelte Kat, weil sie nicht wusste, was sie davon halten sollte. »Schwarz? Du meinst eine Afro-Amerikanerin?«

Tessie nickte. »Das sind alles Gerüchte – und in diesem Fall wahrscheinlich vom Rassismus angefachte Gerüchte –, aber jemand sagte, sie wäre eine Prostituierte, die dein Dad festgenommen hatte. Dass sie sich auf die Art kennengelernt hätten. Ich weiß es nicht, kann es mir aber nicht richtig vorstellen.«

Kat fühlte sich leicht benommen. »Wusste meine Mutter das?«

»Ich habe es ihr nie gesagt, falls das deine Frage war.«

»Das war nicht meine Frage.« Dann erinnerte Kat sich an etwas. »Moment, Flo hat es ihr erzählt, richtig?«

Tessie sparte sich die Antwort. Und damit hatte Kat auch das Geheimnis gelöst, wie es zu dem einjährigen Schweigen zwischen Flo und Mom gekommen war. Flo hatte Mom von einer schwarzen Prostituierten erzählt, und Mom hatte sich sofort in eine Abwehrhaltung begeben und alles geleugnet.

Aber so emotional dies alles auch sein mochte – Kat verspürte noch immer nicht viel mehr als eine leichte Traurigkeit –, es war doch alles nur eine Randnotiz zu ihrer eigentlichen Frage. Sie konnte später darüber weinen. Zuerst musste Kat herausbekommen, ob das Ganze etwas mit der Ermordung ihres Vaters zu tun hatte.

»Kennst du den Namen der Frau?«, fragte Kat.

»Nein, nicht so richtig.«

Kat runzelte die Stirn. »Nicht so richtig?«

»Lass es gut sein, meine Liebe.«

»Du weißt, dass ich das nicht kann«, sagte Kat.

Tessie vermied es, Kat anzusehen. »Gary sagte, auf der Straße würde man sie Sugar nennen.«

»Sugar?«

Sie zuckte die Achseln. »Keine Ahnung, ob das stimmt.«

»Also Sugar. Und weiter?«

»Mehr weiß ich nicht.«

Kat hatte den Eindruck, einen Schlag nach dem anderen einstecken zu müssen. Sie wollte sich zusammenrollen und einfach abwarten, bis es vorbei war. Aber diesen Luxus konnte sie sich nicht leisten. »Weißt du, was nach der Ermordung meines Vaters mit Sugar passiert ist?«

»Nein«, sagte Tessie.

»Ist sie …«

»Mehr weiß ich wirklich nicht, Kat. Das ist alles.« Tessie fing wieder an, sich um die Pflanzen zu kümmern. »Und was wirst du jetzt tun?«

Kat überlegte. »Das weiß ich noch nicht.«

»Jetzt kennst du die Wahrheit. Manchmal reicht das schon.«

»Manchmal«, stimmte Kat zu.

»Dieses Mal aber wohl nicht?«

»Ich glaub nicht«, sagte Kat.

»Die Wahrheit mag besser sein als die Lügen«, sagte Tessie. »Aber sie kann einen nicht immer von allen Fesseln befreien.«

Das verstand Kat. Sie erwartete nicht, von allen Fesseln befreit zu werden. Sie erwartete nicht einmal, glücklicher zu werden. Sie erwartete bloß …

Was genau?

Im Prinzip konnte sie in dieser Angelegenheit nichts gewinnen. Ihre Mutter würde verletzt sein. Stagger, der vermutlich aus Loyalität ihrem Vater gegenüber gehandelt hatte, könnte sich mit Manipulationsvorwürfen konfrontiert sehen, wenn er Monte Leburne überredet hatte, den Mund zu halten oder seine Aussage zu ändern. Jetzt kannte Kat die Wahrheit. Oder zumindest genug davon.

»Danke, Tante Tessie.«

»Wofür?«

»Dafür, dass du es mir erzählt hast.«

»Ich glaube, ›keine Ursache‹ ist hier nicht die richtige Antwort, oder?«, sagte Tessie, während sie sich herunterbeugte und den Spaten aufhob. »Du wirst es nicht dabei bewenden lassen, oder, Kat?«

»Nein, das werde ich nicht.«

»Selbst wenn du viele Menschen damit verletzen könntest?«

»Selbst dann nicht.«

Tessie nickte und stach den Spaten tief in den feuchten Boden. »Es wird spät, Kat. Wahrscheinlich solltest du langsam nach Hause fahren.«

Auf der U-Bahnfahrt nach Hause drang die Enthüllung langsam in ihr Bewusstsein.

Es war leicht, sich betrogen zu fühlen und darüber empört und wütend zu sein.

Ihr Vater war ein Held gewesen. Natürlich hatte Kat inzwischen begriffen, dass er nicht perfekt war, trotzdem war er der Mann, der für sie auf eine Leiter geklettert war, um den Mond aufzuhängen. Sie hatte es wirklich geglaubt – dass ihr Vater die Leiter aus der Garage geholt hatte, nur um für sie ganz alleine den Mond dort oben aufzuhängen –, und wenn sie jetzt richtig darüber nachdachte, war natürlich auch das nur eine Lüge gewesen.

Manchmal hatte sie sich eingebildet, dass ihr Vater immer wieder verschwand, um Menschen zu retten, weil er so mutig war und als verdeckter Ermittler große Taten vollbrachte. Jetzt wusste Kat, dass er seine Familie im Stich gelassen und ihr Angst und Schrecken eingejagt hatte, um mit einer Hure zu bumsen.

Das war also der einfachste Ausweg für ihre Gefühle – sich in Richtung Abscheu, Zorn, Argwohn und vielleicht sogar Hass davonzustehlen.

Aber Tessie hatte sie gewarnt, dass das Leben nur selten so einfache Lösungen zu bieten hatte.

Das dominierende Gefühl war Traurigkeit. Traurigkeit wegen ihres Vaters, der zu Hause so unglücklich war, dass er schließlich eine Lüge gelebt hatte. Traurigkeit wegen ihrer Mutter, aus all den naheliegenden Gründen und weil auch sie sich gezwungen sah, diese Lüge zu leben. Und wenn sie es ganz genau betrachtete, war sie auch ihretwegen ein bisschen traurig, weil sie diese Neuigkeiten nicht so sehr schockierten, wie sie gerne behauptet hätte. Vielleicht hatte Kat eine solche Hässlichkeit unbewusst bereits erwartet. Vielleicht war das die Hauptursache für das angespannte Verhältnis zu ihrer Mutter gewesen – die blöde, unbewusste Annahme, dass Mom sich nicht ausreichend darum bemüht hatte, Dad glücklich zu machen, sodass er immer wieder verschwand. Und in der Folge hatte Kat Angst, dass er nicht wieder zurückkommen könnte – woran Mom dann schuld gewesen wäre.

Außerdem fragte sie sich, ob Sugar – wenn sie denn so hieß – ihren Vater glücklich gemacht hatte. Die Ehe ihrer Eltern war nicht leidenschaftlich gewesen. Sie war von Respekt, Kameradschaft und Partnerschaft geprägt gewesen, aber hatte ihr Vater dieser anderen Frau gegenüber so etwas wie romantische Liebe empfunden? Angenommen, er wäre mit dieser anderen, verbotenen Frau glücklich gewesen. Wie sollte Kat mit dem Gedanken umgehen? Sollte sie sich betrogen fühlen und wütend werden, oder sollte sie eine Art Freude empfinden, dass Dad doch noch eine solche Liebe gefunden hatte?

Sie wollte nach Hause gehen, sich die Decke über den Kopf ziehen und weinen.

Ihr Handy hatte erst wieder Empfang, als sie aus dem U-Bahntunnel herauskam. Chaz hatte dreimal versucht, sie anzurufen. Kat rief ihn sofort zurück.

»Was gibt's?«, fragte sie.

»Du klingst nicht gut.«

»Anstrengender Tag.«

»Könnte noch anstrengender werden.«

»Wie meinst du das?«

»Ich habe etwas über dieses Schweizer Bankkonto herausgefunden. Ich glaube, das musst du dir ansehen.«

SECHSUNDZWANZIG

Irgendwann hatte Titus den Prostituiertenring sattgehabt. Das Ganze wurde gefährlich, komplex und auch noch langweilig. Immer, wenn man etwas Gutes in Gang gebracht hatte, neigten viele Leute mit übertrieben gewalttätigen Neigungen dazu, sich einzumischen. Die Mafia forderte einen Anteil. Faule Männer meinten, auf diese Art leichtes Geld verdienen zu können – misshandele eine verzweifelte Freundin, zwing sie, das zu tun, was du willst, nimm ihr das Geld ab. Sein Mentor, Louis Castman, war längst verschwunden, hatte sich, wie Titus vermutete, auf einer Insel im Südpazifik zur Ruhe gesetzt. Das Internet hatte nicht nur viele Einzel- und Zwischenhändler überflüssig gemacht, auch die Zuhälter hatten an Bedeutung verloren. Das Internet ermöglichte den direkten Hure-Freier-Kontakt, außerdem wuchs auch der Graumarkt in diesem Bereich, sodass die kleineren Zuhälter auf die gleiche Art vom Markt gedrängt wurden wie die Eisen- und Haushaltswarenläden von den Baumarktketten.

Die Prostitution war für Titus zu unbedeutend geworden. Das Risiko-Chancen-Verhältnis hatte sich verschoben.

Aber wie in vielen anderen Geschäftsfeldern war es auch hier so, dass die Spitzenleute neue Wege gingen, sobald ein Bereich nicht mehr genug einbrachte. Den »Einzelhändlern mit Laufkundschaft« mochte die neue Technologie geschadet haben, dafür hatten sich im Internet ganz neue Welten eröffnet. Eine Zeit lang war Titus in diesen neuen Welten unterwegs gewesen, hatte sie erforscht, doch es war ihm bald zu technokratisch und zu distanziert geworden, die ganze Zeit an einem Computer zu sitzen, um Termingeschäfte und sonstige Transaktionen vorzunehmen. Sein nächster Schritt war eine Online-Betrugsmasche mit ein paar Hintermännern in Nigeria gewesen. Nein, es waren nicht die leicht zu durchschauenden Spam-Mails, in denen man gebeten wurde, jemandem zu helfen, der Schulden hatte oder Geld verschenken wollte. Bei Titus' Geschäften ging es immer um Verführung – um Sex, Liebe oder das Wechselspiel zwischen beidem. Eine Weile sah seine beste »romantische Masche« so aus, dass er vorgab, Soldat im Einsatz im Irak oder in Afghanistan zu sein. Er richtete für seine »Soldaten« in verschiedenen Sozialen Netzwerken falsche Profile ein und fing an, im Internet mit alleinstehenden Frauen zu flirten. Schließlich bat er sie »nur widerstrebend« um Hilfe, damit er sich einen Laptop kaufen konnte, oder ein Flugticket, damit sie sich persönlich kennenlernen konnten. Manchmal benötigte er auch Geld für eine Reha-Maßnahme nach einer Kriegsverletzung. Wenn er schnell Geld brauchte, gab Titus vor, dass er an einen anderen Einsatzort versetzt worden war und sein Fahrzeug schnell verkaufen musste, woraufhin er den Interessenten falsche Registrierungen und Informationen schickte und sie das Geld auf das Konto eines Dritten überweisen ließ.

Es gab jedoch einige Probleme bei diesen Maschen. Erstens machten sie sehr viel Arbeit und brachten relativ wenig ein. Die Menschen waren dumm, wurden aber leider schlauer. Zweitens bekamen – wie immer, wenn man irgendwo Geld verdienen konnte – zu viele Amateure davon Wind und drängten ins Geschäft. Die *Army Criminal Inves-*

tigation begann, mögliche Opfer zu warnen und die Täter ernsthaft zu verfolgen. Für seine Partner in Westafrika war das kein Problem. Für Titus hätte es durchaus eins werden können.

Vor allem aber war auch das wieder ein extrem unbedeutendes Geschäftsfeld. Wie jeder Unternehmer wollte auch Titus expandieren und den Profit erhöhen. Nach seinem Leben als Zuhälter waren diese Betrugsmaschen zwar ein Schritt in die richtige Richtung gewesen, allerdings kein sehr großer. Er brauchte eine neue Herausforderung – eine Nummer, die größer, schneller, profitabler, gleichzeitig aber vollkommen sicher war.

Titus hatte fast seine gesamten Ersparnisse dafür eingesetzt, diese neue Unternehmung aufzubauen. Aber es hatte sich gelohnt. Und zwar richtig.

Clem Sison, der neue Chauffeur, kam ins Farmhaus. Er trug Claudes schwarzen Anzug. »Wie seh ich aus?«

Die Schultern hingen etwas, aber es würde gehen. »Dir ist klar, was du zu tun hast?«

»Ja.«

»Keine Abweichungen vom Plan«, sagte Titus. »Hast du das verstanden?«

»Ja, sowieso. Sie kommt direkt hierher.«

»Dann hol sie jetzt.«

Chaz' Schicht war zu Ende, also traf Kat sich mit ihm in seinem Apartment im feudalen Lock-Horne-Building an der Ecke Park Avenue, 46th Street. Kat war vor zwei Jahren einmal zu einer Büroparty hier gewesen, als Stacy mit dem Playboy ausging, dem das Gebäude gehörte. Der Playboy, dessen Name Wilson oder Windsor oder so etwas übertrieben Britisches war, war brillant, stinkreich und attraktiv gewesen, und inzwischen – wenn die Gerüchte, die im Umlauf waren, stimmten – vollkommen übergeschnappt und lebte wie seinerzeit Howard Hughes vollkommen zurückgezogen. Kürzlich waren ein paar Büroetagen im Gebäude in Wohnraum umgewandelt worden.

Und dort wohnte Chaz Faircloth. Schnelle, wenn auch sehr einfache Schlussfolgerung: Es war angenehm, aus einer reichen Familie zu stammen.

Als Chaz die Tür öffnete, war sein weißes Hemd etwas zu weit geöffnet und gab den Blick auf eine so perfekt enthaarte Brust frei, dass ein Babypopo dagegen aussah, als hätte er einen nachmittäglichen Bartschatten. Er lächelte, präsentierte dabei seine perfekten Zähne und sagte: »Komm rein.«

Sie sah sich im Apartment um. »Das überrascht mich jetzt.«

»Was?«

Kat hatte eine Männerhöhle oder eine Junggesellenbude erwartet und fand sich stattdessen in einer fast zu edel eingerichteten Wohnung mit antiken Holzmöbeln, Gobelins und Orientteppichen wieder. Alles war prächtig und teuer, ohne protzig zu wirken.

»Die Einrichtung«, sagte Kat.

»Gefällt dir?«

»Ja.«

»War klar, oder? Meine Mom hat die Wohnung mit den Familienerbstücken und so eingerichtet. Ich wollte alles ändern, du weißt schon, meine Persönlichkeit mehr einbringen, hab dann aber festgestellt, dass die Bräute tatsächlich auf den Krempel abfahren. Ich komm dann gleich viel feinfühliger rüber.«

So viel zur Überraschung.

Chaz trat hinter den Tresen und nahm eine Flasche 25 Jahre alten Macallan Malt Whisky. Kats Augen weiteten sich.

»Magst du Scotch?«, fragte er.

Sie versuchte, sich nicht die Lippen zu lecken. »Ich glaube, ich sollte jetzt lieber nicht.«

»Kat?«

»Ja?«

»Du starrst auf die Flasche wie ich auf ein großzügiges Dekolleté.«

Sie runzelte die Stirn. »Großzügig?«

Chaz lächelte mit seinen perfekten Zähnen. »Hast du den fünfundzwanzigjährigen mal probiert?«

»Ich habe mal einen einundzwanzigjährigen getrunken.«

»Und?«

»Ich hätte fast um seine Hand angehalten.«

Chaz nahm zwei Whisky-Gläser. »Der kostet etwa achthundert Dollar die Flasche.« Er goss etwas in beide Gläser und reichte ihr eins. Kat hielt das Glas wie ein Vogelküken.

»Prost.«

Sie nahm einen kleinen Schluck. Ihre Augen schlossen sich. Sie fragte sich, ob es möglich war, die Augen offen zu lassen, wenn man das trank.

»Wie ist er?«, fragte Chaz.

»Ich könnte dich erschießen, nur damit ich die Flasche mitnehmen kann.«

Chaz lachte. »Wir sollten uns wohl an die Arbeit machen.«

Fast hätte Kat den Kopf geschüttelt und gesagt, dass das warten könne. Sie wollte nichts über das Schweizer Bankkonto hören. Die neue Erkenntnis über ihr bisheriges Leben – über das Leben ihrer Eltern – bohrte sich langsam durch ihre mentalen Blockaden. Sämtliche Häuser in sämtlichen Straßen waren eigentlich nur Fassaden für Familien. Wir sehen sie an und glauben zu wissen, was dahinter vorgeht, in Wahrheit haben wir aber keine Ahnung. Es war natürlich schon hart – so zum Narren gehalten worden zu sein. Damit wäre sie jedoch klargekommen. Aber sie war in diesem Haus gewesen, hatte hinter dieser Fassade gelebt und musste jetzt erkennen, dass sie trotzdem keine Ahnung vom Unglück, den geplatzten Träumen, den Lügen gehabt hatte, die vorgespiegelten Selbsttäuschungen nicht durchschaut hatte. Kat war drauf und dran, sich auf dieses perfekte Ledersofa zu setzen und an diesem erstklassigen Getränk zu nippen, bis alles um sie herum so wunderbar taub wurde.

»Kat?«

»Ich hör zu.«

»Was läuft zwischen dir und Captain Stagger ab?«

»Alte Geschichte, halt dich da lieber raus, Chaz.«

»Kommst du bald wieder zurück?«

»Ich weiß es nicht. Ist nicht weiter wichtig.«

»Bist du sicher?«

»Absolut«, sagte Kat. Sie musste das Thema wechseln. »Ich dachte, du wolltest mit mir über das Schweizer Nummernkonto sprechen.«

»Das wollte ich, ja.«

»Und?«

Chaz stellte sein Glas ab. »Ich habe das gemacht, worum du mich gebeten hast. Ich habe mich bei deinem Kontaktmann im Finanzamt gemeldet. Ich habe ihn nur gebeten, das Konto auf die Beobachtungsliste zu setzen. Die Liste ist übrigens riesig. Ich glaube, das Finanzamt geht hart gegen geheime Schweizer Bankkonten vor, und die Schweizer wehren sich so gut sie können. Solange es keine klaren Hinweise in

Richtung Terrorismus gibt, halten sie sich ziemlich bedeckt, daher glaube ich nicht, dass sie bei diesem Konto schon eine Auskunft gegeben haben.«

»Eine Auskunft gegeben?«

»Du sagtest, das Konto wäre neu, oder?«

»Stimmt. Angeblich hat Dana Phelps es gerade erst eröffnet.«

»Wann genau?«

»Ich weiß nicht. Wenn das, was ihr Finanzberater gesagt hat, stimmt, müsste sie es vor zwei Tagen eröffnet und dann direkt das Geld dahin transferiert haben.«

»Das kann nicht sein«, sagte Chaz.

»Wieso nicht?«

»Weil bei der Finanzaufsicht schon ein SAR für das Konto eingegangen ist.«

Kat stellte ihr Glas ab. »Wann?«

»Vor einer Woche.«

»Weißt du, was drinsteht?«

»Ein Bürger aus Massachusetts hat mehr als dreihunderttausend Dollar auf dieses Konto überwiesen.«

Chaz klappte den Laptop auf seinem Couchtisch auf und fing an zu tippen.

»Kennst du den Namen der Person, die das Geld transferiert hat?«, fragte Kat.

»Nein, der stand nicht im Bericht.«

»Weißt du, wer den SAR erstellt hat?«

»Ein Mann namens Asghar Chuback. Ein Partner in einer Investmentgesellschaft namens Parsons, Chuback, Mitnick and Bushwell Investment and Securities. Der Firmensitz ist in Northampton, Massachusetts.«

Chaz drehte den Laptop um, sodass sie ihn sehen konnte. Die Webseite von Parsons, Chuback, Mitnick and Bushwell war das digitale Gegenstück zu Elfenbein-Inlays und geprägten Logos – reich, hochwertig, Oberklasse –, ein Design, das Personen ohne achtstelliges Anlagevermögen wissen ließ, dass sie es gar nicht erst zu versuchen brauchten.

»Hast du das Detective Schwartz mitgeteilt?«, fragte Kat.

»Noch nicht. Ehrlich gesagt machte er nicht den Eindruck, als hätte ihn das geklaute Nummernschild sonderlich beeindruckt.«

Auf der Webseite gab es Links zur Verwaltung von Privatvermögen, Angebote für institutionelle Anleger, globale Investments. Außerdem fielen ständig die Begriffe Diskretion und Privatsphäre. »Die werden wir nicht dazu bringen, mit uns zu reden«, sagte Kat.

»Falsch.«

»Wieso?«

»Ich dachte das auch, hab aber trotzdem mal angerufen«, sagte Chaz. »Er will reden. Ich habe einen Termin für dich gemacht.«

»Mit Chuback?«

»Ja.«

»Und wann?«

»Jederzeit heute Abend. Seine Sekretärin sagte, dass er auf Auslandsmärkten aktiv und daher den ganzen Abend vor Ort ist. Klingt seltsam, aber er schien ganz scharf darauf zu sein, mit jemandem darüber zu reden. Man braucht wohl etwa drei Stunden bis dahin.« Er klappte den Laptop zu und sagte: »Ich fahre.«

Das wollte Kat nicht. Ja, sie vertraute Chaz und was nicht alles, trotzdem hatte sie ihm nicht alle Einzelheiten erzählt, insbesondere nichts über die persönliche Jeff-Ron-Verbindung. Solche Geschichten sollten nicht im Revier herumgeistern. Und auch wenn er sich besserte, drei Stunden in einem Auto mit Chaz – hin und zurück sechs Stunden –, das hielt sie noch nicht durch.

»Ich fahr selbst rauf«, sagte sie. »Du bleibst hier für den Fall, dass wir noch etwas überprüfen müssen.«

Sie erwartete Widerspruch. Es gab keinen.

»Okay«, sagte er. »Aber es geht schneller, wenn du meinen Wagen nimmst. Komm mit. Die Garage ist gleich um die Ecke.«

Martha Paquet trug den Koffer zur Tür. Er war alt, stammte aus der Zeit vor der Erfindung des Rollkoffers, oder Harold war einfach zu geizig gewesen, selbst damals schon. Harold hasste Reisen, außer zweimal im Jahr, wenn er mit seinen Saufkumpanen auf seinen »Vegas-Trip« ging, eine von den Touren, nach denen die Männer auf alles Mögliche mit einem demütigen Augenzwinkern oder albernen Kichern reagierten. Dafür hatte Harold sich einen schicken Tumi-Handgepäckkoffer gekauft – der nur für ihn war, wie er sagte –, aber den hatte er, wie so ziemlich alles, was einen gewissen Wert hatte, vor Jahren aus ihrer Eigentumswohnung mitgenommen – vor der offiziellen Scheidung. Harold hatte das Urteil nicht abgewartet. Er hatte sich einen Transporter gemietet, so viel wie möglich aus der Eigentumswohnung hineingepackt und zu ihr gesagt: »Dann sieh mal zu, wie du das wiederkriegst, Miststück.«

Das war lange her.

Martha sah aus dem Fenster. »Das ist verrückt«, sagte sie zu ihrer Schwester Sandi.

»Man lebt nur einmal.«

»Ja, ich weiß.«

Sandi umarmte sie. »Und du hast es verdient. Mom und Dad würden es auch gutheißen.«

Martha zog eine Augenbraue hoch. »Oh, das würde ich bezweifeln.«

Ihre Eltern waren tiefreligiös gewesen. Nach jahrelangen Misshandlungen durch Harold – es gab keinen Grund, darauf näher einzugehen – war Martha wieder hierher zurückgezogen, um Dad bei der Pflege ihrer todkranken Mom zu helfen. Aber, wie es häufig lief, war Dad, der Gesunde, vor sechs Jahren plötzlich an einem Herzinfarkt gestorben. Ein Jahr danach war auch Mom schließlich verschieden. Mom hatte fest daran geglaubt, zu Dad ins Paradies zu kommen – hatte immer wieder erzählt, dass sie den Tag nicht erwarten könne, was sie aber nicht davon abgehalten hatte, mit aller Kraft zu kämpfen und quälende Behandlungen über sich ergehen zu lassen, um sich so lange wie möglich an die irdische Mühsal zu klammern.

Martha war die ganze Zeit bei ihrer Mutter geblieben, hatte als Pflegerin und Gesellschafterin in diesem Haus gelebt. Es hatte ihr nichts ausgemacht. Es wurde nie ein Wort darüber verloren, ob Mom in ein Hospiz oder ein Pflegeheim gehen könnte, oder ob sie womöglich sogar eine Hilfskraft einstellen sollten. Ihre Mutter wollte nichts davon wissen, und Martha, die ihre Mutter innig liebte, hätte niemals darum gebeten.

»Dein Leben war lange genug in einer Warteschleife«, ermahnte Sandi sie. »Es wird Zeit, dass du auch mal ein bisschen Spaß hast.«

Das wurde es wohl, dachte sie. Nach der Scheidung hatte sie versucht, sich auf neue Beziehungen einzulassen, aber die Pflege ihrer Mutter – vom Misstrauen nach der katastrophalen Ehe mit Harold gar nicht zu reden – hatte sie daran gehindert. Martha hatte sich nicht beschwert. Das war nicht ihre Art. Sie war froh über das Leben, das sie führte. Mehr konnte sie nicht verlangen oder erwarten. Was nicht bedeutete, dass sie keine Sehnsucht verspürte.

»Du brauchst nur einen Menschen, um dein Leben zu ändern«, sagte Sandi. »Dich selbst.«

»Genau.«

»Du kannst kein neues Kapitel deines Lebens beginnen, wenn du immer wieder das letzte liest.«

Sandi meinte es gut mit all ihren kleinen Lebensweisheiten. Sie postete jeden Freitag ein paar davon auf ihrer Facebook-Pinnwand, häufig begleitet von einem Foto von Blumen, perfekten Sonnenuntergängen oder so etwas. Sie nannte sie Sandis Sprüche, obwohl sie natürlich keinen davon selbst verfasst hatte.

Eine schwarze Limousine fuhr vor. Martha spürte, wie sich ihre Kehle zuschnürte.

»Oh, Martha, was für ein wundervolles Auto«, quiekte Sandi.

Martha konnte sich nicht rühren. Sie stand stocksteif da, als der Chauffeur ausstieg und auf die Haustür zuging. Auf Sandis ewiges Drängen hin hatte Martha sich vor einem Monat schließlich bei einer Partnerbörse im Internet angemeldet. Zu ihrer eigenen Überraschung hatte sie sofort einen Online-Flirt mit einem wundervollen Mann namens Michael Craig begonnen. Völlig verrückt, wenn man sich das überlegte – das war sonst gar nicht ihre Art –, dabei hatte sie bei der Anmeldung noch Witze darüber gemacht, wie kindisch das alles sei, und dass die heutige Jugend selbst dann nicht erkennen würde, was eine richtige Beziehung sei, wenn sie von ihr in den Hintern gebissen würde, weil sie alle die ganze Zeit vor irgendwelchen Bildschirmen hocken und nie jemandem von Angesicht zu Angesicht begegnen würden und bla bla bla.

Wie war sie da nur hineingeraten?

Sie musste zugeben, dass es Vorteile hatte, erst einmal online anzufangen. Da spielte es keine Rolle, wie man aussah (außer auf den Fotos). Die Frisur konnte verunstaltet sein, das Make-up missglückt, oder es konnte einem etwas zwischen den Zähnen hängen – das machte alles nichts. Man konnte sich entspannen und es ganz ruhig angehen lassen. Man sah die Enttäuschung auf dem Gesicht seines Gegenübers nicht und konnte sich einfach vorstellen, dass er über alles, was man sagte und tat, lächelte. Wenn es nicht funktionierte, brauchte man sich keine Sorgen zu machen, ihm irgendwann beim Gemüsehändler oder im Einkaufszentrum zu begegnen. Man hatte genug Abstand, sodass man ganz bei sich sein konnte und nicht immer auf der Hut war.

Man fühlte sich sicher.

Was sollte schon passieren?

Sie unterdrückte ein Lächeln. Die Beziehung hatte schnell Fahrt aufgenommen – es gab keinen Grund, darauf näher einzugehen – und hatte sich immer leidenschaftlicher entwickelt, bis Michael Craig ihr schließlich eine »persönliche Nachricht« geschrieben hatte.

Schluss damit. Wie wär's, wenn wir uns treffen?

Martha Paquet erinnerte sich, wie sie am Computer knallrot angelaufen war. Oh, wie sehr sie sich nach echtem Kontakt sehnte, nach körperlicher Intimität mit einem Mann, wie sie ihn sich immer vorgestellt hatte. Sie war so lange einsam und ängstlich gewesen, und jetzt hatte sie jemanden kennengelernt, traute sich aber nicht, den nächsten Schritt zu machen. Martha erklärte Michael, warum sie zögerte. Sie wollte das, was sie hatten, nicht aufs Spiel setzen, aber sie musste ihm auch zustimmen, als er schließlich auf die ihm eigene, verständnisvolle Art fragte, was sie denn schon hätten.

Nichts, wenn man richtig darüber nachdachte. Das war alles nur Schall und Rauch. Aber wenn sie sich persönlich kennenlernten, wenn die Chemie da auch nur halbwegs so stimmte wie online…

Aber was, wenn das nicht so war? Was war – und das musste doch eigentlich viel häufiger der Fall sein –, wenn alles verpuffte, sobald sie sich von Angesicht zu Angesicht gegenübersaßen? Was war, wenn sie – wie sie es erwartete – eine absolute Enttäuschung für ihn war?

Martha wollte es hinausschieben. Sie bat ihn, Geduld zu haben. Er sagte, das würde er, aber so würden Beziehungen nicht funktionieren. Beziehungen könnten nicht stagnieren, entweder verbesserten sie sich, oder sie verschlechterten sich. Sie spürte, wie Michael ganz langsam anfing, sich zurückzuziehen. Er war ein Mann, das wusste sie. Er hatte Sehnsüchte und Bedürfnisse, genau wie sie.

Dann, so seltsam es auch erscheinen mochte, ging Martha auf die Facebook-Seite ihrer Schwester und sah folgende Lebensweisheit mit einem Foto von Wellen, die an eine Küste schlugen:

Ich bereue nicht das, was ich getan habe, ich bereue das, was ich nicht getan habe, als ich die Gelegenheit dazu hatte.

Der Autor des Zitats wurde nicht genannt, aber es traf Martha tief ins Herz. Sie hatte von Anfang an recht gehabt: Eine Online-Beziehung war nicht echt. Sie mochte als Anbahnung funktionieren. Sie mochte leidenschaftlich werden,

Freude und Schmerz bringen. Aber man konnte nur eine gewisse Zeit in einer falschen Realität leben. Im Endeffekt war es nur ein Rollenspiel.

Sie konnte so wenig verlieren und so viel gewinnen.

Und so war Martha, als sie beobachtete, wie der Chauffeur aufs Haus zukam, gleichermaßen verängstigt wie berauscht. Außerdem hatte sie noch ein verdammtes Zitat auf Sandis Pinnwand gelesen, in dem es darum ging, Risiken einzugehen und jeden Tag etwas zu tun, das einem Angst machte. Falls das tatsächlich der Sinn des Lebens war, hatte Martha es tatsächlich geschafft, bisher keinen einzigen Moment lang richtig zu leben.

Sie hatte noch nie so viel Angst gehabt. Sie hatte sich noch nie so lebendig gefühlt.

Sandi schlang ihre Arme um sie. Martha erwiderte die Umarmung.

»Ich liebe dich«, sagte Sandi.

»Ich liebe dich auch.«

»Ich will, dass du die beste Zeit auf der großen weiten Welt erlebst, hast du gehört?«

Martha nickte. Sie befürchtete, in Tränen auszubrechen. Der Chauffeur klopfte an die Tür. Martha öffnete sie. Er stellte sich als Miles vor und nahm ihren Koffer.

»Hier entlang, Madam.«

Martha folgte ihm zum Wagen. Sandi begleitete sie. Der Chauffeur verstaute den Koffer im Kofferraum und öffnete ihr die Tür. Sandi umarmte sie noch einmal.

»Wenn du was brauchst, ruf mich an«, sagte Sandi.

»Mach ich.«

»Wenn du dich nicht wohlfühlst, oder du nach Hause willst …«

»Ich ruf dich an, Sandi. Versprochen.«

»Nein, das wirst du nicht, weil du es vor lauter Spaß ver-gessen wirst.« Sandi hatte Tränen in den Augen. »Du hast es verdient. Du hast es verdient, glücklich zu werden.«

Martha unterdrückte die Tränen. »Wir sehen uns über-morgen.«

Sie stieg hinten ein. Der Fahrer schloss die Tür. Er setzte sich ans Steuer und fuhr sie in ihr neues Leben.

SIEBENUNDZWANZIG

Chaz' Wagen war ein Ferrari 458 Italia in einem Gelb, das er hartnäckig *giallo* nannte.

Kat runzelte die Stirn. »Das überrascht mich jetzt nicht.«

»Ich nenne ihn die Aufreißerkiste«, sagte er und reichte ihr eine Schlüsselkette mit einem Supermann-Anhänger.

»Vielleicht solltest du ihn lieber ›Überkompensation‹ nennen.«

»Hä?«

»Vergiss es.«

Drei Stunden später, als die Frauenstimme sagte: »Sie haben Ihr Ziel erreicht«, war Kat sicher, dass irgendwo ein Fehler passiert sein musste.

Sie prüfte die Adresse noch einmal. Die stimmte – 909 Trumbull Road, Northampton, Massachusetts. Nach Auskunft der firmeneigenen Webseite wie auch der Gelben Seiten im Internet befand sich hier der Firmensitz von Parsons, Chuback, Mitnick and Bushwell Investment and Securities.

Kat parkte am Straßenrand zwischen einem Subway-Schnellrestaurant und einem Schönheitssalon namens Pam's Kickin Kuts. Sie hatte eine Kleinstadt-Version des Büros von Lock-Horne Investment and Securities erwartet, aber dieses Haus mit der lachsfarbenen Tür und dem vertrocknenden Efeu am weißen Gitter sah eher aus wie eine gealterte, viktorianische Bed & Breakfast-Pension.

Eine alte Dame im Hauskleid schaukelte auf der kleinen Veranda vorm Haus. Die Krampfadern an ihren Beinen waren so dick wie Gartenschläuche.

»Kann ich Ihnen helfen?«, fragte sie.

»Ich suche Mr Chuback.«

»Der ist vor vierzehn Jahren gestorben.«

Kat wusste nicht, wie sie darauf reagieren sollte. »Asghar Chuback?«

»Ach Chewie. Wenn Sie Mister sagen, denke ich sofort an seinen Dad, verstehen Sie? Asghar ist für mich nur mein Chewie.« Sie holte mit ihrem Schaukelstuhl etwas Schwung, um auf die Beine zu kommen. »Folgen Sie mir.«

Kat verspürte kurz den Wunsch, Chaz als Rückendeckung bei sich zu haben. Die alte Dame ging mit ihr ins Haus und öffnete die Kellertür. Kat griff nicht nach ihrer Pistole, rief sich aber ins Gedächtnis, wo die Waffe sich befand, und ging im Geiste, so wie sie es häufiger machte, noch einmal durch, welche Bewegungen sie machen musste, um sie zu ziehen.

»Chewie?«

»Was, Ma? Ich bin hier unten beschäftigt.«

»Hier will dich jemand sprechen.«

»Wer?«

Die alte Dame sah Kat an. Kat rief: »Detective Donovan, NYPD.«

Ein Berg von einem Mann erschien unten an der Kellertreppe. Er hatte seine zurückgehenden Haare zu einem dünnen Pferdeschwanz zusammengebunden. Sein breites Gesicht war verschwitzt. Er trug eine ausgebeulte Cargo-Shorts und ein T-Shirt mit dem Aufdruck TWERK TEAM CAPTAIN.

»Oh, alles klar. Kommen Sie runter.«

Die alte Dame fragte: »Soll ich Ihnen eine Orangina bringen?«

»Nicht nötig, danke«, sagte Kat und ging die Treppe hinunter. Chuback wartete unten auf sie. Er wischte sich die Hände am Hemd ab, bevor er ihr mit seiner fleischigen Pranke die Hand schüttelte. »Mich nennen alle Chewie.«

Er war dreißig, vielleicht fünfunddreißig, hatte einen Bowlingkugelbauch und blasse, dicke Beine, die wie Marmorsäulen aussahen. Er trug ein Bluetooth-Headset. Der Keller sah aus wie das Büro von Mike Brady aus der Fernsehserie *Drei Mädchen und drei Jungen*. Holzvertäfelung, Clown-Bilder und große Aktenschränke. Der Schreibtischbereich bestand aus drei u-förmig aufgestellten Werkbänken mit einer schwindelerregenden Anzahl unterschiedlicher Bildschirme und Computer. Dahinter standen zwei riesige Ledersessel auf großen weißen Sockeln, deren Armlehnen mit bunten Knöpfen und Lämpchen versehen waren.

»Sie sind Asghar Chuback?«, fragt Kat.

»Ich würde es vorziehen, wenn Sie mich Chewie nennen.«

»Teilhaber der Firma Parsons, Chuback, Mitnick and Bushwell?«

»Das bin ich.«

Kat sah sich um. »Und wer sind Parsons, Mitnick und Bushwell?«

»Drei Typen, mit denen ich in der fünften Klasse Basketball gespielt habe. Ich habe mir ihre Namen nur für den Briefkopf ausgeborgt. Klingt aber richtig edel, oder?«

»Die ganze Investmentfirma ist also …«

»Das bin ich, ja. Einen Moment bitte.« Er tippte auf das Headset. »Ja, klar, nein, Toby, ich würde sie noch nicht verkaufen. Haben Sie die Rohstoffentwicklung in Finnland gesehen? Da können Sie mir vertrauen. Okay, ich bin gerade im Gespräch mit einem anderen Klienten. Ich ruf Sie zurück.«

Wieder tippte er auf das Headset, um aufzulegen.

»Also«, fragte Kat, »war Ihre Mom die Sekretärin, mit der mein Partner gesprochen hat?«

»Nein, das war ich auch. Ich habe einen Stimmenverzerrer in der Telefonleitung. Ich kann auch Parsons, Mitnick oder Bushwell sein, falls der Klient eine zweite Meinung hören will.«

»Ist das nicht Betrug?«

»Ich glaube nicht, aber ehrlich gesagt, mache ich so viel Geld für meine Klienten, dass es sie eigentlich nicht weiter interessiert.« Chewie entfernte die Joysticks und Spielkonsolen von den beiden großen Sesseln. »Nehmen Sie Platz.«

Kat trat auf den Sockel und setzte sich. »Warum kommt mir der Sessel so bekannt vor?«

»Das sind Captain Kirks Sessel aus *Raumschiff Enterprise*. Leider nur Kopien. Das Original konnte ich nicht kaufen. Gefallen sie Ihnen? Ganz ehrlich? Ich bin eigentlich kein Trekkie. *Kampfstern Galactica*, das war mein Ding, aber diese Sessel sind ziemlich bequem, oder?«

Kat ignorierte die Frage. »Sie haben vor Kurzem einen SAR zu einem bestimmten Schweizer Bankkonto erstellt, ist das richtig?«

»Das ist richtig, aber warum sind Sie hier?«

»Wie bitte?«

»Sie sind vom NYPD, richtig? SARs gehen an die Finanzaufsicht. Das liegt im Zuständigkeitsbereich des U.S. Finanzamts, nicht der Polizei von New York City.«

Kat stützte sich auf die Lehnen, passte aber auf, dass sie keinen der Knöpfe drückte. »Das Konto ist in einem Fall aufgetaucht, in dem ich ermittle.«

»In welchem Zusammenhang?«, fragte er.

»Ich bin nicht bereit, das zu diskutieren.«

»Oh, das ist schade.« Chuback erhob sich aus seinem Sessel und stieg vom Sockel. »Ich begleite Sie nach draußen.«

»Wir sind noch nicht fertig, Mr Chuback.«

»Chewie«, sagte er. »Und doch, ich denke, das sind wir.«

»Ich könnte Ihr ganzes Geschäft melden.«

»Nur zu. Ich bin lizenzierter Finanzberater und arbeite mit einem über die FDIC abgesicherten Finanzinstitut zusammen. Ich kann meine Firma nennen, wie ich will. Ich habe den SAR erstellt, weil ich mich an die Gesetze halte und besorgt war, aber ich werde das Vertrauen meiner Klienten nicht blindlings aufs Spiel setzen, indem ich ihre Finanzdaten einfach an eine Polizistin weitergebe.«

»Warum waren Sie besorgt?«

»Tut mir leid, Detective Donovan. Ich muss wissen, wonach Sie suchen, sonst muss ich Sie bitten zu gehen.«

Kat überlegte kurz, wie sie weiter vorgehen sollte, aber ein erwachsener Mann namens Chewie hatte ihr praktisch keine Wahl gelassen. »Ich ermittle in einem Fall, in dem jemand eine große Summe auf ein Schweizer Nummernkonto transferiert hat.«

»Und dabei handelt es sich um das Konto, das ich gemeldet habe?«, fragte Chuback.

»Ja.«

Er setzte sich wieder hin und trommelte mit den Fingern auf Captain Kirks bunte Knöpfe. »Hm.«

»Hören Sie, wie Sie richtig erkannt haben, arbeite ich nicht für die Finanzbehörden. Es interessiert mich nicht, ob Ihr Klient Geld wäscht oder Steuern hinterzieht.«

»Und worum genau geht es bei Ihrer Ermittlung?«

Kat beschloss, es drauf ankommen zu lassen. Vielleicht

war er so geschockt, dass er irgendwelche Zugeständnisse machte. »Eine vermisste Frau.«

Chuback sah sie mit offenem Mund an. »Ist das Ihr Ernst?«

»Ja.«

»Und Sie glauben, dass mein Klient etwas damit zu tun hat?«

»Ehrlich gesagt, habe ich nicht die leiseste Ahnung. Aber genau das will ich herausbekommen. Finanzielle Unregelmäßigkeiten sind mir egal. Wenn Sie jedoch bereit sind, einen Klienten zu schützen, der an einem irgendwie gearteten Kidnapping …«

»Kidnapping?«

»… oder einer Entführung beteiligt ist, was ich allerdings nicht genau sagen kann …«

»Das bin ich nicht, nein. Ist das Ihr Ernst?«

Kat beugte sich vor. »Bitte erzählen Sie mir, was Sie wissen.«

»Bei der ganzen Geschichte«, sagte Chuback, »passt überhaupt nichts zusammen.« Er zeigte nach oben zur Zimmerdecke. »Ich habe hier überall Überwachungskameras. Die nehmen alles auf, was wir sagen. Ich möchte, dass Sie mir Ihr Wort geben – wobei mir natürlich klar ist, dass Sie darauf nur begrenzt Einfluss haben –, dass Sie meinem Klienten zu helfen versuchen, anstatt ihn aktiv zu verfolgen.«

Ihn. Also wusste sie jetzt wenigstens, dass es ein Mann war. Sie zögerte nicht lange. Vor Gericht wäre die Aufnahme sowieso nicht von Bedeutung. »Gut, ich gebe Ihnen mein Wort.«

»Der Name meines Klienten ist Gerard Remington.«

Sie suchte ihr Gedächtnis ab, der Name sagte ihr aber nichts. »Wer ist das?«

»Er ist Pharmazeut.«

Immer noch nichts. »Und was genau ist passiert?«

»Mr Remington hat mich beauftragt, den Großteil seines Depots auf dieses Schweizer Bankkonto zu transferieren.
Das ist übrigens keineswegs illegal.«

Wieder die Legalität. »Und warum haben Sie es dann gemeldet?«

»Weil man es im Sinne des SAR durchaus als verdächtige
Aktivität betrachten kann. Hören Sie, Gerard ist nicht nur irgendein Klient. Er ist mein Cousin. Seine Mom und meine
Mom, das ist die Dame, die Sie hereingeführt hat, waren
Schwestern. Seine Mom ist schon vor langer Zeit gestorben,
also sind wir praktisch seine einzigen Verwandten. Gerard ist
ein bisschen, na ja, er ist ziemlich schräg. Wenn er jünger wäre,
hätte man bei ihm vermutlich Autismus oder ein Asperger-
Syndrom diagnostiziert. In vieler Hinsicht ist er genial – als
Naturwissenschaftler ist er eine Wucht –, aber sein Sozialver-
halten lässt zu wünschen übrig.« Chuback breitete die Arme
aus und lächelte. »Und ja, mir ist klar, wie seltsam das aus dem
Mund eines erwachsenen Mannes klingt, der bei seiner Mutter
wohnt und in Sesseln aus *Raumschiff Enterprise* sitzt.«

»Und was ist passiert?«

»Gerard hat mich angerufen und beauftragt, Geld auf dieses Schweizer Bankkonto zu überweisen.«

»Hat er gesagt, warum?«

»Nein.«

»Was genau hat er gesagt?«

»Gerard sagte, es wäre sein Geld, und er müsse das nicht
begründen. Ich habe dann trotzdem noch ein bisschen nach-
gehakt. Er sagte, er wollte ein neues Leben anfangen.«

Ein kalter Schauer lief ihr über den Rücken. »Was haben
Sie gedacht?«

Chuback rieb sich das Kinn. »Ich fand es sonderbar, aber wenn es um das Geld der Menschen geht, ist sonderbar schon fast die Norm. Ich unterliege auch treuhänderischen Verpflichtungen. Wenn Vertraulichkeit verlangt wird, muss ich dem nachkommen.«

»Aber richtig gefallen hat es Ihnen nicht«, sagte Kat.

»Nein, das hat es nicht. Es passt nicht zu ihm. Aber ich konnte nicht viel machen.«

Kat sah, worauf es hinauslief. »Natürlich unterliegen Sie auch gesetzlichen Verpflichtungen.«

»Genau.«

»Also haben Sie einen SAR ausgefüllt und gehofft, dass jemand die Ermittlungen aufnehmen würde?«

Er zuckte die Achseln, Kat sah aber, dass sie einen Treffer gelandet hatte. »Und jetzt sind Sie hier.«

»Und wo ist Gerard Remington jetzt?«

»Ich weiß es nicht. Irgendwo im Ausland.«

Wieder bekam Kat eine Gänsehaut. Im Ausland. Wie Dana Phelps. »Allein?«

Chuback schüttelte den Kopf, drehte sich um und drückte eine Taste auf der Tastatur, woraufhin alle Bildschirme zum Leben erwachten und ein Bild zeigten, das Kat für seinen Bildschirmschoner hielt: Eine vollbusige Frau, die aussah, als wäre sie direkt dem pornografischen Traum eines Fünfzehnjährigen entsprungen – oder, um das Gleiche etwas anders auszudrücken, eins jener sinnträchtigen Bilder, das einem fast immer begegnet, wenn man ins Internet geht. Das Lächeln der Frau traf direkt ins Schwarze. Sie hatte volle Lippen. Ihr Busen war so groß, dass sie dafür einen Waffenschein brauchte.

Kat wartete, dass er eine weitere Taste drückte und der Busenwunder-Bildschirmschoner verschwand. Das tat er aber nicht. Kat sah Chuback an. Chuback nickte.

»Moment, wollen Sie sagen, dass Ihr Cousin mit dieser Frau verreist ist?«

»Das hat er meiner Mutter erzählt.«

»Das soll doch wohl ein Witz sein.«

»Das habe ich auch gesagt. Ich meine, Gerard ist ein netter Kerl und alles, aber eine Braut, die so aussieht? Die spielt in einer ganz anderen Liga. Wissen Sie, mein Cousin kann ziemlich naiv sein. Also habe ich mir Sorgen gemacht.«

»Was für Sorgen?«

»Zuerst dachte ich, sie wollten ihn übers Ohr hauen. Ich habe von Männern gelesen, die von Frauen, die sie im Internet kennengelernt hatten, als Drogenkuriere für Südamerika oder so etwas Dummes eingesetzt wurden. Gerard wäre das perfekte Opfer für so etwas.«

»Aber das glauben Sie jetzt nicht mehr?«

»Ich weiß nicht, was ich glauben soll«, sagte Chuback. »Aber als er das Geld überwiesen hat, hat er gesagt, dass er sehr verliebt ist. Er wollte mit ihr ein neues Leben anfangen.«

»Und Sie hatten nicht den Eindruck, dass ihn da jemand übers Ohr hauen würde?«

»Natürlich hatte ich den, aber was hätte ich dagegen tun sollen?«

»Es der Polizei melden.«

»Und was hätte ich da sagen sollen? Mein etwas eigenartiger Klient will, dass ich sein Geld auf ein Schweizer Bankkonto transferiere? Ach kommen Sie. Außerdem war da noch die Vertraulichkeit.«

»Er hat Sie zu Verschwiegenheit verpflichtet.«

»Genau, und in meinem Geschäft ist das so, als würde man eine Beichte vor einem Priester ablegen.«

Kat schüttelte den Kopf. »Also haben Sie nichts gemacht.«

»Nicht nichts«, sagte er. »Ich habe einen SAR ausgefüllt. Und jetzt sind Sie hier.«

»Kennen Sie den Namen der Frau?«

»Vanessa irgendwas.«

»Wo wohnt Ihr Cousin?«

»Mit dem Auto etwa zehn Minuten von hier entfernt.«

»Haben Sie einen Wohnungsschlüssel?«

»Meine Mom hat einen.«

»Dann lassen Sie uns hinfahren.«

Chuback schloss die Tür auf und duckte sich, als er ins Haus trat. Kat folgte ihm mit wachem Blick. Gerard Remingtons Wohnung war fast unanständig adrett, sauber und ordentlich. Es sah eher wie etwas aus, das hinter Glas gehörte, wie ein Museumsstück, und nicht wie der Lebensraum eines Menschen.

»Wonach suchen wir?«, fragte Chuback.

Früher fing man an, in Schränken und Schubladen nachzusehen. Heutzutage waren Durchsuchungen meist einfacher. »Nach seinem Computer.«

Sie sahen im Schreibtisch nach. Nichts. Dann im Schlafzimmer. Wieder nichts. Auch unterm Bett und auf dem Nachttisch war nichts zu finden.

»Er hat nur einen Laptop«, sagte Chuback. »Vielleicht hat er ihn mitgenommen.«

Mist.

Kat fing an, die Wohnung auf die altmodische Art zu durchsuchen – also Schränke und Schubladen zu öffnen. Auch darin war alles unglaublich ordentlich. Die Socken lagen aufgerollt in vier Reihen zu je vier Paaren. Alles war zusammengelegt. Es gab keine losen Zettel, Stifte, Münzen, Büroklammern oder Streichholzheftchen – nichts lag irgendwo, wo es nicht hingehörte.

»Was geht hier Ihrer Ansicht nach vor?«, fragte Chuback.

Kat wollte nicht spekulieren. Es gab keine echten Hinweise auf ein Verbrechen, außer vielleicht ein paar unscharf formulierte Finanzgesetze, denen zufolge es verboten war, höhere Geldbeträge auf ausländische Konten zu überweisen. Natürlich waren ein paar Dinge etwas seltsam und einige Vorgänge mochten auch verdächtig erscheinen, aber was sollte sie im Moment damit anfangen?

Aber sie hatte ein paar Kontaktpersonen beim FBI. Wenn sie noch etwas mehr herausbekam, könnte sie es von ihnen prüfen lassen und sie bitten, sich die Sache näher anzusehen. Doch auch da stellte sich wieder die Frage, wonach sie eigentlich suchen sollten.

Sie hatte eine Idee. »Mr Chuback.«

»Nennen Sie mich Chewie«, sagte er.

»Okay, Chewie. Können Sie mir das Foto von Vanessa mailen?«

Er blinzelte. »Stehen Sie auf so was?«

»Sehr lustig.«

»Bisschen lahm, was? Aber hey, er ist mein Cousin«, sagte er, als würde das alles erklären. »Ich bin auch gerade ziemlich durch den Wind.«

»Mailen Sie es mir, okay?«

Auf Gerards Schreibtisch stand nur ein Foto. Ein Schwarz-Weiß-Bild, das im Winter gemacht worden war. Kat nahm es und betrachtete es genauer.

Chuback stellte sich hinter sie. »Der kleine Junge ist Gerard. Und der Mann ist sein Vater. Er starb, als Gerard acht war. Ich glaube, sie sind gern Eisfischen gegangen oder so.«

Beide trugen dicke Parkas mit großen Pelzmützen. Es lag Schnee. Der kleine Gerard hielt einen Fisch hoch und lächelte breit in die Kamera.

»Soll ich Ihnen was Komisches erzählen?«, fragte Chuback. »Ich glaube, ich habe Gerard nie so lächeln sehen.«

Kat stellte das Foto zurück und fing wieder an, die Schubladen durchzusehen. In der untersten waren Akten, die wiederum so ordentlich beschriftet waren, als kämen sie aus der Druckerei. Sie entdeckte Auszüge seiner VISA-Karte und zog den neuesten Ordner heraus.

»Wonach suchen Sie?«, fragte Chewie.

Sie überflog die Beträge. Als Erstes stachen ihr die 1.458 Dollar an JetBlue Airways ins Auge. Weitere Einzelheiten waren auf der Rechnung nicht angegeben, aber sie konnte auch so leicht feststellen lassen, wann oder wohin er fliegen wollte. Mit dem Handy machte sie ein Foto der Abrechnung und mailte es an Chaz. Er konnte es sich ansehen. Kat wusste, dass JetBlue keine Erste Klasse anbot, es war also davon auszugehen, dass es die Summe für zwei Hin- und Rückflug-Tickets war.

Für Gerard und die dralle Vanessa?

Bei den anderen Zahlungen entdeckte sie nichts Auffallendes. Kabelfernsehen, Mobilfunkbetreiber (die Information könnte sie noch brauchen), Strom, Gas, das Übliche. Kat wollte den Auszug schon wieder in die Schublade stecken, als sie ganz unten etwas bemerkte.

Der Zahlungsempfänger war eine Firma namens TMJ Services.

Das kam ihr nicht ungewöhnlich vor. Wahrscheinlich hätte sie es übersehen, wäre da nicht der Betrag gewesen.

5,74 Dollar.

Und dann dachte sie über den Namen nach. TMJ. Wenn man die Reihenfolge veränderte, wurde aus TMJ JMT. Sehr diskret.

Eine Abbuchung von JMT über 5,74 Dollar.

Wie Dana Phelps, wie Jeff Raynes, wie Kat Donovan selbst war Gerard Remington Kunde von YouAreJustMy-Type.com.

Als Kat wieder im *giallo*-farbenen Ferrari saß, rief sie Brandon Phelps an.

Er meldete sich mit einem zaghaften: »Hallo?«

»Wie geht's dir, Brandon?«

»Mir geht's gut.«

»Du musst mir einen Gefallen tun.«

»Wo sind Sie?«, fragte er.

»Auf der Rückfahrt von Massachusetts.«

»Was gibt's da oben?«

»Das kann ich dir demnächst mal erklären. Aber jetzt schicke ich dir erst einmal ein Foto von einer ziemlich üppigen Frau.

»Hä?«

»Sie trägt einen Bikini. Du wirst schon sehen. Du erinnerst dich doch noch an die Bildersuche, die du mit dem Bild von Jeff gemacht hast?«

»Klar.«

»Kannst du mit ihrem Foto das Gleiche machen? Feststellen, ob du sie irgendwo im Internet findest. Ich brauche den Namen, die Adresse, eigentlich alles, was du über sie herausbekommen kannst.«

»Okay«, sagte er. Dann: »Das hat doch nichts mit meiner Mom zu tun, oder?«

»Vielleicht schon.«

»Und wie?«

»Das ist eine lange Geschichte.«

»Wenn Sie nämlich immer noch nach meiner Mutter suchen, sollten Sie, glaube ich, damit aufhören.«

Das überraschte sie. »Warum?«

»Sie hat mich angerufen.«

»Deine Mutter?«

»Ja.«

Kat fuhr den Ferrari auf den Seitenstreifen und hielt an. »Wann?«

»Vor einer Stunde.«

»Was hat sie gesagt?«

»Sie hat gesagt, dass sie gerade im Internet war und alle meine E-Mails gesehen hat, dass aber alles in Ordnung ist. Sie hat gesagt, ich soll aufhören, mir Sorgen zu machen, sie ist überglücklich und bleibt vielleicht sogar ein paar Tage länger.«

»Was hast du gesagt?«

»Ich habe nach der Überweisung gefragt.«

»Was hat sie gesagt?«

»Sie ist ein bisschen sauer geworden. Sie meinte, das ist ihre Privatsache, und dass ich nicht das Recht habe, in ihren Sachen herumzuschnüffeln.«

»Hast du ihr erzählt, dass du bei der Polizei warst?«

»Ich hab ihr von Detective Schwartz erzählt. Ich glaub, sie hat ihn dann auch angerufen. Von Ihnen hab ich ihr aber nichts gesagt.«

Kat wusste nicht, was sie davon halten sollte.

»Kat?«

»Ja.«

»Sie sagte, sie würde bald wieder nach Hause kommen, und dass sie eine große Überraschung für mich hätte. Wissen Sie, was das ist?«

»Schon möglich.«

»Hat es etwas mit Ihrem früheren Liebhaber zu tun?«

»Schon möglich.«

»Meine Mom hat mich gebeten, dass ich mich da raushalten soll. Ich glaube, dass das, was sie mit dem Geld macht, nicht ganz koscher ist, und dass sie Schwierigkeiten bekommen könnte, wenn ich weiter rumfrage.«

Kat saß mit gerunzelter Stirn im Wagen. Was jetzt? Bisher hatte es nur so wenige Hinweise auf irgendetwas Verbotenes gegeben. Und jetzt, nachdem Dana Phelps ihren Sohn und vermutlich auch Detective Schwartz angerufen hatte, blieb im Prinzip nur noch die abstruse, paranoide Verschwörungstheorie einer Polizistin vom NYPD, die kürzlich von ihrem Vorgesetzten in Zwangsurlaub geschickt worden war, weil sie, tja, eine andere abstruse, paranoide Verschwörungstheorie vorgebracht hatte.

»Kat?«

»Machst du die Bildersuche für mich, Brandon? Im Moment ist es das Einzige, worum ich dich bitte. Mach diese Bildersuche.«

Nach kurzem Zögern kam die Antwort: »Ja, okay.«

Sie bekam einen weiteren Anruf, also verabschiedete Kat sich schnell und nahm ihn an.

Sie hörte Stacy sagen: »Wo bist du?«

»Ich bin noch in Massachusetts, fahre aber nach Hause. Warum?«

»Ich habe Jeff Raynes gefunden.«

ACHTUNDZWANZIG

Titus lag im Gras und starrte hinauf in den perfekten Nachthimmel. Bevor er auf die Farm gezogen war, hatte er geglaubt, dass Sterne und Sternzeichen nur in Märchen existierten. Heute fragte er sich, ob die Sterne in der großen Stadt nicht schienen, oder ob er sich einfach nie die Zeit genommen hatte, sich so hinzulegen, die Hände hinter dem Kopf zu verschränken und nach oben zu blicken. Im Internet hatte er eine Himmelskarte mit den Sternbildern gefunden und ausgedruckt. Eine Zeit lang hatte er sie jedes Mal mit rausgebracht. Jetzt brauchte er sie nicht mehr.

Dana Phelps war wieder in ihrer Kiste.

Sie war zäher als die meisten anderen, aber am Ende, wenn Lügen und Falschmeldungen, Drohungen und Irreführungen nicht ausgereicht hatten, um eine Kooperation herbeizuführen, brauchte Titus nur das Foto eines Kindes hochzuhalten, damit sie sich fügten.

Dana hatte ihren Anruf gemacht. Das taten sie irgendwann alle. Ein Mann hatte versucht, den Angerufenen zu warnen. Titus hatte das Telefonat sofort unterbrochen. Er hatte überlegt, ob er den Mann auf der Stelle umbringen sollte, hatte ihn dann aber von Reynaldo mit der alten Baumsäge bearbeiten lassen, die die Amish in der Scheune zurückgelassen hatten. Das Sägeblatt war stumpf, aber so hatte Reynaldo nur noch mehr Spaß. Drei Tage später hatte Reynaldo ihn wieder zurückgebracht. Der Mann hatte auf den Knien darum gefleht, kooperieren zu dürfen. Er hatte die Hände wie zum Gebet gefaltet, ihm fehlten aber sämtliche Finger.

So lief das.

Titus hörte Schritte. Er sah weiter zu den Sternen hinauf, bis Reynaldo direkt neben ihm stand.

»Alles okay mit der Neuen?«, fragte Titus.

»Ja. Sie ist in ihrer Kiste.«

»Hat sie ihren Laptop dabei?«

»Nein.«

Das war keine Überraschung. Martha Paquet war zurückhaltender gewesen als die meisten anderen. Ihr hatte er die Flucht aus dem tristen Alltag nicht mit einer Reise in ein ruhiges, sonniges Inselparadies schmackhaft gemacht. Ihren Widerstand hatte er mit einem verdaulicheren Happen gebrochen – zwei Nächte in einer Bed-and-Breakfast-Pension in Ephrata, Pennsylvania. Erst hatte es so ausgesehen, als würde Martha nicht darauf eingehen – kein Problem, man schnitt einfach den Köder ab und kümmerte sich um jemand anderen –, aber schließlich hatte sie doch noch eingewilligt.

Ihr Laptop wäre hilfreich gewesen. Die meisten Leute haben ihr ganzes Leben darauf. Dmitry hätte darin nach Bankkonten und Passwörtern suchen können. Natürlich würden sie auch auf ihrem Smartphone nachsehen, allerdings ließ Titus Handys nicht gern lange eingeschaltet – auch wenn die Wahrscheinlichkeit hier draußen gering war, konnte ein eingeschaltetes Handy womöglich zurückverfolgt werden. Deshalb nahm er nicht nur die Handys an sich, er entfernte auch die Akkus.

Das andere Problem bestand darin, dass Titus weniger Zeit blieb, mit ihr zu arbeiten. Sie hatte nicht viele Verwandte, nur eine Schwester – die Martha dazu ermutigt hatte, diese Chance zu ergreifen. Die Schwester konnte er vermutlich leicht überzeugen, dass Martha beschlossen hatte, ein paar Tage länger zu bleiben, trotzdem bestand eine gewisse Dringlichkeit.

Manchmal ließ Titus die Leute stunden- oder sogar tagelang in ihren unterirdischen Kisten. Das zermürbte sie. Manchmal war es aber besser – und hier experimentierte Titus noch –, sofort aufs Ganze zu gehen und den Schock zu seinem Vorteil zu nutzen. Martha Paquet hatte vor acht Stunden ihr Haus in dem Glauben verlassen, dass sie kurz davor war, ihre wahre Liebe zu finden. Seitdem war sie in einem Auto eingeschlossen gewesen, bedroht und auch geschlagen worden, als sie für einen Moment laut geworden war, und schließlich hatte man sie ausgezogen und in einer dunklen Kiste begraben.

Hoffnungslosigkeit war viel mächtiger, wenn sie aus hochfliegenden Hoffnungen hervorging. Man musste sich das so vorstellen: Wenn man etwas so fallen lassen will, dass es hart aufschlägt, muss man es erst so weit wie möglich hochheben.

Oder, einfacher gesagt: Es musste erst einmal Hoffnung bestehen, damit man sie zerstören konnte.

Titus richtete sich in einer fließenden Bewegung auf. »Schick sie den Pfad entlang.«

Er ging zurück zum Farmhaus. Dmitry erwartete ihn. Sein Computer lief. Dmitry war zwar Computerexperte, bei dem, was jetzt kam, diente er nur als Sekretärin. Es war Titus' Aufgabe, den »Gästen« die Kontonummern, E-Mail-Adressen, Passwörter und die sonstigen relevanten Informationen zu entlocken. Sobald man die einmal hatte, brauchte man sie bei Bedarf nur noch einzugeben.

Reynaldo würde Martha Paquet jetzt aus ihrer Kiste holen. Er würde dafür sorgen, dass sie sich mit dem Schlauch abspritzte und ihr den Overall geben. Titus sah auf die Uhr.

Er hatte noch etwa zehn Minuten. Er holte sich einen Snack aus der Küche – er liebte Reiscracker mit Erdnussbutter – und stellte einen Kessel mit Wasser auf den Herd.

Titus hatte verschiedene Möglichkeiten, seine »Gäste« ausbluten zu lassen. Meistens versuchte er es langsam, damit nicht doch irgendein Außenstehender zu früh auf den Gedanken kam – um im Bild zu bleiben –, einen Druckverband anzulegen. In den ersten Tagen ließ er sie Beträge von jeweils knapp zehntausend Dollar auf diverse Konten überweisen, die er im Ausland eröffnet hatte. Sobald Geld auf diesen Konten ankam, überwies Titus es auf ein anderes Konto, dann wieder auf ein anderes und so weiter. Kurz gesagt, er sorgte dafür, dass es praktisch unmöglich war, den Weg, den das Geld genommen hatte, zurückzuverfolgen.

Genau wie früher, als er die Mädchen beim Aussteigen aus dem Bus beobachtet hatte, wusste Titus, dass Geduld auch hier der Schlüssel zum Erfolg war. Man musste warten, auch mal eine Zielperson ungeschoren ihrer Wege ziehen lassen, um eine bessere, passendere zu finden. Im Busbahnhof hatte Titus damals hoffen können, ein, vielleicht zwei potenzielle Zielpersonen pro Woche zu entdecken, das Internet hingegen bot unendlich vielfältige Möglichkeiten. Er konnte auf verschiedenen Seiten von Partnerbörsen in einem immer gut gefüllten Pool nach Zielpersonen fischen. Manche wurden sofort als nutzlos erkannt, aber das war in Ordnung, weil es da draußen noch so viele andere gab. Man brauchte Zeit. Man brauchte Geduld. Er vergewisserte sich immer, dass die Zielpersonen nicht zu viele Verwandte hatten. Er vergewisserte sich, dass nicht zu viele Menschen sie vermissten. Er vergewisserte sich, dass sie über das entsprechende Kapital verfügten, um die Unternehmung profitabel zu gestalten.

Manchmal biss die Zielperson an, manchmal nicht. *C'est la vie.*

Martha zum Beispiel. Sie hatte kürzlich Geld von ihrer verstorbenen Mutter geerbt. Sie hatte nur ihrer Schwester von Michael Craig erzählt. Da ihr Rendezvous am Wochenende stattfand, hatte Martha keinen Grund gesehen, ihre Chefs bei NRG zu informieren. Das würde sich natürlich ändern, aber sobald Titus ihr E-Mail-Passwort kannte, war es kein Problem für »Martha«, ihren Arbeitgeber davon in Kenntnis zu setzen, dass sie beschlossen hatte, sich ein paar Tage freizunehmen. Bei Gerard Remington war es sogar noch einfacher gewesen. Er hatte einen zehntägigen Urlaub mitsamt Flitterwochen mit Vanessa geplant. Er hatte der Pharmafirma mitgeteilt, dass er etwas von seiner vielen aufgelaufenen Urlaubszeit nehmen würde. Gerard war sein Leben lang Junggeselle gewesen und hatte praktisch keine Familie. Es war leicht zu erklären, warum er den Großteil des angesparten Geldes von seinem Konto ins Ausland transferierte, und obwohl sein Finanzberater viele Fragen gestellt hatte, gab es eigentlich kein ernsthaftes Problem.

Nachdem das erledigt war – nachdem Titus Gerard oder einer anderen Zielperson so viel Geld wie möglich abgenommen hatte –, waren sie für ihn nutzlos. Sie waren die Schale einer ausgepressten Orange. Natürlich konnte er sie nicht wieder gehen lassen. Das wäre viel zu riskant. Die sicherste und sauberste Lösung? Man ließ die fragliche Person für immer verschwinden. Wie?

Man jagte ihr eine Kugel ins Gehirn und begrub sie im Wald.

Ein lebender Mensch lieferte eine Menge Hinweise. Eine Leiche lieferte ein paar Hinweise. Aber eine Person, die einfach vermisst wurde, eine Person, die angeblich am Leben war und Ruhe und Zufriedenheit suchte, lieferte praktisch überhaupt keine Hinweise. Es gab nichts zu ermitteln, schon gar nicht für die überarbeiteten Beamten in den Strafverfolgungsbehörden.

Manchmal begannen irgendwelche Verwandten, Fragen zu stellen oder sich Sorgen zu machen. Einige gingen Wochen oder Monate später zur Polizei. Gelegentlich wurden auch Ermittlungen eingeleitet, aber im Endeffekt handelte es sich bei diesen »vermissten« Personen um erwachsene Menschen, die kundgetan hatten, dass sie ein neues Leben beginnen wollten.

Hinweise auf ein Verbrechen waren nicht zu finden. Die fraglichen Erwachsenen hatten nachvollziehbare Erklärungen für ihr vermeintliches Verschwinden abgegeben – sie waren einsam und traurig gewesen, hatten sich verliebt und wollten ein neues Leben beginnen.

Wer hätte für eine solche Fantasie kein Verständnis gehabt?

Und selbst wenn irgendjemand das nicht schluckte – wenn irgendein ehrgeiziger Polizist oder Verwandter weitere Ermittlungen anstrebte –, was würden sie schon finden? Bis dahin war die Spur mehrere Wochen alt. Sie führte nie zu einer Farm der Amish im ländlichen Pennsylvania, die immer noch auf Mark Kadison eingetragen war, einen Amish und Farmer, der ihnen das Land gegen bar verkauft hatte.

Titus stand in der Tür. Links von sich sah er die wohlbekannten Bewegungen in der Dunkelheit. Ein paar Sekunden später schlurfte Martha in sein Blickfeld.

Titus war immer vorsichtig. Er arbeitete mit einem kleinen Team und bezahlte seine Leute gut. Er machte keine Fehler. Und wenn ein Fehler gemacht wurde, wie Claudes idiotische, kleinkarierte Gier am Geldautomaten, brach

Titus sämtliche Verbindungen ab und schaffte die Bedrohung aus der Welt. Es mochte etwas hart erscheinen, aber die Regeln waren allen, die hier arbeiteten, von Anfang an bekannt gewesen.

Martha trat noch einen Schritt vor. Titus setzte ein herzliches Lächeln auf und bedeutete ihr, ihm ins Haus zu folgen. Sie ging weiter in Richtung Veranda, hatte die Arme um sich gelegt, zitterte entweder vor Kälte oder vor Angst, vermutlich aber aus einer Kombination von beidem. Ihre Haare waren nass. Den Blick in ihren Augen kannte Titus nur zu gut – sie sahen aus wie zwei zersprungene Murmeln.

Titus setzte sich in den großen Sessel. Dmitry saß an seinem Computer, wie immer in seinem Dashiki-Hemd und mit seiner Strickmütze auf dem Kopf.

»Ich heiße Titus«, sagte er mit seiner sanften Stimme, als sie eintrat. »Bitte setzen Sie sich.«

Das tat sie. Viele fingen sofort an, Fragen zu stellen. Manche, wie Gerard, klammerten sich an den Glauben, dass ihre neu gefundene Liebe immer noch da draußen war. Das konnte Titus natürlich nutzen. Gerard hatte sich geweigert zu kooperieren, bis Titus drohte, Vanessa etwas anzutun. Andere begriffen sofort, was vorging.

Das galt offenbar auch für Martha Paquet.

Titus sah Dmitry an. »Fertig?«

Dmitry schob seine getönte Brille hoch und nickte.

»Wir haben ein paar Fragen an Sie, Martha. Sie werden sie beantworten.«

Eine einzelne Träne lief Marthas Wange hinunter.

»Wir kennen Ihre E-Mail-Adresse. Sie haben Michael Craig oft genug gemailt. Wie lautet das Passwort für den E-Mail-Account?«

Martha sagte nichts.

Titus sprach leise in wohlgesetzten Worten. Es gab keinen Grund zu schreien. »Sie werden es uns sagen, Martha. Das ist nur eine Frage der Zeit. Einige Leute lassen wir stunden-, tage- oder sogar wochenlang in so einer Kiste. Bei manchen Leuten stellen wir den Herd an und halten ihre Hand in die Gasflamme, bis wir den Geruch nicht mehr ertragen. Das mache ich nicht gern. Wenn wir einer Person zu viele Narben zufügen, bedeutet das, dass wir die Beweise am Ende vernichten müssen. Verstehen Sie?«

Martha sagte nichts.

Titus stand auf und ging auf sie zu. »Die meisten Leute – und ja, wir haben das schon ziemlich oft gemacht – verstehen recht gut, was hier passiert. Wir werden Sie berauben. Wenn Sie kooperieren, werden Sie zwar etwas ärmer, aber bei bester Gesundheit wieder nach Hause gehen. Sie werden Ihr Leben fortsetzen, als wäre nichts geschehen.«

Er setzte sich auf die Lehne ihres Sessels. Martha blinzelte und erschauerte kurz.

»Wir haben das hier«, fuhr Titus fort, »vor drei Monaten mit einer Bekannten von Ihnen gemacht. Ich werde ihren Namen nicht nennen, weil das Teil der Abmachung ist. Aber wenn Sie intensiv nachdenken, werden Sie vermutlich darauf kommen. Sie hat allen erzählt, dass sie übers Wochenende wegfährt, aber in Wahrheit war sie hier. Sie hat uns sofort alle für uns wichtigen Informationen überlassen, worauf wir sie wieder nach Hause geschickt haben.«

Das funktionierte fast immer. Titus versuchte, nicht zu lächeln, als er sah, wie die Rädchen in Marthas Kopf anfingen, sich zu drehen. Es war natürlich eine Lüge. Niemand hatte die Farm je verlassen. Aber auch jetzt ging es nicht nur darum, Menschen zu brechen. Man musste ihnen auch Hoffnung machen.

»Martha?«

Er legte ihr sanft die Hand auf den Arm. Sie hätte fast geschrien.

»Wie lautet das Passwort für Ihr E-Mail-Konto?«, fragte
er lächelnd.

Und Martha sagte es ihm.

NEUNUNDZWANZIG

Da Kat die Aufreißerkiste sowieso wieder zurückbringen musste, hatten Stacy und sie beschlossen, sich in der Lobby des Lock-Horne-Buildings zu treffen. Stacy trug einen schwarzen Rollkragenpullover, eine Jeans, die wie aufgesprüht aussah, und Cowboystiefel. Ihre Haare fielen in lockeren, leicht zerzausten Locken herab, als wäre sie gerade aus dem Bett gekommen, hätte kurz den Kopf geschüttelt und voilà … perfekt.

Wenn Kat Stacy nicht lieben würde, würde sie sie von ganzem Herzen hassen.

Es war fast Mitternacht. Zwei Frauen, eine zierlich und hübsch, die andere riesig und extravagant gekleidet, kamen aus einem Fahrstuhl. Außer ihnen befand sich nur noch ein Wachmann in der Lobby.

»Wo sollen wir reden?«, fragte Kat.

»Komm mit.«

Stacy zeigte dem Wachmann ihren Ausweis, worauf der auf den einzelnen Fahrstuhl auf der linken Seite deutete. Die Kabine war innen mit Samt bezogen und hatte eine gepolsterte Sitzbank. Es gab weder Knöpfe, die man drücken konnte, noch verrieten irgendwelche Lämpchen, in welchem Stockwerk man sich befand. Kat sah Stacy fragend an. Stacy zuckte nur die Achseln.

Der Fahrstuhl hielt – Kat hatte keine Ahnung, in welcher Etage –, und sie traten in einen weiträumigen Börsensaal.

Dutzende, vielleicht sogar hunderte Schreibtische waren ordentlich in Zweierreihen aufgestellt. Die Lampen waren aus, das Leuchten der Computerbildschirme hüllte den Raum jedoch in ein unheimliches Licht.

»Was machen wir hier?«, flüsterte Kat.

Stacy ging den Flur entlang. »Du brauchst nicht zu flüstern. Wir sind allein.«

Stacy blieb vor einer Tür mit einem Tastenfeld stehen. Sie tippte einen Code ein, worauf sich die Tür mit einem hörbaren Klicken öffnete. Kat ging hinein. Es war ein Eckbüro mit einem fantastischen Ausblick auf die Park Avenue. Stacy schaltete das Licht an. Die Einrichtung entsprach dem Stil des frühen amerikanischen Elitarismus. Prächtige, burgunderrote Ledersessel mit vergoldeten Knöpfen standen auf einem moosgrünen Orientteppich. Gemälde von Fuchsjagden hingen an der mit dunklem Holz vertäfelten Wand. Der große Schreibtisch war aus massivem Eichenholz. Daneben stand ein antiker Globus.

»Hier hat aber jemand richtig Geld«, sagte Kat.

»Mein Freund, dem das Haus gehört.«

Ihr Gesicht nahm für einen Moment einen versonnenen Ausdruck an. In den Medien war kurz über den Vorstandsvorsitzenden von Lock-Horne Investments and Securities spekuliert worden, wie alle Nachrichten war aber auch dieses Thema schnell wieder versiegt, als keine neuen Meldungen nachkamen.

»Was ist eigentlich wirklich aus ihm geworden?«, fragte Kat.

»Er hat sich bloß …«, Stacy breitete die Arme aus und zuckte mit den Achseln, »… abgemeldet, würde ich sagen.«

»Ein Nervenzusammenbruch?«

Stacy lächelte. »Nein, wohl eher nicht.«

»Was dann?«

»Ich weiß es nicht. Seine Firma hat sechs Etagen in Anspruch genommen. Seit er raus ist und nach den vielen Entlassungen sind es nur noch vier.«

Kat war klar, dass sie zu viele Fragen stellte, trotzdem machte sie weiter: »Bedeutet er dir etwas?«

»Ja. Aber es sollte wohl nicht sein.«

»Warum nicht?«

»Er ist hübsch, reich, charmant, romantisch, ein toller Liebhaber.«

»Ich höre ein *aber*.«

»Aber man kommt nicht an ihn heran. Keine Frau kann das.«

»Und trotzdem stehst du hier«, sagte Kat.

»Nachdem wir beide, äh, zusammen waren, hat er meinen Namen auf die Liste gesetzt.«

»Die Liste?«

»Das ist kompliziert. Wenn eine Frau draufsteht, hat sie Zutritt zu bestimmten Räumen, falls sie irgendwann einmal … äh … alleine sein muss, oder so etwas.«

»Das ist ein Witz.«

»Nein.«

»Und wie viele Frauen stehen so auf dieser Liste?«

»Keine Ahnung«, sagte Stacy. »Aber vermutlich eine ganze Menge.«

»Klingt nach einem ziemlichen Spinner.«

Stacy schüttelte den Kopf. »Jetzt fängst du wieder damit an.«

»Womit?«

»Du beurteilst Menschen, ohne sie zu kennen.«

»Das tue ich nicht.«

»Doch, das tust du«, sagte Stacy. »Was war dein erster Eindruck von mir?«

Hohle Nuss, dachte Kat. »Moment. Und was war dein erster Eindruck von mir?«

»Ich fand dich cool und clever«, erwiderte Stacy.

»Da lagst du richtig.«

»Kat?«

»Ja?«

»Du stellst mir all diese Fragen, weil du mich hinhalten willst.«

»Und du beantwortest sie bereitwillig, weil du mich auch hinhalten willst.«

»Touché«, sagte Stacy.

»Also gut. Wo ist Jeff?«

»Soweit ich das beurteilen kann, in Montauk.«

Kats Herz hüpfte, als hätte es einen Tritt bekommen. »Auf Long Island?«

»Kennst du sonst noch ein Montauk?« Dann etwas sanfter: »Du könntest einen Drink brauchen.«

Kat schob die Erinnerung beiseite. »Nein, danke.«

Stacy ging zu dem antiken Globus, öffnete ihn mit einem Griff, sodass eine Kristallkaraffe und Cognacschwenker zum Vorschein kamen. »Trinkst du Cognac?«

»Eigentlich nicht.«

»Er trinkt nur die Besten.«

»Ich weiß nicht, ob mir wohl bei dem Gedanken ist, teuren Cognac zu trinken.«

Wieder senkte sich ein trauriges Lächeln über ihr Gesicht – Stacy mochte den Mann wirklich. »Er wäre entsetzt, wenn er wüsste, dass wir hier sind, ohne uns einen zu gönnen.«

»Dann schenk ein.«

Das tat Stacy. Kat trank einen Schluck, und es gelang ihr,

nicht vor Begeisterung aufzustöhnen. Der Cognac war göttlicher Nektar.

»Und?«, fragte Stacy.

»Näher bin ich einem Orgasmus in flüssiger Form nie gewesen.«

Stacy lachte. Kat hatte sich nie für materialistisch oder für einen Menschen gehalten, der in exklusiven Genüssen schwelgte, aber nach dem 25 Jahre alten Macallan und diesem Cognac überlegte sie, ob sie nicht zumindest an der Alkoholfront umdenken sollte.

»Alles klar?«, fragte Stacy.

»Mir geht's gut.«

»Als ich Montauk sagte ...«

»Wir waren da mal«, unterbrach Kat sie schnell, »in Amagansett, also kurz vor Montauk, es war wunderbar, ich bin drüber hinweg, erzähl weiter.«

»Gut«, sagte Stacy. »Es war folgendermaßen. Vor achtzehn Jahren hat Jeff Raynes New York verlassen und ist nach Cincinnati gezogen. Wir wissen, dass er in einer Bar namens Longworth's in eine Kneipenschlägerei verwickelt war.«

»Ich erinnere mich an den Laden. Er hat mich mal dahin mitgenommen. Es war früher eine Feuerwache.«

»Wow, tolle Geschichte«, sagte Stacy.

»War das sarkastisch?«

»Das war es, ja. Was dagegen, wenn ich fortfahre?«

»Bitte.«

»Jeff wurde festgenommen, bekannte sich eines geringfügigen Vergehens schuldig und wurde zu einer kleineren Geldstrafe verurteilt, die er bezahlt hat. Nicht der Rede wert. Trotzdem wird es da irgendwo haarig.«

Kat trank noch einen Schluck. Der braune Alkohol wärmte ihre Brust.

»Seit diesem Strafbefehl gibt es absolut kein Lebenszeichen mehr von Jeff Raynes. Was immer der Grund für seinen Namenswechsel war, es muss etwas mit dieser Schlägerei zu tun haben. Dabei hat er einem Kontrahenten unter anderem zwei Rippen gebrochen«

»Wem hat er die Rippen gebrochen?«

»Wessen Rippen.«

»Halt's Maul.«

»Sorry.«

»In der Nacht wurden noch zwei weitere Männer festgenommen. Die beiden waren vermutlich befreundet. Sind beide in Anderson Township aufgewachsen. Beide haben sich auch wegen eines geringfügigen Vergehens schuldig bekannt und Geldstrafen bezahlt. Laut Polizeibericht waren alle drei Männer betrunken. Der Streit fing damit an, dass einer der drei Männer grob zu seiner Freundin war. Wahrscheinlich hat er sie fest am Arm gepackt, die Aussagen sind da etwas unklar. Jedenfalls ist Jeff dazwischengegangen und hat ihm gesagt, dass er damit aufhören soll.«

»Wie ritterlich«, sagte Kat.

»Um dich zu zitieren: War das sarkastisch?«

»Ich glaube schon, ja.«

»Weil es genaugenommen etwas verbittert klang.«

»Wo ist der Unterschied?«, fragte Kat.

»Auch wieder wahr. Jedenfalls ist Jeff dazwischengegangen, um die Frau zu schützen. Ihr betrunkener Freund, der wegen solcher Streitereien schon früher festgenommen worden war, hat mit dem klassischen *Kümmer-dich-um-deinen-eigenen-Kram-sonst-passiert-was* reagiert. Jeff hat in etwa geantwortet, dass er sich um seinen eigenen Kram kümmern würde, sobald er die Lady zufriedenlässt. Du weißt, wie das läuft.«

Kat wusste es. Ihr Kommentar mochte sarkastisch oder verbittert gewesen sein, aber fehlgeleitete Ritterlichkeit führte viel zu oft zu körperlichen Auseinandersetzungen. »Und wer hat als Erster zugeschlagen?«

»Angeblich der betrunkene Freund. Aber Jeff hat wohl mehrmals und sehr hart zurückgeschlagen. Und dabei hat er dem Kerl den Augenhöhlenknochen und zwei Rippen gebrochen. Überrascht dich das?«

»Eigentlich nicht«, sagte Kat. »Gab es eine Gerichtsverhandlung?«

»Nein. Aber kurz darauf hat Jeff Raynes seinen Job gekündigt – er hat für die *Cincinnati Post* gearbeitet –, und seitdem hat man praktisch nie wieder etwas von ihm gehört. Zwei Jahre später habe ich das erste Lebenszeichen von Ron Kochman gefunden. Er wurde als Autor in einer Zeitschrift namens *Vibe* genannt.«

»Und jetzt wohnt er in Montauk.«

»Es deutet alles darauf hin. Die Sache ist, er hat eine sechzehnjährige Tochter.«

Kat blinzelte und trank einen größeren Schluck.

»Es gibt keinerlei Hinweise auf eine Ehefrau.«

»Auf YouAreJustMyType.com steht, dass er Witwer ist.«

»Könnte stimmen, ich kann es aber nicht mit Sicherheit sagen. Ich weiß nur, dass er eine Tochter namens Melinda hat. Sie besucht die East Hampton High School, daher konnte ich ihre Adresse über die Schulakten ausfindig machen.«

Es war Mitternacht, und Kat und Stacy standen nebeneinander im opulenten Büro eines Masters of the Universe. Stacy griff in ihre Tasche und zog einen Zettel heraus.

»Soll ich dir die Adresse wirklich geben, Kat?«

»Was spricht dagegen?«

»Dass er alles dafür tut, nicht gefunden zu werden. Er hat nicht nur seinen Namen geändert, er hat sich eine ganz neue Identität aufgebaut. Er benutzt keine Kreditkarten. Er hat keine Bankkonten.«

»Trotzdem hat er sich bei Facebook und bei YouAreJustMyType angemeldet.«

»Unter falschem Namen, oder?«

»Nein. Oder, um genau zu sein, bei YouAreJustMyType schon. Brandon sagte, seine Mom hätte ihn Jack genannt. Aber auf Facebook hat er sich als Ron Kochman angemeldet. Wie erklärst du dir das?«

»Keine Ahnung.«

Kat nickte. »Du hast trotzdem recht. Jeff will nicht gefunden werden.«

»Richtig.«

»Und als ich auf YouAreJustMyType mit ihm in Kontakt getreten bin, hat er geschrieben, dass er nicht mehr mit mir reden will und einen Neuanfang braucht.«

»Auch richtig.«

»Daher wäre es unvernünftig von mir, einfach aufs Geratewohl nach Montauk rauszufahren.«

»Absolut.«

Kat streckte die Hand aus. »Und warum fahre ich dann gleich morgen früh los?«

Stacy gab ihr den Zettel mit der Adresse. »Weil das Herz stärker ist als der Verstand.«

Nach dem Macallan 25 und dem Cognac schmeckte Kats Jack Daniel's wie Katzenpisse.

Sie konnte nicht schlafen. Sie versuchte es auch kaum. Sie lag einfach im Bett, während ihr all die verschiedenen Möglichkeiten im Kopf herumwirbelten. Sie versuchte, das Durcheinander zu ordnen, alles in einen logischen Zusammenhang zu bringen, und jedes Mal, wenn sie sich überlegt hatte, was sie als Nächstes tun sollte, schloss sie die Augen, worauf es in ihrem Kopf sofort wieder drunter und drüber ging und sie sich etwas anderes überlegte.

Um fünf Uhr morgens stand sie auf. Sie konnte warten und zu Aquas Kurs gehen – vielleicht half ihr das, den Kopf frei zu bekommen –, aber als sie an seine Ausraster in der letzten Zeit dachte, fürchtete sie, dass es die ganze Sache noch verkomplizieren könnte. Außerdem zögerte sie ihre Fahrt damit auch nur hinaus. Im Prinzip gab es nur eine Möglichkeit.

Sie musste nach Montauk fahren und herausbekommen, was mit Jeff passiert war.

Ja, es gab tausend Gründe, warum das eine blöde Idee war, aber eines war auch klar, sie würde Jeff erst loslassen können, wenn sie alles wusste. Vielleicht würde sie ihrem Drang, zu ihm zu fahren, einen Monat lang widerstehen können, vielleicht sogar zwei, sie hätte dann aber ständig das sprichwörtliche Jucken verspürt, bei dem man sich kratzen musste. Die

Würfel waren längst gefallen. Sie war nicht diszipliniert genug, sich für immer von Jeff fernzuhalten.

Sie hatte die Sache mit Jeff nie zu einem Abschluss bringen können. Sie hatte die Sache mit ihrem Vater nie zu einem Abschluss bringen können. Beides hatte sie achtzehn Jahre lang auf sich beruhen lassen.

Es reichte.

Es gab auch keinen Grund, die Fahrt zu verschieben. Sie würde noch heute nach Montauk fahren. Und zwar sofort. Chaz hatte ihr schon versprochen, dass sie seinen Wagen nehmen konnte. Der Ferrari wartete in der Garage an der 68th Street auf sie. Sie hatte keine Ahnung, was sie in Montauk vorfinden würde. Wahrscheinlich war Jeff nicht einmal dort. Sie könnte mit der Fahrt warten, bis ... bis wann eigentlich? Vielleicht kam er ja nie zurück? Wollten sie nicht nach Costa Rica ziehen?

Vielleicht blockte sie immer noch, aber so richtig glaubte sie das nicht. Irgendetwas war faul an der Sache.

Egal. Schließlich hatte sie Zeit. Und wenn Jeff mit Dana Phelps auf Reisen war, konnte sie ganz nebenbei noch das kleine Geheimnis lüften, wohin sie geflogen waren. Auf dem Weg zum Auto holte sie sich beim Starbuck's an der Columbus Avenue einen Kaffee, dann fuhr sie los. Sie hatte schon die halbe Strecke nach Montauk hinter sich, als ihr bewusst wurde, dass sie keinen Plan hatte. Sollte sie einfach bei ihm an die Tür klopfen? Sollte sie warten, bis er das Haus verließ oder im Garten erschien?

Sie hatte keine Ahnung.

Als Kat durch East Hampton fuhr – vor Urzeiten war sie mit Jeff durch diese Straßen spaziert –, surrte ihr Handy. Sie stellte es auf Freisprechen und meldete sich.

»Ich hab die Bildersuche gemacht, nach der Sie gefragt

haben«, sagte Brandon. »Wow, kennen Sie die Braut persönlich?«

Männer. Oder sollte sie wieder Jungs sagen? »Nein.«

»Sie ist, äh …«

»Ja, ich weiß, was sie ist, Brandon. Was hat die Bildersuche ergeben?«

»Sie heißt Vanessa Moreau. Sie ist Model. Spezialgebiet Bikinis.«

Toll. »Sonst noch was?«

»Was wollen Sie noch wissen? Sie ist eins zweiundsiebzig groß und wiegt einundfünfzig Kilo. Ihre Maße sind fünfundneunzig, sechzig, achtundneunzig. Sie hat Körbchengröße D.«

Kat ließ beide Hände am Lenkrad. »Ist sie verheiratet?«

»Das steht da nicht. Ich habe ihr Model-Portfolio gefunden. Das Foto, das Sie mir geschickt haben, ist von einer Webseite namens Mucho Models. Ich glaube, die managen sie auch. Da sind ihre Maße und die Haarfarbe angegeben und ein paar Zusatzinfos, zum Beispiel, ob sie auch für Nacktfotos zur Verfügung steht oder nicht – tut sie übrigens …«

»Gut zu wissen.«

»Es gibt auch einen Lebenslauf.«

»Und was steht da?«

»Sie sucht aktuell nur bezahlte Aufträge. Ist auch bereit zu reisen, wenn der Auftraggeber die Kosten übernimmt.«

»Was noch?«

»Das ist alles.«

»Eine Adresse?«

»Nein, nichts.«

Also hieß die Frau wirklich Vanessa. Kat wusste nicht, was ihr diese Information brachte. »Darf ich dich noch um einen Gefallen bitten?«

»Denke schon.«

»Kannst du dich noch einmal in YouAreJustMyType hacken und dir ansehen, was Jeff noch so geschrieben hat?«

»Das wird schon schwieriger.«

»Wieso?«

»Man kann nicht lange auf so einer Webseite bleiben. Die ändern dauernd ihre Passwörter und suchen nach Hackern. Darum bin ich immer nur ganz kurz rein, hab mich ein bisschen umgeguckt und bin dann wieder raus. Ich war nie lange auf der Seite. Das Schwierige ist aber, erst einmal reinzukommen, Zugang zu bekommen. Die haben sich mit einem Passwort geschützt. Wir haben ein paar Stunden gebraucht, um da reinzukommen, und jetzt, wo ich raus bin, müsste ich noch mal von vorn anfangen.«

»Kannst du das machen?«, fragte Kat.

»Ich kann's versuchen, bin aber nicht sicher, ob das wirklich eine gute Idee ist. Ich mein, vielleicht hatten Sie von Anfang an recht. Ich bin in die Privatsphäre meiner Mutter eingedrungen. Eigentlich will ich nichts mehr von dem Zeug lesen.«

»Darum wollte ich dich auch nicht bitten.«

»Worum dann?«

»Du sagtest, als Jeff sich die ersten Male mit deiner Mutter verabredet hat, hatte er noch Kontakt zu anderen Frauen.«

»Sie eingeschlossen«, sagte Brandon.

»Genau, mich eingeschlossen. Ich will wissen, ob er immer noch mit anderen Frauen in Kontakt steht.«

»Äh, wie meinen Sie das jetzt? Glauben Sie, dass er meine Mom betrügt?«

»Den Inhalt der Gespräche brauchst du ja nicht zu lesen. Ich muss nur wissen, ob er mit anderen Frauen kommuniziert. Und wenn er das tut, brauche ich ihre Namen.«

Schweigen.

»Brandon?«

»Sie glauben immer noch, dass da irgendwas nicht stimmt, oder, Kat?«

»Wie klang deine Mutter am Telefon?«

»Sie klang gut.«

»Glücklich?«

»Das vielleicht nicht. Was glauben Sie, was da vorgeht?«

»Ich weiß es nicht. Deshalb bitte ich dich ja darum, das zu prüfen.«

Brandon seufzte. »Ich setz mich dran.«

Sie legten auf.

Montauk liegt an der äußersten Spitze der *South Fork* von Long Island. Es ist ein Dorf, keine Stadt und gehört irgendwie zu East Hampton. Als sie die Deforest Road erreicht hatte, fuhr sie langsamer. Sie rollte langsam an dem Grundstück vorbei, dessen Adresse Stacy ihr gegeben hatte. Ein Immobilienmakler würde das Haus vermutlich als gemütliches Anwesen im Cape-Cod-Stil mit Zedernholzschindeln anpreisen. In der Einfahrt standen zwei Fahrzeuge, ein schwarzer Dodge Ram Pick-up-Truck mit Angelzeug auf der Ladefläche und ein blauer Toyota RAV4. Keins der Fahrzeuge war *giallo*. Ein Punkt für die Kochmans.

Jeffs Tochter Melinda war sechzehn. Alleine fahren durfte man in New York erst mit siebzehn. Wozu brauchten sie also zwei Fahrzeuge? Natürlich könnten beide Jeff gehören. Ein Pick-up-Truck für die Arbeit oder das Hobby – Moment, war er unter die Angler gegangen? – und der Toyota für sonstige Fahrten.

Und was jetzt?

Sie parkte an der nächsten Kreuzung und wartete. Sie überlegte, welches Fahrzeug für eine Observation weniger geeignet wäre als ein knallgelber – oder auch *giallo*-farbener Ferrari, ihr fiel aber keins ein.

Es war gerade acht Uhr morgens. Wie auch immer Jeff alias Ron seine Tage verbrachte, es bestand eine reelle Chance, dass er noch nicht weggefahren war. Sie konnte hier erst einmal eine Weile sitzen bleiben und das Haus observieren. Andererseits? Warum sollte sie Zeit verschwenden? Sie konnte ebenso gut aus der Aufreißerkiste steigen und zum Haus gehen.

Die Haustür wurde geöffnet.

Kat wusste nicht, was sie tun sollte. Sie wollte sich gerade wegducken, blieb dann aber doch sitzen. Sie war etwa hundert Meter entfernt. Im hellen Morgenlicht würde niemand in den Wagen hineinsehen können. Sie sah weiter zur Tür.

Ein Mädchen erschien.

Konnte das…?

Das Mädchen im Teenageralter drehte sich um, winkte einer unsichtbaren Person im Haus zu und ging den Pfad entlang. Sie trug einen kastanienbraunen Rucksack. Ihren Pferdeschwanz hatte sie hinten durch die Baseballkappe gezogen. Kat wollte näher heran. Sie wollte sehen, ob eine Ähnlichkeit zwischen dem Teenager mit dem seltsamen Gang und ihrem früheren Verlobten bestand.

Aber wie?

Sie wusste es nicht, aber es war ihr auch ziemlich egal. Sie überlegte nicht lange. Sie startete den Ferrari und fuhr auf sie zu.

Egal. Wenn ihre Deckung aufflog – auch wenn sie sich in diesem Auto vielleicht als Mann mittleren Alters mit Potenzstörung hätte ausgeben können –, ließ sich das nicht ändern.

Der Gang des Mädchens verwandelte sich in eine Art Tanz. Als Kat näher kam, sah sie, dass Melinda – warum sollte sie sie im Geiste nicht so nennen? – weiße Stöpsel in den Ohren hatte. Neben ihrer Hüfte vollführte das Kabel einen eigenen kleinen Tanz.

Plötzlich drehte Melinda sich um und sah Kat in die Augen. Kat suchte nach Merkmalen, die sie an Jeff erinnerten, aber selbst wenn ihr etwas aufgefallen wäre, konnte es auch einfach ihrer Fantasie entspringen.

Das Mädchen blieb stehen und starrte sie an.

Kat versuchte, cool zu bleiben. »Äh, entschuldige«, rief Kat. »Wie komme ich hier zum Leuchtturm?«

Das Mädchen hielt Sicherheitsabstand. »Fahren Sie einfach zurück auf den Montauk Highway. Und den dann bis zum Ende durch. Sie können ihn gar nicht verfehlen.«

Kat lächelte. »Danke.«

»Schöner Wagen.«

»Ja, ist aber nicht meiner. Gehört meinem Freund.«

»Der muss echt reich sein.«

»Muss er wohl.«

Das Mädchen drehte sich um und ging. Kat wusste nicht, was sie tun sollte. Sie wollte die Spur nicht verlieren, weiter neben dem Mädchen herfahren, aber das machte langsam einen ziemlich seltsamen Eindruck. Das Mädchen ging schneller. Vor ihnen bog ein Schulbus um die Ecke. Das Mädchen eilte darauf zu.

Jetzt oder nie, dachte Kat.

»Du bist doch Ron Kochmans Tochter Melinda, oder?«

Das Mädchen wurde blass. Sie hatte beinahe so etwas wie Panik in den Augen. Dann lief sie davon und sprang in den Schulbus, ohne Kat noch einmal anzusehen. Die Bustür fiel zu, und Melinda war verschwunden.

Sieh an, sieh an, dachte Kat.

Der Bus verschwand am Ende der Straße. Kat wendete,

sodass der Ferrari wieder in Richtung des Kochman-Hauses stand. Offenbar hatte sie dem Kind einen ziemlichen Schrecken eingejagt. Ob das etwas zu bedeuten hatte – ob das Mädchen erschrocken war, weil es etwas zu verbergen hatte, oder ob ihre Reaktion dem Stalking-Verhalten der seltsamen Frau geschuldet war –, war schwer zu sagen.

Kat wartete, ob noch jemand aus dem Haus kam. Nach einer Weile fuhr sie den Wagen vor und parkte direkt vor dem Kochman-Haus. Dort wartete sie noch ein paar Minuten.

Nichts.

Zum Teufel mit der Warterei.

Sie stieg aus und ging direkt den Weg hinauf. Sie drückte einmal auf den Klingelknopf und klopfte außerdem kräftig an die Tür. Auf beiden Seiten der Tür waren Ornamentglasscheiben. Kat konnte nichts Genaues erkennen, sah aber eine Bewegung.

Jemand war an der Tür vorbeigegangen.

Wieder klopfte sie kräftig, zuckte innerlich die Achseln und rief: »Hier ist Detective Donovan vom New York Police Department. Würden Sie bitte die Tür öffnen?«

Schritte.

Kat trat einen Schritt zurück und sammelte sich. Geistesabwesend strich sie ihr Hemd und – Gott sei ihr gnädig – ihre Haare glatt. Sie sah, wie sich der Knauf drehte, dann wurde die Tür geöffnet.

Es war nicht Jeff.

Ein Mann, den Kat auf etwa siebzig schätzte, sah sie an. »Wer sind Sie?«

»Detective Donovan, NYPD.«

»Zeigen Sie mir Ihren Ausweis.«

Kat griff in die Tasche und zog ihre Marke heraus. Sie

klappte sie auf. Normalerweise reichte das, aber der alte Mann streckte die Hand aus und griff danach. Er musterte sie eingehend. Kat wartete. Sie rechnete schon beinahe damit, dass er eins dieser Juwelier-Vergrößerungsgläser herausziehen würde. Schließlich gab er ihr die Marke zurück und sah sie mit finsterem Blick an.

»Was wollen Sie?«

Er trug ein braunes Flanellhemd, dessen Ärmel er bis zum Ellbogen hochgekrempelt hatte, eine Wrangler-Jeans und braune Arbeitsstiefel. Die Haut wirkte wettergegerbt, was ihm durchaus stand. Er wirkte wie ein Mann, dem die lebenslange Arbeit an der frischen Luft gut bekommen war. Er hatte schwielige Hände. Seine Unterarme waren auf eine Art muskulös, wie sie es im Leben wurden, nicht im Fitnessstudio.

»Darf ich fragen, wie Sie heißen, Sir?«, fragte Kat.

»Ihnen ist schon klar, dass Sie an meine Tür geklopft haben, oder?«

»Ja, das ist mir klar. Und ich habe Ihnen meinen Namen genannt. Es würde mich freuen, wenn Sie mir die gleiche Höflichkeit zuteilwerden ließen.«

»Würde es Sie auch freuen, wenn Sie mich mal können?«, fragte er.

»Das würde es durchaus«, sagte Kat. »Allerdings ist da diese ausgebeulte Jeans im Weg.«

Seine Mundwinkel zuckten. »Wollen Sie mich verarschen?«

»Wohl nicht so sehr wie Sie mich«, sagte Kat.

»Mein Name tut nichts zur Sache«, fauchte er. »Was wollen Sie?«

Sie hatte keinen Grund für weitere Spielchen. »Ich suche Ron Kochman«, sagte sie.

Die Frage schien ihn nicht zu beeindrucken.

»Ich muss Ihre Frage nicht beantworten«, sagte er.

Kat schluckte. Ihre Stimme klang fremd. »Ich will ihm keinen Schaden zufügen.«

»Wenn das stimmt«, sagte der alte Mann, »sollten Sie uns jetzt vielleicht lieber in Ruhe lassen.«

»Ich muss ihn sprechen.«

»Nein, Detective Donovan. Das müssen Sie nicht.«

Sein Blick durchbohrte sie, und einen Moment lang hatte sie das Gefühl, er wüsste, wer sie war. »Wo ist er?«

»Er ist nicht hier. Mehr müssen Sie nicht wissen.«

»Dann komme ich wieder.«

»Hier gibt's für Sie nichts zu holen.«

Sie versuchte, etwas zu sagen, bekam aber kein Wort heraus. Und dann: »Wer zum Teufel sind Sie?«

»Ich werde jetzt meine Haustür schließen. Wenn Sie nicht gehen, rufe ich Jim Gamble an. Er ist der Polizeichef hier. Ich glaube nicht, dass es ihm gefällt, wenn ein Cop vom NYPD die Bewohner seines Ortes belästigt.«

»Ich kann mir nicht vorstellen, dass sie so viel Aufmerksamkeit auf sich ziehen wollen.«

»Nein, will ich nicht, aber ich würde damit klarkommen. Einen schönen Tag noch, Detective.«

»Wie kommen Sie darauf, dass ich jetzt einfach gehe?«

»Weil Sie klug genug sind zu wissen, wann Sie unerwünscht sind. Weil Sie klug genug sind zu wissen, dass die Vergangenheit vergangen ist. Und weil ich glaube, dass Sie nicht noch mehr kaputt machen wollen.«

»Wieso kaputt machen? Wovon sprechen Sie?«

Er legte die Hand an die Tür. »Sie müssen jetzt gehen.«

»Ich möchte nur mit ihm reden«, sagte Kat. Sie hörte das Flehen in ihrer Stimme. »Ich will niemandem wehtun.

Sagen Sie ihm das, okay? Sagen Sie ihm, dass ich mit ihm reden muss.«

Der alte Mann begann, die Tür zu schließen. »Ich werde diese Nachricht selbstverständlich weitergeben. Jetzt verlassen Sie mein Grundstück.«

Der Lebensphilosophie der Amish gemäß war die Farm nicht ans öffentliche Stromnetz angeschlossen. Das kam Titus natürlich entgegen. Keine Rechnungen, keine Stromzähler, keine Wartungsarbeiten von irgendwelchen Firmen oder Gesellschaften. Aus welchen Gründen auch immer die Amish die Nutzung öffentlicher Energiequellen ablehnen mochten – Titus hatte schon alle möglichen Erklärungen gehört, von Angst vor Außenstehenden bis zu der Möglichkeit, so das Eindringen von Fernsehen und Internet zu verhindern –, für seine Zwecke war es jedenfalls perfekt.

Die Amish leben jedoch nicht völlig ohne Elektrizität. Das war anscheinend ein gängiger Irrglaube. Mit einem kleinen Windrad hatten die Vorbesitzer für ihre bescheidenen Bedürfnisse ausreichend Strom erzeugt. Titus reichte das allerdings nicht. Er hatte einen DuroMax Generator installiert, der mit Propangas angetrieben wurde. Der Briefkasten der Farm stand am Straßenrand, weit weg vom Haus oder irgendeiner Lichtung. Er hatte die Einfahrt mit einem Tor versehen, sodass keine Autos hereinfahren konnten. Er bestellte nie etwas, also lieferte auch niemand etwas. Wenn sie etwas brauchten, holten er oder einer seiner Männer es, meistens von einer *Sam's Club*-Filiale, die knapp fünfzehn Kilometer entfernt war.

Er versuchte, seinen Männern genügend freie Zeit zu geben, die sie außerhalb der Farm verbringen konnten. Er und Reynaldo genossen die Einsamkeit. Die anderen Männer wurden nach ein paar Tagen fickrig. Zwanzig Kilometer von hier entfernt war ein Striptease-Club namens Starbutts. Um ganz sicherzugehen hatte Titus seine Männer jedoch gebeten, zehn Kilometer weiter zu einem anderen Club namens Lumberyard (»Wir kümmern uns um Ihren Knüppel«) zu fahren. Sie durften sich dort aber nicht häufiger als einmal alle vierzehn Tage sehen lassen. Dann konnten sie machen, was sie wollten, außer, und zwar unter gar keinen Umständen, eine Szene machen. Sie gingen nie in Gruppen, sondern immer allein.

Handys und Ähnliches hatten hier keinen Empfang, daher hatte Dmitry die Telefon- und Internet-Verbindungen über Satellit eingerichtet, der alle Netzaktivitäten über ein VPN auf einen Server in Bulgarien leitete. Sie bekamen fast nie Anrufe. Als Titus also um acht Uhr morgens hörte, dass das mit dem VPN verbundene Telefon klingelte, wusste er, dass etwas nicht stimmte.

»Ja.«

»Oh, verwählt.«

Der Anrufer legte auf.

Das war sein Zeichen. Die Regierung überwachte die E-Mails der Menschen. Das war längst kein Geheimnis mehr. Die beste Möglichkeit, über E-Mail zu kommunizieren, ohne Aufmerksamkeit zu erregen, war, die E-Mail *nicht zu* senden. Titus hatte einen Google-Mail-Account, der offline war, solange er ihn nicht nutzte. Er lud die Homepage und loggte sich ein. Es waren keine neuen Mails da. Das hatte er erwartet.

Er klickte auf *Entwürfe* und die Meldung erschien. So kommunizierte er mit einer Kontaktperson. Beide hatten

Zugang zum gleichen E-Mail-Account. Wenn man eine Nachricht schicken wollte, schrieb man sie, aber – und das war das Entscheidende – man schickte sie nicht ab. Man speicherte sie einfach als Entwurf. Dann loggte man sich aus, informierte den anderen mit einem »falsch verbunden«- Anruf und der Empfänger loggte sich beim Google-Mail-Account ein. Der Empfänger, in diesem Fall Titus, las die Nachricht im *ENTWÜRFE*-Ordner und löschte sie.

Titus hatte vier solcher Accounts, jeden für die Kommunikation mit einer anderen Person. Dieser stammte von seinem Kontaktmann in der Schweiz.

89787198 nicht mehr nutzen. Von einem Finanzinstitut namens Parsons, Chuback, Mitnick and Bushwell wurde ein SAR erstellt und eine NYPD-Polizistin namens Katarina Donovan ermittelt.

Titus löschte den Entwurf und loggte sich aus. Er fragte sich, wie es dazu kommen konnte. Natürlich waren schon mehrmals SARs für das eine oder andere seiner Bankkonten erstellt worden. Ernsthafte Sorgen hatte er sich darüber noch nie gemacht. Die Finanzinstitute waren dazu verpflichtet, sobald jemand große Geldbeträge ins Ausland überwies. Regierung und Finanzbehörden waren aber völlig fixiert auf mögliche Finanzierungen von Terroranschlägen. Sie leiteten praktisch nie Ermittlungen ein, wenn sie nach kurzen Ermittlungen in diese Richtung nichts Verdächtiges entdeckt hatten.

Es war jedoch das erste Mal, dass zwei SARs für dasselbe Konto erstellt worden waren. Dazu kam, dass er nicht etwa die Aufmerksamkeit der Finanzbehörden auf sich gezogen hatte, sondern die einer Polizistin aus New York City. Wie? Warum? Keiner seiner letzten Gäste kam aus New York

City. Und welche Verbindung konnte zwischen einem Chemiker aus Massachusetts und einer High Society-Lady aus Connecticut bestehen?

Er konnte nur eine der beiden Personen fragen.

Titus legte einen Moment die Hände auf den Schreibtisch und überlegte. Dann beugte er sich vor und öffnete eine Suchmaschine. Er gab den Namen der Polizistin ein und wartete auf die Ergebnisse.

Als er das Foto von Detective Donovan sah, hätte er fast laut aufgelacht.

Dmitry kam ins Zimmer. »Gibt's was zu lachen?«

»Kat«, sagte Titus. »Sie sucht uns.«

Nachdem ihr der alte Mann die Tür vor der Nase zugeschlagen hatte, wusste Kat nicht recht, was sie tun sollte.

Sie blieb noch einen Moment auf dem Treppenabsatz stehen, war fast versucht, die Tür einzutreten und dem alten Mann den Pistolenknauf über den Kopf zu ziehen, aber was hätte das gebracht? Falls Jeff Kontakt zu ihr aufnehmen wollte, hatte sie ihm genug Möglichkeit dazu gegeben. Wenn er sie jetzt immer noch ignorierte, hatte sie dann wirklich das Recht – oder den Wunsch –, das zu erzwingen?

Hast du denn überhaupt keinen Stolz, verdammt noch mal?

Sie ging zurück zum Wagen. Dort begann sie zu weinen und hasste sich dafür. Was auch immer mit Jeff in dieser Bar in Cincinnati passiert war, hatte nichts mit ihr zu tun. Absolut nichts. Stacy hatte gestern Nacht gesagt, sie würde sich diese Kneipenschlägerei noch genauer ansehen, wollte prüfen, ob die beiden Betrunkenen weitere Vorstrafen hatten, ob sie vielleicht hinter Jeff her waren, was sein Verschwinden vielleicht erklären würde ... aber, ganz ehrlich, was sollte das bringen?

Selbst wenn diese beiden Männer damals hinter ihm her waren, wieso sollte er heute noch Angst haben, sich mit Kat zu treffen?

Es spielte keine Rolle. Jeff lebte sein Leben. Er hatte eine Tochter und wohnte mit einem grantigen alten Mann zusammen. Jeffs Vater war schon vor vielen Jahren gestorben. Jeff hatte sich bei einer Partnerbörse im Internet angemeldet. Kat hatte ihm die Hand entgegengestreckt, und er hatte sie ausgeschlagen. Warum verfolgte sie die Sache immer noch?

Warum kam ihr die Sache, trotz der vielen eindeutigen Hinweise, immer noch seltsam vor?

Kat fuhr zurück zum Montauk Highway und dann weiter Richtung New York. Aber sie fuhr nicht weit. Nach ein paar Minuten bog sie in Amagansett nach links in die Napeague Lane ab. Komisch, woran man sich nach fast zwanzig Jahren noch erinnerte. Sie fuhr auf den Marine Boulevard und parkte in der Nähe vom Gilbert Path. Sie ging den Bohlenweg entlang zum Meer. Die Wellen brachen sich am Strand. Der Himmel verdunkelte sich, kündigte einen aufziehenden Sturm an. Kat ging um den jämmerlichen, halb eingefallenen Zaun herum. Sie streifte die Schuhe ab und spazierte über den Strand zum Wasser.

Das Haus sah noch genauso aus wie damals. Es war ein Neubau im eleganten, modernen Stil, den manche Leute vielleicht als Schuhkarton bezeichnet hätten, doch Kat hatte ihn lieben gelernt. Das Haus hätte ihre finanziellen Möglichkeiten weit überstiegen, selbst wenn sie es nur für eine Woche mieten wollten, aber Jeff war wissenschaftlicher Mitarbeiter bei der Besitzerin auf der Columbia gewesen, und sie hatte sich bei ihm bedankt, indem sie ihnen das Haus für ein Wochenende zur Verfügung gestellt hatte.

Das war fast zwanzig Jahre her, trotzdem erinnerte Kat sich noch an jedes Detail dieses Wochenendes. Sie erinnerte sich an den Besuch auf dem Bauernmarkt, die ruhigen Spaziergänge in den Ort, wo sie dreimal in dem ausgebauten Schuppen gegessen hatten, den alle einfach *Lunch* nannten, weil sie süchtig nach den Hummer-Brötchen waren, die sie dort machten. Einmal hatte Jeff sich an ebendiesem Strand von hinten an sie angeschlichen und ihr den zärtlichsten Kuss gegeben, den man sich vorstellen konnte.

Während dieses zärtlichen Kusses war Kat klar geworden, dass sie den Rest ihres Lebens mit ihm verbringen musste.

Zärtliche Küsse lügen nicht, oder?

Wieder runzelte sie die Stirn und hasste sich für ihre Sentimentalität, aber vielleicht durfte sie auch nicht so streng mit sich sein. Sie suchte den Punkt, an dem sie damals gestanden hatten, warf einen prüfenden Blick zum Haus, ging ein paar Schritte nach links, dann wieder nach rechts, bis sie sicher war, dass sie genau an der Stelle stand, an der sie sich so zärtlich geküsst hatten.

Sie hörte ein Motorengeräusch, drehte sich um und sah einen silbernen Mercedes die Straße entlangrollen. Fast erwartete sie, dass es Jeff wäre. Es wäre perfekt gewesen, nicht wahr? Wenn er ihr hierher gefolgt wäre, sich genauso von hinten angeschlichen hätte, wie er es vor all den Jahren getan hatte. Er würde sie in die Arme nehmen und ja, natürlich war es dumm und schmalzig – und tat auch noch weh –, aber die Sehnsucht ließ sich eben nicht verleugnen. Es gab nur wenige perfekte Augenblicke im Leben eines Menschen, Augenblicke, die man in eine Schachtel stecken und ganz oben aufs Regal stellen wollte, damit man die Schachtel, wenn man allein war, herunterholen, öffnen und diese Augenblicke noch einmal erleben konnte.

Dieser Kuss war einer dieser Augenblicke gewesen.

Der silberne Mercedes fuhr davon.

Kat drehte sich wieder um und sah aufs aufgewühlte Meer. Der Himmel zog sich immer weiter zu. Bald würde es anfangen zu regnen. Sie wollte sich gerade auf den Rückweg zum Ferrari machen, als ihr Handy klingelte. Es war Brandon.

»Dieses Schwein«, sagte er. »Dieses verlogene, betrügerische Schwein.«

»Was ist?«

»Jeff oder Ron oder Jack, oder wie immer er auch heißt.«

Kat blieb ganz still stehen. »Was ist passiert?«

»Er baggert immer noch andere Frauen an. Ich konnte nicht lesen, was sie sich geschrieben haben, aber er hatte gestern noch zu beiden Kontakt.«

»Von wie vielen anderen Frauen reden wir?«

»Zwei.«

»Vielleicht hat er sich nur verabschiedet. Vielleicht schreibt er von deiner Mutter?«

»Klar doch. Blödsinn.«

»Wieso?«

»Weil es dann jeweils ein oder zwei kurze Nachrichten gewesen wären. Es geht aber eher um zwanzig oder dreißig. Dieses Schwein.«

»Okay, hör zu, Brandon. Hast du die Namen der beiden Frauen?«

»Ja.«

»Kannst du sie mir geben?«

»Die eine heißt Julie Weitz. Sie wohnt in Washington, DC. Die andere wohnt in Bryn Mawr, Pennsylvania. Sie heißt Martha Paquet.«

Zuerst rief Kat Chaz an.

Er würde sich bei beiden Frauen melden, um sicherzustellen, dass sie nicht mit ihrem Online-Geliebten in Urlaub gefahren waren. Aber als Kat zu ihrem Wagen zurückging – sie war fest entschlossen, zu dem Haus in Montauk zurückzufahren, um dem alten Mann in die Eier zu treten, falls er immer noch nicht mit ihr sprach –, nagte etwas an ihr. Es hatte ihr schon vorher zu schaffen gemacht, eigentlich von Anfang an, sie kam aber nicht drauf, was es war.

Irgendetwas sorgte dafür, dass sie weiter an Jeff dranblieb.

Die meisten Menschen hätten wahrscheinlich angemerkt, dass die Liebe einen Menschen blind mache. Und Kat hätte ihnen beigepflichtet. Aber langsam hatte sie das Gefühl, dass sie doch ein wenig Licht in die Sache bringen konnte. Was Kat schon die ganze Zeit beschäftigt hatte, war ihr kurzer Chat mit Jeff bei YouAreJustMyType.com.

Sie hatte sich so sehr mit seinen Abschiedsworten beschäftigt – diesem ganzen Mist, dass er misstrauisch wäre, sich schützen müsste, dass es ein Fehler wäre, in die Vergangenheit zurückzukehren und er einen Neuanfang bräuchte –, dass sie gar nicht richtig über den Anfang ihres Chats nachgedacht hatte.

Es hatte damit angefangen, dass sie ihm den Link zu dem alten John Waite-Video »Missing You« geschickt hatte.

Und wie hatte er reagiert?

Er hatte sich nicht daran erinnert.

Wie war das möglich? Okay, vielleicht waren ihre Gefühle stärker gewesen als seine, aber immerhin hatte er ihr einen Heiratsantrag gemacht. Wie konnte er etwas vergessen, das so entscheidend für ihre Beziehung gewesen war?

Mehr noch: Jeff hatte geschrieben, das Video wäre »nett«, dass er Frauen mit »Sinn für Humor« mochte und ihm ihre

Fotos »gefallen« würden. »Gefallen«. Würg. Sie war so perplex und verletzt gewesen, dass sie ihm eine Nachricht geschickt hatte, die lautete:

»Hier ist Kat.«

Am gelben Ferrari lehnte ein dünner Mann in einem dunklen Anzug. Er hatte die Arme vor der Brust verschränkt und die Beine auf Höhe der Knöchel übereinandergeschlagen. Von ihrer neuesten Erkenntnis immer noch leicht benommen, stapfte Kat auf ihn zu und sagte: »Kann ich Ihnen helfen?«

»Hübsches Auto.«

»Ja, das hör ich oft. Wie wäre es, wenn Sie sich etwas davon entfernen würden?«

»Sofort. Wenn Sie so weit sind?«

»Was?«

Dann hielt der silberne Mercedes neben ihr.

»Los, hinten rein«, sagte der Mann.

»Was wollen Sie von mir?«

»Sie haben die Wahl. Wir können Sie hier auf der Straße erschießen. Oder Sie steigen ein und wir unterhalten uns ein wenig.«

Reynaldo erhielt die Nachricht über die Walkie-Talkie-App seines Smartphones.

»Basis an Kiste«, sagte Titus. »Bitte melden.«

Reynaldo hatte seinen Labrador Bo einen Tennisball apportieren lassen. Bo machte seiner Rasse alle Ehre, wollte pausenlos und ohne zu ermüden Stöckchen oder Bälle holen, ganz egal, wie oft oder wie weit Reynaldo sie warf.

»Ich hör dich«, sagte Reynaldo ins Smartphone und warf den Ball noch einmal. Bo hoppelte im Laufschritt hinterher. Das Alter. Nach Auskunft eines Tierarztes war Bo elf Jahre alt. Er war noch in guter Verfassung, trotzdem wurde Reynaldo traurig, wenn er sah, wie aus dem Sprint ein Traben geworden war. Trotzdem wollte Bo apportieren, bestand hartnäckig darauf, dass Reynaldo den Ball immer wieder aufs Neue warf, obwohl seine Kondition und seine Arthritis dem eigentlich nicht gewachsen waren. Manchmal versuchte Reynaldo, dem alten Bo zuliebe aufzuhören, aber es war, als würde Bo merken, was sein Herrchen vorhatte, und ungehalten reagieren. Bo jaulte und bellte, bis Reynaldo den Ball wieder nahm und ihn noch einmal warf.

Irgendwann schickte Reynaldo Bo dann den Pfad hinauf, sodass er sich im weichen Hundebett in der Scheune ausruhen konnte. Reynaldo hatte das Hundebett gekauft, nachdem er Bo am East River hatte herumstreunen sehen. Es hatte sich gut gehalten.

Bo sah ihn erwartungsvoll an. Reynaldo kraulte Bo hinter den Ohren, als Titus übers Walkie-Talkie sagte: »Begleite Nummer sechs rauf.«

»Roger.«

Sie telefonierten nicht auf der Farm und schrieben auch keine SMS, sie benutzten nur die Walkie-Talkie-App. Die war nicht rückverfolgbar. Aus nachvollziehbaren Gründen verwendeten sie nie Namen, aber Reynaldo kannte die Namen sowieso nicht. Für ihn waren sie alle Nummern, die mit ihrem Aufenthaltsort übereinstimmten. Nummer sechs, eine Blondine, die in einem gelben Sommerkleid gekommen war, lag in Kiste Nummer sechs.

Selbst Titus gab zu, dass diese Sicherheitsmaßnahmen gelegentlich etwas übertrieben sein mochten, sein Credo lautete aber, dass es manchmal besser war, übervorsichtig zu sein.

Als Reynaldo aufstand, sah Bo ihn enttäuscht an. »Wir spielen bald wieder, mein Junge. Versprochen.«

Der Hund winselte kurz und stupste Reynaldos Hand an. Reynaldo lächelte und streichelte Bo. Der wedelte dankbar langsam mit dem Schwanz. Reynaldo spürte, wie ihm Tränen in die Augen traten.

»Los, geh abendessen, mein Junge.«

Bo sah enttäuscht aus, hatte aber verstanden. Er zögerte noch einen Moment, dann begann er, den Pfad hinaufzutrotten. Er wedelte nicht mit dem Schwanz. Reynaldo wartete, bis der Hund außer Sicht war. Aus irgendeinem Grund wollte er nicht, dass Bo sah, was in den Kisten war. Natürlich konnte Bo sie riechen, wusste, was sich in ihnen befand, doch wenn die Zielperson Bo sah, wenn manche von ihnen den freundlichen Hund sogar anlächelten, war es... es kam Reynaldo einfach falsch vor.

Die Schlüsselkette baumelte an seinem Gürtel. Reynaldo suchte den richtigen Schlüssel heraus, öffnete das Vorhängeschloss und zog die Klappe vom Boden hoch. Die Zielpersonen blinzelten immer oder versuchten die Augen zu bedecken, selbst wenn nachts nur eine schmale Mondsichel am Himmel stand. In der Kiste herrschte absolute, vollkommene Dunkelheit. Jedes Licht, selbst der schwächste Strahl eines fernen Sterns brannte ihnen in den Augen.

»Raus da«, sagte er.

Die Frau ächzte. Ihre Lippen waren aufgesprungen. Die Falten in ihrem Gesicht waren dunkler und tiefer geworden, als hätte sich die Erde in jeder noch so kleinen Vertiefung festgesetzt. Der Gestank ihrer Ausscheidungen wehte zu ihm herauf. Reynaldo war das gewöhnt. Manche versuchten es zuerst zurückzuhalten, aber wenn man tagelang in der Dunkelheit einer Kiste lag, bei der es sich im Prinzip um einen Sarg handelte, blieb einem keine Wahl.

Nummer sechs brauchte eine ganze Minute, um sich aufzusetzen. Sie versuchte, sich über die Lippen zu lecken, aber ihre Zunge musste wie Sandpapier sein. Er versuchte sich zu erinnern, wann er ihr das letzte Mal etwas zu trinken gegeben hatte. Es war Stunden her. Er hatte schon eine Tasse mit Reis hineingereicht. So ernährte er sie – er öffnete kurz die Tür und warf eine Tasse Reis hinein. Manchmal versuchten die Zielpersonen, die Hände durch den Spalt zu stecken. Er forderte sie einmal auf, das zu lassen. Wenn sie es ein zweites Mal taten, trat Reynaldo ihnen mit dem Stiefel auf die Finger.

Nummer sechs fing an zu weinen.

»Beeilung«, sagte er.

Die Blondine versuchte, sich schneller zu bewegen, aber ihr Körper ließ sie im Stich. Er kannte das. Sein Job war es, sie am Leben zu erhalten. Mehr nicht. Sie durften nicht sterben, bis Titus sagte: »Es ist Zeit.« Dann führte Reynaldo sie aufs Feld. Manchmal ließ er sie ihre eigenen Gräber graben. Meistens aber nicht. Er führte sie aufs Feld, drückte ihnen den Pistolenlauf an den Kopf und drückte ab. Manchmal experimentierte er mit dem Todesschuss. Er drückte ihnen den Lauf an den Hals und schoss nach oben, oder er drückte ihn von oben auf den Schädel und schoss nach unten. Manchmal hielt er ihnen den Lauf auf die Schläfe, wie es Selbstmörder im Film machen. Manchmal waren sie sofort tot. Manchmal lebten sie nach der zweiten Kugel noch. Einmal, als er den Schuss zu tief an der Wirbelsäule angesetzt hatte, hatte das Opfer, ein Mann aus Wilmington, Delaware, überlebt, war aber gelähmt gewesen.

Reynaldo hatte ihn lebendig begraben.

Nummer sechs sah furchtbar aus, war erledigt, gebrochen. Er hatte das schon oft gesehen.

»Hier rüber«, sagte er zu ihr.

Sie stammelte ein Wort: »Wasser.«

»Da drüben. Erst ausziehen.«

Sie versuchte, sich zu beeilen, aber ihr Gang erinnerte eher an das Schlurfen, das Reynaldo aus dieser Zombie-Fernsehserie kannte. Stimmte ja auch, dachte er. Nummer sechs war noch nicht tot, aber wirklich am Leben war sie auch nicht mehr.

Ohne weitere Aufforderung zog die Frau ihren Overall aus und stellte sich nackt vor ihn. Vor ein paar Tagen, als sie sich widerwillig und unter Tränen das gelbe Sommerkleid auszog, hatte sie ihn noch gebeten, sich abzuwenden, und versucht, sich hinter einem Baum zu verstecken und ihre Blöße mit den Händen zu bedecken. Da war sie auch noch viel attraktiver gewesen. Heute waren ihr Stolz und Schamgefühl egal. Sie stand vor ihm als das primitive Lebewesen, zu dem sie geworden war, während ihre Augen um Wasser bettelten.

Reynaldo nahm den Schlauch mit der Spritzdüse. Der Wasserdruck war hoch. Die Frau bückte sich, versuchte, etwas Wasser mit dem Mund aufzufangen. Er drehte das Wasser ab. Sie richtete sich wieder auf und erlaubte ihm, sie abzuspritzen. Ihre Haut rötete sich unter dem harten Wasserstrahl.

Als er fertig war, warf er ihr einen anderen Overall zu. Sie schlüpfte hinein. Er gab ihr eine Plastiktasse mit Wasser. Sie trank es gierig und gab ihm die Tasse zurück, gab ihm so zu verstehen, dass sie so ziemlich alles dafür tun würde, um mehr zu bekommen. Er fürchtete, dass sie zu schwach für den Weg zum Farmhaus sein könnte, also füllte er die Tasse noch einmal. Sie trank überhastet, verschluckte sich fast. Er reichte ihr einen Frühstücksriegel, den er in einem Giant Food Store gekauft hatte. Sie war so gierig, dass sie fast die Verpackung mitgegessen hätte.

»Der Pfad«, sagte er.

Die Frau machte sich auf den Weg, in diesem schlurfenden Gang. Reynaldo folgte ihr. Er fragte sich, wie viel Geld man aus Nummer sechs noch herausquetschen konnte. Er vermutete, dass sie reicher war als die meisten anderen. Überraschenderweise bevorzugte Titus männliche Zielpersonen, was zu einem Verhältnis von etwa drei zu eins führte. Dabei waren die Frauen normalerweise die profitablere Beute. Diese hier hatte bei ihrer Ankunft teuren Schmuck getragen und diese Großspurigkeit der Oberklasse ausgestrahlt.

Beides war inzwischen verschwunden.

Sie ging mit zaghaften Schritten, sah sich alle paar Meter um. Vermutlich war sie überrascht, dass Reynaldo ihr folgte.

Auch Reynaldo war etwas überrascht. Er bekam nur selten den Auftrag, die Zielpersonen zu begleiten. Irgendwie gefiel es Titus, sie allein zum Farmhaus gehen zu lassen.

Weil dies heute schon ihr zweiter Besuch im Haus war, fragte er sich, ob es ihr Endspiel war – ob Titus ihm sagen würde: »Es ist Zeit.«

Als sie das Farmhaus betraten, saß Titus in seinem großen Sessel. Dmitry starrte auf seinen Computer. Reynaldo wartete an der Tür. Nummer sechs setzte sich – wieder ohne Aufforderung – Titus gegenüber auf den harten Stuhl.

»Wir haben ein Problem, Dana.«

Dana, dachte Reynaldo. So hieß sie also.

Danas Augenlider zitterten. »Problem?«

»Ich hatte gehofft, Sie heute freilassen zu können«, fuhr Titus fort. Er sprach immer mit sanfter Stimme, als wollte er sein Gegenüber hypnotisieren, aber heute, dachte Reynaldo, hörte er eine gewisse Spannung in den gleichförmigen Lauten. »Aber es hat den Anschein, als würde eine Polizistin nach ihnen suchen.«

Dana wirkte verblüfft.

»Sie ist Detective beim NYPD und heißt Katarina Donovan. Kennen Sie sie?«

»Nein.«

»Sie nennt sich Kat. Sie wohnt in Manhattan.«

Dana starrte zur Seite, schien nicht in der Lage zu sein, sich zu konzentrieren.

»Kennen Sie sie?«, fragte Titus noch einmal, diesmal mit schneidender Stimme.

»Nein.«

Titus musterte sie einen Moment lang.

»Nein«, wiederholte sie.

Ja, halbtot, dachte Reynaldo.

374

Titus sah Dmitry an. Er nickte. Dmitry zupfte kurz an seiner Strickmütze, dann drehte er den Computerbildschirm so, dass Dana ihn sehen konnte. Darauf war das Bild einer Frau zu sehen.

»Woher kennen Sie sie, Dana?«, fragte Titus.

Dana schüttelte nur den Kopf.

»Woher kennen Sie sie?«

»Ich kenne sie nicht.«

»Hat sie Sie angerufen, bevor Sie sich auf die Reise gemacht haben?«

»Nein.«

»Sie haben nie mit ihr gesprochen?«

»Nein, nie.«

»Woher kennen Sie sie?«

»Ich kenne sie nicht.«

»Haben Sie diese Frau je gesehen? Denken Sie scharf nach.«

»Ich kenne sie nicht.« Dana sackte zusammen und fing an zu schluchzen. »Ich habe sie noch nie gesehen.«

Titus lehnte sich zurück. »Ich frage Sie noch ein letztes Mal, Dana. Von der Antwort hängt es ab, ob Sie wieder zu Ihrem Sohn nach Hause kommen oder allein in die Kiste. Woher kennen Sie Kat Donovan?«

Kat hatte die Männer mehrmals gefragt, wohin sie sie brachten.

Der dünne Mann neben ihr hatte nur gelächelt und die Pistole auf sie gerichtet. Der Fahrer blickte auf die Straße. Von hinten sah sie nur seinen perfekt kahlrasierten Schädel und die Schultern so groß wie Bowlingkugeln. Kat plapperte weiter – wohin sie fuhren, wie lange sie dahin brauchten, wer sie waren?

Der dünne Mann neben ihr lächelte weiter.

Wie sich herausstellte, war es eine kurze Fahrt. Sie hatten gerade das Zentrum von Water Mill hinter sich gelassen, als der silberne Mercedes links auf die Davids Lane abbog und sie weiter in Richtung Meer fuhren. Sie bogen ab auf die Halsey Lane. Feudale Gegend.

Kat glaubte inzwischen zu wissen, wohin sie unterwegs waren.

Vor einem riesigen Grundstück, das von einer dichten Wand aus hohen Sträuchern vor Blicken und Eindringlingen geschützt war, wurden sie langsamer. Sie fuhren mehrere hundert Meter an dieser dichten Heckenwand entlang, bis sie ein Tor erreichten, durch das man keine Sicht aufs Grundstück hatte. Ein Mann in einem dunklen Anzug mit Sonnenbrille und Ohrstöpseln sprach etwas in das Mikrofon an seinem Revers.

Das Tor ging auf, und der silberne Mercedes fuhr die Ein-

fahrt hinauf auf ein weitläufiges, Gatsby-ähnliches Herrenhaus mit rotem Ziegeldach zu. Die Einfahrt war von Zypres-
sen und weißen griechisch-römischen Statuen gesäumt. Vor
dem Haus befand sich ein rundes Wasserbecken mit einer
hohen Fontäne in der Mitte.

Der lächelnde, dünne Mann sagte: »Wenn ich bitten
darf?«

Kat stieg auf der einen Seite aus dem Wagen, der Lächler auf der anderen. Sie starrte das Herrenhaus aus einer anderen Epoche an. Sie kannte es von alten Fotos. Ein reicher Industrieller namens Richard Heffernan hatte es in den
1930ern bauen lassen. Bis vor etwa zehn Jahren war es in
Familienbesitz geblieben, dann hatte es der aktuelle Besit-
zer gekauft, vollkommen entkernt und, wenn die Gerüchte
stimmten, zehn Millionen Dollar in die Renovierung gesteckt.

»Heben Sie bitte die Arme.«

Sie tat es, woraufhin ein anderer Sonnenbrillenträger im
dunklen Anzug sie mit einer solchen Begeisterung filzte, dass
sie am liebsten um eine Penicillin-Spritze gebeten hätte. Da
der Lächler ihr die Pistole und das Handy schon abgenommen hatte, war nichts weiter zu finden.

Ihr Vater hatte früher immer eine zweite Pistole im Stiefel getragen – Kat hatte gelegentlich darüber nachgedacht,
ob sie das auch tun sollte, aber dieser Kerl hätte sie auf jeden Fall gefunden. Als er fertig war, nickte er dem Lächler zu.

Der Lächler sagte: »Hier entlang, bitte.«

Sie gingen durch einen üppigen Garten, der aus einem
Hochglanzmagazin hätte stammen können und womöglich
tatsächlich in einem solchen Magazin verewigt war. Der
Ozean lag direkt vor ihnen, fast so, als hätte er sich auf Befehl

als Postkartenmotiv eingefunden. Salziger Meeresgeruch lag in der Luft.

»Hallo, Kat.«

Er wartete auf einer Veranda mit gepolsterten Teak-Möbeln auf sie. Er trug vollkommen weiße, viel zu eng geschnittene Kleidung. Bei einem jungen, gut gebauten Mann mochte das erträglich aussehen, bei einem untersetzten, schwammigen Mann von über siebzig wirkte es fast obszön. Die Knöpfe seines Hemds hatten Mühe, seine Wampe zu halten, zumindest diejenigen Knöpfe, die nicht schon offen waren und den Blick auf die dichte Brustbehaarung freigaben. An den dicken Fingern trug er mehrere Goldringe. Er hatte entweder volle, hellblonde Haare oder ein exquisites Toupet – schwer zu sagen.

»So lernen wir uns schließlich doch noch kennen«, sagte er.

Kat wusste nicht, wie sie reagieren sollte. Nach all den Jahren, in denen sie so viel über ihn gelesen hatte, in denen sie fast von ihm besessen gewesen war, ihn gehasst und berechtigterweise zum Teufel gewünscht hatte, stand sie Willy Cozone gegenüber.

»Ich würde wetten, Sie haben lange auf diesen Tag gewartet und ihn sich im Geiste immer wieder ausgemalt«, sagte Cozone.

»Das stimmt.«

Cozone breitete die Arme aus, drehte sich um und blickte aufs Meer. »Haben Sie es sich in etwa so vorgestellt?«

»Nein«, sagte Kat. »Sie trugen Handschellen.«

Er lachte darüber, als hätte er im Leben noch nie etwas Komischeres gehört. Der dünne Lächler stand mit verschränkten Armen neben ihr. Er lachte nicht. Er lächelte nur. Offenbar konnte er nichts anderes.

»Du kannst gehen, Leslie.«

Leslie, der Lächler, deutete eine Verbeugung an und ging.

»Möchten Sie Platz nehmen?«, fragte Cozone.

»Nein.«

»Wie wäre es mit etwas Eistee oder Limonade?« Er hielt sein Glas hoch. »Ich habe hier einen Arnold Palmer. Wissen Sie, was das ist?«

»Ja, das weiß ich.«

»Möchten Sie einen?«

»Nein«, sagte Kat. »Ich möchte nicht zu kleinlich erscheinen, aber es ist illegal, einen Menschen mit vorgehaltener Waffe zu entführen, besonders einen Polizisten.«

»Bitte«, sagte Cozone. »Wir wollen uns doch nicht in Details verlieren. Wir haben ein paar wichtigere Angelegenheiten zu klären.«

»Ich höre.«

»Wollen Sie nicht doch Platz nehmen?«

»Was wollen Sie, Mr Cozone?«

Er trank einen Schluck von seinem Drink und sah sie dabei die ganze Zeit an. »Es war vielleicht doch ein Fehler.«

Kat sagte nichts.

Er drehte sich um und ging. »Ich werde Leslie sagen, dass er Sie bei Ihrem Wagen absetzen soll. Ich bitte um Verzeihung.«

»Ich könnte Anzeige erstatten.«

Cozone gestikulierte in ihre Richtung. »Oh, bitte, Kat. Darf ich Sie Kat nennen? Gegen mich wurden schon sehr viele fundierte Beschuldigungen vorgebracht. Ich kann ein Dutzend Zeugen auftreiben, die schwören würden, dass ich irgendwo anders war. Ich kann ein Überwachungsvideo beschaffen, auf dem zu sehen ist, dass Sie nie hier waren. Lassen Sie uns keine Zeit mit solchen Spielereien verschwenden.«

379

»Das gilt auch für Sie«, sagte Kat.

»Soll heißen?«

»Das soll heißen, dass Sie mir nicht mit ›ich werde Leslie sagen, dass er Sie bei Ihrem Wagen absetzen soll‹ zu kommen brauchen. Sie haben mich nicht ohne Grund hergeholt. Diesen Grund würde ich gern erfahren.«

Das gefiel Cozone. Er trat einen Schritt auf sie zu. Seine Augen waren hellblau, sahen aber trotzdem irgendwie schwarz aus. »Mit Ihrer aktuellen Ermittlung wirbeln Sie viel Staub auf.«

»Es gibt keine aktuellen Ermittlungen.«

»Auch wieder wahr. Ihr Vater ist schon recht lange tot.«

»Haben Sie ihn umbringen lassen?«

»Glauben Sie wirklich, dass Sie dieses Grundstück lebend verlassen würden, wenn ich das getan hätte?«

Kat wusste alles über Cozone – sein Geburtsdatum, seine Familiengeschichte, wann, wo und weshalb er festgenommen worden war, sie kannte seine Wohnsitze (diesen zum Beispiel), weil sie seine Akte studiert hatte. Und doch war es immer wieder etwas ganz anderes, jemandem zum ersten Mal persönlich gegenüberzustehen. Sie betrachtete seine hellblauen Augen. Sie dachte an den Horror, den diese Augen in über siebzig Jahren gesehen hatten. Und dass dieser Horror diese Augen in gewisser Weise nie erreicht hatte.

»Theoretisch«, sagte er in einem Tonfall, der fast gelangweilt klang, »könnte ich Ihnen gleich hier eine Kugel in den Kopf jagen. Ich besitze mehrere Boote. Wir könnten Sie auf dem Meer über Bord werfen. Natürlich würden Ihre Kollegen von der Polizei eine große Suchaktion starten, aber Sie wissen ebenso gut wie ich, dass sie nichts finden würden.«

Kat versuchte, nicht zu schlucken. »Sie haben mich nicht hergeholt, um mich zu ermorden.«

»Warum sind Sie sich da so sicher?«

»Weil ich noch atme.«

Cozone lächelte. Er hatte kleine, stiftartige Zähne. Sein Gesicht hatte eine Glätte, die auf ein chemisches Peeling oder eine Botox-Behandlung hindeutete. »Ich werde erst einmal abwarten, wie sich das Gespräch entwickelt.«

Er sank auf einen der gepolsterten Teakholzstühle und klopfte auf den Stuhl neben sich.

»Nehmen Sie doch Platz.«

Ein Schauer lief ihr über den Rücken, als sie sich setzte. Sie roch sein Parfüm – es war süß und aufdringlich. Die Stühle standen sich nicht gegenüber, sondern nebeneinander, sodass man aufs Meer hinausblickte. Einen Moment lang starrten sie schweigend ins aufgewühlte Wasser.

»Ein Sturm zieht auf«, sagte er.

»Unheilschwanger«, sagte sie, versuchte, sarkastisch zu sein, was ihr aber nicht gelang.

»Stellen Sie die Frage, Kat.«

Sie sagte nichts.

»Sie warten seit zwanzig Jahren darauf. Jetzt haben Sie die Gelegenheit. Also fragen Sie.«

Sie drehte sich um und sah ihm ins Gesicht. »Haben Sie meinen Vater ermorden lassen?«

»Nein.«

Er blickte weiter aufs Meer.

»Und das soll ich Ihnen jetzt einfach glauben?«

»Wissen Sie, dass ich aus dem gleichen Viertel komme wie Sie?«

»Ja. Farrington Street bei der Autowaschanlage. Sie haben einen Jungen getötet, als Sie in der fünften Klasse waren.«

Er schüttelte den Kopf. »Soll ich Ihnen ein Geheimnis verraten?«

»Nur zu.«

»Die Geschichte über mich und den Hammer ist eine urbane Legende.«

»Ich habe mit einer Frau gesprochen, deren Bruder mit Ihnen zur Schule gegangen ist.«

»Es stimmt nicht«, sagte er. »Warum sollte ich Sie in diesem Punkt belügen? Ich mag die Legenden. Ich habe mich sogar daran beteiligt, sie zu kultivieren. Sie haben mir oft die Arbeit erleichtert. Nicht dass es leicht gewesen wäre. Nicht dass ich mir nicht die Finger schmutzig gemacht hätte. Aber Angst ist eine wunderbare Motivationshilfe.«

»Ist das ein Geständnis?«

Cozone hielt die Handgelenke nebeneinander, als wartete er darauf, dass sie ihm Handschellen anlegte. Sie wusste, dass nichts von dem, was er sagte, vor Gericht standhalten oder ihr überhaupt in irgendeiner Form weiterhelfen würde, trotzdem wollte sie, dass er weitersprach.

»Ich kannte Ihren Vater«, sagte er. »Wir hatten eine Vereinbarung.«

»Wollen Sie sagen, dass er korrupt war?«

»Ich will gar nichts sagen. Ich will Ihnen nur erklären, dass ich nichts mit dem Tod Ihres Vaters zu tun hatte – und dass wir beide, er und ich, aus derselben Welt kamen.«

»Dann haben Sie also nie jemanden aus Flushing getötet?«

»Oh, so würde ich das nicht sagen.«

»Wie würden Sie es denn sagen?«

»Im Lauf der Jahre haben Sie in mehreren meiner … Geschäftsbereiche, wie soll ich es sagen, Störungen im Betriebsablauf verursacht.«

Sie hatte die Chefs sämtlicher »Geschäftsbereiche« festgenommen, die auch nur gerüchteweise etwas mit Cozone zu tun hatten. Sie hatte Cozone zweifellos Geld gekostet.

»Worauf wollen Sie hinaus?«, fragte Kat.

»Ich möchte das in Zukunft vermeiden.«

»Und da haben Sie sich gedacht, wenn Sie mir sagen, dass der Auftrag zum Mord an meinen Vater nicht auf Ihr Konto geht, hat sich das erledigt.«

»So in der Art. Ich dachte – oder besser, ich hoffte –, dass wir zu einer Vereinbarung kommen könnten.«

»Eine Vereinbarung?«

»Ja.«

»Wie die, die Sie angeblich mit meinem Vater hatten?«

Er blickte weiter in die Brandung, aber ein Lächeln umspielte seine Mundwinkel. »So in der Art.«

Kat wusste nicht, wie sie damit umgehen sollte. »Warum jetzt?«, fragte sie.

Er trank etwas von seinem Drink.

»Wenn Sie der Ansicht waren, dass wir dadurch…«, sie malte Anführungszeichen in die Luft, »… ›zu einer Vereinbarung‹ gekommen wären, hätten Sie mir das schon vor Jahren erzählen können. Warum jetzt?«

»Die Dinge haben sich geändert.«

»In welcher Beziehung?«

»Ein lieber Freund ist von uns gegangen.«

»Monte Leburne?«

Cozone trank noch einen Schluck. »Sie sind zäh, Kat, das muss ich Ihnen lassen.«

Sie sparte sich eine Antwort.

»Sie haben Ihren Vater sehr geliebt, oder?«

»Ich bin nicht hier, um über meine Gefühle zu reden.«

»Das ist verständlich. Sie haben gefragt, warum ich Ihnen das ausgerechnet jetzt erzähle. Es liegt daran, dass Monte Leburne tot ist.«

»Er hatte den Mord doch gestanden?«

»Das ist wahr. Er hat allerdings auch gesagt, dass ich nichts damit zu tun hatte.«

»Richtig. Und er hat gesagt, dass Sie auch nichts mit den anderen beiden Morden zu tun hatten. Wollen Sie die auch leugnen?«

Er drehte den Kopf ganz leicht in ihre Richtung. Seine Miene war härter geworden. »Ich bin nicht hier, um über die anderen beiden zu sprechen. In keinster Weise. Haben Sie mich verstanden?«

Das hatte sie. Er würde kein Geständnis ablegen, stritt aber auch nicht ab, daran beteiligt gewesen zu sein – im Gegensatz zur Ermordung ihres Vaters. Die Botschaft war eindeutig: Ja, die beiden habe ich beiseiteschaffen lassen, Ihren Vater jedoch nicht.

Was keineswegs bedeutete, dass sie ihm das glauben musste.

Cozone wollte, dass sie ihn in Ruhe ließ. Das war Sinn und Zweck dieser Übung. Und natürlich würde er sich die Geschichte so zurechtbiegen, dass er dieses Ziel erreichte.

»Das, was ich Ihnen jetzt erzähle, muss unter uns bleiben«, sagte Cozone. »Sind wir uns da einig?«

Kat nickte, weil es auch diesmal keine Rolle spielte. Wenn er ihr irgendwelche Informationen gab, die sie brauchte, würde sie sich von einem Quasi-Versprechen, das sie einem berüchtigten Mörder gegeben hatte, nicht davon abhalten lassen, sie zu verwenden. Und das war ihm vermutlich auch klar.

»Machen wir eine kleine Reise in die Vergangenheit, okay? Bis zu dem Tag, an dem Monte Leburne verhaftet wurde. Wissen Sie, als das FBI Monte geschnappt hat, war ich ein wenig besorgt. Die genauen Gründe brauchen wir hier nicht zu erörtern. Monte war damals einer meiner besten Mitarbeiter. Ich habe sofort Kontakt zu ihm aufgenommen.«

»Wie das? Er war in Einzelhaft.«

Er runzelte die Stirn. »Bitte.«

Er hatte recht. Cozone hatte Verbindungen. Außerdem war es unwichtig.

»Jedenfalls habe ich Monte versprochen, dass seine Familie großzügige Entschädigung erhalten würde, wenn er sich weiterhin so loyal zeigte, wie ich es von ihm gewohnt war.«

Bestechungsgeld. »Und wenn er nicht loyal geblieben wäre?«

»Wir wollen uns doch hier nicht in Mutmaßungen ergehen, Kat, oder?«

Er sah sie an.

»Wohl nicht.«

»Außerdem gab es viele Mitarbeiter, die ihre Bosse trotz massiver Drohungen verraten haben, um sich selbst gewisse Vorteile zu verschaffen. Ich hatte gehofft, Monte Leburne eher mit dem Zuckerbrot zu ermutigen als mit der Peitsche.«

»Offenbar hatten Sie Erfolg.«

»Ja, den hatte ich. Trotzdem lief es nicht ganz so, wie ich es geplant hatte.«

»Inwiefern?«

Cozone fing an, einen Ring um seinen Finger zu drehen. »Wie Sie wahrscheinlich wissen, wurde Monte Leburne ursprünglich festgenommen, weil man ihm zwei Morde zur Last legte.«

»Ja.«

»Er bat mich um Erlaubnis, einen dritten gestehen zu dürfen.«

Kat saß einen Moment lang reglos da. Sie wartete, dass er fortfuhr, doch Cozone wirkte plötzlich erschöpft. »Warum hätte er das tun sollen?«

»Weil es keine Rolle spielte. Ihn erwartete sowieso eine lebenslange Gefängnisstrafe.«

»Trotzdem wird er ja nicht nur aus Spaß ein Geständnis abgelegt haben.«

»Nein, sicher nicht.«

»Warum dann?«

»Ich möchte noch einmal auf Ihre Frage zurückkommen, warum wir uns nicht schon zuvor unterhalten haben. Ein Teil meiner Abmachung mit Monte Leburne bestand darin, dass diese Tatsache unter uns bleibt. Ich werde Ihnen jetzt nicht mit Ganovenehre kommen, ich möchte aber, dass Sie es verstehen. Ich konnte Ihnen nichts sagen, weil ich zur Verschwiegenheit verpflichtet war. Wenn ich es trotzdem getan hätte, hätte ich einen loyalen Mitarbeiter hintergangen.«

»Der es sich im Gegenzug auch anders hätte überlegen können.«

»Pragmatische Erwägungen fließen überall mit ein«, stimmte Cozone zu. »Aber in erster Linie wollte ich Monte und meinen anderen Mitarbeitern demonstrieren, dass ich zu meinem Wort stehe.«

»Und jetzt?«

Cozone zuckte die Achseln. »Er ist tot. Damit ist die Abmachung null und nichtig.«

»Jetzt können Sie also reden.«

»Wenn ich es möchte. Trotzdem wäre es mir natürlich lieber, wenn diese Information unter uns bliebe. Sie haben immer geglaubt, ich hätte Ihren Vater umbringen lassen. Ich möchte Ihnen sagen, dass ich das nicht getan habe.«

Sie stellte die logische Frage: »Wer war es dann?«

»Das weiß ich nicht.«

»Hatte Leburne etwas damit zu tun?«

»Nein.«

»Wissen Sie, warum er den Mord gestanden hat?«

Er breitete die Arme aus. »Warum tut man so etwas?«

»Geld.«

»Unter anderem.«

»Was noch?«

»Hier wird es etwas komplizierter, Kat.«

»Wie meinen Sie das?«

»Ihm wurden Vergünstigungen versprochen.«

»Was für Vergünstigungen?«

»Eine Vorzugsbehandlung im Gefängnis. Eine schönere Zelle. Extra Rationen. Die berufliche Unterstützung seines Neffen.«

Kat runzelte die Stirn. »Wer hat ihm das versprochen?«

»Das hat er mir nie verraten.«

»Aber Sie haben einen Verdacht.«

»Es steht mir nicht zu, Mutmaßungen anzustellen.«

»Richtig, das sagten Sie schon. Was für einen Job hat sein Neffe bekommen?«

»Es war kein Job. Es ging eher um eine Ausbildung.«

»Was für eine Ausbildung?«

»Er ist auf die Polizeischule gegangen.«

Wie aufs Stichwort öffnete der Himmel seine Schleusen. Zuerst sah man den Regen aufs Meer prasseln, dann zog er langsam übers Grundstück auf sie zu. Cozone stand auf und trat etwas zurück, sodass er komplett unter dem Dach stand. Kat folgte seinem Beispiel.

»Leslie wird Sie zu Ihrem Wagen zurückfahren«, sagte Cozone.

»Ich habe noch mehr Fragen.«

»Ich habe so schon zu viel gesagt.«

»Und ich glaube Ihnen nicht.«

Cozone zuckte die Achseln. »Dann machen wir weiter wie bisher.«

»Ohne Vereinbarung?«

»Von mir aus«, sagte er.

Sie dachte darüber nach, was er gesagt hatte, über die Verbrecherehre, über Vereinbarungen und Abmachungen. »Mit dem Tod eines Beteiligten werden Vereinbarungen hinfällig, richtig?«

Er sagte nichts.

»Das haben Sie doch gesagt. Die Abmachung, die Sie mit Leburne hatten, ist null und nichtig.«

»Richtig.«

Leslie, der Lächler, erschien. Doch Kat rührte sich nicht.

»Sie hatten auch eine Vereinbarung mit meinem Vater«, sagte Kat. Ihre Stimme klang in ihren eigenen Ohren seltsam. »Sie haben es selbst gesagt.«

Der Regen prasselte aufs Dach. Sie musste lauter sprechen, damit er sie verstand.

»Wissen Sie, wer Sugar ist?«, fragte sie.

Cozone wandte den Blick ab. »Sie wissen von Sugar?«

»Gewissermaßen.«

»Warum fragen Sie mich dann?«

»Weil ich mit ihr reden will.«

Sein Gesicht nahm einen nachdenklichen Ausdruck an.

»Wenn Sie nicht wissen, wer meinen Vater ermordet hat«, sagte Kat, »kann Sugar mir vielleicht weiterhelfen.«

Möglicherweise nickte Cozone. »Vielleicht.«

»Also will ich sie treffen«, sagte Kat. »Klingt das plausibel?«

»In gewisser Hinsicht auf jeden Fall«, sagte er fast zu bedacht.

»Können Sie mir helfen, sie zu finden?«

Cozone sah Leslie an. Leslie zeigte keine Regung. Trotzdem sagte Cozone: »Wir können es versuchen, ja.«

»Danke.«

»Unter einer Bedingung.«

»Die wäre?«

»Sie versprechen, sich von meinen Geschäften fernzuhalten.«

»Wenn Sie die Wahrheit gesagt haben, dass Sie nichts mit…«

»Das habe ich.«

»Dann geht das klar«, sagte sie.

Er streckte ihr die Hand entgegen. Sie schüttelte sie widerstrebend, dachte an all das Blut, das daran klebte, und stellte sich vor, wie es sich in einem Schwall über sie ergoss. Cozone hielt ihre Hand fest.

»Sind Sie sicher, dass Sie das wollen, Kat?«

»Was?«

»Sind Sie sicher, dass Sie sich mit Sugar treffen wollen?«

Sie zog ihre Hand zurück. »Ja, ich bin mir sicher.«

Er blickte wieder auf die Brandung. »Vielleicht ist es auch am besten so. Vielleicht ist es Zeit, alle Geheimnisse ans Tageslicht zu bringen, ganz egal, wie zerstörerisch sie auch sein mögen.«

»Was soll das heißen?«, fragte Kat.

Aber Cozone drehte sich um und ging zum Haus. »Leslie wird Sie zu Ihrem Wagen zurückbringen. Er ruft Sie an, sobald er eine Adresse gefunden hat, unter der Sugar erreichbar ist.«

Titus stellte Dana noch ein Dutzend Mal die gleiche Frage. Wie er mehr oder weniger erwartet hatte, blieb sie bei ihrer Geschichte. Sie kenne Kat nicht. Sie hätte sie nie gesehen. Sie hätte keine Ahnung, warum diese Polizistin Ermittlungen wegen ihres Verschwindens aufgenommen hätte.

Titus glaubte ihr.

Er lehnte sich zurück und rieb sich das Kinn. Dana starrte ihn an. Ein ganz leichter Hoffnungsschimmer lag in ihren Augen. Hinter ihr lehnte Reynaldo am Türpfosten. Titus fragte sich, ob er aus Dana eine weitere Zahlung herauspressen konnte, aber nein, er hatte immer Ruhe und Geduld bewahrt. Er durfte nicht gierig werden. Es war Zeit, die Verbindung zu beenden. Er würde jede Wette eingehen, dass Detective Kat Donovan bisher noch niemandem von ihren Ermittlungen erzählt hatte. Erstens hatte sie nicht genug Beweise. Und zweitens würde sie niemandem erzählen wollen, wie sie auf dieses Verbrechen gestoßen war.

Indem sie einem Ex-Lover im Internet nachstellte.

Er dachte über die Vor- und Nachteile nach. Sobald er Dana Phelps beiseiteschaffte, war es vorbei. Sie wäre tot und begraben. Es würde keine Hinweise geben. Allerdings war Kat Donovan auch weiter gekommen als alle anderen vor ihr. Sie hatte eine Verbindung zwischen dem Verschwinden von Gerard Remington und Dana Phelps hergestellt. Und jetzt hatte sie ein persönliches Interesse an der Sache.

Dann gab sie womöglich nicht so schnell auf.

Eine Polizistin zu eliminieren war extrem riskant. In diesem Fall war es aber wohl ähnlich riskant, sie am Leben zu lassen.

Er musste eine vernünftige Kosten-Nutzen-Analyse darüber durchführen, ob er sie töten sollte oder nicht. Aber bis er dazu kam, musste er sich noch um eine andere Angelegenheit kümmern.

Titus lächelte Dana zu. »Möchten Sie etwas Tee?«

Sie nickte mit all ihr zur Verfügung stehenden Kraft, was nicht mehr sehr viel war. »Ja, bitte.«

Titus sah Dmitry an. »Kannst du Ms Phelps einen Tee machen?«

Dmitry stand auf und ging in die Küche.

Titus stand auf. »Ich bin gleich zurück«, sagte er zu ihr.

»Ich sage die Wahrheit, Mr Titus.«

»Das weiß ich, Dana. Bitte, Sie brauchen sich keine Sorgen zu machen.«

Titus ging zur Tür, an der Reynaldo stand. Beide Männer gingen hinaus.

»Es ist Zeit«, sagte Titus.

Reynaldo nickte. »Okay.«

Titus blickte über die Schulter nach hinten. »Glaubst du ihr?«

»Ja.«

»Ich auch«, sagte Titus, »aber wir müssen absolut sicher sein.«

Reynaldo kniff die Augen zusammen. »Dann soll ich sie nicht töten?«

»Oh. Ja, doch«, sagte Titus und sah zur Scheune. »Aber lass dir Zeit dabei.«

Chaz rief Julie Weitz an. Eine Frau meldete sich: »Hallo?«

»Spreche ich mit Julie Weitz?«

»Ja.«

»Ich bin Detective Faircloth vom New York Police Department.«

Chaz stellte ihr ein paar Fragen. Ja, sie chatte mit einem Mann im Internet, mit mehr als einem, um genau zu sein, aber das würde niemanden etwas angehen. Nein, sie plane nicht, mit ihm wegzufahren. Aber wieso um alles in der Welt sei das überhaupt eine Polizeiangelegenheit? Chaz dankte ihr und legte auf.

Erster Fehlschlag. Aber angesichts dessen, was auf dem Spiel stand, vielleicht doch ein Treffer.

Dann rief Chaz bei Martha Paquet an. Eine Frau meldete sich: »Hallo?«

»Spreche ich mit Martha Paquet?«

»Nein, hier ist ihre Schwester Sandi.«

Der lächelnde Leslie setzte Kat mit dem silbernen Mercedes wieder bei Chaz' gelbem Ferrari ab. Bevor sie ausstieg, sagte er: »Ich rufe Sie an, wenn ich eine Adresse habe.«

Beinahe hätte Kat sich bedankt, dann erschien ihr das aber doch hochgradig unangemessen. Der Fahrer gab ihr ihre Waffe zurück. Am Gewicht merkte sie, dass er die Patronen herausgenommen hatte. Dann reichte er ihr das Handy.

Kat stieg aus. Der Mercedes fuhr weg.

In ihrem Kopf drehte sich immer noch alles. Sie wusste nicht, was Cozones Story zu bedeuten hatte. Oder, schlimmer noch, sie wusste ganz genau, was sie zu bedeuten hatte. Es war doch ganz offensichtlich. Stagger war direkt nach der Verhaftung zu Monte Leburne gegangen. Er hatte weder

Suggs noch Rinsky oder sonst irgendjemandem davon erzählt. Er hatte einen Deal mit Leburne gemacht, damit der für Dads Ermordung den Kopf hinhielt.

Aber warum?

Oder war das ebenso offensichtlich?

Eigentlich ging es doch eher darum, was sie mit diesen neuen Informationen anfangen konnte? Es hatte keinen Sinn, sie Stagger vorzuhalten. Er würde einfach weiter lügen. Oder Schlimmeres. Nein, sie würde ihn als Lügner entlarven müssen. Aber wie?

Was war mit den Fingerabdrücken, die am Tatort gefunden worden waren?

Stagger hatte sie unterschlagen, oder? Seine eigenen konnten es allerdings nicht sein, das wäre schon bei der ersten Suche aufgefallen, die Suggs und Rinsky noch durchgeführt hatten. Die Fingerabdrücke aller Polizisten waren in den Datenbanken gespeichert. Also konnten es nicht Staggers sein.

Und dennoch: Als irgendwann passende Fingerabdrücke auftauchten, hatte Stagger sich in die Ermittlungen eingeschaltet und vorgegeben (oder zumindest höchstwahrscheinlich vorgegeben), sie würden von irgendeinem Obdachlosen stammen.

Die Fingerabdrücke waren der Schlüssel zur Wahrheit.

Sie rief Suggs auf seinem Handy an.

»Hey, Kat, wie geht's dir?«

»Gut. Bist du dazu gekommen, dir diese alten Fingerabdrücke anzusehen?«

»Bisher nicht.«

»Ich will ja nicht drängeln, aber es ist wirklich wichtig.«

»Nach so vielen Jahren? So ganz versteh ich das nicht. Aber ich habe die Anfrage schon eingereicht. Die Beweismittel liegen in einem Karton im Archiv. Die Kollegen meinten, es dauert noch ein paar Tage, bis mal wieder jemand hingeht.«

»Kannst du da ein bisschen Druck machen?«

»Ich denke schon, aber die haben alle Hände voll zu tun mit den offenen Fällen, Kat. Das hat keine Priorität.«

»Doch, das hat es«, sagte sie. »Glaub mir einfach, okay? Tu's für meinen Vater.«

In der Leitung war es einen Moment still. Dann sagte Suggs: »Für deinen Vater« und legte auf.

Kat blickte wieder zu dem verdammten Strandabschnitt hinüber und widmete sich den Erinnerungen, in denen sie geschwelgt hatte, bevor Leslie an Chaz' Ferrari gelehnt hatte.

Hier ist Kat.

Das hatte sie Jeff/Ron in ihrem Chat geschrieben. Zuerst hatte sie ihm den Link zum *Missing You*-Video geschickt. Seine Antwort hatte geklungen, als wüsste er nicht, wer sie war. Dann hatte sie geschrieben:

Hier ist Kat.

Sie fröstelte. Sie, Kat, hatte ihm ihren Namen genannt. Erst danach hatte er angefangen, sie Kat zu nennen und so getan, als würde er sie kennen.

Irgendetwas stimmte nicht.

Irgendetwas stimmte absolut nicht mit Dana Phelps, Gerard Remington und Jeff Raynes alias Ron Kochman. Sie konnte es zwar noch nicht beweisen, ging aber davon aus, dass drei Personen verschwunden waren.

Oder mindestens zwei. Gerard und Dana. Was Jeff betraf…

Das ließ sich feststellen. Sie glitt in den Ferrari und startete ihn. Sie fuhr nicht zurück nach Manhattan. Noch nicht. Sie fuhr zurück zu Ron Kochmans Haus. Wenn nötig, würde sie die verdammte Tür einschlagen, aber auf jeden Fall würde sie auf die eine oder andere Art die Wahrheit herausbekommen.

Als Kat wieder in die Deforest Street einbog, standen dieselben beiden Fahrzeuge in der Einfahrt. Sie hielt direkt dahinter und stellte den Schaltknauf der Automatik in Parkstellung. Als sie die Hand nach dem Türgriff ausstreckte, klingelte ihr Handy.

Es war Chaz.

»Hallo?«

»Martha Paquet ist gestern übers Wochenende weggefahren. Seitdem hat sie niemand mehr gesehen.«

Titus bedankte sich bei Dana für die Kooperation.

»Wann kann ich zurück nach Hause?«, fragte sie.

»Morgen, wenn alles gut läuft. Bis dahin lässt Reynaldo Sie im Gästebereich der Scheune schlafen. Wir haben da eine Dusche und ein Bett. Sie werden es dort bequemer haben.«

Dana zitterte, bekam aber trotzdem ein »Danke« heraus.

»Keine Ursache. Sie dürfen jetzt gehen.«

»Ich werde kein Wort verraten«, sagte sie. »Sie können sich auf mich verlassen.«

»Ich weiß. Das tue ich.«

Dana schleppte sich zur Tür, als würde sie durch tiefen Schlamm gehen. Reynaldo erwartete sie. Die Tür war kaum hinter ihr zugefallen, als Dmitry in seine Faust hustete und sagte: »Äh, wir haben ein Problem.«

Titus fuhr herum und starrte ihn an. Sie hatten keine Probleme. Niemals.

»Was ist los?«

»Wir kriegen E-Mails.«

Wenn sie die Passwörter hatten, richtete Dmitry die E-Mail-Konten ihrer Gäste so ein, dass alle E-Mails an sie weitergeleitet wurden. So hatten sie alles im Blick und konnten sogar auf E-Mails von besorgten Verwandten oder Freunden antworten.

»Von?«

»Martha Paquets Schwester. Ich glaube, sie hat auch versucht, sie auf dem Handy zu erreichen.«

»Was steht in den E-Mails?«

Dmitry blickte auf. Er schob sich mit dem Zeigefinger die Brille hoch. »Da steht, dass jemand von der New Yorker Polizei angerufen und sich nach Martha erkundigt hat. Der Anrufer schien besorgt zu sein, als er von der Schwester gehört hatte, dass Martha mit ihrem neuen Liebhaber weggefahren war.«

Blinde Wut durchzuckte Titus wie ein Blitz.

Kat.

Seine interne Kosten-Nutzen-Analyse zum Thema »Töten oder nicht Töten« war schneller als erwartet zu einem Ergebnis gekommen.

Titus griff nach seinem Schlüssel und eilte zur Tür. »Antworte der Schwester, dass es dir gutgeht, dass du eine schöne Zeit hast und morgen wieder nach Hause kommst. Falls noch weitere Mails kommen, ruf mich auf dem Handy an.«

»Wohin fährst du?«

»Nach New York.«

Kat hämmerte gegen die Haustür. Sie suchte im Ornament-glas rechts und links nach Bewegungen. Es rührte sich nichts. Aber der alte Mann musste zu Hause sein. Sie war doch erst vor … wie lange war das her … einer Stunde hier gewesen. Beide Wagen standen noch vor der Tür. Sie klopfte weiter.

Keine Antwort.

Der alte Mann hatte sie aufgefordert, *sein* Grundstück zu verlassen. Seins. Dann war Ron oder Jeff vielleicht gar nicht der Eigentümer. Sondern der alte Mann. Vielleicht wohn-ten Jeff und seine Tochter, Melinda, hier nur zur Miete. Den Namen des alten Mannes konnte sie leicht herausbekom-men, aber was brachte ihr das?

Kat hatte mit Chaz besprochen, dass er das FBI über den Fall informieren sollte, obwohl sie eigentlich immer noch nicht viel in der Hand hatten. Erwachsene durften sich ein oder zwei Tage nicht melden. Kat hoffte, dass die in sich schlüssige Indizienkette dem Fall eine gewisse Dringlich-keit gab, war sich aber nicht sicher. Immerhin hatte Dana Phelps persönlich mit ihrem Sohn und ihrem Finanzbera-ter gesprochen. Martha Paquet könnte sich einfach mit ih-rem neuen Liebhaber übers Wochenende im Bett verkro-chen haben.

Allerdings gab es da ein Problem: Beide Frauen waren an-geblich mit demselben Mann unterwegs.

Sie ging ums Haus herum, versuchte, in die Fenster zu gu-cken, aber die Rollos waren heruntergezogen. Als sie auf der Rückseite war, fand sie den alten Mann auf einem Liegestuhl im Garten. Er las ein Taschenbuch von Parnell Hall, das er festhielt, als wollte es fliehen.

Kat sagte: »Hallo?«

Der alte Mann schreckte auf. »Was zum Teufel machen Sie hier?«

»Ich habe an die Tür geklopft.«

»Was wollen Sie?«

»Wo ist Jeff?«

Er setzte sich auf. »Ich kenne niemanden mit dem Namen.«

Sie glaubte ihm nicht. »Wo ist Ron Kochman?«

»Das habe ich Ihnen doch gesagt. Er ist nicht da.«

Kat trat an den Liegestuhl, beugte sich über ihn. »Zwei Frauen werden vermisst.«

»Was?«

»Zwei Frauen haben ihn im Internet kennengelernt. Beide werden jetzt vermisst.«

»Ich weiß nicht, wovon Sie reden.«

»Ich werde nicht gehen, bis Sie mir gesagt haben, wo er ist.«

Er sagte nichts.

»Ich werde die Polizei rufen. Ich werde das FBI informieren. Und die Medien werde ich auch informieren.«

Die Augen des alten Mannes weiteten sich. »Das würden Sie nicht tun.«

Kat beugte sich so weit herunter, dass ihr Gesicht nur wenige Zentimeter von seinem entfernt war. »Wollen wir wetten? Ich werde jedem, den ich kenne, erzählen, dass Ron Kochman früher Jeff Raynes hieß.«

Der alte Mann saß nur stumm da.

»Wo ist er?«

Der alte Mann sagte nichts.

Sie konnte sich nur mit Mühe bremsen, nach ihrer Waffe zu greifen. Sie schrie ihn an: »Wo ist er?«

»Lass ihn zufrieden.«

Kat keuchte, als sie die Stimme hörte. Sie fuhr herum und sah zum Haus. Die Fliegengittertür wurde geöffnet. Kat spürte, wie sie weiche Knie bekam. Sie öffnete den Mund, bekam aber keinen Laut heraus.

Jeff kam aus dem Haus und breitete die Arme aus. »Ich bin hier, Kat.«

Als Reynaldo und Dana die Scheune betraten, stand Bo schwanzwedelnd an der Tür. Er sprang auf sein Herrchen zu, der sich hinkniete und ihn hinter den Ohren kraulte.

»Guter Junge.«

Bo bellte zustimmend.

Hinter sich hörte Reynaldo, wie die Fliegengittertür vom Farmhaus zuschlug. Titus lief die Verandastufen herunter und eilte zum schwarzen SUV. Clem Sison, der jetzt, wo Claude nicht mehr da war, als Fahrer arbeitete, setzte sich hinters Lenkrad. Titus nahm auf dem Beifahrersitz Platz.

Der SUV raste davon und hinterließ eine Staubwolke.

Reynaldo fragte sich, was passiert war. Bo bellte, und Reynaldo merkte, dass er aufgehört hatte, ihn zu kraulen. Er lächelte und fuhr fort. Bo machte ein glückliches Gesicht. Das war so wunderbar an Hunden. Man wusste immer genau, was sie fühlten.

Dana stand ganz still. Ein leichtes Lächeln umspielte ihre Lippen, als sie ihn mit Bo beobachtete. Reynaldo gefiel das nicht. Er stand auf und befahl Bo, zu den unterirdischen Kisten zu gehen. Der Hund winselte aus Protest.

»Geh«, wiederholte Reynaldo.

Widerstrebend verließ der Hund die Scheune und ging zum Pfad.

Dana sah dem alten Hund hinterher, und ihr Lächeln verblasste. »Ich habe auch einen Labrador«, sagte sie. »Ihr

Name ist Chloe. Sie ist aber schwarz, nicht schokoladenbraun.«

Reynaldo antwortete nicht. Vom Scheuneneingang aus konnte er die alte Baumsäge sehen, die an der Wand hing. Vor einer Weile hatte er sich gefragt, ob man damit Fingerknochen durchsägen konnte. Es hatte eine ganze Weile gedauert. Außerdem war es eine ziemliche Sauerei gewesen, der Knochen wurde eher zerrissen oder zerfetzt, als dass er sauber abgetrennt wurde. Aber irgendwie hatte Reynaldo sich durch den Finger hindurchgearbeitet. Der Mann – er war in Kiste Nummer drei gewesen – hatte geschrien. Titus hatte sich über das Geschrei beschwert, also hatte Reynaldo Nummer drei einen Lappen in den Mund gesteckt und ihn mit Klebeband befestigt. Das hatte die Schmerzensschreie gedämpft. Nummer drei war immer wieder bewusstlos geworden, wenn sich das Sägeblatt in den Knorpeln verhakt hatte. Die ersten beiden Male hatte Reynaldo seine Tätigkeit unterbrochen, einen Eimer Wasser geholt und ihn über den Mann geschüttet. Davon war er wieder aufgewacht. Nachdem er das dritte Mal bewusstlos geworden war, hatte Reynaldo sich mehrere Wassereimer bereitgestellt.

»Möchten Sie Wasser?«, fragte er Dana jetzt.

»Ja, bitte.«

Er füllte zwei Wassereimer und stellte sie auf der Werkbank bereit. Dana hob einen an die Lippen und trank direkt aus dem Eimer. Reynaldo suchte sich ein Geschirrtuch, das man gut als Knebel verwenden konnte, fand aber kein Klebeband. Er konnte sie natürlich bedrohen, ihr sagen, dass er es viel schlimmer machen würde, wenn sie das Geschirrtuch ausspuckte, allerdings war Titus gerade weggefahren, ihn würden ihre Schreie also nicht stören.

Vielleicht sollte Reynaldo sie einfach schreien lassen?

»Wo ist das Bett?«, fragte Dana. »Und die Dusche?«

»Hinsetzen«, sagte er und deutete auf den Stuhl.

Nummer drei hatte er mit einem Strick am Stuhl festgebunden und den Teil, an dem er sägte, im großen Schraubstock auf der Werkbank eingespannt. Als er den Strick sah, hatte Nummer drei angefangen, sich zu wehren, aber Reynaldo hatte ihn mit der Pistole zur Räson gebracht. Vermutlich konnte er das jetzt ebenso machen, dachte er, aber Dana schien deutlich nachgiebiger zu sein. Trotzdem, bevor er zu sägen anfing, musste er sie irgendwie fixieren.

»Hinsetzen«, sagte er noch einmal.

Dana setzte sich sofort auf den Stuhl.

Reynaldo öffnete die oberste Werkzeugschublade und nahm den Strick heraus. Er konnte nicht gut Knoten binden, aber wenn man nah beim Opfer blieb und die Schnur oft genug herumwickelte, brauchte man das auch nicht.

»Wofür ist das?«, fragte Dana.

»Ich muss Ihr Bett machen. Ich kann nicht riskieren, dass Sie abhauen, wenn ich das mache.«

»Ich hau nicht ab. Ich verspreche es.«

»Stillsitzen.«

Als er anfing, ihr den Strick um die Brust zu binden, fing Dana an zu weinen. Aber sie wehrte sich nicht. Er wusste nicht, ob er froh oder enttäuscht darüber war. Reynaldo wollte den Strick gerade ein zweites Mal um sie wickeln, als er ein vertrautes Winseln hörte.

Bo.

Reynaldo hob den Blick. Bo stand direkt vor dem Scheunentor und sah sein Herrchen mit traurigen Augen an.

»Geh«, sagte Reynaldo.

Bo rührte sich nicht. Er winselte weiter.

»Geh. Ich komm gleich nach.«

Der Hund begann, auf dem Boden zu scharren und sah sein Bett an. Damit hätte Reynaldo rechnen müssen. Bo mochte sein Bett. Und er mochte die Scheune, besonders wenn Reynaldo dort war. Reynaldo hatte Bo nur einmal ausgesperrt, und das war, als er an Nummer drei gearbeitet hatte. Das hatte Bo nicht gefallen. Das Absägen der Finger hätte ihn nicht gestört. Reynaldo war der Einzige, den er zu beschützen versuchte, aber er war aufgebracht gewesen, weil er weder zu seinem Bett noch zu seinem Herrchen konnte.

Noch Tage später hatte Bo an den Stellen geschnüffelt, auf die das Blut gespritzt war.

Reynaldo stand auf und ging zum Scheunentor. Er kraulte den Hund kurz hinter den Ohren und sagte: »Tut mir leid, mein Junge, du musst draußen bleiben.« Er schob den Hund etwas zurück und wollte das Tor schließen. Bo startete ihm entgegen.

»Sitz«, sagte Reynaldo streng.

Der Hund gehorchte.

Reynaldos Hand lag noch auf dem Griff des Scheunentors, als ihm etwas auf den Hinterkopf krachte. Der Aufprall drückte ihn in die Knie. Sein Kopf vibrierte wie eine Stimmgabel. Als er aufblickte, sah er Dana mit dem Metallstuhl. Sie holte noch einmal aus und schleuderte ihn mit einem kehligen Schrei auf Reynaldos Kopf.

Reynaldo duckte sich gerade noch rechtzeitig, sodass der Stuhl über ihn hinwegsauste. Er hörte, wie Bo aus Sorge anfing zu bellen. Reynaldo streckte die Hand nach oben, ergriff den Stuhl und riss ihn ihr aus der Hand.

Dana floh.

Reynaldo war noch auf den Knien. Er versuchte aufzustehen, aber in seinem Kopf drehte sich alles. Er stürzte wieder zu Boden. Sofort war Bo da und leckte ihm das Gesicht. Das gab ihm Kraft. Er kam auf die Beine, zog seine Pistole und rannte hinaus. Er sah nach rechts. Nichts zu sehen. Er sah nach links. Wieder nichts.

Er drehte sich zur anderen Seite und sah, wie Dana im Wald verschwand. Reynaldo hob die Pistole, drückte ab und rannte hinter ihr her.

Titus war so vorsichtig gewesen.

Die Durchführung dessen, was er für das perfekte Verbrechen hielt, war nicht nur einer Eingebung entsprungen, er hatte nicht einfach »Heureka!« gerufen. Es war das Ergebnis eines Evolutionsprozesses: das Überleben des Stärkeren. Es war eine Idee, die sich aus sämtlichen vorangegangenen Karriereschritten seines Lebens entwickelt hatte. Eine Kombination aus Liebe, Sex, Romantik und Sehnsucht. Es ging um die Ausnutzung primitiver Instinkte in einem komplexen System unter Nutzung moderner Technologie.

Es war perfekt.

Zumindest war es das gewesen.

Titus hatte gesehen, wie kleine Gauner in kleinen Dimensionen dachten. Sie hatten Sex-Anzeigen auf Webseiten gestellt, ein Date mit einem Mann gemacht und dem Trottel dann sein Kleingeld abgenommen.

Nein, das reichte ihm nicht.

Titus hatte all seine vergangenen Geschäftsmodelle kombiniert – Prostitution, Erpressung, Betrug, Identitätsdiebstahl – und sie so auf eine höhere Ebene gebracht. Zuerst hatte er die perfekten, falschen Internet-Profile erstellt. Wie? Es gab verschiedene Möglichkeiten. Dmitry hatte ihm geholfen, »tote«, »gelöschte« oder inaktive Konten in den sozialen Netzwerken wie Facebook oder sogar MySpace zu finden. Es ging um Leute, die eine Seite eingerichtet und ein paar Fotos hochgeladen hatten, die diese Konten dann aber gar nicht nutzten oder über lange Zeit nicht mehr besucht hatten. Die meisten Profile, die sie sich zu eigen machten, stammten von Konten, die irgendwann gelöscht worden waren.

Zum Beispiel Ron Kochman. Man konnte den Dateien entnehmen, dass sein Account schon zwei Wochen nach der Einrichtung wieder gelöscht worden war. Das war ideal. Oder Vanessa Moreau. Sie hatten ihr Bikini-Portfolio auf der Webseite einer Agentur namens Mucho Models entdeckt. Vanessa hatte ihr Portfolio seit drei Jahren nicht upgedatet und als ein fiktives Magazin versucht hatte, sie für einen Job zu »buchen«, hatte Titus keine Antwort erhalten.

Kurz: Beides waren tote Konten.

Das war der erste Schritt.

Nachdem Titus solche interessanten Identitäten ausfindig gemacht hatte, führte er eine gründlichere Online-Suche durch, weil jeder potenzielle Partner genauso handeln würde. Das war heutzutage die Norm. Wenn man jemanden kennenlernte – nicht nur im Internet, sondern auch persönlich –, googelte man diese Person, besonders wenn man in Erwägung zog, eine Beziehung mit ihr einzugehen. Deshalb funktionierten frei erfundene Identitäten auch nicht so richtig. Das könnte ein halbwegs versierter Internet-Nutzer bei einer intensiven Google-Suche bemerken. Wenn die Person aber echt und lediglich nicht zu finden war …

Bingo.

Im Internet fand man praktisch nichts über Ron Kochman, trotzdem ließ Titus »Ron« besonders vorsichtig sein und falsche Namen verwenden. Das klappte gut. Das Gleiche galt für Vanessa Moreau. Nach einer intensiven Recherche – die ein normaler Internetnutzer ohne die Hilfe eines Privatdetektivs gar nicht leisten konnte – hatte Titus herausgefunden, dass Vanessa Moreau nur ein Künstlername war, die Frau eigentlich Nancy Josephson hieß, inzwischen verheiratet war, zwei Kinder hatte und im englischen Bristol lebte.

Das nächste wichtige Kriterium war das Aussehen.

Bei Vanessa hatte er das für problematisch gehalten. Sie war einfach zu sexy. Die Männer würden misstrauisch werden. Allerdings hatte Titus im Zuge seiner Tätigkeit in der Prostitutionsbranche gelernt, dass Männer ziemlich dumm waren, wenn es um das weibliche Geschlecht ging. Sie unterlagen dem Irrglauben, dass sie in irgendeiner Form Gottes Geschenk an die Frauen wären. Gerard Remington hatte Vanessa gegenüber sogar darüber doziert, dass außergewöhnliche Exemplare einer Spezies – er mit seiner Intelligenz, sie mit ihrem Aussehen – sich auf ganz natürliche Weise zueinander hingezogen fühlten.

»Besondere Menschen finden sich gegenseitig«, hatte Gerard erläutert. »Sie pflanzen sich fort und tragen so zur Weiterentwicklung der Spezies bei.«

Ja, das hatte er wirklich geschrieben.

Ron Kochman war ein perfekter und ungewöhnlicher Fund gewesen. Um absolut sicherzugehen, nutzte Titus jedes Profil nur für eine Zielperson. Danach löschte er die Identität und verwendete eine neue. Aber es war schwierig, ideale Identitäten zu finden – Personen, die zwar im Internet vertreten, ansonsten aber nicht auffindbar waren. Kochman hatte auch genau das richtige Alter und das richtige Aussehen. Bei zu jungen Partnern konnten wohlhabende Frauen schnell misstrauisch werden, weil sie Angst hatten, dass diese Männer entweder auf perverse Art auf ältere Frauen standen oder nur hinter ihrem Geld her waren. Und bei zu alten Männern hatten sie weniger Lust auf Romantik.

Kochman war sowohl Witwer (Frauen mochten Witwer) als auch auf eine »ungekünstelte, ehrliche« Art attraktiv. Selbst auf Fotos sah er wie ein netter Kerl aus – entspannt, selbstbewusst, schöne Augen, ein anziehendes Lächeln, einfach wie jemand, der sich wohlfühlte in seiner Haut.

Die Frauen verliebten sich schnell und heftig in ihn.

Das weitere Vorgehen war dann ziemlich einfach. Titus nahm die Fotos, die er aus dem alten Facebook-, Mucho-Modell- oder sonst irgendeinem Konto geerntet hatte, und stellte sie bei verschiedenen Partnerbörsen im Internet ein. Dazu erstellte er einfache, überschaubare Profile. Wenn man das oft genug machte, lernte man alle Tricks. Er gab sich den Frauen gegenüber nie lüstern und hielt sich den Männern gegenüber mit sexuellen Äußerungen zurück. Das Chatten – die Verführung – betrachtete Titus als seine Stärke. Er hörte den potenziellen Partnern zu – hörte ihnen ganz genau zu – und ging auf ihre Bedürfnisse ein. Das war seine Spezialität, eine Technik, die er schon beim Ansprechen der jungen Mädchen am Busbahnhof perfektioniert hatte. Er pries sich nie aggressiv an. Er machte einen großen Bogen um die klassischen Kontaktanzeigen-Floskeln. Er stellte seine Persönlichkeit dar (machte sich dabei sogar oft über sich selbst lustig), statt darüber zu reden. (»Ich bin wirklich witzig und fürsorglich.«)

Titus fragte nie nach persönlichen Informationen. Sobald die Kommunikation in Gang kam, gab ihm die Zielperson diese freiwillig. Sobald er den Namen, die Adresse oder andere Schlüsselinformationen erhalten hatte, ließ er sie von Dmitry komplett durchchecken und versuchte festzustellen, wie groß ihr Vermögen war. Wenn es nicht mindestens im höheren sechsstelligen Bereich lag, gab es keinen Grund, den Flirt fortzusetzen. Wenn die Zielperson jede

Menge Verwandte hatte, die sie vermissen würden, war auch das ein Ausstiegsgrund.

Titus konnte gleichzeitig bis zu zehn Identitäten haben und mit Hunderten potenziellen Zielpersonen flirten. Die große Mehrheit fiel irgendwann aus dem einen oder anderen Grund durch. Manche machten einfach zu viel Arbeit. Manche wollten nicht reisen, ohne vorher zumindest einen Kaffee miteinander getrunken zu haben. Manche stellten eingehendere Recherchen an und merkten womöglich – zumindest bei den Identitäten, die leichter auffindbar waren als Ron Kochman oder Vanessa Moreau –, dass sie reingelegt wurden.

Trotzdem gab es einen nie versiegenden Strom potenzieller Zielpersonen.

Momentan hielt Titus sieben Personen auf der Farm fest. Fünf Männer und zwei Frauen. Er bevorzugte Männer. Das mochte seltsam klingen, aber wenn ein alleinstehender Mann verschwand, erregte das so gut wie gar keine Aufmerksamkeit. Männer verschwanden andauernd. Sie brannten durch. Sie verliebten sich in irgendwelche Frauen und zogen um. Niemand stellte irgendwelche Fragen, wenn ein Mann sein Geld auf ein anderes Konto überweisen wollte. Dagegen wunderten sich die Leute – ja, richtig, es handelte sich dabei um den guten, altmodischen Sexismus –, wenn eine Frau »hysterisch« wurde und »verrücktes Zeug« mit ihrem Geld machte.

Überlegen Sie selbst, wie oft Sie in den Nachrichten schon eine polizeiliche Suchmeldung für einen siebenundvierzigjährigen, alleinstehenden Mann gesehen haben?

Vermutlich nie.

Und wenn der Mann noch E-Mails oder SMS schickte, oder, falls nötig, sogar telefonierte, änderte sich die Antwort in »absolut nie«. Titus' Vorgehen war einfach und exakt. Man ließ die Zielpersonen so lange am Leben, wie man sie brauchte. Man nahm sie so weit aus, dass ein Beobachter zwar vielleicht eine Augenbraue hochziehen würde, viel mehr aber auch nicht. Man nahm sie so lange aus, wie es sich lohnte. Dann brachte man sie um und ließ die Leiche verschwinden.

Das war der Schlüssel zum Erfolg. Sobald sie zu nichts mehr nütze waren, ließ man sie nicht weiterleben.

Titus' Unternehmung auf der Farm lief jetzt seit acht Monaten. Geographisch gesehen erstreckte sich sein Netz bis auf zehn Fahrstunden zur Farm in jede Richtung. Das umfasste einen Großteil der Ostküste, von Maine bis South Carolina, und selbst den Mittleren Westen. Cleveland war nur fünf Stunden entfernt, Indianapolis etwa neun, und Chicago lag genau auf der Zehn-Stunden-Grenze. Er versuchte darauf zu achten, dass die Opfer nicht zu nah beieinander wohnten oder irgendwelche Verbindungen zwischen ihnen bestanden. Gerard Remington hatte zum Beispiel in Hadley, Massachusetts gewohnt, während Dana Phelps aus Greenwich, Connecticut kam.

Der Rest war einfach.

Irgendwann musste jede Online-Beziehung an den Punkt kommen, an dem man persönlichen Kontakt aufnahm. Titus war jedoch überrascht gewesen, wie intim man werden konnte, ohne sich je von Angesicht zu Angesicht begegnet zu sein. Mit über der Hälfte seiner Opfer hatte er eine Form von Online-Sex- oder Sexting-Episoden gehabt. Er hatte Telefonsex gehabt, für den er immer ein Einweghandy benutzt hatte. Manchmal hatte er dafür eine Frau bezahlt, die nicht eingeweiht war, meistens hatte er aber einfach einen Stimmenverzerrer benutzt und es selbst gemacht. In jedem

Fall waren Liebesschwüre geleistet worden, bevor ein persönliches Treffen arrangiert wurde.

Seltsam.

Die Reise, sei es übers Wochenende oder für eine Woche, hatte sich zu einem festen Bestandteil entwickelt. Gerard Remington, der eindeutig eine Macke hatte (er hätte den Plan fast ruiniert, weil er darauf bestanden hatte, mit dem eigenen Wagen zu fahren – am Ende hatten sie improvisiert und ihm auf dem Airport-Parkplatz eines über den Kopf gegeben), hatte einen Ring gekauft und einen Heiratsantrag vorbereitet – obwohl er Vanessa noch nie persönlich begegnet war. Er war nicht der Erste. Titus hatte von solchen Beziehungen gelesen – von Menschen, die monate- oder sogar jahrelang nur im Internet kommunizierten. Ein Football-Star, dieser Linebacker von Notre Dame, hatte sich verliebt, ohne das »Mädchen«, das ihn an der Nase herumführte, je gesehen zu haben, und sogar geglaubt, dass sie an einer bizarren Mischung aus Leukämie und einem Autounfall gestorben war.

Natürlich macht Liebe blind, aber längst nicht so sehr, wie geliebt werden zu wollen.

Das hatte Titus gelernt. Die Menschen waren nicht in erster Linie naiv, sondern vielmehr verzweifelt. Aber vielleicht, dachte Titus irgendwann, waren das auch zwei Seiten derselben Medaille.

Und jetzt schien sein perfektes Verbrechen in massiven Problemen zu stecken. Im Rückblick konnte Titus die Schuld nur bei sich selbst suchen. Er war nachlässig und faul geworden. Es war so lange so glattgelaufen, dass er unvorsichtig geworden war. Gleich nachdem »Kat« – er hatte sie als die Frau erkannt, die sich auf YouAreJustMyType.com bei Ron Kochman gemeldet hatte – Kontakt zu Ron Kochman aufgenommen hatte, hätte Titus das Profil schließen und die

Verbindung abbrechen müssen. Das hatte er aus verschiedenen Gründen nicht getan.

Erstens stand er kurz davor, mit demselben Profil zwei weitere Opfer an Land zu ziehen. Er hatte da viel Arbeit hineingesteckt. Er wollte sie nicht wegen einer Sache aufgeben, bei der es sich auf den ersten Blick um nicht mehr als eine Kontaktaufnahme zu einem Ex zu handeln schien. Zweitens hatte er nicht gewusst, dass Kat Polizistin beim NYPD war. Er hatte sich nicht die Mühe gemacht, sie zu überprüfen. Er war einfach davon ausgegangen, dass sie eine einsame Exfreundin war und sich die Angelegenheit mit seinem Spruch, dass er einen Neuanfang brauchte, erledigt hatte. Da hatte er sich geirrt. Drittens hatte Kat ihn nicht Ron genannt. Sie hatte ihn Jeff genannt, und Titus hatte sich gefragt, ob sie ihn einfach mit einem anderen Mann verwechselt hatte, der wie Ron aussah, oder ob Ron sich früher Jeff genannt hatte – wodurch er noch schwerer auffindbar gewesen wäre, was das falsche Profil nur noch besser gemacht hätte.

Auch das war ein Fehler gewesen.

Natürlich war man hinterher immer klüger, aber die Frage blieb, wie Kat die Teile zusammengesetzt hatte? Wie war Detective Kat Donovan nach diesem kurzen Chat auf YouAreJustMyType auf Dana Phelps, Gerard Remington und Martha Paquet gestoßen?

Das musste er unbedingt herausbekommen.

Also konnte er sie nicht einfach umbringen und die Sache dann auf sich beruhen lassen. Er musste sie schnappen und zum Reden bringen, um zu erfahren, wie groß die Bedrohung war. Er musste darüber nachdenken, ob sein Plan für das perfekte Verbrechen schon der Vergangenheit angehörte. Das war durchaus möglich. Falls er erfuhr, dass Kat mehr wusste oder ihre Informationen schon weitergegeben hatte, würde er auf LÖSCHEN klicken, die restlichen Zielpersonen töten und begraben, das Farmhaus niederbrennen und mit dem Geld, das er verdient hatte, seiner Wege ziehen.

Aber man musste alles genau abwägen. Unter solchen Umständen konnte man in unnötige Panik geraten und den Fehler machen, übervorsichtig zu agieren. Er wollte keine Tatsachen schaffen, bevor er alle Fakten kannte. Er musste Kat Donovan in seine Gewalt bringen und herausbekommen, was sie wusste. Danach musste er natürlich auch sie verschwinden lassen. Aus irgendeinem Grund gab es diesen Mythos, dass man strenger bestraft wurde, wenn man jemanden umbrachte. Die Wahrheit war, dass Tote keine Geschichten erzählten. Verschwundene Leichen lieferten keine Hinweise. Das Risiko war größer, viel größer, wenn man seine Zielpersonen oder Feinde ungestraft ihrer Tätigkeit nachgehen ließ.

Man stand deutlich besser da, wenn man sie komplett beseitigte.

Titus schloss die Augen und lehnte den Kopf zurück. Die Fahrt nach New York würde etwa drei Stunden dauern. Da konnte er auch ein Nickerchen machen, um die bevorstehenden Aufgaben ausgeruht anzugehen.

Kat stand wie erstarrt im Garten dieses ganz normalen Hauses in Montauk und hatte das Gefühl, die Erde würde sich auftun und sie verschlingen. Achtzehn Jahre nachdem er die Hochzeit mit ihr abgeblasen hatte, stand Jeff nur drei Meter von ihr entfernt. Einen Moment lang sagten sie beide nichts. Sie sah den Ausdruck von Verlust, Schmerz und Verwirrung in seinem Gesicht und fragte sich, ob er bei ihr das Gleiche sah.

Als Jeff schließlich etwas sagte, sprach er mit dem alten Mann, nicht mit ihr. »Könntest du uns alleine lassen, Sam?«

»Ja, klar doch.«

Am Rand ihres Blickfelds sah Kat, wie der alte Mann sein Buch zuklappte und ins Haus ging. Sie und Jeff ließen sich nicht aus den Augen. Sie waren zu zwei argwöhnischen Duellanten geworden, die darauf warteten, dass der andere die Waffe zog, oder zu zwei ungläubigen Seelen, die fürchteten, dass ihr Gegenüber sich aus dem achtzehn Jahre alten Staub machen würde, sobald sie sich abwandten oder auch nur blinzelten.

Jeff hatte Tränen in den Augen. »Herrje, es tut so gut, dass du da bist.«

»Du auch«, sagte sie.

Schweigen.

Dann sagte Kat: »Hab ich wirklich gerade ›du auch‹ gesagt?«

»Du warst früher schlagfertiger.«

»Früher war ich in vielem besser.«

Er schüttelte den Kopf. »Du siehst fantastisch aus.«

Sie lächelte. »Du auch.« Dann: »Hey, das wird mein neuer Standard-Spruch.«

Jeff kam mit ausgebreiteten Armen auf sie zu. Sie wollte sich hineinfallen lassen. Sie wollte, dass er sie in die Arme nahm und an seine Brust drückte, dann vielleicht etwas losließ und sie zärtlich küsste, und dann einfach darauf warten, dass die achtzehn Jahre wegschmolzen wie morgendlicher Raureif. Stattdessen trat Kat einen Schritt zurück und streckte ihm die flache Hand entgegen – ein Abwehrmanöver. Er blieb stehen, kurz wirkte er überrascht, doch sofort darauf nickte er.

»Warum bist du hier, Kat?«

»Ich suche zwei Frauen, die vermisst werden.«

Als sie diese Worte sagte, hatte sie den Eindruck, sich wieder auf festeren Boden zu begeben. Sie hatte das nicht durchgemacht, um eine alte Flamme wieder zu entfachen, die ihr damaliger Verlobter vor langer Zeit erstickt hatte. Sie war hier, um einen Fall zu lösen.

»Das versteh ich nicht«, sagte er.

»Sie heißen Dana Phelps und Martha Paquet.«

»Ich habe nie von ihnen gehört.«

Mit der Antwort hatte sie gerechnet. Nachdem Kat bewusst geworden war, dass sie zuerst »Hier ist Kat« gesagt hatte, ergab sich alles andere wie von selbst.

»Hast du einen Laptop?«, fragte sie.

»Äh, klar, wieso?«

»Könntest du ihn bitte holen?«

»Ich versteh immer noch nicht…«

»Hol ihn einfach, Jeff. Okay?«

Er nickte. Als er ins Haus ging, fiel Kat buchstäblich auf

die Knie und hatte das Gefühl, sämtliche Kräfte hätten sie verlassen. Sie wollte ganz auf den Boden sinken und nicht mehr an diese Frauen denken, einfach nur daliegen, sich gehen lassen, weinen und über die Was-wäre-Wenns nachdenken, die dieses groteske Leben einem präsentierte.

Ein paar Sekunden bevor er zurückkam, hatte sie sich wieder gefasst. Er schaltete den Laptop ein und reichte ihn ihr. Sie setzte sich an einen Campingtisch. Jeff setzte sich ihr gegenüber.

»Kat?«

Sie hörte den Schmerz in seiner Stimme. »Jetzt nicht. Bitte. Lass mich das erst erledigen, okay?«

Sie öffnete YouAreJustMyType.com und rief sein Profil auf.

Es war nicht mehr da.

Da schloss jemand die Reihen. Sofort öffnete sie ihre alte E-Mail und suchte den Link zu Jeffs inaktivem Facebook-Account, den Brandon ihr geschickt hatte. Sie öffnete das Konto und drehte den Laptop um, sodass er den Bildschirm sah.

»Du warst auf Facebook.«

Jeff warf einen kurzen Blick auf die Seite. »Da hast du mich also gefunden?«

»Es hat geholfen.«

»Ich habe den Account sofort gelöscht, als ich davon erfahren habe.«

»Im Internet wird nie etwas wirklich gelöscht.«

»Du hast meine Tochter heute Morgen gesehen. Als sie zur Schule gegangen ist.«

Kat nickte. Also hatte die Tochter ihn angerufen. Das hatte Kat sich schon gedacht.

»Vor ein paar Jahren dachte Melinda, so heißt sie, ich

wäre einsam. Ihre Mutter war schon vor langer Zeit gestorben. Ich hatte auch keine Verabredungen oder so etwas, also dachte sie wohl, ich sollte wenigstens eine Facebook-Seite haben. Um alte Freunde wiederzufinden oder jemanden kennenzulernen. Du kennst das sicher.«

»Also hat deine Tochter die Seite eingerichtet.«

»Ja. Als Überraschung für mich.«

»Wusste sie, dass du früher Jeff Raynes warst?«

»Bis dahin nicht, nein. Ich habe den Account sofort gelöscht, als ich es gesehen habe. Hinterher hab ich ihr dann erklärt, dass ich jemand anders war.«

Kat sah ihm in die Augen. Sein Blick war immer noch durchdringend. »Warum hast du deinen Namen geändert?«

Er schüttelte den Kopf. »Du hast etwas von vermissten Frauen gesagt.«

»Ja.«

»Und deshalb bist du hier.«

»Genau. Irgendjemand hat deine Fotos für eine Catfish-Masche verwendet.«

»Catfish?«

»Ja. So nennt man das. Kennst du den Dokumentarfilm oder die Fernsehserie mit dem Titel?«

»Nein.«

»Ein Catfish ist eine Person, die sich im Internet eine falsche Identität aufbaut und dann versucht, mit dieser Identität eine Beziehung aufzubauen.« Ihre Stimme klang sachlich und neutral. Sie brauchte das jetzt. Sie musste einfach Zahlen, Fakten und Definitionen aufführen, ohne irgendetwas dabei zu fühlen. »Jemand hat deine Fotos genommen und sie auf der Webseite einer Partnerbörse für sein Profil verwendet. Und jetzt werden zwei Frauen vermisst, die sich in deine Catfish-Identität verliebt haben.«

»Ich habe nichts damit zu tun«, sagte Jeff.

»Ja, das ist mir inzwischen auch klar geworden.«

»Wie bist du in die ganze Sache hineingeraten?«

»Ich bin Polizistin.«

»Dann war das dein Fall?«, fragte er. »Hat mich sonst noch jemand wiedererkannt?«

»Nein. Ich habe mich bei YouAreJustMyType angemeldet. Oder, um genauer zu sein, eine Freundin hat das für mich getan. Spielt aber auch keine Rolle. Ich habe dein Profil gesehen und dich kontaktiert.« Fast hätte sie gelächelt. »Ich hab dir das *Missing-You*-Video geschickt.«

Er lächelte. »John Waite.«

»Ja.«

»Das war ein tolles Video.« Ein Hoffnungsschimmer zauberte ein Leuchten in seine Augen. »Dann, äh, bist du also Single?«

»Ja.«

»Du warst nie …«

»Nein.«

Jeffs Augen wurden wieder feucht. »Ich habe Melindas Mutter betrunken geschwängert, als wir beide uns in einer selbstzerstörerischen Phase befanden. Ich bin da irgendwann wieder rausgekommen. Sie nicht. Der Mann hier im Haus ist mein früherer Schwiegervater. Melindas Mutter ist gestorben, als Melinda gerade achtzehn Monate alt war. Seitdem leben wir zu dritt zusammen.«

»Tut mir leid.«

»Ist schon okay. Ich wollte nur, dass du es weißt.«

Kat versuchte zu schlucken. »Es geht mich nichts an.«

»Wahrscheinlich nicht«, sagte Jeff. Er sah nach links und blinzelte. »Ich würd dir ja gern helfen, bei dieser Sache mit den vermissten Frauen, aber ich weiß nichts darüber.«

»Ist mir schon klar.«

»Und trotzdem bist du den ganzen Weg hier rausgekommen, um mich zu suchen?«, sagte er.

»Es war gar nicht so weit. Und ich musste ganz sichergehen.«

Jeff drehte sich wieder um und musterte sie. Gott, er sah immer so verdammt gut aus. »Und bist du dir jetzt sicher?«, fragte er.

Die Welt um sie herum stürzte zusammen. Sie fühlte sich benommen. Sein Gesicht wiederzusehen, seine Stimme zu hören ... Kat hatte nicht richtig daran geglaubt, dass das geschehen würde. Der Schmerz war heftiger, als sie erwartet hatte. Das plötzliche, unvermittelte Ende stand ihr wieder vor Augen, als sie dieses schöne, aufgewühlte, betörende Gesicht vor sich sah.

Sie liebte ihn immer noch.

Gottverdammt noch mal. So ein Dreck. Sie hasste sich dafür, fühlte sich schwach, dumm und kam sich wie ein Trottel vor.

»Jeff?«

»Ja.«

»Warum hast du mich verlassen?«

Die erste Kugel traf den Baum knapp zwanzig Zentimeter neben Danas Kopf.

Ein Stück Rinde prallte auf ihr linkes Auge. Dana duckte sich und krabbelte auf allen vieren weiter. Die zweite und die dritte Kugel schlugen irgendwo über ihr ein. Wo genau, wusste sie nicht.

»Dana?«

Sie hatte nur einen Gedanken: Du musst so viel Abstand wie möglich zwischen dich und diesen verdammten Anabolika-Junkie bringen. Schließlich war er es, der sie in die verdammte Kiste gesperrt hatte. Er hatte sie gezwungen, sich vor ihm auszuziehen. Und er war auch daran schuld, dass sie zum Overall nur Socken trug.

Keine Schuhe.

Sie floh also auf Socken durch den Wald vor diesem verdammten Psycho.

Es war ihr egal.

Schon bevor der große Anabolika-Junkie sie unter der Erde eingesperrt hatte, war Dana Phelps klar gewesen, dass man sie reingelegt hatte. Am Anfang war nicht der Schmerz oder die Angst das Schlimmste gewesen, sondern die Demütigung und der Selbsthass darüber, dass sie auf ein paar Fotos und wohlgesetzte Worte hereingefallen war.

Gott, wie erbärmlich.

Als die Bedingungen sich jedoch verschlechterten, trat das in den Hintergrund. Sie dachte nur noch ans Überleben. Sie wusste, dass es keinen Sinn hatte, sich mit dem Mann anzulegen, der sich Titus nannte. Er würde alles tun, um die notwendigen Informationen zu erhalten. Vielleicht war sie nicht ganz so gebrochen, wie sie vorgab – sie hoffte, dass die Entführer dadurch unachtsam wurden –, die traurige Wahrheit war jedoch, dass sie schwer angeschlagen war.

Dana hatte keine Ahnung, wie viele Tage sie in der Kiste gewesen war. Es gab weder Sonnenauf- noch -untergang, keine Uhr, kein Licht, nicht einmal Dunkelheit.

Nur absolute Schwärze.

»Kommen Sie raus, Dana. Das ist nicht nötig. Wir wollen Sie doch gehen lassen, erinnern Sie sich?«

Ja, aber klar doch.

Sie wusste, dass sie sie töten würden. Und vielleicht würden sie noch Schlimmeres tun, wenn sie überlegte, was der

Anabolika-Junkie gerade noch vorbereitet hatte. Bei ihrem ersten Treffen hatte Titus ein gutes Verkaufsgespräch geführt. Er hatte versucht, ihr Hoffnung zu machen, was wahrscheinlich noch grausamer war als in der Kiste festgehalten zu werden. Aber sie wusste Bescheid. Er hatte ihr sein Gesicht gezeigt. Das galt auch für den Computer-Nerd, den Anabolika-Junkie, den Fahrer und die beiden Wachleute, die sie gesehen hatte.

Die ganze Zeit, Stunden oder Tage, die sie in der Dunkelheit gelegen hatte, hatte sie sich gefragt, wie sie sie umbringen würden. Irgendwann hatte sie einen Schuss gehört. Würden sie es so machen? Sie erschießen? Oder würden sie sie in der Kiste lassen und einfach aufhören, die kleinen Reisportionen hineinzuwerfen?

Spielte es überhaupt eine Rolle?

Jetzt, wo Dana über der Erde in der schönen, spektakulären Landschaft war, fühlte sie sich frei. Wenn sie jetzt starb, konnte sie wenigstens selbst bestimmen, wie es geschah.

Dana rannte weiter. Ja, sie hatte mit Titus kooperiert. Was hätte es auch genützt, das nicht zu tun? Als sie gezwungen wurde, bei der Bank anzurufen und die Überweisungen telefonisch zu bestätigen, hatte sie gehofft, dass Martin Bork etwas in ihrer Stimme hörte, oder dass sie ihm irgendwie eine heimliche Botschaft zukommen lassen könnte. Aber Titus hatte die ganze Zeit einen Zeigefinger auf der BEENDEN-Taste und den anderen am Abzug einer Pistole gehabt, deren Lauf er auf sie richtete.

Außerdem war da noch Titus' massivste Drohung…

Anabolika rief: »Lassen Sie das lieber, Dana.«

Er war jetzt auch im Wald. Sie rannte schneller, wusste, dass sie es schaffen würde, gegen die Erschöpfung anzukämpfen. Ihr Vorsprung wurde größer, als sie sich geschickt zwischen den Zweigen hindurchschlängelte, Bäumen und Ästen auswich, bis sie ein lautes Knacken hörte.

Es gelang Dana, nicht laut aufzuschreien.

Sie taumelte nach links, wo ein Baum ihren Sturz verhinderte. Sie blieb auf dem rechten Bein stehen und hielt sich den linken Fuß. Ein Ast war in zwei spitze Teile zerbrochen, von denen sich einer in ihren Fuß gebohrt hatte und dort stecken geblieben war. Sie versuchte, ihn vorsichtig herauszuziehen, aber der Ast rührte sich nicht.

Anabolika rannte weiter auf sie zu.

In blinder Panik brach Dana so viel sie konnte vom Ast ab und ließ den Splitter in der Fußsohle stecken.

»Wir sind jetzt zu dritt hinter Ihnen her«, rief Anabolika. »Wir finden Sie schon. Und wenn nicht, habe ich noch Ihr Handy. Ich kann Brandon eine SMS schicken. Ich kann behaupten, dass sie von Ihnen ist, und dass die Stretchlimousine ihn abholt und zu seiner Mami bringt.«

Sie duckte sich, schloss die Augen und versuchte wegzuhören.

Das war Titus' massivste Drohung gewesen – dass sie sich Brandon holen würden, wenn sie nicht kooperierte.

»Ihr Sohn wird in Ihrer Kiste sterben«, rief Anabolika. »Wenn er Glück hat.«

Dana schüttelte den Kopf, während ihr Tränen der Angst und des Zorns die Wangen herunterliefen. Etwas in ihr wollte aufgeben. Aber nein, hör nicht zu. Scheiß auf ihn und seine Drohungen. Auch wenn sie sich stellte, war ihr Sohn nicht sicher.

Sicher wäre nur, dass er dann Waise war.

»Dana?«

Er kam näher.

Sie rappelte sich wieder auf. Sie zuckte zusammen, als ihr

Fuß den Boden berührte, aber daran ließ sich nichts ändern. Dana war schon immer eine Läuferin gewesen, eine von denen, die ausnahmslos jeden Tag joggten. Auf der University of Wisconsin, wo sie Jason Phelps, die Liebe ihres Lebens, kennengelernt hatte, war sie Crosscountry gelaufen. Er hatte sie damit aufgezogen, dass sie süchtig nach dem Runner's High wäre. »Ich bin süchtig danach, *nicht* zu joggen«, hatte Jason etwas zu oft verkündet. Trotzdem war er stolz auf sie gewesen. Er hatte sie zu jedem Marathon begleitet. Er hatte an der Ziellinie auf sie gewartet und mit leuchtenden Augen zugesehen, wie sie sie überquerte. Selbst als er krank war, als er kaum noch aus dem Bett kam, hatte Jason darauf bestanden, dass sie laufen ging, und hatte sich mit einer Decke über den dünner werdenden Beinen ans Ziel gesetzt und mit seinen sterbenden Augen erwartungsvoll zugesehen, wie sie um die letzte Kurve kam.

Seit Jasons Tod war sie keinen Marathon mehr gelaufen. Sie wusste, dass sie es nie wieder tun würde.

Dana hatte alle großen Weisheiten über den Tod bereits gehört, aber die einzig wahre lautete: Der Tod ist scheiße. Der Tod war vor allem deshalb scheiße, weil er die Hinterbliebenen zwang weiterzuleben. Der Tod war nicht so gnädig, dich auch mitzunehmen. Stattdessen rieb er dir dauernd die schreckliche Wahrheit unter die Nase, dass das Leben tatsächlich weiterging, ganz egal, was passierte.

Sie versuchte, etwas schneller zu laufen. Ihre Muskeln und ihre Lunge wären vielleicht bereit gewesen, aber ihr Fuß machte nicht mit. Sie versuchte ihn zu belasten, versuchte, gegen den stechenden Schmerz anzukämpfen, aber jedes Mal, wenn ihr linker Fuß den Boden berührte, war es so, als bohrte man ihr einen Dolch von unten durch die Sohle.

Er kam näher.

So weit das Auge reichte, war vor ihr nur Wald zu sehen. Sie konnte weiterrennen – würde weiterrennen –, aber was geschah, wenn sie nicht herausfand? Wie lange würde sie durchhalten mit dem Splitter im Fuß und einem Besessenen hinter sich?

Nicht sehr lange.

Dana sprang zur Seite und rollte sich hinter einem Felsen zusammen. Anabolika war nicht mehr weit weg. Sie hörte, wie er sich durchs Unterholz schob. Ihr blieb keine Wahl. Sie konnte nicht mehr weiterlaufen.

Sie musste die Stellung halten und kämpfen.

W arum hast du mich verlassen?«
Jeff zuckte, als hätten diese fünf Wörter sich zu einer geschlossenen Faust zusammengeballt. Ohne genau zu wissen, warum, streckte Kat ihre Hand über den Tisch und nahm seine. Er ließ es geschehen. Sie war nicht wie vom Donner gerührt, es sprang auch kein größerer Funke über, es kribbelte nicht einmal richtig. Sie empfand Trost. Sie empfand, seltsam genug, Vertrautheit. Sie hatte das Gefühl, dass es – trotz allem, trotz der vielen Jahre, die vergangen waren, trotz des Kummers und der unterschiedlichen Lebenswege – irgendwie seine Richtigkeit hatte.

»Tut mir leid«, sagte er.

»Ich will keine Entschuldigung.«

»Ich weiß.«

Er schob seine Finger zwischen ihre. Sie saßen da und hielten Händchen. Kat drängte ihn nicht. Sie ließ es zu. Sie kämpfte nicht dagegen an. Sie freute sich über diese Verbindung zu dem Mann, der ihr das Herz gebrochen hatte, obwohl ihr klar war, dass sie sich eigentlich dagegen hätte wehren müssen.

»Ist lange her«, sagte Jeff.

»Achtzehn Jahre.«

»Genau.«

Kat legte den Kopf schräg. »Kommt es dir schon so lang vor?«

»Nein«, sagte er.

Sie blieben noch einen Moment so sitzen. Der Himmel war aufgeklart. Die Sonne schien auf sie herab. Fast hätte Kat ihn gefragt, ob er sich an ihr gemeinsames Wochenende in Amagansett erinnerte... aber was hätte ihr das gebracht? Es war eine Dummheit, mit diesem Mann dazusitzen, der ihr erst einen Ring und dann ein Kündigungsschreiben überreicht hatte, trotzdem hatte sie seit Langem zum ersten Mal nicht mehr den Eindruck, er hätte sie zum Narren gehalten. Was natürlich Einbildung sein konnte. Sie könnte sich etwas vormachen. Sie kannte die Gefahren, auf die man sich einließ, wenn man dem Instinkt mehr Vertrauen schenkte als Beweisen.

Aber sie hatte den Eindruck, geliebt zu werden.

»Du bist untergetaucht«, sagte sie.

Er antwortete nicht.

»Bist du im Zeugenschutzprogramm oder so etwas?«

»Nein.«

»Was dann?«

»Ich brauchte eine Veränderung, Kat.«

»Du bist in Cincinnati in eine Kneipenschlägerei geraten«, sagte sie.

Ein leichtes Lächeln umspielte seine Lippen. »Davon weißt du also, ja?«

»Ja, ich weiß davon. Das war kurz nachdem wir uns getrennt haben.«

»Am Anfang meiner selbstzerstörerischen Phase.«

»Und nach der Schlägerei hast du irgendwann deinen Namen geändert.«

Jeff starrte auf den Tisch, als fiele ihm erst jetzt auf, dass sie Händchen hielten. »Warum fühlt sich das so normal an?«, fragte er.

»Was ist passiert, Jeff?«

»Das sagte ich doch schon. Ich brauchte eine Veränderung.«

»Du willst es mir nicht erzählen?« Sie spürte, wie ihr Tränen in die Augen traten. »Und jetzt? Soll ich einfach aufstehen und gehen? Soll ich nach New York zurückfahren, dann vergessen wir das Ganze und sehen uns nie wieder?«

Er starrte weiter auf ihre Hände: »Ich liebe dich, Kat.«

»Ich liebe dich auch.«

Albern. Dumm. Verrückt. Ehrlich.

Als er hochsah, als ihre Blicke sich trafen, spürte Kat, wie ihre Welt noch einmal über ihr zusammenstürzte.

»Aber wir können nicht zurückgehen«, sagte er. »So funktioniert das nicht.«

Ihr Handy surrte wieder. Bisher hatte sie es ignoriert, aber jetzt zog Jeff sanft seine Hand weg. Der Zauber, wenn man es so nennen wollte, war verflogen. Kälte kroch von ihrer einsamen Hand in den Arm hinauf. Sie sah aufs Display. Es war Chaz. Sie stand auf, entfernte sich ein paar Schritte vom Campingtisch und nahm den Anruf an. Sie räusperte sich und sagte: »Hallo?«

»Martha Paquet hat ihrer Schwester eine E-Mail geschickt.«

»Was?«

»Sie schreibt, dass alles in Ordnung ist. Sie und ihr Liebhaber wären in einer anderen Pension gelandet und hätten eine tolle Zeit.«

»Ich bin gerade bei ihrem vermeintlichen Liebhaber. Das ist alles eine Catfish-Masche.«

»Was?«

Sie erzählte ihm von dem Profil des falschen Ron Kochman. Sie erwähnte nicht, dass Ron Jeff war und in welcher

Beziehung sie zu ihm stand. Dabei ging es ihr diesmal weniger um die Peinlichkeit als darum, die ganze Sache nicht noch komplizierter zu machen.

»Was zum Teufel geht da vor, Kat?«, fragte Chaz.

»Irgendetwas richtig Übles. Hast du schon mit dem FBI gesprochen?«

»Hab ich, aber von denen bekomme ich irgendwie überhaupt keine Reaktion. Vielleicht bringt diese Catfish-Sache sie ja ein bisschen auf Trab, aber bisher haben wir so gut wie keinen Beweis dafür, dass es sich um ein Verbrechen handelt. Die Leute machen so was andauernd.«

»Wer macht was andauernd?«

»Hast du die *Catfish*-Fernsehserie mal gesehen? Alle möglichen Leute richten auf solchen Webseiten falsche Benutzerkonten ein. Sie nehmen Fotos von jemandem, der besser aussieht. Um das Eis zu brechen, behaupten sie. Das kotzt mich richtig an, weißt du? Die Bräute quatschen dauernd davon, wie wichtig ihnen der Charakter ist, aber dann, peng, verknallen sie sich doch in den Schönling. Vielleicht steckt hier auch nicht mehr dahinter, Kat.«

Kat runzelte die Stirn. »Und wie geht das dann weiter, Chaz? Der hässliche Kerl oder die hässliche Braut bringt den Partner dazu, hunderttausende Dollar auf ein Schweizer Bankkonto zu überweisen?«

»Marthas Geld wurde nicht angerührt.«

»Noch nicht. Hör zu, Chaz. Du musst nach vermissten Erwachsenen in den letzten Monaten suchen. Und zwar sowohl nach denen, die als vermisst gemeldet wurden, als auch nach denen, die angeblich mit einem Liebhaber durchgebrannt sind. Vermutlich hat man ihnen keine große Aufmerksamkeit geschenkt, weil noch irgendwelche SMS oder E-Mails gekommen sind, oder so etwas. Genau wie bei den dreien, die uns bekannt sind. Aber du musst auch nach Quer-verbindungen zu irgendwelchen Partnerbörsen suchen.«

»Glaubst du, dass es noch mehr Opfer gibt?«

»Ja, das glaube ich.«

»Okay, alles klar, ich hab verstanden«, sagte er. »Ich weiß aber nicht, ob ich das FBI überzeugen kann.«

Chaz hatte recht. »Vielleicht kannst du ein Treffen ar-rangieren«, sagte Kat. »Ruf Mike Keiser an. Er ist der Dis-triktleiter für New York. Vielleicht haben wir eine bessere Chance, wenn wir persönlich mit ihm reden.«

»Dann kommst du zurück nach Manhattan?«

Kat sah sich um. Jeff war aufgestanden. Er trug eine Jeans und ein tailliertes, schwarzes T-Shirt. Das ganze Szenario, der Anblick, die Geräuschkulisse, die Gefühle und was sonst alles noch dazukam, war fast zu viel für sie. Es war ein über-wältigender, fast bedrohlicher Rausch.

»Ja«, sagte sie. »Ich mach mich jetzt auf den Weg.«

Sie sparten sich Abschiedsworte, Versprechungen oder Um-armungen. Sie hatten gesagt, was sie sagen wollten, dachte Kat. Rein gefühlsmäßig reichte es, trotzdem kam es ihr un-vollständiger denn je vor. Sie war hergekommen, weil sie auf Antworten hoffte, aber, wie das Leben so war, verließ sie ihn mit noch mehr Fragen.

Jeff brachte sie zum Auto. Als er den *giallo*-farbenen Fer-rari sah, verzog er das Gesicht, und trotz allem musste Kat lachen.

»Ist das deiner?«, fragte Jeff.

»Was, wenn es so wäre?«

»Dann würde ich mich fragen, ob dir, nachdem wir uns getrennt haben, womöglich ein ganz winziger Penis gewach-sen ist.«

Sie konnte sich nicht bremsen, trat zu ihm und umarmte ihn fest. Er taumelte einen Schritt nach hinten, fand Halt und erwiderte die Umarmung. Sie drückte ihr Gesicht an seine Brust und schluchzte. Seine große Hand legte sich auf ihren Hinterkopf, er zog sie näher an sich heran und schloss die Augen. Beide hielten sich einfach nur fest, lösten kurz die Umarmung, nur um sich dann noch enger und verzweifelter aneinanderzuklammern, bis Kat sich plötzlich befreite, wortlos in den Wagen stieg und wegfuhr. Sie drehte sich nicht noch einmal um. Sie sah auch nicht in den Rückspiegel.

Die nächsten fünfzig Kilometer fuhr Kat wie durch dichten Nebel, gehorchte dem Navi, als wäre sie die Maschine. Als sie sich wieder gesammelt hatte, zwang sie ihre Gedanken dazu, sich wieder mit dem Fall zu beschäftigen, und zwar nur damit. Sie dachte über alles nach, was sie erfahren hatte – die Catfish-Masche, die Geldtransfers, die E-Mails, die geklauten Autokennzeichen und die Anrufe.

Panik presste ihre Brust zusammen.

Es blieb keine Zeit für ein persönliches Gespräch.

Sie fing an, Bittanrufe zu machen, ließ ihre Verbindungen spielen, bis sie Mike Keiser, den Distriktleiter vom FBI in New York, am Apparat hatte. »Was kann ich für Sie tun, Detective? Wir bearbeiten einen Vorfall, der sich heute Morgen auf dem LaGuardia Airport ereignet hat. Außerdem laufen zwei Drogenrazzien. Wir haben viel zu tun.«

»Selbstverständlich, Sir, aber ich ermittle in einem Fall, bei dem mindestens drei Personen aus drei verschiedenen Bundesstaaten vermisst werden. Ein Mann aus Massachusetts und zwei Frauen aus Connecticut und Pennsylvania. Ich nehme an, dass es noch weitere Opfer gibt, von denen wir noch nicht wissen. Wurden Sie schon darüber informiert?«

»Das wurde ich. Ich weiß auch, dass Ihr Partner, Detective Faircloth, versucht hat, ein Treffen zwischen uns zu vereinbaren, wir haben mit diesem LaGuardia-Vorfall aber wirklich alle Hände voll zu tun. Die nationale Sicherheit könnte betroffen sein.«

»Wenn diese Personen gegen ihren Willen festgehalten werden...«

»Wofür Sie keine Beweise haben. Haben sich nicht sogar all ihre mutmaßlichen Opfer bei Verwandten oder Freunden gemeldet?«

»Keine der Personen geht derzeit ans Handy. Ich vermute, dass die E-Mails und die Anrufe erzwungen wurden.«

»Worauf basiert diese Vermutung?«

»Dazu müsste ich Ihnen die gesamte Lage schildern«, sagte Kat.

»Fassen Sie sich kurz, Detective.«

»Fangen wir bei den beiden Frauen an. Beide haben eine Online-Beziehung mit demselben Mann...«

»Der aber in Wahrheit gar nicht dieser Mann ist.«

»Richtig.«

»Jemand anders hat sein Foto benutzt.«

»Genau.«

»Was, wie man mir gesagt hat, nicht ungewöhnlich ist.«

»Wohl nicht. Alles andere allerdings schon. Beide Frauen sind im Abstand von einer Woche mit diesem Mann weggefahren.«

»Wobei Sie nicht wissen, ob es wirklich derselbe Mann ist.«

»Wie bitte?«

»Vielleicht verwenden mehrere Männer das gleiche falsche Profil.«

Daran hatte Kat nicht gedacht. »Selbst wenn das stimmt,

ändert es nichts daran, dass bisher keine der Frauen von ihrer Reise zurückgekehrt ist.«

»Was auch nicht sonderlich überraschend ist. Eine hat mitgeteilt, dass sie länger wegbleibt, die andere ist erst... wann?... gestern weggefahren.«

»Sir, eine der Frauen hat einen Haufen Geld ins Ausland überwiesen und will angeblich nach Costa Rica oder sonst irgendwohin ziehen.«

»Aber sie hat ihren Sohn angerufen.«

»Ja, aber...«

»Sie glauben, sie wurde zu dem Anruf gezwungen.«

»Richtig. Wir müssen uns auch den Fall Gerard Remington ansehen. Er hat eine Online-Beziehung begonnen und ist jetzt auch verschwunden. Er hat Geld auf das gleiche Schweizer Konto überwiesen.«

»Und was genau geht hier Ihrer Ansicht nach vor, Detective?«

»Ich glaube, da macht jemand Jagd auf Menschen, wahrscheinlich auf viele Menschen. Wir sind rein zufällig auf drei mögliche Opfer gestoßen. Ich glaube, dass es noch mehr gibt. Ich glaube, dass jemand sie mit dem Versprechen, einen Urlaub mit einem potenziellen Partner fürs Leben verbringen zu können, aus der Reserve lockt. Dass er sie entführt und sie irgendwie zur Zusammenarbeit zwingt. Bisher ist keines dieser möglichen Opfer zurückgekommen. Von Gerard Remington hat man seit Wochen nichts mehr gehört.«

»Und Sie glauben...«

»Ich hoffe, dass er noch lebt, bin jedoch nicht sehr optimistisch.«

»Und Sie glauben wirklich, dass all diese Leute entführt wurden?«

»Ja, das glaube ich. Der Täter, wer immer er auch sein

mag, geht umsichtig und clever vor. Er hat Autokennzeichen gestohlen. Mit einer Ausnahme hat keine der drei Personen eine Kredit- oder Bankkarte oder sonst irgendetwas benutzt, das wir zurückverfolgen können. Sie sind einfach spurlos verschwunden.«

Kat wartete.

»Hören Sie, ich muss zu einem Meeting wegen dieser La-Guardia-Sache, aber okay, Sie haben recht, die Sache stinkt. Im Moment habe ich nicht viele Leute übrig, aber wir kümmern uns darum. Sie haben uns drei Namen genannt, wir werden ihre Konten, Kreditkarten und die Telefonaufzeichnungen überprüfen. Ich besorge einen Gerichtsbeschluss für die Webseite von dieser Partnerbörse, und wir gucken mal, was die uns über den oder die Urheber dieser Profile sagen können. Ich weiß nicht, ob uns das weiterbringt. Verbrecher nutzen gern anonyme VPNs. Vielleicht können wir die Partnerbörsen ja auch verpflichten, eine Warnung auf ihre Homepage zu setzen, wobei ich das für unwahrscheinlich halte, weil es ihr Kerngeschäft treffen würde. Wir können auch bei der Finanzaufsicht nachfragen, ob sie sich diese Geldtransfers nicht genauer ansehen wollen. Immerhin wurden zwei SARs zum gleichen Konto erstellt. Das sollte reichen, um auch bei denen die Kugel ins Rollen zu bringen.«

Kat hörte zu, wie Distriktleiter Keiser seine Checkliste weiter abarbeitete, und kam zu einem fürchterlichen, grauenhaften Schluss:

Es würde nichts nützen.

Die Täter waren sehr effizient vorgegangen. Sie hatten sogar darauf geachtet, das Kennzeichen von einem anderen Lincoln Town Car zu stehlen. Das FBI würde den Fall jetzt zwar bearbeiten, wenn auch nicht mit höchster Priorität, und wenn sie Glück hatten, würden sie etwas finden.

Irgendwann.

Aber was könnte sie noch tun?

Als ADIC Keiser fertig war, sagte er: »Detective? Ich muss jetzt los.«

»Danke, dass Sie mir glauben«, sagte Kat.

»Ich muss leider zugeben, dass ich Ihnen wirklich glaube«, sagte er. »Ich hoffe jedoch sehr, dass Sie vollkommen danebenliegen.«

»Ich auch.«

Sie legten auf. Kat hatte noch einen Trumpf in der Hinterhand. Sie rief Brandon an.

»Wo bist du?«, fragte sie ihn.

»Ich bin noch in Manhattan.«

»Ich hab den Kerl gefunden, mit dem deine Mutter angeblich unterwegs ist.«

»Was?«

»Ich glaube, du hattest von Anfang an recht. Ich glaube, deine Mutter ist in eine üble Sache hineingeraten.«

»Aber ich hab doch mit ihr gesprochen«, sagte Brandon. »Sie hätte mir doch gesagt, wenn etwas nicht stimmt.«

»Nicht wenn sie das Gefühl gehabt hätte, dass sie sich oder dich dadurch in Gefahr bringt.«

»Und Sie glauben, dass das so war?«

Es gab keinen Grund mehr, etwas zu beschönigen. »Ja, Brandon, das glaube ich.«

»Oh Gott!«

»Das FBI sieht sich die Sache jetzt auch an. Sie werden auf allen *legalen* Wegen herauszufinden versuchen, was passiert ist.« Sie wiederholte das Wort, das sie betont hatte. »*Legal.*«

»Kat?«

»Ja?«

»Wollen Sie mich so auffordern, mich noch einmal in die Webseite zu hacken?«

Scheiß auf das feinsinnige Gerede. »Ja.«

»Okay, ich bin in einem Coffee Shop in der Nähe von Ihrer Wohnung. Ich brauche mehr Privatsphäre und einen leistungsfähigeren Internetzugang.«

»Willst du in meine Wohnung gehen?«

»Ja, das müsste klappen.«

»Ich ruf den Türsteher an, er soll dich reinlassen. Ich komme auch demnächst. Wenn du was findest, ruf mich an. Versuch rauszufinden, wer die Profile eingestellt hat, ob sie noch weitere Profile eingestellt haben, mit wem sie noch in Kontakt stehen und so weiter. Lass dir von deinen Freunden helfen. Wir müssen so viel wie möglich herausbekommen.«

Sie legte auf, rief den Türsteher an und trat aufs Gas, obwohl sie das Gefühl hatte, ins Nirgendwo zu rasen. Die Panik wurde immer stärker. Je mehr sie erfuhr, desto hilfloser fühlte sie sich. Beruflich und privat.

Kurz darauf klingelte das Handy. Die Nummer des Anrufers war unterdrückt.

Kat meldete sich: »Hallo?«

»Hier ist Leslie.«

Cozones schlanker Mann. Selbst durch seine Telefonstimme hindurch hörte man ein unheimliches Lächeln. »Was gibt's?«, fragte sie.

»Ich habe Sugar gefunden.«

ACHTUNDDREISSIG

Anabolika kam näher.

Hinter ihrem Felsen suchte Dana Phelps nach etwas, das sie als Waffe verwenden konnte. Einen Stein, einen losen Ast, irgendwas. Sie grub mit den Händen im Sand danach, fand aber nichts Tödlicheres als Kiesel und Zweige, die selbst für ein Vogelnest zu zerbrechlich schienen.

»Dana?«

Der Klang seiner Stimme verriet ihr, dass er schnell näher kam. Eine Waffe. Eine Waffe. Immer noch nichts. Sie dachte über die Kiesel nach. Vielleicht konnte sie sie mit Sand vermischen und ihm ins Gesicht werfen, in die Augen, sodass er ein paar Sekunden nichts sah, und dann...

Was dann?

Ein idiotischer Plan. Vielleicht hätte das Überraschungsmoment ausgereicht, um kurz zu entkommen. Dank der glücklichen Kombination aus lebenslangem Training und Adrenalin wäre sie vielleicht in der Lage, etwas Abstand zwischen sich und ihren Verfolger zu bringen. Doch er hatte eine Pistole und war größer und stärker als sie. Er war wohlgenährt und bei Kräften, während sie seit mehreren Tagen oder vielleicht auch schon länger unter der Erde festgesessen hatte.

Sie hatte keine Chance.

Was konnte Dana in diesem Kampf zwischen David und Goliath schon bewirken? Sie besaß nicht einmal eine Steinschleuder. Das Einzige, was ihr eventuell blieb, war das Überraschungsmoment. Sie hockte hinter diesem Felsen, an dem er jeden Moment vorbeikommen würde. Sie konnte ihn überraschen. Ihr Angriff würde sich gegen seine Augen und seine Eier richten und mit einer Heftigkeit erfolgen, wie man sie nur aufbrachte, wenn man um sein Leben kämpfte.

Aber war das in irgendeiner Form erfolgversprechend?

Nein, das war es nicht.

Sie hörte, dass er langsamer wurde. Er bewegte sich vorsichtiger. Verdammt. Damit war auch das Überraschungsmoment hinfällig.

Was blieb ihr jetzt noch?

Nichts.

Jeder Teil ihres Körpers strahlte Erschöpfung aus. Am liebsten würde sie einfach hocken bleiben und warten, dass es vorbei war. Ihn machen lassen, was er wollte. Er könnte sie auf der Stelle umbringen. Das war das Wahrscheinlichste. Oder er konnte sie in die Scheune zurückbringen und ihr die furchtbaren Dinge antun, die er geplant hatte, um ihr Informationen über diese Polizistin zu entlocken, nach der Titus gefragt hatte.

Dana hatte nicht gelogen. Sie hatte keine Ahnung, wer Kat Donovan war, was Titus und Anabolika kaum interessierte. Mitleid war für die beiden offenbar kein Thema. Für sie war Dana weniger wert als ein Tier (wie man an Anabolikas Hund sah). Sie war ein lebloser Gegenstand, so etwas wie dieser Fels, ein Objekt, das man entfernte, zerschlug oder dem Erdboden gleichmachte, ganz wie es gerade ihren Wünschen oder Bedürfnissen entsprach. Doch sie waren nicht nur einfach grausam oder sadistisch. Es war viel schlimmer.

Sie waren vollkommen pragmatisch.

Anabolikas Schritte näherten sich. Dana versuchte, sich in die richtige Position zu bringen, eine Möglichkeit zu finden zuzuschlagen, wenn er vorbeiging, doch ihre Muskeln gehorchten ihr nicht. Sie versuchte, Hoffnung aus der Tatsache zu schöpfen, dass diese Kat Titus einen Schrecken eingejagt hatte.

Titus machte sich ihretwegen Sorgen.

Dana hatte es in seiner Stimme gehört – und an der Art, wie er fragte. Und sie merkte es daran, dass er sie Anabolika überlassen hatte. Dana hatte gesehen, wie Titus aus der Tür gestürzt und davongerast war.

Wie besorgt war er?

War Detective Kat Donovan, die Frau mit dem hübschen, offenen Gesicht, die Dana auf dem Computerbildschirm gesehen hatte, ihm auf der Spur? War sie schon unterwegs zu Danas Rettung?

Anabolika war weniger als zehn Schritte entfernt.

Egal. Dana hatte keine Energie mehr. Ihr Fuß schmerzte. Ihr Kopf dröhnte. Sie hatte keine Waffe, keine Kraft, keine Kampferfahrung.

Fünf Schritte.

Jetzt oder nie.

Nur noch Sekunden, dann war er bei ihr…

Dana schloss die Augen und entschied… nie.

Sie duckte sich, bedeckte den Kopf und sprach ein stilles Gebet. Anabolika blieb am Felsen stehen. Den Kopf gesenkt, das Gesicht fast im Dreck, bereitete sie sich auf den Schlag vor.

Aber er kam nicht.

Anabolika ging weiter, schob sich zwischen den Zweigen hindurch. Er hatte sie nicht gesehen. Dana rührte sich nicht. Sie lag so still wie der Fels neben ihr. Sie wusste nicht wie lange. Fünf Minuten. Vielleicht zehn. Als sie einen Blick riskierte, war von Anabolika nichts zu sehen.

Neuer Plan.

Dana machte sich auf den Weg zurück zum Farmhaus.

Lächler Leslie hatte Kat die Adresse eines Stadthauses an der Ecke Lorimer Street und Noble Street in Greenpoint, Brooklyn, nahe der Union Baptist Church gegeben. Rote Backsteinhäuser mit Betontreppen dominierten das Viertel. Sie kam an einem verfallenen Gebäude mit einem improvisierten Schild vorbei, auf dem HAWAIIANISCHES SONNENSTUDIO stand, und konnte sich kein absurderes Nebeneinander als hawaiianische Sonne und Greenpoint, Brooklyn, vorstellen.

Es gab keine freien Parkplätze, also stellte sie den *giallo*-farbenen Ferrari vor einen Hydranten. Sie ging die Treppe hinauf. Auf dem Klingelschild für den ersten Stock klebte ein Namensstreifen aus Plastik mit der Aufschrift A. Parker. Kat drückte drauf, hörte das Klingeln und wartete.

Ein Schwarzer mit rasiertem Kopf kam die Treppe heruntergestapft und öffnete die Tür. Er trug Arbeitshandschuhe und einen blauen Overall mit dem Logo einer Telefongesellschaft. Unter seinem linken Arm klemmte ein gelber Bauhelm. Er stellte sich in die Tür und fragte: »Kann ich Ihnen helfen?«

»Ich suche Sugar«, sagte sie.

Der Mann kniff die Augen zusammen. »Und Sie sind?«

»Ich heiße Kat Donovan.«

Der Mann stand nur da und betrachtete sie.

»Was wollen Sie von Sugar?«, fragte er.

»Es geht um meinen Vater.«

»Was ist mit dem?«

»Sugar kannte ihn. Ich muss ihr nur ein paar Fragen stellen.«

Er sah über ihren Kopf hinweg die Straße hinab und entdeckte den gelben Ferrari. Sie fragte sich, ob auch er einen Kommentar auf Lager hatte. Hatte er nicht. Er sah in die andere Richtung.

»Entschuldigen Sie, Mister ...?«

»Parker«, sagte der Mann. »Anthony Parker.«

Er sah noch einmal nach links, schien aber nicht so sehr zu prüfen, ob die Luft rein war, als vielmehr auf Zeit zu spielen.

»Ich bin allein«, versuchte Kat ihn zu beruhigen.

»Das sehe ich.«

»Ich will auch keine Probleme machen. Ich habe nur ein paar Fragen an Sugar.«

Er sah ihr in die Augen. Dann lächelte er knapp. »Kommen Sie herein.«

Parker öffnete die Tür ganz und hielt sie für Kat auf. Sie trat in den Windfang und deutete die Treppe hinauf.

»Erster Stock?«, fragte sie.

»Ja.«

»Ist Sugar oben?«

»Sie kommt sofort.«

»Wann?«

»Direkt nach Ihnen«, sagte Anthony Parker. »Ich bin Sugar.«

Dana musste sich langsam vortasten.

Zwei weitere Männer beteiligten sich an der Suche. Einer hatte ein Gewehr, der andere eine Pistole. Sie blieben über irgendwelche Handys oder Funkgeräte mit Freisprecheinrichtung in Verbindung. Zu dritt durchstreiften sie im Zickzack den Wald, sodass Dana nicht auf direktem Weg zum

Farmhaus zurückkehren konnte. Sie musste sich mehrmals minutenlang ganz ruhig verhalten.

Irgendwie schien es ihr, als wäre die Zeit unter der Erde eine Art Training für diese Situation gewesen. Jeder Teil ihres Körpers schmerzte, doch es gelang ihr, den Schmerz zu ignorieren. Sie war zu müde zum Weinen. Sie überlegte, ob sie sich weiter hier draußen im Wald verstecken, sich einen geschützten Ort suchen sollte, an dem sie bleiben und hoffen könnte, dass ihr jemand zu Hilfe käme.

Aber das würde nicht funktionieren.

Erstens brauchte sie Wasser und Nahrung. Sie war schon vor ihrer Flucht dehydriert gewesen. Das würde mit der Zeit immer schlimmer werden. Zweitens würden die drei Männer weiterhin den Wald durchkämmen und sie auf Trab halten. Einmal war einer der Männer so nah bei ihr gewesen, dass sie Anabolika sagen hörte: »Wenn sie noch weiter draußen ist, stirbt sie, bevor sie es zurückschafft.«

Sie nahm das als Hinweis und entfernte sich nicht weiter von der Farm. Dort konnte sie nicht entkommen. Was sollte sie also tun?

Sie hatte keine Wahl. Sie musste zurück zum Farmhaus.

In den letzten – Dana hatte keine Ahnung, wie lange es her war, Zeit hatte keine Bedeutung mehr – war sie in Bewegung geblieben, hatte sich aber immer nur einen oder zwei Meter am Stück fortbewegt. Sie richtete sich nicht auf. Sie hatte keinen Kompass, glaubte aber, die ungefähre Richtung zu kennen. Sie war auf ziemlich geradem Weg geflohen. Der Rückweg war verschlungener.

Der Wald war dicht, sodass sie sich mehr auf ihr Gehör als auf das Auge verließ, aber schließlich sah sie eine Lichtung vor sich.

Oder war das nur Wunschdenken?

Dana robbte darauf zu, nutzte all ihre Energie – viel war es nicht. Sie würde es nicht schaffen – robben war einfach zu anstrengend. Sie riskierte es aufzustehen – in ihrem Kopf drehte sich alles –, aber jedes Mal, wenn ihr Fuß den Boden berührte, schoss ihr ein neuer Schmerzensstrahl das Bein hinauf. Sie duckte sich wieder und fing an zu krabbeln.

Es ging sehr langsam.

Nach fünf oder vielleicht zehn Minuten erreichte sie die letzte Baumreihe vor der Lichtung, auf der das Farmhaus stand.

Und was jetzt?

Irgendwie hatte sie es geschafft, genau an der Stelle wieder herauszukommen, an der sie in den Wald verschwunden war. Die Rückseite der Scheune lag direkt vor ihr. Rechts war das Farmhaus. Sie musste weiter. Im Moment war sie viel zu ungeschützt.

Dann spurtete sie auf die Scheune zu.

Sie hatte angenommen, dass sie den Schmerz mit dem Tod auf den Fersen ertragen könnte. Sie hatte sich geirrt. Stechender Schmerz verwandelte ihren Spurt in ein verkrampftes, einbeiniges Hüpfen. Ihre Gelenke brannten. Die Muskeln wurden hart.

Doch wenn sie stehen blieb, würde sie sterben. Eine einfache Gleichung, wenn man so darüber nachdachte.

Sie erreichte die Scheune, stürzte beinahe gegen die Seitenwand und presste ihren Körper dann fest dagegen, als würde sie so unsichtbar werden.

Sie war immer noch im freien Gelände.

Okay, alles klar. Bisher hatte sie keiner gesehen. Das war das Wichtigste. Nächster Schritt?

Hilfe holen.

Wie?

Sie überlegte, ob sie die Zufahrt entlanglaufen sollte. Die musste ja schließlich auf eine Straße führen. Aber sie hatte keine Ahnung, wie weit es war, vor allem aber war sie frei einsehbar. Wenn jemand sie entdeckte, brauchte er sie nur noch einzusammeln.

Trotzdem war es eine Möglichkeit.

Dana reckte den Hals und hielt nach dem Ende der Zufahrt Ausschau. Es war nicht zu sehen.

Und nun?

Zwei Möglichkeiten gingen ihr durch den Kopf. Erstens: Renn die Zufahrt entlang. Versuch wegzukommen. Zweitens: Versteck dich irgendwo. Hoffe darauf, dass jemand zu deiner Rettung kommt oder dass du dich irgendwie im Schutz der Dunkelheit rausschleichen kannst.

Sie konnte nicht klar denken. Sich bis zum Einbruch der Dunkelheit zu verstecken kam ihr zwar machbar vor, auf irgendeine schnelle Rettung durfte sie dabei nicht zählen. Sie versuchte, mit ihrem erschöpften, konfusen Hirn das Für und Wider abzuwägen und kam zu einer Entscheidung: Flucht war die beste von vielen schlechten Möglichkeiten. Natürlich hatte sie keine Ahnung, wie weit es bis zur Straße war. Natürlich wusste sie nicht, wie nah andere Menschen oder eine stark befahrene Straße waren.

Aber sie konnte nicht einfach hierbleiben und darauf warten, dass Anabolika zurückkam.

Sie war gerade erst zehn Meter in Richtung Straße gegangen, als die Tür des Farmhauses geöffnet wurde. Der Computer-Nerd mit der Strickmütze, der getönten Brille und dem bunten Hemd trat auf die Veranda. Dana sprang nach links mit dem Kopf voran in die Scheune. Sie krabbelte auf allen vieren zur Werkbank. Der Strick, mit dem Anabolika sie fesseln wollte, lag noch auf dem Boden.

Sie wartete, ob der Nerd in die Scheune kam. Das tat er nicht. Zeit verging. Sie musste es riskieren. Dieses »Versteck« war zu offen. Sie kroch unter dem Tisch hervor. An der Wand vor ihr hing Werkzeug: mehrere Sägen, ein Holzhammer, ein Schleifgerät.

Und eine Axt.

Dana versuchte aufzustehen. Oha, wieder der Schwindel. Ihr wurde schwarz vor Augen, musste sich auf ein Knie abstützen.

Schön langsam. Immer mit der Ruhe.

Die Zufahrt entlangzulaufen schien ihr nicht mehr die beste Idee.

Tief durchatmen.

Sie musste hier weg. Anabolika und seine Freunde würden bald zurückkommen. Dana rappelte sich auf und griff nach der Axt. Sie zog sie von der Wand. Die Axt war schwerer, als sie gedacht hatte, warf sie fast um. Als sie ihr Gleichgewicht wiedergefunden hatte, umklammerte sie den Stiel der Axt mit beiden Händen.

Ein gutes Gefühl.

Und was jetzt?

Sie sah vorsichtig durchs Scheunentor. Der Nerd rauchte an der Zufahrt eine Zigarette.

Die Flucht war definitiv ausgeschlossen.

Also blieb ihr nur die zweite Möglichkeit. Verstecken.

Sie sah sich um. In der Scheune gab es kein ordentliches Versteck. Ihr wurde klar, dass die Chancen am besten waren, wenn sie ins Farmhaus ging. Sie sah zum hinteren Teil. Sie wusste, dass dort die Küche war.

Küche. Essen.

Ihr wurde allein von dem Gedanken schwindlig, etwas zu essen in den Bauch zu bekommen.

Noch wichtiger war allerdings, dass ein Computer im Farmhaus war. Und ein Telefon.

Geräte, mit denen man Hilfe rufen konnte.

Der Nerd mit der Strickmütze wandte ihr noch immer den Rücken zu. Eine bessere Chance würde sie nicht bekommen. Ohne ihn aus den Augen zu lassen, kroch Dana zur Hintertür des Farmhauses. Sie war vollkommen ungedeckt auf halber Strecke zwischen der Scheune und der Rückseite des Hauses, als der Kerl mit der Strickmütze den Zigarettenstummel auf den Boden warf, ihn austrat und sich zu ihr umdrehte.

Dana senkte den Kopf und rannte so schnell sie konnte zur Hintertür.

Titus wartete an der Ecke Columbus Avenue im Auto. Der Gedanke, wieder in New York zu sein, gefiel ihm nicht, auch wenn die schicke Upper West Side in etwa so viel mit seinem alten Viertel zu tun hatte wie ein Landstreicher mit einem Hedgefonds-Manager. Trotzdem kam es Titus vor, als zöge ihn etwas zurück in das Leben, das er mit viel Geschick hinter sich gelassen hatte.

Er wollte nicht hier sein.

Clem Sison kam über die Straße auf ihn zu und setzte sich wieder auf den Fahrersitz. »Donovan ist nicht zu Hause.«

Clem war mit einem »Paket« zu Kat Donovans Haus gegangen, deren Anlieferung sie unterschreiben musste. Der Türsteher hatte ihm mitgeteilt, dass sie nicht zu Hause war. Clem hatte sich bedankt und gesagt, dass er wiederkommen würde.

Titus wollte nicht länger als nötig von der Farm wegbleiben. Er überlegte, ob er zurückfahren und Clem die Entführung alleine durchziehen lassen sollte, aber Clem würde das nicht schaffen. Er war ein Handlanger, konnte gut mit der Pistole umgehen und Befehle ausführen, viel mehr aber nicht.

Und was jetzt?

Titus zupfte sich die Unterlippe und überlegte, was er tun könnte. Er starrte immer noch das Gebäude an, in dem Kat Donovan wohnte, als er etwas Verblüffendes sah.

Brandon Phelps ging durch die Tür hinein.

Was zum …?

Aber halt … vielleicht war das die Erklärung. Hatte Brandon Phelps das alles initiiert? War Kat Donovan das Problem? Oder Brandon Phelps? Oder beide? Brandon Phelps war, wie Titus wusste, von Anfang an ein Thema gewesen. Das Muttersöhnchen hatte Dutzende heimweh-kranke E-Mails und SMS geschrieben. Und jetzt war er plötzlich hier bei Kat Donovan, einer Polizistin vom NYPD. Titus ließ sich verschiedene Szenarien durch den Kopf gehen.

War Kat Donovan ihm schon eher auf der Spur gewesen, als er gedacht hatte? Wäre das möglich? Könnte Kat so getan haben, als wäre sie Ron Kochmans Ex, um ihn irgendwie aus der Reserve zu locken? War Brandon zu Kat gegangen oder Kat zu Brandon?

Spielte das überhaupt eine Rolle?

Titus' Handy surrte in seiner Tasche. Auf dem Display sah er, dass es Reynaldo war.

»Hallo?«

»Wir haben ein Problem«, sagte Reynaldo.

Titus biss die Zähne aufeinander. »Was ist passiert?«

»Nummer sechs ist geflohen.«

Zwei Afghan-Häkeldecken lagen rechts und links auf der Couch. Kat setzte sich in die kleine Lücke dazwischen. Anthony Parker warf seinen Bauhelm auf einen freien Stuhl. Er zog erst einen Arbeitshandschuh, dann den anderen aus und legte sie behutsam auf den Couchtisch, als wäre das eine bedeutsame Tätigkeit. Kat ließ ihren Blick durch die Wohnung streifen. Sie war schlecht beleuchtet, was aber auch mit der Tatsache zu tun haben mochte, dass Anthony Parker nur eine einzige schwache Lampe angeschaltet hatte. Die Möbel waren alt und aus Holz. Auf einer Kommode stand ein alter Röhrenfernseher. Die Tapete war von einem aufdringlichen Blau mit chinesischen Motiven von Reihern, Bäumen und Gewässern.

»Meine Mutter hat hier gewohnt«, erklärte er.

Kat nickte.

»Sie ist letztes Jahr gestorben.«

»Mein Beileid«, sagte Kat, weil man das in solchen Situationen sagte und ihr nichts anderes einfiel.

Ihr ganzer Körper war taub.

Anthony »Sugar« Parker nahm ihr gegenüber Platz. Er musste Ende fünfzig oder Anfang sechzig sein. Als er ihr in die Augen sah, hielt Kat es fast nicht mehr aus. Sie musste sich abwenden, nur ein kleines bisschen, gerade so viel, dass sie ihm nicht mehr frontal gegenübersaß. Anthony Parker – Sugar? – sah so verdammt normal aus. In einem Polizeibericht würde bei Größe und Gewicht »durchschnittlich« stehen. Er hatte ein nettes Gesicht, das aber nichts Besonderes oder gar Feminines hatte.

»Sie werden sich vorstellen können, wie erschrocken ich war, als Sie vor mir standen«, sagte Parker.

»Ja, also, ich glaube, in dem Punkt habe ich Ihnen etwas voraus.«

»Auch wieder wahr. Anscheinend haben Sie nicht gewusst, dass ich ein Mann bin?«

Kat schüttelte den Kopf. »Ich glaube, Sie können es als meinen persönlichen *Crying-Game*-Moment bezeichnen.«

Er lächelte. »Sie sehen aus wie Ihr Vater.«

»Ja, das sagt man mir oft.«

»Sie sprechen auch wie er. Er hat auch immer versucht, die Dinge mit Humor herunterzuspielen.« Parker lächelte. »Er hat mich oft zum Lachen gebracht.«

»Mein Vater?«

»Ja.«

»Sie und mein Vater«, sagte sie und schüttelte den Kopf. »Ich finde das ziemlich unglaublich.«

»Das kann ich mir vorstellen.«

»Sie sagen also, dass mein Vater schwul war?«

»Ich möchte ihn nicht in eine Schublade stecken.«

»Aber Sie beide waren…?« Kat bewegte die Hände aufeinander zu und wieder auseinander, als würde sie klatschen wollen.

»Wir waren zusammen, ja.«

Kat schloss die Augen und versuchte, nicht das Gesicht zu verziehen.

»Das ist fast zwanzig Jahre her«, sagte Parker. »Warum sind Sie jetzt hier?«

»Ich habe gerade erst von Ihnen erfahren.«

»Wie?«

Sie winkte ab. »Das ist nicht wichtig.«

»Seien Sie nicht böse auf ihn. Er hat Sie geliebt. Er hat Sie alle geliebt.«

»Sie eingeschlossen.« Kat fauchte es fast. »Der Mann floss ja förmlich über vor Liebe.«

»Ich weiß, dass Sie schockiert sind. Wäre es Ihnen lieber, wenn ich eine Frau wäre?«

Kat schwieg.

»Sie müssen verstehen, wie das für ihn war«, sagte Parker.

»Können Sie nicht einfach meine Frage beantworten?«, sagte Kat. »War er schwul oder nicht?«

»Ist das wichtig?« Parker rutschte nach vorn. »Würden Sie ihn weniger achten, wenn er das war?«

Sie wusste nicht recht, was sie sagen sollte. Sie hatte so viele Fragen, aber vielleicht taten die wirklich alle nichts zur Sache. »Er hat eine Lüge gelebt«, sagte sie.

»Ja.« Parker legte den Kopf schräg. »Überlegen Sie mal, wie schrecklich so etwas ist, Kat. Er hat Sie geliebt. Er hat Ihre Brüder geliebt. Er hat sogar Ihre Mutter geliebt. Aber Sie wissen auch, in was für einer Welt er aufgewachsen ist. Er hat sehr lange gegen das angekämpft, was ihm innerlich längst klar war, bis es ihn fast zerfressen hat. Es ändert nichts an dem, wer er war. Es macht ihn nicht weniger männlich, zu einem schlechteren Polizisten oder in sonst irgendeiner Hinsicht schlechter, die für Sie von Bedeutung wäre. Was hätte er sonst tun sollen?«

»Vor allem hätte er sich von meiner Mutter scheiden lassen können.«

»Das hat er ihr vorgeschlagen.«

Das überraschte sie. »Was?«

»Vor allem ihr zuliebe. Aber Ihre Mutter wollte das nicht.«

»Moment. Wollen Sie sagen, dass meine Mutter davon wusste?«

Parker sah zu Boden. »Ich weiß es nicht. Bei so einer Sache, einem so ungeheuren Geheimnis, das man niemandem erzählen kann, ist das doch immer so, dass irgendwann alle anfangen, die Lüge zu leben. Natürlich hat er Sie und Ihre Familie betrogen, aber Sie wollten es auch nicht sehen, haben die Augen verschlossen. Im Endeffekt spielen doch alle mit.«

»Er hat sie um die Scheidung gebeten?«

»Nein. Aber wie ich schon sagte, hat er ihr eine Scheidung vorgeschlagen. Ihretwegen. Aber Sie kennen doch ihre damalige Umgebung. Sie sind darin aufgewachsen. Was hätte Ihre Mutter dann tun sollen? Wohin hätte sie gehen sollen? Und bei ihm war es ähnlich. Es war ja nicht so, dass er sie hätte verlassen können, um dann aller Welt von uns beiden zu erzählen. Das hat sich in den letzten zwanzig Jahren zwar gebessert, trotzdem, könnten Sie sich das heute vorstellen?«

Das konnte sie nicht.

»Wie lange waren Sie beide ...«, sie konnte es sich immer noch nicht vorstellen, »... zusammen?«

»Vierzehn Jahre.«

Noch ein Schock. Es hatte angefangen, als sie noch ein Kind war. »Vierzehn Jahre?«

»Ja.«

»Und das konnten Sie die ganze Zeit verheimlichen?«

Seine Miene verdunkelte sich leicht. »Wir haben es versucht. Ihr Vater hatte eine Wohnung in Central Park West. Da haben wir uns getroffen.«

In Kats Kopf drehte sich alles. »An der 67th Street?«

»Ja.«

Sie schloss die Augen. Ihre Wohnung. Der Betrug nahm immer gewaltigere Ausmaße an, aber war er größer oder schlimmer, weil er ihn mit einem Mann begangen hatte? Nein. Kat war schließlich immer stolz auf ihre Offenheit und Aufgeschlossenheit gewesen. Als sie vermutete, dass ihr Vater eine Geliebte hatte, war sie bestürzt gewesen, hatte aber auch ein gewisses Verständnis gezeigt.

Warum sollte sich das jetzt ändern?

»Dann bin ich in eine Wohnung in Red Hook gezogen«, sagte Parker. »Wir haben uns da getroffen. Wir sind viel gereist. Daran erinnern Sie sich wahrscheinlich noch. Er hat immer behauptet, er wäre mit ein paar Kumpels auf Sauftour gewesen.«

»Und Sie haben Frauenkleidung getragen?«

»Ja. Ich glaube, für ihn war das einfacher so – irgendwie doch mit einer Frau zusammen zu sein. In seiner Welt war es immer noch besser, ein Freak zu sein als eine Schwuchtel, verstehen Sie?«

Kat antwortete nicht.

»Außerdem habe ich Frauenkleidung getragen, als wir uns kennenlernten. Bei einer Razzia in einem Club, in dem ich gearbeitet habe. Er hat mich verprügelt. Welch eine Wut. Hat mich eine Missgeburt genannt. Ich weiß noch, wie er in dem Moment, als er mit Fäusten auf mich einschlug, Tränen in den Augen hatte, beinah so, als würde er sich selbst verprügeln. Verstehen Sie, was ich meine?«

Wieder gab Kat keine Antwort.

»Jedenfalls ist er hinterher zu mir ins Krankenhaus gekommen. Zu Anfang hat er behauptet, er will nur sichergehen, dass ich nicht rede. Hat so getan, als wollte er mir drohen. Aber wir wussten beide, was los war. Es hat eine

Weile gedauert. Aber sein Leben hat ihm so viel Leid bereitet. Das überkam ihn immer wieder schubweise. Ich vermute, Sie werden ihn jetzt hassen.«

»Ich hasse ihn nicht«, sagte Kat mit einer Stimme, die sie kaum als ihre eigene erkannte. »Er tut mir leid.«

»Die Leute reden immer vom Kampf für die Rechte und die Anerkennung von Schwulen. Aber den meisten von uns geht es nicht darum. Es geht um die Freiheit, man selbst zu sein. Sich selbst und anderen gegenüber ehrlich zu sein. Es ist schwer, sich die ganze Zeit verstecken zu müssen, weil man nicht derjenige sein darf, der man ist. Dieses Damoklesschwert hing die ganze Zeit über ihrem Vater. Es war seine größte Angst, dass etwas davon bekannt werden würde, trotzdem konnte er nicht von mir lassen. Er hat eine Lüge gelebt und dabei immer Angst gehabt, dass jemand diese Lüge durchschauen könnte.«

Jetzt begriff Kat. »Und irgendwann hat sie jemand durchschaut, richtig?«

Sugar – plötzlich sah Kat ihn als Sugar, nicht als Anthony Parker – nickte.

Jetzt war es offensichtlich. Tessie hatte es gewusst. Die Leute hatten sie zusammen gesehen. Für die Nachbarn hatte das bedeutet, dass ihr Vater eine Vorliebe für schwarze Prostituierte hatte. Aber für jemanden, der gerissener war, der Informationen sammelte, um sie für seine Zwecke zu nutzen, bedeutete es etwas anderes.

Es bedeutete, dass man eine »Vereinbarung« schließen konnte.

»Ein Gangster namens Cozone hat mir Ihre Adresse gegeben«, sagte Kat. »Er hat das mit Ihnen beiden rausgekriegt, stimmt's?«

»Ja.«

»Wann?«

»Ein oder zwei Monate vor dem Mord an Ihrem Vater.«

Kat setzte sich auf und schob die Tatsache beiseite, dass sie als Tochter die Rolle der Ermittlerin einnahm. »Mein Vater war hinter Cozone her. Er war ihm bedrohlich nah gekommen. Wahrscheinlich hat Cozone ein paar Männer beauftragt, ihm zu folgen. Sie sollten prüfen, ob mein Dad Dreck am Stecken hatte. Nach Möglichkeiten suchen, ihn von seinem Vorhaben abzubringen.«

Sugar nickte nicht. Das brauchte er nicht. Kat sah ihn an.

Sugar blickte langsam auf und sah Kat in die Augen.

»Wer hat meinen Vater ermordet?«

»Nummer sechs ist geflohen«, sagte Reynaldo.

Titus hätte fast das Handy zerquetscht. In seinem Kopf explodierte etwas. »Wie zum Teufel…?« Er bremste sich und schloss die Augen.

Er musste die Fassung bewahren. Geduld haben. Wenn er die verlor, war alles verloren. Er schluckte die Wut herunter und fragte mit so ruhiger Stimme, wie möglich: »Wo ist sie jetzt?«

»Sie ist hinter der Scheune verschwunden. Nach Norden. Wir drei suchen sie jetzt.«

Norden, dachte Titus. Okay, gut. Dort war kilometerweit nichts als Wald. Das überlebte sie in ihrem Zustand nicht lange. Bisher war ihnen noch nie jemand länger als für ein oder zwei Minuten entkommen, aber natürlich gehörte auch die Abgeschiedenheit zu den Vorteilen der Farm. Im Norden war nur Wald. Im Süden war die Hauptstraße fast zwei Kilometer entfernt. Die Zufahrt war mit einem Tor verschlossen, ansonsten war das Grundstück dort wie auch nach Osten und Westen abgezäunt.

»Lasst sie laufen«, sagte Titus. »Geht zurück zum Haus. Rick und Julio sollen Wache stehen, falls sie umkehrt und zurückkommt.«

»Okay.«

»Wie lange ist sie schon weg?«

»Sie ist kurz nach deiner Abfahrt abgehauen.«

Also vor drei Stunden.

»Okay, halt mich auf dem Laufenden.«

Titus legte auf. Er lehnte sich zurück und versuchte, die Lage zu analysieren. Bisher hatte die Unternehmung mehr Geld eingebracht, als er sich je erträumt hatte. Das aktuelle Bruttoeinkommen lag bei 6,2 Millionen Dollar. Wie viel, fragte er sich, brauchte er noch?

Gier brachte mehr Menschen zu Fall als alles andere.

Kurz gesagt, war dies schon das Endspiel? War dieses profitable Geschäft, wie die anderen zuvor, an sein Ende gekommen?

Titus hatte Vorbereitungen für diesen Tag getroffen. Er wusste, dass keine Unternehmung ewig währen konnte. Irgendwann würden zu viele Menschen vermisst werden. Die Behörden würden sich die Sache ganz genau ansehen müssen, und obwohl Titus versuchte, allen Eventualitäten vorzubeugen, wäre es doch vermessen zu glauben, dass er nicht irgendwann geschnappt wurde, wenn er immer weitermachte.

Er rief im Farmhaus an. Dmitry meldete sich erst nach dem vierten Klingeln. »Hallo?«

»Bist du über das Problem informiert?«, fragte Titus.

»Reynaldo hat mir gesagt, dass Dana geflohen ist.«

»Genau«, sagte Titus. »Ich brauche die Informationen aus ihrem Handy.«

Eingeschaltete Handys waren ortbar, daher übertrug Dmitry die Daten vom Handy jedes neuen »Gasts« auf seinen Computer. Sobald das erledigt war, wurde der Akku aus dem Handy entfernt und in eine Schublade gesteckt.

»Dana Phelps«, sagte Dmitry. »Ich hab die Daten auf dem Monitor. Was willst du wissen?«

»Geh in die Kontakte. Ich brauche die Nummer ihres Sohnes.«

Titus hörte das Klappern der Tastatur.

»Okay, ich hab sie, Titus. Brandon Phelps. Die Handynummer oder den Festnetzanschluss an der Uni?«

»Handy.«

Dmitry gab ihm die Handynummer. Dann fragte er: »Sonst noch was?«

»Es wird Zeit, das Projekt zu beenden«, sagte Titus.

»Wirklich?«

»Ja, bereite die Selbstzerstörung in den Computern vor, aber setz sie noch nicht in Gang. Ich schnapp mir den Jungen und bringe ihn mit.«

»Warum?«

»Wenn Dana Phelps sich noch irgendwo versteckt hält, müssen wir sie rauslocken. Sie wird schon kommen, wenn sie ihn schreien hört.«

»Das versteh ich nicht«, sagte Sugar. »Ich dachte, der Mann, der Ihren Vater umgebracht hat, ist verurteilt worden.«

»Nein. Er hat nur den Kopf dafür hingehalten.«

Sugar stand auf und ging auf und ab. Kat beobachtete ihn.

»Ein paar Monate vor Dads Tod hat Cozone herausgefunden, dass Sie und Dad zusammen waren, richtig?«, fragte Kat.

»Richtig.« Sugar hatte jetzt Tränen in den Augen. »Als Cozone anfing, Ihren Vater zu erpressen, hat sich alles verändert.«

»Inwiefern?«

»Ihr Vater hat mit mir Schluss gemacht. Sagte, es wäre vorbei. Dass ich ihn anwidere. Plötzlich war die Wut wieder da, die ich von unserer ersten Begegnung kannte. Er hat mich geschlagen. Sie müssen das verstehen. Er hat seine ganze Wut gegen mich gerichtet, obwohl er eigentlich sich selbst hasste. Wenn man eine Lüge lebt...«

»Ja, ich hab's verstanden«, unterbrach Kat ihn. »Ich brauche jetzt wirklich keinen Vortrag in Küchenpsychologie. Er war ein von Selbsthass zerfressener Schwuler, der in einer heterosexuellen Macho-Welt gefangen war.«

»Das klingt so kalt, wie Sie es sagen.«

»Nein, eigentlich nicht«, sagte Kat. Sie hatte einen Kloß im Hals und versuchte, ihn loszuwerden. »Später, wenn ich Zeit habe, darüber nachzudenken, wird es mir das Herz brechen. Und wenn das passiert, wenn ich es an mich heranlasse, werde ich am Boden zerstört sein, weil mein Vater so leiden musste und ich nichts davon mitgekriegt habe. Ich werde mir eine Flasche greifen, damit ins Bett krabbeln und eine ganze Weile drin bleiben. Aber nicht jetzt. Jetzt muss ich alles in meiner Macht Stehende tun, um ihm zu helfen.«

»Indem Sie seinen Mörder finden?«

»Ja, indem ich mich als die Polizistin beweise, zu der er mich erzogen hat. Also, wer hat ihn getötet, Sugar?«

Er schüttelte den Kopf. »Wenn es nicht Cozone war, weiß ich es wirklich nicht.«

»Und wann haben Sie ihn zum letzten Mal gesehen?«

»An dem Abend, an dem er gestorben ist.«

Kat verzog das Gesicht. »Ich dachte, Sie hätten Schluss gemacht?«

»Das hatten wir.« Sugar blieb stehen und hatte ein Lächeln im tränenüberströmten Gesicht. »Aber er konnte

455

nicht wegbleiben. Das ist die schlichte Wahrheit. Er konnte nicht mit mir zusammen sein, aber er konnte mich auch nicht loslassen. Er hat hinter dem Nachtclub, in dem ich gearbeitet habe, auf mich gewartet.« Sugar blickte nach oben, verlor sich in der Erinnerung. »Er hatte ein Dutzend weiße Rosen in der Hand. Meine Lieblingsblumen. Er trug eine Sonnenbrille. Ich dachte, er macht das, damit man ihn nicht erkennt. Aber als er sie abgenommen hat, habe ich gesehen, dass seine Augen ganz rot waren vom Weinen.« Inzwischen liefen Sugar die Tränen die Wangen hinunter. »Es war so wunderbar. Das war das letzte Mal, dass ich ihn gesehen habe. Und dann, im Lauf der Nacht…«

»Wurde er ermordet«, beendete Kat den Satz für ihn.

Schweigen.

»Kat?«

»Ja?«

»Ich bin nie über ihn hinweggekommen«, sagte Sugar. »Er war der einzige Mann, den ich je wirklich geliebt habe. Aber irgendwie werde ich ihn auch immer hassen. Wir hätten miteinander durchbrennen können. Vielleicht hätten wir eine Möglichkeit gefunden, zusammen zu sein. Sie und Ihre Brüder hätten es irgendwann verstanden. Wir wären glücklich gewesen. Ich bin all die Jahre bei ihm geblieben, weil diese Chance bestand. Verstehen Sie, was ich meine? Solange wir lebten, haben wir beide wohl irgendwie törichterweise gedacht, dass wir eine Möglichkeit finden würden.«

Sugar kniete sich hin und nahm Kats Hände. »Ich erzähle Ihnen das, damit Sie es verstehen. Ich vermisse ihn sehr. Tag für Tag. Ich würde alles dafür geben, ihm alles verzeihen, nur um noch ein paar Sekunden mit ihm verbringen zu können.«

Abblocken, dachte Kat. Du darfst das jetzt nicht an dich heranlassen. Steh das durch.

»Wer hat ihn umgebracht, Sugar?«

»Ich weiß es nicht.«

Aber Kat glaubte jetzt zu wissen, wer die Frage beantworten konnte. Sie musste ihn nur dazu bringen, endlich die Wahrheit zu sagen.

VIERZIG

Kat stand vor dem Revier und rief Stagger auf dem Handy an.

»Ich wüsste nicht, was wir noch zu bereden hätten«, sagte Stagger.

»Falsch. Ich habe gerade mit Sugar gesprochen. Ich denke, wir haben viel zu bereden.«

Schweigen.

»Hallo?«, sagte Kat.

»Wo bist du?«

»Ich bin gerade auf dem Weg zu dir ins Büro, falls das nicht gerade wieder ein unpassender Zeitpunkt ist.«

»Nein, Kat.« Sie hatte Stagger noch nie so kraftlos gehört. »Ich glaube, der Zeitpunkt passt sehr gut.«

Als sie ankam, saß Stagger an seinem Schreibtisch. Die Fotos von seiner Frau und seinen Kindern standen jetzt vor ihm, als könnten sie ihn irgendwie abschirmen. Zu Anfang ging Kat ihn ziemlich hart an, warf ihm vor, gelogen zu haben und Schlimmeres. Stagger hielt sofort dagegen. Es gab Schreie und Tränen, doch schließlich räumte Stagger ein paar Punkte ein.

Ja, Stagger hatte von Sugar gewusst.

Ja, Stagger hatte Monte Leburne im Gegenzug für ein einfaches Geständnis Vergünstigungen versprochen.

Ja, Stagger hatte das getan, weil er fürchtete, die Affäre könnte an die Öffentlichkeit geraten.

»Ich wollte das um deines Vaters willen nicht«, sagte Stagger. »Ich wollte nicht, dass sein Name in den Dreck gezogen wird. Seinetwegen. Aber auch wegen dir und deiner Familie.«

»Und was ist mit dir?«, entgegnete Kat.

Stagger machte eine abwägende Geste.

»Du hättest es mir erzählen müssen«, sagte Kat.

»Ich wusste nicht, wie.«

»Und wer hat ihn ermordet?«

»Was?«

»Wer hat meinen Vater ermordet?«

Stagger schüttelte den Kopf. »Siehst du das wirklich nicht?«

»Nein.«

»Monte Leburne hat ihn ermordet. Cozone hat ihm den Auftrag gegeben.«

Kat runzelte die Stirn. »Du versuchst immer noch, die alte Story zu verkaufen?«

»Weil sie wahr ist, Kat.«

»Cozone hatte kein Motiv. Er hatte meinen Vater genau da, wo er ihn haben wollte.«

»Nein«, sagte Stagger wieder so kraftlos wie vorher. »Hatte er nicht.«

»Aber er wusste von …«

»Ja, er wusste es. Und für eine kurze Phase hat Cozone deinen alten Herrn in der Hand gehabt. Ich habe mich zurückgelehnt und beobachtet, wie sich dein Vater zurückhält. Ich habe es zugelassen, also hätte ich da auch noch etwas zu verlieren. Als Cozone von Sugar erfuhr, hat sich dein Vater verändert. Er saß in der Falle. Er hat keinen Ausweg gesehen, bis er einfach …« Staggers Stimme verhallte.

»Bis er einfach was?«

Stagger sah sie an. »Bis er die Schnauze voll hatte, glaube ich. Henry hatte so viele Jahre mit dieser Täuschung gelebt, aber sie hat nie Einfluss auf seinen Job gehabt. Doch plötzlich musste er bei seiner Arbeit als Polizist Kompromisse eingehen, um seine Lügen aufrechtzuerhalten. Alle Menschen zerbrechen an irgendeinem Punkt. Bei deinem Vater war dieser Punkt erreicht. Also hat er Cozone gesagt, er soll sich zum Teufel scheren. Es wäre ihm egal.«

»Wie hat Cozone darauf reagiert?«, fragte Kat.

»Was glaubst du?«

Sie standen schweigend da.

»Das war's also?«, fragte sie.

»Das war's. Es ist vorbei, Kat.«

Sie wusste nicht, was sie sagen sollte.

»Nimm dir noch ein paar Tage frei. Willst du immer noch einen neuen Partner?«

Sie schüttelte den Kopf. »Nein, in dem Punkt habe ich mich geirrt.«

»In welchem Punkt?«

»Was Chaz Faircloth betrifft.«

Stagger griff nach seinem Kugelschreiber. »Kat Donovan gibt zu, dass sie sich geirrt hat. Es geschehen noch Zeichen und Wunder.«

Die Küchentür des Farmhauses war unverschlossen.

In der einen Hand hielt Dana Phelps die Axt, mit der anderen öffnete sie leise die Fliegengittertür, trat ein und schloss sie langsam und mit einem kaum hörbaren Klicken wieder. Sie blieb einen Moment stehen und versuchte, sich zu sammeln.

Aber nur für eine Sekunde.

Essen.

Vor ihr auf dem Tisch stand eine riesige Packung Müsli-riegel. Sie hatte die Schrecken des Hungers nie am eigenen Leib erfahren. Sie wusste, dass es klüger wäre, das Telefon zu suchen – und das würde sie auch tun –, aber das Essen direkt vor sich zog sie unwiderstehlich an.

Stopp, sagte sie sich. Kümmer dich um das, was ansteht.

Sie suchte in der Küche nach einem Telefon. Es gab keins. Jetzt, wo sie darüber nachdachte, fiel ihr auf, dass sie keine Kabel gesehen hatte. Außerdem hatte sie draußen das Dröhnen eines Generators gehört. Erzeugte der hier den Strom? Gab es gar kein Telefon?

Egal.

Sie wusste, dass im Nebenraum ein Computer mit Inter-netzugang war. Über den konnte sie Hilfe rufen. Wenn sie da herankam. Sie fragte sich, wie lange der Nerd noch zur Zigarettenpause draußen bleiben würde.

Sie hatte gesehen, wie er die Zigarette auf den Boden ge-worfen und sich umgedreht hatte. Hatte er sich noch eine angesteckt?

Sie hörte, wie die Vordertür geöffnet wurde.

Verdammt.

Dana suchte nach einem Versteck. Die Küche war klein und spärlich eingerichtet. Ein paar kleine Schränke und ein Tisch. Unter den Tisch zu krabbeln nützte nichts. Es lag kein Tischtuch darauf. Sie wäre von allen Seiten zu sehen. Der Kühlschrank war klein und braun, das gleiche Modell, das sie auf dem College in Wisconsin besessen hatte, als sie Jason kennenlernte. Da konnte man sich auch nicht verste-cken. Es gab eine Tür, die wahrscheinlich in einen Keller führte. Wenn die Zeit reichte, konnte sie vielleicht runter-gehen.

Schritte.

Dann kam Dana ein anderer Gedanke: zur Hölle mit dem Verstecken.

Eine Schwingtür trennte die Küche vom Wohnzimmer, in dem Titus sie ausgefragt hatte. Wenn der Nerd hier reinkam, wenn er beschloss, in die Küche zu gehen, würde Dana ihn kommen hören und sehen. Es war nicht wie vorhin im Wald. Ja, sie war erschöpft. Ja, sie brauchte einen von diesen verdammten Müsliriegeln. Aber diesmal hatte sie das Überraschungsmoment wirklich auf ihrer Seite, wenn der Nerd in die Küche kam.

Und sie hatte die Axt.

Die Schritte kamen auf sie zu.

Sie stellte sich seitlich neben die Tür. Sie wollte sichergehen, dass sie genug Platz hatte, um auszuholen. Sie musste ganz nach hinten in die Ecke, damit er sie nicht zu früh sah. Die Axt war verdammt schwer. Sie überlegte, wie sie die Axt schwingen sollte. Für einen Überkopfschlag war der Winkel ungünstig. Wenn sie auf den Hals zielte, versuchte, ihm den verdammten Kopf abzuschlagen, wäre der Zielbereich ziemlich klein. Sie müsste sehr genau treffen.

Die Schritte waren jetzt direkt hinter der Tür.

Dana packte den Griff mit beiden Händen. Sie hob die Axt an und hielt sie wie einen Baseballschläger. Das war am besten. Ein Schlag wie beim Baseball. Auf die Brust zielen und hoffen, dass sich das Blatt tief ins Herz bohrte. Wenn du es verfehlst, der Schlag etwas zu weit oben, unten, rechts oder links auf die Brust trifft, ist er trotzdem schwer verletzt.

Die Schritte stoppten. Die Tür begann sich quietschend zu öffnen.

Dann klingelte das Telefon.

Einen Moment lang verharrte die Tür in der Bewegung. Dann wurde sie losgelassen und schwang zurück. Dana ließ die Axt auf den Boden sinken. Für einen Moment wanderte ihr Blick wieder zu den Müsliriegeln.

Der Typ nebenan war zumindest für die nächsten Sekunden beschäftigt. Sie nahm einen Müsliriegel und versuchte, ihn so leise wie möglich auszupacken.

Im Nebenzimmer hörte sie, wie sich der Nerd meldete: »Hallo?«

Neuer Plan, dachte sie. Greif dir ein paar Müsliriegel. Ruh dich aus. Sammle Kraft. Such dir einen Ort, an dem du die Leute kommen siehst und wenn nötig mit der Axt niederschlagen kannst.

Ihr Overall hatte Taschen. Endlich mal eine positive Nachricht. Während sie noch kaute, stopfte sie sich Müsliriegel in die Taschen. Wenn sie die ganze Packung mitnahm, würde das vielleicht auffallen, aber wenn aus einer Sechziger-Packung fünf oder zehn Riegel fehlten, würde wohl kaum jemand Verdacht schöpfen.

Dana griff nach der Kellertür, als sie hörte, wie der Nerd sagte: »Reynaldo hat mir gesagt, dass Dana geflohen ist.«

Sie erstarrte und lauschte. Sie hörte das Klappern einer Tastatur, dann sagte der Nerd wieder etwas.

»Dana Phelps. Ich hab die Daten auf dem Monitor. Was willst du wissen?«

Sie ließ die Hand an der Kellertür. Wieder hörte sie die Tastatur klappern.

»Okay, ich hab sie, Titus. Brandon Phelps. Die Handynummer oder den Festnetzanschluss in der Uni?«

Dana steckte sich die Hand in den Mund, damit sie nicht laut aufschrie.

Ihre Hand sank wieder auf den Griff der Axt. Sie hörte, wie der Nerd Titus die Handynummer ihres Sohnes gab.

Nein, oh nein, nicht Brandon …

Sie trat näher an die Küchentür, versuchte zu hören, was gesagt wurde, und überlegte, was Titus mit der Handynummer ihres Sohnes wollte.

Aber war das nicht offensichtlich?

Sie waren hinter ihm her.

Zu bewussten Überlegungen war sie nicht mehr fähig. Aber eigentlich war es ganz einfach. Sie würde sich nicht verstecken. Sie würde nicht in den Keller verschwinden. Ihre Sicherheit hatte keine Bedeutung. Sämtliche Gedanken dieser Mutter kreisten jetzt um eine Aufgabe:

Du musst Brandon retten.

Als der Nerd auflegte, rannte Dana aus der Küche direkt auf ihn zu.

»Wo ist Titus?«

Der Nerd sprang zurück. Als er Dana auf sich zukommen sah, öffnete er den Mund, um nach Hilfe zu rufen. Damit wäre alles gelaufen. Wenn er schrie, würde er die Aufmerksamkeit der anderen auf sich ziehen.

Dana bewegte sich mit einer Geschwindigkeit und Grausamkeit, die sie in sich nicht vermutet hatte. Sie hatte schon ausgeholt und schwang die Axt mit voller Kraft auf den sitzenden Mann.

Sie zielte nicht auf die Brust. Dafür war er zu weit unten.

Das Blatt der Axt traf ihn direkt im Mund, zerschmetterte seine Zähne, bohrte sich in die Lippen und den Mund. Der Blutschwall blendete sie fast. Er kippte rückwärts vom Stuhl, knallte mit dem Rücken auf den Boden. Dana zog so kräftig sie konnte am Griff und versuchte, die Axt wieder freizubekommen. Sie löste sich mit einem nassen, schmatzenden Geräusch.

Dana wusste nicht, ob er tot war oder nicht. Sie zögerte jedoch keinen Moment. Das Blut war ihr das Gesicht hinuntergelaufen. Sie hatte den rostigen Geschmack auf der Zunge.

Noch einmal hob sie die Axt, dieses Mal direkt über den Kopf. Er bewegte sich nicht, leistete keinen Widerstand. Sie schlug hart zu, teilte das Gesicht in zwei Hälften. Das Blatt glitt erstaunlich leicht durch den Schädel, fast so, als wäre er eine Wassermelone. Seine getönte Brille zerbrach und fiel rechts und links von dem herunter, was einmal sein Gesicht gewesen war.

Dana verschwendete keine Zeit. Sie ließ die Axt fallen und griff zum Telefon.

Erst da sah sie, dass die Haustür offen war.

Der alte Hund stand dort und sah sie schwanzwedelnd an.

Dana legte den Finger über die Lippen, versuchte zu lächeln, den Hund zu überzeugen, dass alles in Ordnung sei.

Bo hörte auf, mit dem Schwanz zu wedeln. Dann fing er an zu bellen.

Reynaldo ging behutsam durch den Wald, als er das Bellen hörte.

»Bo!«

Er kannte Bos Bellen. Das war keine freundliche Begrüßung. Das war ein ängstliches, panisches Bellen.

Reynaldo zog seine Waffe und sprintete in Richtung Farmhaus, die anderen Männer folgten ihm.

EINUNDVIERZIG

B randon hatte sich gerade in Kats Wohnung auf einen Barhocker gesetzt, als sein Handy klingelte. Die Nummer des Anrufers war unterdrückt.

Er hatte so viele Freunde wie möglich kontaktiert, damit sie ihm beim Hacken von YouAreJustMyType.com halfen. Sechs von ihnen waren jetzt bei ihm – sie waren über Skype verbunden, ihre Gesichter sah er auf dem Bildschirm. Die Freunde auf dem Campus hatten Zugang zu einem leistungsfähigen Großrechner und dadurch bessere Möglichkeiten, sich in den Rechner zu hacken. Für Brandon hatten sie einen Zugang auf diesen Rechner eingerichtet, sodass sie alle zusammenarbeiten konnten.

Er meldete sich am Handy. »Hallo?«

Eine Stimme, die er nicht kannte. »Brandon?«

»Ja. Wer ist da?«

»Hör einfach zu. Du hast genau zwei Minuten. Geh runter und aus dem Haus. Dann nach rechts. An der Ecke zur Columbus Avenue steht ein schwarzer SUV. Steig in den Wagen. Deine Mutter ist auf dem Rücksitz.«

»Was...?«

»Wenn du in zwei Minuten nicht da bist, stirbt sie.«

»Moment, wer sind Sie?«

»Eine Minute, fünfundfünfzig Sekunden.«

Klick.

Brandon sprang vom Hocker, rannte zur Tür, riss sie auf

und drückte den Fahrstuhlknopf. Der Fahrstuhl war im Erdgeschoss. Er war sechs Stockwerke höher.

Lieber die Treppe.

Er rannte los, fiel mehr hinunter, als dass er lief. Er hatte
das Handy noch in der Hand. So stürzte er durch die Lobby
und aus der Tür. Er sprang vom Türabsatz auf die Straße und
rannte nach rechts die 67th Street entlang, wobei er fast jemanden umgestoßen hätte.

Er hielt nicht an, raste die Straße entlang und musterte
die Autos vor sich. An der Ecke stand, wie der Anrufer gesagt
hatte, ein schwarzer SUV.

Als er näher kam, klingelte sein Handy wieder. In vollem
Lauf sah er aufs Display.

Wieder eine unterdrückte Nummer.

Er war jetzt fast am SUV. Die Hintertür wurde geöffnet.
Er hielt das Handy ans Ohr und hörte einen Hund bellen.
»Hallo?«

»Brandon, hör mir zu.«

Ihm stockte das Herz. »Mom? Ich bin fast beim Wagen.«
»Nein!«

Im Hintergrund hörte Brandon einen Mann schreien.
»Was ist das, Mom?«

»Steig nicht in den Wagen!«

»Ich versteh ni…«

»Hau ab, Brandon! Lauf!«

Brandon blieb stehen, wollte sich umdrehen, aber zwei
Hände aus dem Wagen packten sein Hemd. Sein Handy fiel
zu Boden, als ein Mann versuchte, ihn in den SUV zu ziehen.

Kat genoss den Weg durch den Park und nutzte ihn als Gelegenheit, den Kopf frei zu bekommen und nachzudenken,
aber die Orte, die ihr sonst so viel Freude bereiteten, konn-

ten ihre Stimmung nicht heben. Sie dachte an *The Ramble* ein paar Blocks weiter im Norden und überlegte, was ihrem Vater damals durch den Kopf gegangen sein musste, als er in diesem Gebiet gearbeitet hatte.

Wenn sie das Verhalten ihres Vaters im Rückblick und mit Distanz betrachtete – der Alkohol, die Wut, das Verschwinden –, war das alles auf eine traurige, mitleiderregende Weise plausibel. Man versteckte so viel. Man versteckte, was einem am Herzen lag. Man versteckte sein wahres Ich. Die Fassade, die man aufrechterhielt, wurde mit der Zeit zu mehr als die banale Realität.

Sie wurde zum Gefängnis.

Ihr armer Vater.

Aber das spielte jetzt keine Rolle mehr. Im Prinzip nicht. Es war Vergangenheit. Die Leiden ihres Vaters waren beendet. Um ihm die bestmögliche Tochter zu sein, um sein Angedenken zu ehren oder dem Toten größtmöglichen Trost zu spenden, musste sie sich als Polizistin seiner würdig erweisen.

Also musste sie eine Möglichkeit finden, Cozone ins Gefängnis zu bringen.

Als sie im Westen aus dem Park kam, surrte ihr Handy. Es war Chaz.

»Warst du gerade hier im Revier?«

»Ja, entschuldige. Ich war beim Captain.«

»Er meinte, dass du zurückkommst.«

»Vielleicht«, sagte sie.

»Fänd ich gut.«

»Ich auch.«

»Aber deshalb ruf ich nicht an«, sagte Chaz. »Ich hab mir die Vermissten angesehen, wie du gesagt hast. Was ich jetzt habe, sind natürlich nur vorläufige und bestimmt auch unvollständige Ergebnisse.«

»Aber?«

»Ich bin auf elf vermisste Erwachsene aus vier verschiedenen Bundesstaaten gestoßen. Einschließlich Dana Phelps, Gerard Remington und Martha Paquet. Alle haben kurz vor ihrem Verschwinden im Internet jemanden kennengelernt.«

Ihre Nackenhaare sträubten sich. »Mein Gott.«

»Ich weiß.«

»Hast du Distriktsleiter Keiser informiert?«, fragte sie.

»Ich hab seinem Mitarbeiter die Ergebnisse geschickt. Die wollen sich das näher ansehen. Aber elf Vermisste, Kat. Das ist ja ...«

Chaz brach ab.

Mehr gab es nicht zu sagen, das FBI würde wissen, was zu tun war. Sie hatten mehr als nur ihre Arbeit getan. Als sie das Telefonat beendeten, trat Kat auf die 67th Street. Sie sah das Getümmel an der Columbus Avenue sofort.

Was zum ...?

Sie lief los. Als sie näher kam, sah sie, wie Brandon Phelps sich dagegen wehrte, in einen schwarzen SUV gezogen zu werden.

Der alte Hund kam ein paar Schritte ins Haus, rutschte auf dem blutüberströmten Holzboden fast aus und bellte Dana weiter an.

Sie wusste natürlich, was das bedeutete. Anabolika, den der Nerd, den sie gerade getötet hatte, am Telefon Reynaldo genannt hatte, würde sofort erkennen, dass sein geliebter Hund vor Verzweiflung bellte. Er würde so schnell wie möglich herkommen.

Ihr erster Gedanke war, sich zu verstecken.

Es war unmöglich.

Eine seltsame Ruhe erfasste sie. Sie wusste immer noch genau, was sie tun musste

Sie musste ihren Sohn retten.

Ein Handy war nicht zu sehen. Sie sah nur das normale, graue Festnetztelefon, dessen Kabel hinten in den Computer eingesteckt war. Um es zu benutzen, musste sie bleiben, wo sie war. Hier, mitten im Zimmer.

Also los.

Sie nahm den Hörer ab, hielt ihn ans Ohr und wählte die Handynummer ihres Sohns. Ihre Hand zitterte so stark, dass sie sich fast verwählt hätte.

Eine Stimme rief: »Bo!«

Reynaldo. Er war nicht mehr weit entfernt. Es war nur noch eine Frage der Zeit. Trotzdem hatte sie keine Wahl. Wenn sie alles richtig verstanden hatte, wollte Titus ihren Sohn entführen. Sie musste ihn aufhalten. Alles andere war jetzt unwichtig. Es gab keine Frage, kein Bedauern, kein Zögern.

Sie hörte das Klingeln in der Leitung. Dana hatte versucht, sich zu sammeln, aber als sie ihren Sohn »Hallo?« sagen hörte, wäre sie fast in Tränen ausgebrochen.

Schwere Schritte hallten über die Veranda. Bo hörte auf zu bellen und trottete auf sein Herrchen zu.

Keine Zeit verlieren.

»Brandon, hör mir zu.«

Sie hörte ihn keuchen.

»Mom? Ich bin fast beim Wagen.«

»Nein!«

Reynaldo rief noch einmal: »Bo!«

»Was ist das?«, fragte Brandon. »Mom?«

Ihre Hand verkrampfte sich am Hörer. »Steig nicht in den Wagen!«

»Ich versteh ni…«

Reynaldo musste jeden Moment an der Tür sein.

»Hau ab, Brandon! Lauf!«

Kat zog ihre Pistole und sprintete die 67th Street hinunter.

Von Weitem sah sie, dass Brandon heftigen Widerstand leistete und es fast geschafft hatte, sich zu befreien. Ein Passant wollte ihm zu Hilfe kommen, doch dann stieg der Fahrer aus dem SUV aus.

Er hatte eine Pistole in der Hand.

Die Passanten begannen zu schreien. Kat brüllte: »Keine Bewegung!«, was aber aus der Entfernung kaum zu hören war. Die Helfer wichen zurück. Der Fahrer eilte ums Auto zu Brandon.

Kat sah, wie er die Pistole hob und Brandon damit auf den Kopf schlug.

Der Kampf war zu Ende.

Brandon fiel in den Wagen. Die Hintertür wurde zugeschlagen.

Der Fahrer lief zurück zu seiner Tür. Kat war inzwischen näher dran. Sie wollte schon auf ihn schießen, aber so etwas wie Instinkt hielt sie davon ab. Auf der Straße waren zu viele Zivilisten, um einen Schusswechsel zu riskieren – und selbst wenn sie Glück hatte und ihn traf, konnte die Person auf dem Rücksitz, die Person, die Brandon festgehalten hatte, auch bewaffnet sein.

Was sollte sie tun?

Der schwarze SUV raste los, hielt kurz an und fuhr dann geradeaus weiter über die Columbus Avenue. Kat sah einen Mann aus einem grauen Ford Fusion aussteigen. Sie zeigte ihm ihre Marke und sagte: »Ich beschlagnahme diesen Wagen.«

Der Mann verzog das Gesicht. »Sie wollen mich wohl verarschen? Mein Auto kriegen Sie nicht…«

Ohne eine Sekunde zu zögern, zeigte Kat ihm die Pistole. Er hob die Hände. Sie nahm den Schlüssel aus seiner Rechten und sprang ins Auto.

Kurz darauf folgte sie dem SUV die 67th Street entlang.

Sie zog ihr Handy aus der Tasche und rief Chaz an. »Ich verfolge einen schwarzen SUV auf der 67th Street, der gerade von rechts in den Broadway einbiegt.« Sie nannte ihm das Kennzeichen und erzählte kurz, was passiert war.

»Wahrscheinlich hat irgendein Passant schon den Notruf gewählt«, sagte Chaz.

»Ja, gut möglich. Sorg dafür, dass die alle Streifenwagen und was sonst noch als Polizeifahrzeug zu erkennen ist, von ihnen fernhalten. Wir wollen sie nicht nervös machen.«

»Hast du einen Plan?«

»Hab ich«, sagte Kat. »Ruf das FBI an. Erzähl ihnen, was los ist. Die sollen einen Hubschrauber in die Luft bringen. Ich verfolge den Wagen.«

Brandon lag auf dem Rücksitz des SUV und war immer noch benommen vom Schlag auf den Kopf. Titus hatte eine Pistole auf ihn gerichtet.

»Brandon?«

»Wo ist meine Mutter?«

»Die siehst du noch früh genug. Erst einmal möchte ich, dass du dich ruhig verhältst. Wenn du etwas tust, was mir nicht gefällt, stirbt deine Mutter sofort. Hast du das verstanden?«

Brandon nickte und sagte nichts.

Titus war nervös, als sie die Washington Bridge überquerten. Er hatte Angst, dass die Polizei sie verfolgte, und dass jemand, der Clems auffälliges Vorgehen auf der 67th Street gesehen hatte, das gemeldet haben könnte. Aber auf dem West Side Highway war nur wenig Verkehr gewesen, sodass sie weniger als eine Viertelstunde gebraucht hatten, was wahrscheinlich nicht ausreichte, mutmaßte Titus, um eine vollständige Beschreibung des SUVs für eine Fahndung zu erhalten. Titus forderte Clem auf, beim Teaneck-Marriott-Hotel an der Route 95 abzubiegen. Er überlegte, ob sie ein anderes Auto klauen sollten, aber es war besser, einfach die Kennzeichen auszutauschen. Hinter dem Hotel entdeckten sie einen weiteren schwarzen SUV, und mit dem Akkuschrauber brauchte Clem für den Austausch der Nummernschilder nur wenige Sekunden.

Dann fuhren sie wieder auf die Route 95, den New Jersey Turnpike, Richtung Süden zur Farm.

»Ist der Hubschrauber in der Luft?«, fragte Kat.

»Sie meinten, das dauert noch etwa fünf Minuten.«

»Gut, in Ordnung«, sagte sie. Dann: »Halt. Warte noch eben.«

»Was ist?«

»Sie sind gerade zu einem Marriott abgebogen.«

»Vielleicht wohnen sie da?«

»Sag dem FBI Bescheid.«

Sie nahm die Ausfahrt und folgte ihnen, wobei sie zwei Fahrzeuge zwischen sich und den SUV ließ. Sie sah, wie der SUV auf den Parkplatz und von dort weiter hinter das Hotel fuhr. Dann hielt sie am Straßenrand, tastete sich Zentimeter für Zentimeter vor, bis sie den SUV sehen konnte, aber selbst praktisch unsichtbar blieb.

Der Fahrer stieg aus. Sie überlegte, ob sie auf der Stelle zuschlagen sollte, aber solange sie nicht sehen konnte, was hinten im Wagen mit Brandon passierte, war es zu riskant. Sie wartete und sah zu.

Eine Minute später telefonierte sie wieder mit Chaz.

»Sie haben gerade die Nummernschilder ausgetauscht und sind wieder unterwegs.«

»Wohin?«

»Nach Süden. Sieht aus, als wollten sie auf den New Jersey Turnpike.«

Reynaldo rannte so schnell er konnte auf Bos Bellen zu.

Wenn diese Frau Bo etwas angetan hat, wenn sie ihm auch nur ein Haar gekrümmt...

Reynaldo wollte nur noch, dass sie langsam und qualvoll starb.

Bo bellte immer noch, als Reynaldo die Lichtung erreichte. Mit stampfenden Schritten rannte er aufs Haus zu. Er sprang die kurze Treppe hinauf auf die Veranda.

Bo hatte aufgehört zu bellen.

Oh Gott, oh Gott, bitte sorg dafür, dass Bo...

Er lief zur Tür, als Bo erschien. Erleichtert fiel er auf die Knie.

»Bo!«, rief er.

Der Hund rannte auf ihn zu. Reynaldo breitete die Arme aus und umarmte seinen Hund. Bo leckte ihm das Gesicht.

Aus dem Haus hörte er, wie Dana rief: »Hau ab, Brandon! Lauf!«

Reynaldo zog seine Pistole. Er war nur ein paar Schritte von der Tür entfernt. Als er aufstand, war er bereit, das Problem ein für alle Mal aus der Welt zu schaffen. Doch dann sah er etwas, das ihn in Angst und Schrecken versetzte.

Bos Pfoten waren voller Blut.

Wenn sie meinen Hund verletzt hat, wenn sie diesen süßen, unschuldigen Hund, der nie jemandem etwas getan hat, verletzt hat …

Er kontrollierte die Vorderpfoten auf Wunden. Nichts. Er kontrollierte die Hinterpfoten. Auch nichts. Reynaldo sah Bo in die Augen.

Der Hund wedelte mit dem Schwanz, als wollte er Reynaldo mitteilen, dass es ihm gut ginge.

Er atmete erleichtert auf, aber dann kam ihm ein anderer Gedanke.

Wenn das nicht Bos Blut war, wessen Blut war es dann?

Er hatte die Pistole im Anschlag und stellte sich mit dem Rücken neben die Türöffnung. Als er sich umdrehte und ins Haus trat, duckte er sich, für den Fall, dass sie ihn erwartete.

Es bewegte sich nichts.

Dann sah Reynaldo die Schweinerei auf dem Boden, die einmal Dmitry war.

Hatte Dana ihm das angetan?

Wut erfasste ihn. Dieses Miststück. Oh Mann, dafür würde sie büßen.

Aber wie? Wie hatte sie Dmitry das angetan? Antwort: Sie musste bewaffnet sein. Sie musste sich irgendetwas aus der Scheune geholt haben. Eine andere Erklärung gab es für das viele Blut nicht.

Nächste Frage: Wo war sie jetzt?

Reynaldo sah die blutigen Fußabdrücke auf dem Boden. Sein Blick folgte der Spur bis zum Ende – bis zur Küchentür. Er griff nach seinem Walkie-Talkie und rief Julio: »Bist du hinterm Haus?«

»Gerade angekommen.«

»Siehst du irgendwo Blut an der Küchentür?«

»Nein, hier ist nichts. Hier hinten ist alles sauber.«

»Gut.« Er lächelte. »Haltet die Waffen bereit und richtet sie auf die Tür. Sie könnte bewaffnet sein.«

ZWEIUNDVIERZIG

Aqua saß im Lotussitz hinter *Kerbs* Bootshaus im Central Park. Er hatte die Augen geschlossen. Er presste die Zunge gegen den Gaumen. Seine Daumen und Mittelfinger bildeten Kreise. Die Hände hatte er neben den Knien aufgestützt.

Jeff Raynes setzte sich neben ihn.

»Sie hat mich gefunden«, sagte Jeff.

Aqua nickte. Er hatte sich heute mit seinen Medikamenten vollgepumpt. Er hasste sie. Ihm wurde davon schlecht, und sie machten ihn depressiv. Jede Bewegung fiel ihm schwer, als wäre er im Wasser. Er fühlte sich leblos. Aqua verglich sich oft mit einem kaputten Getränkeautomaten. Wenn er in Betrieb war, wusste man nie, was man bekam. Man konnte brühend heißen Kaffee bekommen, wenn man kaltes Wasser wollte. Aber wenigstens lief die Maschine. Wenn er seine Medikamente nahm, war es, als hätte jemand den Stecker gezogen.

Aber heute musste er klar im Kopf sein. Nicht für lange. Aber doch für ein paar Minuten.

»Liebst du sie noch?«, fragte Aqua.

»Ja. Das weißt du doch.«

»Du hast sie immer geliebt.«

»Immer.«

Aqua hielt die Augen geschlossen. »Glaubst du, dass sie dich noch liebt?«

Jeff grunzte. »Wenn es nur so einfach wäre.«

»Es ist achtzehn Jahre her«, sagte Aqua.

»Du wirst mir jetzt nicht erzählen, dass die Zeit alle Wunden heilt, oder?«

»Nein. Aber warum bist du hier, Jeff?«

Er antwortete nicht.

»Ist es nicht ziemlich sinnlos, mit mir zu sprechen?«

»Wie meinst du das?«

»Du hast sie heute gesehen.«

»Ja«, sagte Jeff.

»Du hast sie einmal gehen lassen. Glaubst du wirklich, dass du die Kraft hättest, sie noch einmal gehen zu lassen?«

Schweigen.

Schließlich öffnete Aqua die Augen. Er zuckte, als er den Schmerz im Gesicht seines Freundes sah. Er streckte die Hand aus und legte sie auf Jeffs Unterarm.

»Ich habe damals meine Entscheidung getroffen«, sagte Jeff.

»Und wie ist es dir damit ergangen?«

»Ich kann und werde das nicht bereuen. Wenn ich nicht gegangen wäre, hätte ich Melinda nicht.«

Aqua nickte. »Aber es ist lange her.«

»Ja.«

»Vielleicht gibt es für alles einen Grund. Vielleicht sollte eure Liebesgeschichte genau so verlaufen.«

»Sie wird mir nie vergeben.«

»Du wärst überrascht, was die Liebe alles überwinden kann.«

Jeff verzog das Gesicht. »Die Zeit heilt alle Wunden, es gibt für alles einen Grund *und* wahre Liebe überwindet alle Hindernisse? Sind das nicht zu viele Klischees auf einem Haufen?«

»Jeff?«

»Was ist?«

»Meine Medikamente werden nicht mehr lange wirken. In ein paar Minuten werde ich zusammenbrechen und wieder in Panik geraten. Ich werde an Kat und dich denken und mich umbringen wollen.«

»Sag das nicht.«

»Dann hör mir zu. Einstein hat den Wahnsinn so definiert, dass man immer wieder das Gleiche tut und andere Ergebnisse erwartet. Was wirst du also tun, Jeff? Wirst du wieder weglaufen und euer beider Herzen brechen? Oder wirst du etwas anderes ausprobieren?«

Reynaldo wusste, dass Dana in der Falle saß.

Er blickte immer noch auf die blutigen Fußspuren und dachte über die Einrichtung der Küche nach. Der Tisch, die Stühle, der Schrank – sie konnte sich nirgends verstecken. Ihre einzige Chance war, ihn sofort zu attackieren, wenn er hereinkam. Oder ...

Ohne Vorwarnung stieß er die Schwingtür mit beiden Händen kräftig auf.

Er ging nicht hinein. Damit rechnete sie vielleicht. So konnte er sehen, ob sie ihn an der Tür erwartete, ob sie hoffte, dass er einfach so hereinkam, sodass sie ihn überraschen konnte.

Sie würde irgendetwas tun, einen Schrei ausstoßen, zurückzucken, irgendetwas.

Um ganz sicherzugehen, trat er nach dem Stoß einen Schritt zurück.

Die Tür flog auf, knallte gegen die Wand und schwang wieder zu. Sie pendelte noch ein paar Mal hin und zurück, dann war alles ruhig.

In der Küche hatte sich nichts bewegt.

Aber er hatte die Blutspur gesehen.

Mit gezogener Waffe trat er in die Küche. Er zielte nach rechts, dann schwang er den Lauf nach links.

Der Raum war leer. Er blickte zu Boden und folgte den Fußabdrücken.

Sie führten zur Kellertür.

Natürlich. Reynaldo hätte sich fast mit der flachen Hand an die Stirn geschlagen. Aber egal. Er wusste, dass es nur einen weiteren Ausgang aus dem Keller gab – eine Stahltür, die von außen mit einem Vorhängeschloss gesichert war.

Jetzt saß Nummer sechs wirklich in der Falle.

Sein Handy surrte. Es war Titus. Reynaldo meldete sich.

»Habt ihr sie gefunden?«, fragte Titus.

»Ich glaub schon.«

»Du glaubst schon?«

Er berichtete kurz von der Kellertür.

»Wir sind auf dem Rückweg«, sagte Titus. »Sag Dmitry, er soll anfangen, die Computerdateien zu vernichten.«

»Dmitry ist tot.«

»Was?«

»Dana hat ihn umgebracht.«

»Wie?«

»So wie er zugerichtet wurde, wohl mit einer Axt.«

Schweigen.

»Bist du noch da, Titus?«

»Es ist Benzin in der Scheune«, sagte Titus. »Viel Benzin.«

»Ich weiß«, sagte Reynaldo. »Warum?«

Aber Reynaldo kannte die Antwort. Sie gefiel ihm allerdings nicht. Er hatte gewusst, dass dieser Tag kommen würde. Doch die Farm war sein Zuhause geworden. Bo und ihm gefiel es hier.

Seine Wut auf dieses Miststück, das alles ruinierte, war so groß wie noch nie zuvor.

»Fangt an, es im Haus zu verteilen«, sagte Titus. »Wir werden den ganzen Laden niederbrennen.«

Kat hatte keine Ahnung, wohin sie fuhren.

Seit über zwei Stunden folgte sie dem SUV. Erst den New Jersey Turnpike entlang, dann waren sie kurz vor Philadelphia auf den Pennsylvania Turnpike nach Westen abgebogen. Das FBI hatte einen Hubschrauber losgeschickt. Er folgte ihnen in sicherem Abstand, was aber nicht bedeutete, dass Kat sich entspannen konnte.

Im Ford Fusion war genug Benzin. Darüber brauchte sie sich keine Sorgen zu machen. Kat stand in ständigem Kontakt zu den FBI-Agenten. Sie konnten ihr im Prinzip nichts Neues sagen. Die anderen Kennzeichen vom schwarzen SUV waren auch gestohlen gewesen. YouAreJustMyType.com spielte auf Zeit und verlangte einen richterlichen Beschluss. Chaz hatte noch zwei Personen ausfindig gemacht, die er für Opfer hielt, war aber nicht sicher. Er brauchte Zeit. Das verstand sie. In Polizeiserien war alles immer innerhalb einer Stunde erledigt. In der Realität dauerte das viel länger.

Sie versuchte, in Gedanken weder zu ihrem Vater noch zu Jeff abzuschweifen, aber nach einer Weile konnte sie nichts mehr dagegen tun. Sugars Worte klangen ihr noch in den Ohren – was er alles aufgeben, was er alles verzeihen würde, um noch ein paar Sekunden mit ihrem Vater verbringen zu können. Sie hatte gemerkt, dass Sugars Liebe echt war. Das war nicht gespielt. Das gab ihr zu denken. War ihr Vater mit Sugar glücklich gewesen? Hatte er Liebe und Leidenschaft erlebt? Kat hoffte es. Wenn sie es analysierte und ihre gar nicht so tief verborgenen Vorurteile dabei ausblendete – immerhin war sie auch in diesem Viertel aufgewachsen –, konnte sie vielleicht irgendwann so etwas wie Dankbarkeit dafür empfinden.

Sie begann »Was-wäre-wenn« zu spielen, überlegte, was wohl passieren würde, wenn ihr Vater plötzlich auf dem Beifahrersitz erscheinen würde, und sie ihm sagte, dass sie Bescheid wüsste und er eine zweite Chance bekommen hätte. Was würde ihr Vater tun? Der Tod war vermutlich ein großartiger Lehrmeister. *Wenn* er noch einmal zurückkommen könnte, würde ihr Vater Mom dann die Wahrheit sagen? Würde er sich von ihr trennen und mit Sugar zusammenleben?

Kat hätte es ihm gewünscht. Sie hätte es auch ihrer Mutter gewünscht.

Ehrlichkeit. Oder, wie hatte Sugar es gesagt? Die Freiheit, man selbst zu sein.

War ihr Vater kurz davor gewesen, das zu tun? Hatte er genug von all den Lügen und Täuschungen? Als er mit den Blumen für Sugar zu diesem Club gegangen war, hatte er endlich die Kraft gefunden, er selbst zu sein?

Wahrscheinlich würde Kat es nie erfahren.

Aber wenn sie sich schon erlaubte, die Gedanken schweifen zu lassen, statt sich auf die viel wichtigere Aufgabe zu konzentrieren, Brandon und seine Mutter zu retten, stellte sich doch eigentlich eine ganz andere, viel aktuellere Frage. Angenommen, ihr Dad würde wirklich auf dem Beifahrersitz erscheinen. Angenommen, sie würde ihm erzählen, dass sie Jeff wiedergesehen hatte und überzeugt war, dass sie eine Chance hatten. Ihr sei bei Jeffs Anblick klar geworden, was Sugar gemeint hatte, als er sagte, er würde alles aufgeben, um noch ein paar Sekunden mit ihm verbringen zu können.

Wozu würde ihr Vater ihr raten?

Die Antwort war offensichtlich.

Es spielte keine Rolle, warum Jeff abgehauen war, warum er seinen Namen geändert hatte oder sonst irgendetwas. Sugar wäre es egal gewesen. Dad wäre es egal gewesen. Das lehrte einen der Tod. Man würde alles aufgeben, alles verzeihen, nur um eine weitere Sekunde…

Sobald dies vorbei war, würde Kat nach Montauk zurückfahren und Jeff erzählen, was sie für ihn empfand.

Die untergehende Sonne färbte den Himmel tiefrot.

Vor ihr bog der schwarze SUV vom Turnpike auf die Route 222 ab.

Kat folgte ihm. Jetzt konnte es nicht mehr allzu weit sein.

Brandon fragte einmal zu oft: »Was wollen Sie von meiner Mutter?«

Titus rammte ihm den Griff seiner Pistole in den Mund. Brandons Vorderzähne brachen ab. Blut lief aus seinem Mund. Brandon riss ein Stück von seinem T-Shirt ab und drückte es auf die Wunde. Er hörte auf, Fragen zu stellen.

Als sie auf die Route 222 kamen, sah Titus auf die Uhr. Keine vierzig Minuten mehr. Er überschlug ein paar Dinge im Kopf – wie hoch die Flammen schlagen würden, wie weit sie zu sehen wären, wie lange die örtliche Feuerwehr bräuchte, um zur Farm zu kommen, besonders wenn er anrief und sagte, dass er alles unter Kontrolle hatte.

Mindestens eine Stunde.

Mehr Zeit brauchte er nicht.

Er rief Reynaldo an. »Habt ihr das Benzin verschüttet?«

»Ja.«

»Ist sie immer noch im Keller gefangen?«

»Ja.«

»Wo sind Rick und Julio?«

»Sie stehen Wache. Einer vorm Haus, einer hinten.«

»Du weißt, was zu tun ist.«

»Das weiß ich.«

»Erledige das. Dann leg Feuer. Achte darauf, dass das Haus ganz runterbrennt. Und danach räumst du bei den Kisten auf.«

Reynaldo legte auf. Bo stand vor der Scheune. Da war er sicher. Das war jetzt das Wichtigste. Rick stand vor dem Haus. Reynaldo ging zu ihm.

»Hast du mit Titus gesprochen?«, fragte Rick.

»Ja.«

»Legen wir Feuer?«

Reynaldo hatte das Messer in der Hand. Er stach es ihm schnell und tief ins Herz. Rick war tot, bevor er auf dem Boden aufschlug.

Reynaldo zog ein Streichholzheftchen aus der Tasche. Er ging zurück zum Haus, zündete eins an und ließ es auf die Veranda fallen.

Die Flammen schossen in einer schnellen, blauen Linie voran.

Reynaldo ging weiter zur Hintertür. Er hatte die Pistole in der Hand. Er zielte kurz und schoss Julio in den Kopf. Reynaldo zündete ein weiteres Streichholz an und warf es zur Hintertür. Wieder verteilten sich die Flammen in einer prächtigen blauen Welle. Er ging ein paar Schritte zurück, sodass er beide Ausgänge sehen konnte.

Es gab keinen anderen Ausgang. Das war ihm sofort klar gewesen. Dana würde im Feuer braten, bis sie knusprig war.

Er sah zu, wie die Flammen immer höher schlugen. Er war kein Pyromane oder so etwas, aber von der ungeheuren Kraft der Flammen musste man einfach begeistert sein. Sie breiteten sich schnell im ganzen Haus aus und fraßen sich durch Wände und Fußboden. Reynaldo lauschte. Er hatte gehofft, ihre Schreie hören zu können. Aber es gab keine. Er behielt die Türen im Auge, besonders die Küchentür, in der Hoffnung, dass das Feuer sie aus ihrem Versteck scheuchen und sie brennend und von höllischen Schmerzen getrieben vor ihm erscheinen und ihren Todestanz vollführen würde.

Aber auch das geschah nicht.

Reynaldo nahm Julios Leiche und warf sie ins Feuer. Er und Rick würden verkohlt, aber wahrscheinlich noch identifizierbar sein. Das könnte helfen. Wahrscheinlich würden die Toten die Schuld bekommen.

Das Haus brannte jetzt lichterloh.

Immer noch keine Schreie und niemand zu sehen.

Er fragte sich, ob Dana vom Feuer oder vom Qualm umgekommen war. Aber das würde er wohl nie erfahren. Dass sie tot war, stand für ihn fest. Wie hätte sie da rauskommen sollen?

Trotzdem empfand er ein seltsames Unbehagen, als er sich von der brennenden Ruine abwandte.

DREIUNDVIERZIG

Als Dana Phelps die Flammen sah, hastete sie den schreck-lichen Pfad hinunter, den sie schon viel zu oft entlang-gegangen war.

Wo, hatte sie sich gefragt, wäre der letzte Ort, an dem sie sie suchen würden?

Hinten in den Kisten.

Glück, Schicksal, das richtige Timing – es waren selt-same Begriffe. Jason, ihr verstorbener Mann, war in Pitts-burgh aufgewachsen und daher leidenschaftlicher Steelers-, Pirates- und Penguins-Fan gewesen. Er hatte diese Mann-schaften angefeuert, aber besser als die meisten anderen Menschen gewusst, welch große Rolle der Zufall im Lauf der Welt spielte. Viele Leute meinten, wenn es in den Sieb-zigern im American Football schon die Replay-Regel und HD-Kameras gegeben hätte, wäre die »Immaculate Recep-tion«, dieser wohl berühmteste Spielzug in der Geschichte des Vereins, wohl niemals durchgegangen. Denn dann wäre zu sehen gewesen, dass der Ball den Boden berührt hatte, be-vor Franco Harris ihn fing. Hatte er das wirklich? Und wenn ja, hätten die Pittsburgh Steelers das Spiel dann verloren und wären später nicht zum Rekordhalter mit sechs Super-Bowl-Titeln geworden?

Jason hatte sich gern mit solchen Fragen beschäftigt. Die großen Themen wie Arbeitsethos, Schule oder Ausbildung fand er uninteressant. Das Leben, meinte er, hänge viel zu oft vom Zufall ab. Wir alle glaubten gerne, dass harte Arbeit, Bildung und Beharrlichkeit der Schlüssel zum Erfolg seien, tatsächlich aber wären die Launen des Schicksals und der Zufall viel wichtigere Faktoren. Wir würden es uns nicht eingestehen, aber Glück, das richtige Timing und das Schicksal bestimmten unser Leben.

In ihrem Fall war es das Blut an Bos Pfoten gewesen.

Die Suche nach Verletzungen an den Hundepfoten hatte Reynaldo nur ein paar Sekunden aufgehalten, doch das hatte gereicht. Sie hatte genug Zeit gehabt, den Hörer fallen zu lassen und in die Küche zu rennen, wo ihr klar geworden war, dass er sie wegen der blutigen Fußabdrücke sofort finden würde.

Was sollte sie also tun?

Sie hatte keine Zeit, über großartige Pläne oder irgendwelche Alternativen nachzudenken. Sie hatte eine Idee, und die war, wenn sie sich ausnahmsweise einmal selbst loben durfte, genial. Sie ging zur Kellertür, öffnete sie und warf die Socken die Treppe hinunter. Dann sprintete sie barfuß hüpfend durch die Hintertür hinaus. Im Wald duckte sie sich, und nur wenige Sekunden später erschien Julio.

Als das Feuer ausbrach und die Flammen die Holzwände hinaufzüngelten, wurde Dana klar, dass die Täter anfingen, ihre Spuren zu verwischen. Sie setzten dem Ganzen ein Ende. Also lief sie so schnell sie konnte den Pfad entlang, weil ihr einfiel, dass sie bei ihrer Ankunft, als man sie gezwungen hatte, ihr gelbes Sommerkleid auszuziehen, etwas Beunruhigendes gesehen hatte.

Weitere Kleidungsstücke.

Die Sonne versank schnell. Als sie die Lichtung erreichte, wurde es schon dunkel. Am Rand stand ein kleines Zelt, in dem Reynaldo hauste. Sie warf einen kurzen Blick hinein. Drin lagen ein Schlafsack und eine Taschenlampe. Kein Handy. Auch nichts, was sie als Waffe verwenden konnte.

Aber natürlich hatte sie die Axt noch.

Sie nahm die Taschenlampe, traute sich aber nicht, sie anzuschalten. Die Lichtung vor ihr war flach. Die Kiste, in der sie so lange – wie lange genau, wusste sie immer noch nicht – gefangen gehalten wurde, war gut getarnt. Sie wusste nicht mehr genau, wo sie war, ging aber weiter, bückte sich und fand schließlich das offene Vorhängeschloss. Faszinierend. Ohne das Schloss wäre sie einfach über die Tür gegangen, ohne sie zu bemerken.

Ein verrückter Gedanke schoss ihr durch den Kopf – geh in die Kiste und versteck dich dort. Welcher vernünftige Mensch würde sie da unten suchen? Doch welcher vernünftige Mensch würde sich, selbst um sich zu schützen, freiwillig wieder da unten reinlegen?

Sie jedenfalls nicht.

Das interessierte im Moment auch gar nicht. Das Haus brannte.

Es war jetzt dunkel. Sie konnte kaum noch etwas sehen. Sie begann, durch das Gras zu krabbeln, wusste immer noch nicht recht, was sie hier tun sollte. Nach etwa zehn Metern traf ihre Hand auf etwas Metallisches.

Noch ein Vorhängeschloss.

Dieses war verschlossen.

Dana brauchte zwei Axtschläge, um es zu öffnen. Die Tür war schwerer, als sie erwartet hatte. Sie brauchte alle Kraft, um sie hochzuziehen.

Dann spähte sie in das dunkle Loch. Es war nichts zu hören und keine Bewegung zu sehen.

Hinter ihr brannte das Feuer noch. Sie hatte keine Wahl. Sie musste es riskieren.

Dana schaltete die Taschenlampe an. Sie richtete sie in die Kiste und schnappte hörbar nach Luft.

Die Frau blickte zu ihr auf und schluchzte. »Bitte. Bringen Sie mich nicht um.«

Dana hätte fast angefangen zu weinen. »Ich tu Ihnen nichts. Ich will Sie retten. Kommen Sie da allein raus?«

»Ja.«

»Gut.«

Dana krabbelte noch zehn Meter und fand ein weiteres Vorhängeschloss. Dieses bekam sie mit einem Schlag auf. Der Mann darin weinte auch, war aber zu schwach, um herauszuklettern. Dana wartete nicht auf ihn. Sie krabbelte weiter bis zu einer dritten Kiste und suchte das Schloss. Sie zerschlug es, öffnete die Tür und sah gar nicht erst hinein. Sie krabbelte weiter zur vierten Kiste.

Gerade hatte sie das Schloss mit der Axt zerschlagen, als sie beim Farmhaus die Scheinwerfer sah.

Ein Auto war die Zufahrt heraufgekommen.

Clem öffnete das Tor. Dann setzte er sich wieder hinters Lenkrad, fuhr hindurch und schloss es hinter ihnen, bevor sie weiterfuhren.

Erst als sie schon die Hälfte der Zufahrt hinter sich hatten, sah Titus das Feuer.

Er lächelte. Das war gut. Wenn er das Feuer von der Straße nicht sehen konnte, hatten sie eine gute Chance, dass niemand die Feuerwehr benachrichtigte. Dann hatten sie viel Zeit, alles zu erledigen und aufzuräumen.

Reynaldo war vor ihnen und zog eine Leiche in die Flammen.

»Hey, was ist da los?«, sagte Clem. »Ist das nicht Rick?«

Ruhig hielt Titus den Lauf seiner Pistole an Clems Hinterkopf und drückte ab. Clem fiel nach vorn gegen das Lenkrad.

Die ganze Sache hatte mit Titus und Reynaldo begonnen. Und so würde sie auch enden.

Brandon schrie geschockt auf. Titus richtete den Lauf wieder auf die Brust des Jungen. »Aussteigen.«

Brandon torkelte hinaus. Reynaldo nahm ihn in Empfang. Titus stellte sich zu ihnen. Ein paar Sekunden lang standen die drei nebeneinander und starrten in die Flammen.

»Ist seine Mutter tot?«, fragte Titus.

»Ich glaub schon.«

Brandon stieß einen qualvollen, primitiven Schrei aus. Mit erhobenen Händen stürzte er sich auf Reynaldo. Der stoppte ihn mit einem Schlag in den Unterbauch. Brandon fiel zu Boden und schnappte nach Luft.

Titus richtete seine Pistole auf den Kopf des Jungen. Er fragte Reynaldo: »Warum ›Ich glaub schon‹?«

»Weil ich glaube, dass sie im Keller war. Wie ich am Telefon schon gesagt habe.«

»Aber?«

Bos Bellen zerriss die Nachtluft.

Titus nahm eine Taschenlampe, schaltete sie an und suchte nach Bo. Der alte Hund blickte den Pfad zu den Kisten hinunter und bellte wie verrückt.

»Womöglich«, sagte Titus, »war sie aber gar nicht im Keller.«

Reynaldo nickte.

Titus reichte ihm die Taschenlampe. »Geh den Pfad entlang. Halt die Waffe bereit. Erschieß sie, sobald sie sich zeigt.«

»Wahrscheinlich hat sie sich versteckt«, sagte Reynaldo.

»Wahrscheinlich. Aber sie kommt gleich raus.«

Brandon schrie: »Mom, komm nicht hierher! Flieh!«

Titus schob den Pistolenlauf in Brandons Mund und brachte ihn so zum Schweigen. So laut er konnte, rief er: »Dana? Ich habe Ihren Sohn.« Er zögerte, bevor er hinzufügte: »Kommen Sie raus, oder er wird leiden.«

Stille.

Noch einmal rief er: »Okay, Dana. Hören Sie zu.«

Titus nahm die Pistole aus Brandons Mund, zielte auf das Knie des Jungen und drückte ab.

Brandons Schrei gellte durch die Nacht.

Kat fuhr weiter geradeaus und achtete darauf, nicht langsamer zu werden und so die Aufmerksamkeit der Leute im SUV zu erregen. Sie stand jetzt in telefonischem Dauerkontakt zum FBI. Sie nannte ihnen den Ort und hielt etwa hundert Meter weiter am Straßenrand.

»Gute Arbeit, Detective«, sagte Distriktleiter Keiser zu ihr. »In fünfzehn, zwanzig Minuten müssten unsere Leute vor Ort sein. Ich will sichergehen, dass wir genug Leute haben, um alle festnehmen zu können.«

»Sie haben Brandon, Sir.«

»Das ist mir klar.«

»Ich glaube nicht, dass wir warten sollten.«

»Sie können da nicht einfach reinstürmen. Die haben Geiseln. Warten Sie auf unser Team mit einem Unterhändler und so weiter. Sie wissen doch, wie das läuft.«

Kat gefiel das nicht. »Bei allem angemessenen Respekt, Sir, ich glaube, dafür haben wir keine Zeit. Ich bitte um die Erlaubnis, allein aufs Grundstück zu gehen. Ich werde nicht eingreifen, falls es nicht absolut unvermeidlich ist.«

»Das halte ich für keine gute Idee, Detective.«

Das war kein Nein.

Sie legte auf, bevor er mehr sagen konnte, und stellte das Handy stumm. Ihre Pistole steckte im Holster. Sie ließ den Wagen stehen, wo er war, und ging zu Fuß zurück. Sie musste vorsichtig sein. Das Tor könnte mit Überwachungskameras ausgerüstet sein. Also ging sie durch den Wald hinein und kletterte über den Zaun. Es war dunkel. Der Wald war dicht. Sie nutzte ihr iPhone – zum Glück war im Ford Fusion ein Ladegerät eingebaut – als schwache Taschenlampe.

Kat ging langsam zwischen den Bäumen hindurch, als sie die Flammen sah.

Dana hatte gerade eine weitere Kiste geöffnet, als sie Brandon rufen hörte:

»Mom, komm nicht hierher! Flieh!«

Sie erstarrte, als sie die Stimme ihres Sohns hörte.

Dann hörte sie Titus. »Dana? Ich habe Ihren Sohn.«

Ihr ganzer Körper fing an zu zittern.

»Kommen Sie raus, oder er wird leiden.«

Fast hätte Dana die schwere Tür fallen lassen, aber plötzlich war die Frau, der sie zuerst geholfen hatte, bei ihr. Die Frau nahm Dana die Tür ab und ließ sie zu Boden sinken. In der Kiste stöhnte jemand.

Dana ging den Pfad entlang.

»Nicht«, flüsterte die Frau ihr zu.

Verwirrt, benommen, drehte Dana sich zu ihr um. »Was?«

»Sie dürfen nicht auf ihn hören. Er spielt nur mit Ihnen. Sie müssen hierbleiben.«

»Ich kann nicht.«

Die Frau legte Dana die Hände auf die Wangen und zog

sie zu sich heran, sodass ihre Gesichter nur wenige Zentimeter voneinander entfernt waren. »Ich bin Martha. Wie heißen Sie?«

»Dana.«

»Hören Sie mir zu, Dana. Wir müssen die anderen Kisten öffnen.«

»Sind Sie verrückt? Er hat meinen Sohn.«

»Das weiß ich. Und sobald Sie sich zeigen, wird er Sie beide umbringen.«

Dana schüttelte den Kopf. »Nein, ich kann ihn retten. Ich kann mich zum Tausch anbieten …«

Titus' Stimme schnitt durch die Nacht wie die Sense des Schnitters. »Okay, Dana. Hören Sie zu.«

Die beiden Frauen drehten sich um, als ein Pistolenschuss durch die stille Nachtluft knallte.

Brandons Schrei wurde von Danas übertönt.

Bevor sie reagieren konnte, bevor sie sich ergeben und ihren Sohn retten konnte, hatte diese Frau – diese Martha – sie zu Boden geworfen.

»Gehen Sie von mir runter!«

Martha blieb auf ihr sitzen. Mit bemerkenswert ruhiger Stimme sagte sie: »Nein.«

Dana wand sich, versuchte, sich zu befreien, aber Martha hielt sie mit aller Kraft fest.

»Er wird Sie beide umbringen«, flüsterte Martha ihr ins Ohr. »Das wissen Sie ganz genau. Wenn Sie Ihren Sohn retten wollen, können Sie da nicht hingehen.«

Dana fing wieder an, sich zu wehren. »Lassen Sie mich los.«

Dann hörte sie Titus' Stimme wieder: »Okay, Dana. Jetzt schieße ich ihm ins andere Knie.«

Kat ging weiter, rückte immer ein paar Bäume vor und achtete dabei vorschriftsmäßig darauf, außer Sicht zu bleiben, als sie hörte, wie der Mann Brandon bedrohte.

Sie musste schneller vorwärtskommen.

Ein paar Sekunden später, als Kat den Schuss und Brandons Schrei hörte, ließ sie Vorschrift Vorschrift sein. Sie wechselte aus dem Wald auf die Zufahrt, wo sie richtig rennen konnte. Wenn sie jetzt jemand sah, war sie natürlich leichte Beute, doch daran dachte sie im Moment nicht.

Sie musste Brandon retten.

Sie hatte die Pistole gezogen und hielt sie in der rechten Hand. Ihr Atem rauschte in ihren Ohren, als hätte jemand Muscheln darauf gedrückt.

Sie sah den SUV vor sich. Daneben stand ein Mann mit einer Pistole. Brandon lag auf dem Boden und wand sich vor Schmerz.

»Okay, Dana«, schrie der Mann. »Jetzt schieße ich ihm ins andere Knie.«

Kat war noch zu weit entfernt, um zu schießen. Sie rief: »Keine Bewegung!«, ohne ihren Sprint zu verlangsamen.

Der Mann drehte sich zu ihr um. Eine halbe Sekunde lang, nicht länger, wirkte er verblüfft. Kat rannte weiter. Der Mann richtete die Pistole auf sie. Kat sprang zur Seite. Aber sie war immer noch im Blickfeld des Mannes. Er wollte gerade abdrücken, als ihn etwas davon abhielt.

Brandon hatte sein Bein umklammert und zerrte daran.

Verärgert richtete er die Pistole auf Brandon.

Jetzt war Kat bereit. Sie gab keinen weiteren Warnruf ab.

Sie schoss und sah, wie der Mann nach hinten fiel.

Reynaldo stand mitten auf dem Pfad und hörte die Schreie in Stereo. Hinter ihm schrie der Junge, der einen Schuss abbekommen hatte. Vor sich hörte er den gequälten Schrei der Mutter, die dafür büßte, geflohen zu sein.

Er wusste jetzt, wo sie war.

Bei den Kisten.

Noch einmal würde sie ihm nicht entkommen.

Reynaldo eilte zur Lichtung, die die letzten Monate sein Zuhause gewesen war. Es war dunkel, aber er hatte die Taschenlampe. Er leuchtete nach rechts, dann nach links.

Zwanzig Meter vor ihm lag Dana Phelps auf dem Boden. Eine andere Frau – sie sah aus wie Nummer acht – lag auf ihr.

Er fragte nicht, warum Nummer acht nicht mehr in ihrer Kiste war oder wie sie da herausgekommen war. Er stieß keinen Warnruf aus oder so etwas. Er hob einfach die Pistole und zielte. Er wollte gerade abdrücken, als er einen röchelnden Schrei hörte.

Jemand sprang ihm auf den Rücken.

Reynaldo geriet ins Taumeln, ließ die Taschenlampe fallen, hielt die Pistole aber verzweifelt fest. Er griff hinter sich nach demjenigen, der ihm auf dem Rücken saß. Jemand anders hob die Taschenlampe auf und schlug sie ihm auf die Nase. Reynaldo heulte vor Schmerz und Angst auf. Tränen schossen ihm in die Augen.

»Runter von mir!«

Er griff nach hinten, versuchte mit aller Macht, die Person von seinem Rücken zu ziehen. Es klappte nicht. Ein Arm legte sich um seinen enormen Hals und fing an zu drücken.

Sie waren überall, umschwärmten ihn.

Einer biss ihm ins Bein. Reynaldo spürte, wie sich die Zähne in sein Bein gruben. Er versuchte, sein Bein freizuschütteln, was aber nur dazu führte, dass er das Gleichgewicht verlor. Er wankte, dann fiel er zu Boden.

Jemand sprang ihm auf die Brust. Jemand anders ergriff seinen Arm. Sie waren wie Dämonen, die aus der Dunkelheit kamen.

Oder aus den Kisten.

Panik erfasste ihn.

Die Pistole. Er hatte die Pistole noch in der Hand.

Reynaldo versuchte, die Waffe zu heben und diese Dämonen alle zurück in die Hölle zu schicken, aber irgendjemand drückte seinen Arm zu Boden.

Sie würden nicht aufhören, ihn zu attackieren.

Sie waren zu viert. Oder zu fünft. Er wusste es nicht. Sie waren unerbittlich wie Zombies.

»Nein!«

Jetzt erkannte er ihre Gesichter. Der Glatzkopf aus Nummer zwei war dabei. Der Dicke aus Nummer sieben. Und auch der Mann aus Nummer vier. Wieder schlug ihm jemand die Taschenlampe auf die Nase. Blut lief ihm in den Mund. Er verdrehte die Augen.

Mit einem verzweifelten Schrei drückte Reynaldo mehrmals den Abzug der Pistole. Die Kugeln bohrten sich harmlos in die Erde, der plötzliche Knall brachte denjenigen, der seinen Arm festhielt, jedoch dazu, den Griff zu lockern.

Die letzte Chance.

Mit einem Ruck riss Reynaldo sich los.

Er hob die Pistole.

Im Mondlicht sah er Dana Phelps' Silhouette über sich. Er zielte, aber es war zu spät.

Die Axt schoss schon auf ihn hinunter.

Die Zeit verlangsamte sich.

Irgendwo in der Ferne hörte er Bo bellen.

Dann hörte er nichts mehr.

VIERUNDVIERZIG

Die vollständige Bestandsaufnahme würde noch Wochen dauern, aber dies hatten sie in den ersten drei Tagen herausbekommen:

Bisher waren auf der Farm einunddreißig Leichen ausgegraben worden. Zweiundzwanzig Männerleichen, neun Frauenleichen.

Das älteste Opfer war ein siebenundsechzigjähriger Mann, das jüngste eine dreiundvierzigjährige Frau.

Bei den meisten war die Todesursache ein Kopfschuss. Viele waren unterernährt. Ein paar hatten außer den Kopfwunden noch weitere schwere Verletzungen, darunter verstümmelte Körperteile.

Die Medien erfanden alle möglichen schrecklichen Schlagzeilen. CLUB DER TOTEN. VERABREDUNG MIT DER HÖLLE. AMORS TÖDLICHER PFEIL. SCHLIMMSTES DATE ALLER ZEITEN. Keine davon war komisch. Keine erfasste den reinen, unverfälschten Horror auf der Farm.

Es war nicht mehr Kats Fall. Das FBI hatte ihn übernommen. Ihr war das recht.

Sieben Personen waren gerettet worden, darunter auch Dana Phelps. Alle wurden in einem örtlichen Krankenhaus behandelt und konnten nach spätestens zwei Tagen wieder entlassen werden. Nur für Brandon Phelps galt das nicht. Die Kugel hatte seine Kniescheibe zerschmettert. Er musste operiert werden.

Sämtliche für dieses Schreckensszenario verantwortlichen Täter waren tot – mit einer erwähnenswerten Ausnahme: Der Anführer, Titus Monroe, hatte Kats Kugel überlebt.

Sein Zustand war jedoch kritisch – er war in ein künstliches Koma versetzt worden und hing an einem Beatmungsgerät. Aber er lebte noch. Kat wusste nicht, wie sie das finden sollte. Vielleicht würde sie es erfahren, wenn Titus Monroe aus dem Koma erwachte.

Ein paar Wochen später war Kat bei Dana und Brandon in deren Haus in Greenwich, Connecticut, zu Besuch.

Als sie in die Einfahrt fuhr, kam Brandon ihr auf Krücken entgegen. Sie stieg aus und umarmte ihn, und einen Moment lang hielten sie sich einfach fest. Dana Phelps stand lächelnd auf dem Rasen und winkte Kat zu. Ja, dachte Kat. Immer noch umwerfend. Vielleicht war sie etwas dünner geworden, sie hatte ihre blonden Haare zu einem Pferdeschwanz zurückgebunden, aber ihre Schönheit schien jetzt eher auf Zähigkeit und innerer Stärke zu beruhen als auf Glück und Privilegien.

Dana hielt einen Tennisball in die Luft. Sie ließ ihre beiden Hunde apportieren. Einer war ein schwarzer Labrador namens Chloe.

Der andere war ein alter, schokoladenbrauner Labrador namens Bo.

Kat ging zu ihr. Sie erinnerte sich daran, dass Stacy ihr vorgeworfen hatte, Menschen vorschnell zu beurteilen. Stacy hatte recht gehabt. Intuition war eine Sache. Vorgefasste Meinungen – über Dana, über Chaz, über Sugar, über jedermann – eine ganz andere.

»Ich bin überrascht«, sagte Kat zu Dana.

»Wieso?«

»Ich dachte, der Hund würde schlechte Erinnerungen wecken.«

»Bos einziger Fehler war, den falschen Menschen zu lieben«, sagte Dana und warf den Ball über den Rasen. Der Anflug eines Lächelns umspielte ihre Mundwinkel. »Und wer könnte das nicht nachvollziehen?«

Kat lächelte auch. »Da ist was dran.«

Bo rannte so schnell er konnte hinter dem Ball her. Er packte ihn mit den Zähnen und trabte zu Brandon. Der stützte sich auf eine Krücke, beugte sich herunter und tätschelte Bos Kopf. Bo ließ den Ball fallen, wedelte mit dem Schwanz und bellte, damit Brandon den Ball noch einmal warf.

Dana schützte ihre Augen mit der Hand vor der Sonne. »Freut mich, dass Sie Zeit gefunden haben, zu uns rauszukommen, Kat.«

»Mich auch.«

Die beiden Frauen beobachteten Brandon mit den Hunden.

»Laut Auskunft der Ärzte wird ein leichtes Hinken bleiben«, sagte Dana.

»Das tut mir leid.«

Dana zuckte die Achseln. »Er scheint damit zurechtzukommen. Ist sogar ein bisschen stolz darauf.«

»Er ist ein Held«, sagte Kat. »Wenn er sich nicht in die Webseite gehackt hätte, wenn er nicht irgendwie gemerkt hätte, dass Sie in Schwierigkeiten sind…«

Sie beendete den Satz nicht. Es war nicht nötig.

»Kat?«

»Ja?«

»Was ist mit Ihnen?«

»Was soll mit mir sein?«

Dana sah sie an. »Ich will alles hören. Die ganze Geschichte.«

»Okay«, sagte Kat. »Ich weiß aber nicht, ob sie schon zu Ende ist.«

Als Kat am Tag, nachdem sie die Farm auseinandergenommen hatten, zu ihrer Wohnung in der 67th Street zurückkehrte, saß Jeff auf der Treppe vor dem Haus.

»Wie lange wartest du hier schon?«, fragte sie ihn.

»Achtzehn Jahre«, sagte er.

Dann bat Jeff sie um Verzeihung.

»Lass es«, sagte sie.

»Was?«

Wie sollte sie es ihm erklären? Es war, wie Sugar gesagt hatte, sie hätte alles gegeben und alles verziehen, um noch einmal etwas Zeit mit ihm verbringen zu können. Sie hatte ihn wieder. Alles andere war egal.

»Lass es einfach, okay?«

»Ja«, sagte er. »Okay.«

Es war, als hätte ein unsichtbarer Riese den Zeitpunkt vor achtzehn Jahren mit einer Hand gepackt, das Heute in die andere genommen, die beiden zusammengezogen und zusammengeheftet. Natürlich hatte Kat Fragen. Sie wollte alles erfahren, aber gleichzeitig schien es auch keine Rolle mehr zu spielen. Nach und nach setzte Jeff sie ins Bild. Vor achtzehn Jahren hatte es zu Hause ein Problem gegeben, erklärte er ihr, das ihn gezwungen hätte, nach Cincinnati zurückzukehren. Törichterweise hatte er geglaubt, dass Kat nicht so lange auf ihn warten würde, und dass es nicht fair wäre, sie darum zu bitten und so weiter und so fort. Trotzdem hatte er gehofft, zu ihr zurückkehren zu können und, ja, sie um Verzeihung zu bitten, doch dann war er in diese Kneipenschlägerei geraten. Der betrunkene Liebhaber, dem er die Nase gebrochen hatte, hatte Verbindungen zur Mafia. Die wollte Rache, also war er abgehauen und hatte sich eine neue Identität beschafft. Dann hatte er Melindas Mutter geschwängert und…

»Da ist mir das Ganze wohl entglitten.«

Kat merkte, dass er nicht alles erzählte, dass er irgendetwas aus irgendwelchen, ihr immer noch unbekannten Gründen im Dunkeln ließ. Aber sie drängte ihn nicht. Seltsamerweise war die Realität besser, als sie es sich hätte vorstellen können. In den schmerzlichen Jahren hatten sie beide viel gelernt, die wichtigste Lektion war aber vielleicht die einfachste: Hege und pflege, was dir wichtig ist. Das Glück ist zerbrechlich. Genieße jeden Augenblick und tu alles, was in deiner Macht steht, um ihn so lange wie möglich zu genießen.

Der Rest des Lebens war gewissermaßen Hintergrundrauschen.

Sie waren beide verletzt und todunglücklich gewesen, aber jetzt kam es ihnen so vor, als hätte das so sein müssen. Vielleicht hätten sie niemals solche Höhen erreichen können, wenn sie nicht zwischendurch ganz unten gewesen wären. Ja, vielleicht waren sie und Jeff ihre verschiedenen Lebenswege gegangen, um, so seltsam das auch klingen mochte, gemeinsam einen besseren Ort zu erreichen.

»Und hier sind wir nun«, sagte sie und küsste ihn zärtlich.

Jeder Kuss war jetzt so. Jeder Kuss war so zärtlich wie der damals am Strand.

Der Rest der Welt konnte warten. Kat würde Rache an Cozone nehmen. Sie wusste nicht, wann oder wie. Aber eines Tages würde sie an Cozones Tür klopfen und die Angelegenheit für ihren Vater zu Ende bringen.

Aber nicht jetzt.

Kat stellte einen Urlaubsantrag. Stagger bewilligte ihn. Sie musste raus aus der Stadt. Sie mietete sich eine Ferienwohnung in der Nähe von Jeffs Haus. Jeff wollte, dass sie bei ihnen wohnte, aber das wäre zu schnell gewesen. Trotzdem verbrachten sie jede Minute zusammen.

Jeffs Tochter Melinda war anfangs misstrauisch gewesen, aber nachdem sie Kat und Jeff zusammen gesehen hatte, waren alle Zweifel verflogen. »Du machst ihn glücklich«, hatte Melinda mit Tränen in den Augen zu Kat gesagt. »Er hat das verdient.«

Selbst der alte Mann, Jeffs ehemaliger Schwiegervater, hieß sie in der Herde willkommen.

Es fühlte sich richtig an. Es war wundervoll.

Stacy kam übers Wochenende zu Besuch. Eines Abends, als Jeff im Garten am Grill stand und beide Frauen mit Weingläsern in den Händen den Sonnenuntergang betrachteten, lächelte Stacy und sagte: »Ich hatte recht.«

»Womit?«

»Das Märchen.«

Kat nickte und erinnerte sich an das, was ihre Freundin vor langer Zeit gesagt hatte. »Aber noch besser.«

Einen Monat später, Kat lag auf seinem Bett, ihr Körper bebte noch vor Lust, ging das Märchen zu Ende.

Sie umarmte das Kissen mit einem postkoitalen Lächeln. Sie hörte Jeff in der Dusche singen. Der Song war zur ultimativen Wonne und gleichzeitig zum ultimativ gefürchteten Ohrwurm geworden, der ihnen nicht aus dem Kopf ging:

»I ain't missing you at all.«

Jeff hätte den Ton nicht einmal halten können, wenn man ihn ihm auf die Hand tätowiert hätte. Gott, dachte Kat mit einem Kopfschütteln. Wie konnte ein so schöner Mann eine so schreckliche Stimme haben?

Sie fühlte sich immer noch angenehm benommen, als ihr Handy klingelte. Sie streckte die Hand aus, drückte die Taste, um das Gespräch anzunehmen, und sagte: »Hallo?«

»Kat, hier ist Bob Suggs.«

Suggs. Der alte Freund der Familie. Der Detective, der die Ermittlung im Mordfall ihres Vater geleitet hatte.

»Hey«, sagte sie.

»Hey. Hast du einen Moment Zeit?«

»Klar.«

»Du hast mich doch gebeten, mir die alten Fingerabdrücke anzusehen. Die, die wir am Tatort gefunden haben.«

Kat setzte sich auf. »Ja?«

»Also erst mal muss ich dir sagen, dass das eine Heidenarbeit war. Deshalb hat es auch so lange gedauert. Im Archiv haben sie sie nicht gefunden. Die Ergebnisse waren einfach nicht da. Ich nehme an, dass Stagger sie weggeworfen hat. Ich musste die Fingerabdrücke noch einmal durch die Datenbanken jagen.«

»Hast du was entdeckt?«, fragte sie.

»Ich hab einen Namen, ja. Ich kann dir aber nicht sagen, was das zu bedeuten hat.«

»Wie lautet der Name?«, fragte sie.

Und dann sagte er ihn.

Das Handy rutschte ihr aus der Hand. Es fiel aufs Bett. Sie starrte es an. Suggs sprach weiter. Kat konnte ihn noch hören, die Worte erreichten sie jedoch nicht mehr.

Verloren drehte sie sich zur Badezimmertür um. Jeff stand da. Er hatte sich ein Handtuch um die Hüfte gebunden. Selbst jetzt, selbst nach dem ultimativen Betrug, konnte sie sich den Gedanken nicht verkneifen, dass er verdammt gut aussah.

Kat beendete das Telefonat. »Hast du's gehört?«, fragte sie.

»Genug, ja.«

Sie wartete. Dann sagte sie: »Jeff?«

»Ich wollte ihn nicht töten.«

Sie schloss die Augen. Die Worte warfen sie um. Er stand nur da und wartete, bis sie sich wieder etwas gesammelt hatte.

»Der Club«, sagte Kat. »Am Abend, bevor er starb, war er in einem Club.«

»Genau.«

»Du warst da?«

»Nein.«

Sie nickte, verstand jetzt. Ein Transvestiten-Club. »Aqua?«

»Ja.«

»Aqua hat ihn gesehen.«

»Ja.«

»Was ist passiert, Jeff?«

»Dein Vater war wohl mit Sugar in diesem Club. Sie waren... ich weiß nicht. Die Einzelheiten hat Aqua mir nie erzählt. Das kommt ja dazu. Er hätte nie etwas verraten. Aber Aqua hat ihn gesehen.«

»Und Dad hat Aqua auch gesehen.«

Jeff nickte.

Dad hatte Aqua aus dem O'Malley's gekannt. Sie hatte noch immer die Missbilligung in der Stimme ihres Vaters im Ohr, wenn er sie mit Aqua gesehen hatte.

»Was ist passiert, Jeff?«

»Dein Vater hat völlig die Beherrschung verloren. Er hat Stagger angerufen. Hat ihm gesagt, dass sie diesen Kerl finden müssten.«

»Aqua?«

»Ja. Dein Vater wusste nicht, dass wir zusammenwohnten, oder?«

Kat hatte es nie für nötig gehalten, es ihm zu erzählen.

»Es war spät. Ich weiß nicht. Zwei oder drei Uhr morgens. Ich war unten im Waschraum. Dein Vater ist in die Wohnung eingebrochen. Dann bin ich wieder hochgekommen ...«

»Und was ist passiert, Jeff?«

»Dein Vater hat einfach auf ihn eingeschlagen. Aquas Gesicht ... war nur noch Brei. Seine Augen waren geschlossen. Dein Dad saß auf seiner Brust und prügelte auf ihn ein. Ich habe ihn angeschrien, dass er aufhören soll. Aber er hat nicht auf mich gehört. Er hat einfach weiter ...« Jeff schüttelte den Kopf. »Ich dachte, vielleicht ist er schon tot.«

Kat fiel wieder ein, dass Aqua nach dem Tod ihres Vaters im Krankenhaus war. Sie hatte angenommen, dass er wegen psychischer Probleme eingewiesen worden war, jetzt wurde ihr klar, dass er noch weitere Verletzungen hatte. Von den physischen Verletzungen hatte er sich irgendwann erholt, die psychischen Schäden waren jedoch nie wieder verheilt. Er hatte vorher schon mentale Probleme gehabt. Aber nach der Nacht, nachdem ihr Vater ihn zusammengeschlagen hatte ...

Deshalb erzählte Aqua ihr immer wieder, dass es seine Schuld gewesen wäre. Deshalb fühlte er sich verantwortlich für die Trennung und versuchte, die Schuld zurückzuzahlen, indem er Jeff beschützte und dabei sogar so weit ging, Brandon zu attackieren.

»Ich hab mich auf ihn gestürzt«, sagte Jeff. »Wir haben gekämpft. Er hat mich zu Boden gerissen. Er ist aufgestanden und hat mir in den Bauch getreten. Ich hab ihn am Stiefel festgehalten. Er hat in sein Holster gegriffen. Aqua ist wieder zu Bewusstsein gekommen und hat ihn attackiert. Ich

505

hatte immer noch seinen Stiefel in der Hand.« Jeff blickte zur Seite, verdrehte die Augen vor innerer Qual. »Und dann fiel mir wieder ein, dass du mir erzählt hast, dass er da immer eine zweite Pistole versteckt hat.«

Kat begann, langsam den Kopf zu schütteln.

»Er hat noch mal in sein Holster gegriffen. Ich habe ihm gesagt, dass er aufhören soll. Aber er hat einfach nicht zugehört. Also habe ich in den Stiefel gegriffen und die Ersatzpistole rausgezogen…«

Kat saß jetzt reglos da.

»Stagger hat den Schuss gehört. Dein Dad hatte ihn aufgefordert, Wache zu stehen oder so was. Er ist dann reingekommen. Er war völlig panisch. Seine Karriere oder mehr stand auf dem Spiel. Wir würden alle ins Gefängnis gehen, sagte er. Die Geschichte würde uns keiner abnehmen.«

Ihre Stimme war wieder da. »Also habt ihr es vertuscht.«

»Ja.«

»Und dann habt ihr so getan, als ob nichts passiert wäre.«

»Ich hab's versucht.«

Trotz allem musste sie lächeln. »Du bist nicht wie mein Dad, oder, Jeff?«

»Wie meinst du das?«

»Er konnte mit den Lügen leben.« Eine Träne lief ihr über die Wange. »Du nicht.«

Jeff sagte nichts.

»Darum hast du mich verlassen. Du konntest mir nicht die Wahrheit sagen. Aber du konntest mir mit dieser Lüge auch nicht den Rest deines Lebens unter die Augen treten.«

Er antwortete nicht. Alles andere konnte sie sich zusammenreimen. Jeff war abgehauen und in etwas reingerutscht, das er seine selbstzerstörerische Phase nannte. Er war in die Kneipenschlägerei geraten. Bei der Festnahme hatte man ihm Fingerabdrücke abgenommen, sie stimmten mit denen in der Mordermittlungsakte überein. Stagger hatte angeboten, sich darum zu kümmern, und die Sache vertuscht, er wusste aber nicht, ob nicht doch irgendwann irgendjemand dahinterkommen würde. Wahrscheinlich war Stagger daraufhin nach Cincinnati gefahren und hatte Jeff klargemacht, dass er verschwinden musste, dass er nicht auffindbar sein durfte, wenn ihn jemand suchen kam.

»Hat Stagger dir geholfen, Ron Kochman zu werden?«

»Ja.«

»Also hast du am Ende doch eine Lüge gelebt.«

»Nein, Kat«, sagte er. »Es war nur ein anderer Name.«

»Aber jetzt tust du's, oder?«

Jeff antwortete nicht.

»In den Wochen mit mir hast du eine Lüge gelebt. Und was hattest du vor, Jeff? Jetzt, wo wir wieder zusammen sind, was war dein Plan?«

»Ich hatte keinen«, sagte er. »Anfangs wollte ich einfach nur mit dir zusammen sein. Alles andere war mir egal. Verstehst du?«

Sie verstand ihn, wollte es aber nicht hören.

»Aber nach einer Weile«, fuhr er fort, »war ich mir nicht mehr so sicher.«

»Wieso?«

»Ich habe mich gefragt, ob es besser wäre, mit dir eine Lüge zu leben oder die Wahrheit ohne dich?«

Sie schluckte. »Hast du eine Antwort gefunden?«

»Nein«, sagte Jeff. »Aber das muss ich jetzt ja auch nicht mehr. Die Wahrheit ist heraus. Die Lügen sind in Rauch aufgegangen.«

»Einfach so?«

»Nein, Kat. Zwischen uns wird nie etwas ›einfach so‹ sein.«

Er trat ans Bett und setzte sich neben sie. Er versuchte nicht, sie zu umarmen. Er versuchte nicht, ihr nahezukommen. Auch sie rückte nicht näher an ihn heran. Sie saßen nur da, starrten die Wand an, während all das auf sie einstürmte – die Lügen und Geheimnisse, der Tod, der Mord und das Blut, der Kummer und die jahrelange Einsamkeit. Schließlich schob sich seine Hand ein Stück auf ihre zu. Ihre Hand schloss die Lücke und bedeckte seine. So blieben sie beide sehr lange sitzen, erstarrt, Händchen haltend, fast zu ängstlich zum Atmen. Und irgendwo, vielleicht im Radio eines vorbeifahrenden Autos, vielleicht aber auch nur in ihrem Kopf, hörte Kat jemanden singen: »I ain't missing you at all.«

DANKSAGUNGEN

Der Autor bedankt sich bei folgenden Personen, allerdings in keiner bestimmen Reihenfolge, weil er sich nicht mehr genau erinnern kann, wer ihm genau wobei geholfen hat: Ray Clarke, Jay Louis, Ben Sevier, Brian Tart, Christine Ball, Jamie McDonald, Laura Bradford, Michael Smith (ja, den Song »Demon Lover« gibt es wirklich), Diane Discepolo, Linda Fairstein und Lisa Erbach Vance. Sämtliche Fehler sind von ihnen. Hey, sie sind die Experten. Warum soll ich das auf mich nehmen?

Wenn ich Ihren Namen versehentlich vergessen habe, sagen Sie mir einfach Bescheid, dann nehme ich Sie in die Danksagung des nächsten Buchs mit auf. Sie wissen ja, wie vergesslich ich bin.

Außerdem möchte ich folgende Personen kurz erwähnen:

Asghar Chuback
Michael Craig
John Glass
Parnell Hall
Chris Harrop
Keith Inchierca
Ron Kochman
Clemente »Clem« Sison
Steve Schrader

Joe Schwartz
Stephen Singer
Sylvia Steiner

Harlan Coben

wurde 1962 in New Jersey geboren. Nachdem er zunächst
Politikwissenschaft studiert hatte, arbeitete er später in der
Tourismusbranche, bevor er sich ganz dem Schreiben widmete.
Seine Thriller wurden bisher in über 40 Sprachen übersetzt und
erobern regelmäßig die internationalen Bestsellerlisten. Harlan
Coben, der als erster Autor mit den drei bedeutendsten ame-
rikanischen Krimipreisen ausgezeichnet wurde – dem Edgar
Award, dem Shamus Award und dem Anthony Award – gilt als
einer der wichtigsten und erfolgreichsten Thrillerautoren seiner
Generation. Er lebt mit seiner Frau und seinen vier Kindern in
New Jersey.
Mehr zum Autor und seinen Büchern unter www.harlancoben.
com.

Harlan Coben im Goldmann Verlag

Kein Sterbenswort. Thriller · Kein Lebenszeichen. Thriller
Keine zweite Chance. Thriller · Kein böser Traum. Thriller
Kein Friede den Toten. Thriller · Das Grab im Wald. Thriller
Sie sehen dich. Thriller · In seinen Händen. Thriller · Wer ein-
mal lügt. Thriller · Ich finde dich. Thriller · Ich vermisse dich.
Thriller · Ich schweige für dich. Thriller

Die Reihe um Myron Bolitar:
Das Spiel seines Lebens. Thriller. · Schlag auf Schlag. Thriller ·
Ein verhängnisvolles Versprechen. Thriller · Von meinem Blut.
Thriller · Sein letzter Wille. Thriller

 Alle Bücher sind auch als E-Book erhältlich.

GOLDMANN
Lesen erleben

Unsere Leseempfehlung

384 Seiten
Auch als E-Book
erhältlich

Rasches Handeln ist angesagt für den New Yorker Sportagenten Myron Bolitar: Der Vertrag mit dem Profi-Footballspieler Christian Steele steht kurz vor der Unterzeichnung, da wird Christian verdächtigt, seine Verlobte umgebracht zu haben. Allerdings schwört er, von der spurlos verschwundenen Kathy unlängst noch einen Anruf erhalten zu haben. Auch Kathys Schwester Jessica glaubt nicht an die offizielle Version der Polizei. Sie beauftragt Myron Bolitar, eigene Nachforschungen anzustellen. Und das ist ganz in Myrons Sinne, denn der hat wenig Lust, seinen besten Klienten demnächst im Gefängnis zu besuchen ...